L'ODYSSÉE DE LA VOIX

JEAN ABITBOL

L'ODYSSÉE DE LA VOIX

ROBERT LAFFONT

ISBN 2-221-09810-2

Prologue

L'Homo vocalis

La quête de la voix humaine, son origine, son parcours, ses épreuves, ses limites, son impact émotionnel, son imaginaire : c'est le voyage que je vous propose.

Ce voyage n'est pas sans embûches. Il nous faudra comprendre les cicatrices de la vie qui marquent notre voix, appréhender l'impact du temps et protéger cette alchimie entre corps et pensée : la voix humaine.

L'enveloppe corporelle de l'*Homo vocalis* semble parfaitement conçue, c'est le fruit de notre évolution depuis plus de 4,5 milliards d'années. Si l'on sait respirer, ou marcher d'instinct, la voix s'apprend, se développe, se construit avec les années : c'est l'intégration et la croissance vocale de la naissance à l'âge adulte.

Le nouveau-né, immature, doit créer ses propres circuits cérébraux pour pouvoir parler ou chanter. Il écoute ! Il apprend ! Il va s'exprimer et pénétrer le monde de la pensée. La flèche du temps qui le guide, d'où vient-elle ? D'où vient cette voix qu'on peut réduire de nos jours à un code génétique ? Quelle est la force qui fait vivre la voix ? Quelle est la force que la voix fait vivre ? La voix n'est ni passé, ni futur, elle est le présent à l'état pur. Dans cette logique chaotique de l'espace-temps, ce bien précieux impalpable qu'est la voix est un amplificateur émotionnel.

Si l'empreinte digitale retrouve le coupable, l'empreinte vocale révèle la personnalité, découvre l'artiste. Elle est le reflet de soi-même et de son imaginaire. Tout comme l'explorateur ou l'archéologue, partons à la découverte des origines de la voix humaine.

Ma pratique de médecin et de chirurgien m'a confronté à de nombreuses pathologies vocales, dont certaines étaient une énigme. Pour mieux traiter ces voix blessées, il fallait les comprendre ! Pourquoi la voix s'enroue-t-elle ? Pourquoi la voix d'une femme change-t-elle au cours du cycle menstruel ? Comment la mue de l'adolescent peut-elle se tromper de chemin ? Comment un polype apparaît-il sur une corde vocale ?

Ces questions sont en soi des indices. Pour résoudre cette enquête, la connaissance de notre instrument de communication est indispensable. La compréhension de l'alchimie entre le code génétique de l'individu et l'immatériel vocal se situe à la frontière de l'art et de la science. La lignée de notre évolution est le fil conducteur pour appréhender le mystère de la voix. De la cellule au larynx, de notre cerveau à notre langage, de notre écoute à la voix, le paysage vocal de l'*Homo vocalis* prend forme. C'est le premier volet de ce livre : *la voix, ce que nous en savons.*

La seconde partie s'attache à essayer de dévoiler la magie de la voix, *ce que nous en faisons et comment nous l'utilisons*. Sa beauté, sa faiblesse, sa diversité, son charisme, son impact psychologique reflètent les cicatrices de notre existence. La voix du sacré, la voix dans ses extrêmes – des castrats aux ventriloques –, la voix des professionnels – du chanteur, du comédien, de l'avocat, du politique, de l'enseignant –, la voix au quotidien, cette voix est toujours un reflet de notre personnalité.

Mais existe-t-il une voix normale ? Faut-il systématiquement vouloir opérer des nodules sur des cordes vocales, qui donnent le charme d'une voix sensuelle ? De l'imperfection, ici, naît la séduction vocale.

Si la voix est notre moi intime, est-on le complice de sa voix ? Est-on l'instigateur de ses troubles ? La voix n'est-elle pas la dimension de l'homme au présent ? L'empreinte vocale n'est-elle pas, tout simplement, l'empreinte du souffle de la vie ?

Aux sources de la voix

Bien avant l'homme, bien avant la voix, il y eut le big bang qui sortit l'univers de son silence.

La voix humaine reflète, dans sa vibration, notre propre évolution. Alchimie complexe entre l'ADN, notre pensée et notre expression, elle est le propre de l'homme. Elle est le langage articulé, elle est à la fois le maître et l'outil de la pensée. La voix, dans l'infiniment grand, dans l'infiniment petit, partie intégrante de l'espace-temps, véhicule notre imaginaire. L'homme parle. Quels chemins multiples la voix a-t-elle suivis ? Depuis combien de temps ? Qu'y avait-il au commencement ? Quelle fut sa stratégie pour en arriver au langage du XXIe siècle ?

Comment la vie a-t-elle créé le Verbe ? Les particules d'ADN responsables du gène de la parole viennent-elles du cosmos ?

Un chaos organisé

Nous sommes au début de l'univers, il y a près de 14,3 milliards d'années, après le formidable big bang. Le plasma cosmique n'est qu'un chaos sans harmonie. Puis le Soleil se forme. Il commence à illuminer l'espace il y a 4,6 milliards d'années. Il est aujourd'hui à mi-chemin de son existence. Ce n'est qu'une étoile parmi tant d'autres dans notre galaxie : la Voie lactée.

Notre système solaire se constitue à partir d'une masse gazeuse centrale créant elle-même sa propre gravité. Des microparticules rocheuses appelées planétisimales et des éléments gazeux tournent autour de l'astre en formation.

Ce manège vertigineux entraîne, par l'accélération et l'importance de la gravité, la concentration de ces microparticules en une sphère centrale qui est le Soleil. Autour de ce Soleil va se former l'ébauche des huit planètes que nous connaissons et la neuvième, appelée Pluton, est plus un astéroïde qu'une planète. Astéroïdes et comètes, dans ce tourbillon interstellaire, ont coexisté avec nos planètes.

50 millions d'années se passent. Le Soleil est formé. Les planétésimaux vont s'agglomérer à des distances différentes du Soleil. Elles forment les quatre planètes rocheuses ou telluriques que sont Mercure, la plus proche du Soleil, Vénus, Terre et Mars. Les gaz sont refoulés beaucoup plus loin du Soleil, permettant la création de quatre planètes gazeuses : Jupiter, Saturne, Uranus et Neptune. Une incessante valse moléculaire les caractérise. Leur composition est de 98 % d'hydrogène et de 2 % d'hélium. Saturne flotterait sur la mer !

50 millions d'années s'écoulent encore pour former ce ballet planétaire. Nous voici à 100 millions d'années après la création du Soleil. Notre système solaire est en place. La Terre tourne autour de l'astre solaire, l'espace est vide ou presque : 2 % d'hélium, près de 98 % d'hydrogène, proportion inverse des gaz des planètes gazeuses. L'hyperespace est silencieux ou presque : une mélodie secrète l'anime. Il existe en effet le bruit résiduel du big bang, de trois degrés Kelvin. La température est pratiquement au niveau du zéro absolu.

La Terre bronze sous le Soleil sans se brûler

La Terre a trouvé sa place. Elle se situe à 147 millions de kilomètres du Soleil. Position idéale : pas trop loin pour ne pas être réfrigérée comme Mars, pas trop près pour ne pas être brûlée, comme Mercure. Les rayons solaires mettent environ 8 minutes pour nous parvenir.

La Terre, d'un diamètre de 12 700 km, tourne autour du Soleil en 24 heures. C'est son cycle journalier. Il y a 500 millions d'années, le jour ne faisait pas 24 heures mais 18 heures, sur notre planète. C'est la plus dense du système solaire, avec le plus fort champ magnétique. Elle est toujours soumise à une activité volcanique, qui en fait une planète vivante. Son noyau central est ferreux, d'une température de plus de 6 000 °C. Ce noyau est la source de son énergie gravitationnelle. La Terre tourne à la vitesse de 29,79 km par seconde. Mais le Soleil, aussi, tourne autour de quelque chose. Et ce quelque chose, c'est le centre de notre galaxie. Il en est à 30 000 années-lumière. Le diamètre de la Voie lactée est de 90 000 années-lumière. L'astre solaire se déplace à une vitesse de 230 km par seconde. Il accomplit une rotation complète en 250 millions d'années. Il a déjà fait dix-huit petits tours de notre galaxie depuis sa naissance.

Mais revenons à notre planète bleue, qui ne l'a pas toujours été. Nous, êtres vivants, sommes constitués, agglomérés, structurés par des atomes inertes. Cette cohésion magique donne la vie lorsqu'elle se reproduit. Elle crée l'homme. Calcium, carbone, hydrogène, azote, oxygène forment notre corps et produisent son énergie. Ils sont les particules indispensables de l'ADN ou acide désoxyribonucléique, molécule de la vie. Ainsi, l'infiniment petit et l'infiniment grand se rejoignent. L'ordre et le désordre se complètent. Le yin et le yang se rencontrent. L'harmonie s'organise. La planète bleue se constitue. La formation de son atmosphère exceptionnelle permet de créer et d'engendrer la vie.

Lorsque nous respirons, nous capturons l'oxygène. L'air inspiré est constitué de 22 % d'oxygène, 0,1 % d'hélium et presque 78 % d'azote. Ainsi, sur notre Terre, la densité de l'air est adéquate pour permettre la propagation de l'onde vocale alors que sur Vénus, la densité atmosphérique est cent fois plus importante que sur la Terre. La concentration de CO_2 est de 96 %. Ce qui interdit toute vie telle que nous la connaissons, certes, mais également toute voix. Sur Mars, la densité de l'atmosphère est cent fois plus légère que sur la Terre. Sa composition atmosphérique est sensiblement la même que sur Vénus. Là non plus, sur la planète rouge, on ne pourrait pas parler. Le timbre de notre voix est directement relié à la densité de l'air que nous respirons. Lorsque nous inspirons de l'hélium pur, notre voix devient une voix de canard. La vibration des cordes vocales est modifiée. La tonalité est étrange. La densité de l'air modifie l'énergie vibratoire. Plus l'air est léger, plus la voix est aiguë ; plus l'air est dense, plus la voix est grave. La voix humaine ne semble possible que sur la Terre.

La lune, satellite fidèle, mais depuis quand ?

Le cycle de la vie sur Terre ne dépend pas seulement de la rotation de la Terre sur elle-même et de sa rotation autour du Soleil, mais également de notre satellite, la Lune. Son équilibre dans l'espace est un étonnement. La Lune rythme les cycles de notre vie, le cycle menstruel de la femme, le rythme des marées. Comment est-elle apparue ? Comment est-elle suspendue dans l'espace, fidèle à la Terre ? Elle est théoriquement trop importante par rapport à la masse de la Terre pour rester son satellite. La Terre est la seule planète tellurique à posséder un satellite. Certes, Mars a de tout petits satellites de 16 et 28 km. Allons voir de plus près.

La Lune a une densité plus faible que celle de la Terre. Pourtant, c'est la même densité que celle de l'écorce terrestre. Rappelons que le centre de la Terre est ferreux, ce que n'est pas le centre de la Lune. La Lune serait-elle un morceau de notre Terre ?

Notre planète finit d'être formée. La Lune n'existe pas encore. Une certaine forme de tranquillité y règne. La Terre s'individualise par rapport aux autres planètes. Elle a pris ses distances par rapport au Soleil. Nous sommes il y a 4,5 milliards d'années. Mais ce calme ne dure pas. Un astéroïde monstrueux, dont la masse est le dixième de la masse de notre Terre, fend l'espace. Il a presque la taille de la planète Mars. Il percute la planète. Il l'ampute d'une partie de son écorce. La Lune est créée. Les champs gravitationnels vont permettre l'incroyable. Ce satellite, au lieu de dériver dans l'espace, tourne autour de notre planète. Finalement, la Terre est restée peu de temps célibataire. Elle a pratiquement toujours vécu avec son amie, la Lune. Mais à cause du choc de l'astéroïde, la Terre est désormais légèrement penchée sur son axe. Elle tourne toujours autour du Soleil. Les forces de gravitation Terre-Lune vont produire un équilibre harmonieux. Cette symbiose est capitale dans l'apparition du cycle de la vie sur Terre, mais également pour l'humeur des êtres vivants de notre planète.

Le cycle lunaire et le nautile : horloge du passé

La Lune, au XXIe siècle, tourne autour de la Terre en un cycle de 29,5 jours. Mais ce ne fut pas toujours le cas ! C'est un superbe coquillage spiralé, le nautile, qui nous apporte l'horloge du passé. Le mollusque qui habite le nautile crée à chaque cycle lunaire une séparation transversale à l'intérieur de la coquille, restant lui-même toujours en périphérie, près de la sortie bien sûr. Mais, chaque jour, également, il crée une strie nouvelle à l'intérieur de cette même coquille. Ainsi, le nautile actuel présente 29,5 stries pour une séparation. Les nautiles fossiles d'il y a 45 millions d'années avaient pour un cycle lunaire 29,1 stries. Mais, il y a 2,8 milliards d'années, seulement 17 stries. Le cycle lunaire en ces temps reculés était donc de 17 jours. Le ralentissement du cycle lunaire est secondaire à un éloignement progressif de notre satellite. Il est de 3,5 cm par an et sans doute dû aux forces gravitationnelles. On a encore le temps, avant de perdre notre Lune ! Désormais notre monde, tel que nous le connaissons aujourd'hui, est formé.

La Terre devient la planète bleue

La Lune tourne autour de la Terre ; la Terre tourne autour du Soleil ; le Soleil autour du centre de la Voie lactée ; les acteurs de notre Univers sont en place. La planète devient bleue grâce à notre atmosphère. La vie peut apparaître. Encore faut-il que l'ADN existe !

Dans l'espace, entre Terre et Lune, une lumière blanche jaillit à une vitesse vertigineuse. Un énorme éclair éblouit la surface de l'écorce terrestre, sur quelques centaines de kilomètres. Cet objet volant non identifié a une longue traîne derrière lui. Il s'écrase. Il apporte les molécules du monde vivant : c'est une comète. Elle est constituée de neige et d'eau. Cette neige sale est mélangée à d'autres petits éléments durs, curieux. Ce sont des silicates. Il existe également des matières organiques, des acides aminés, éléments indispensables à la vie, tout comme l'eau. Dès lors, la vie est présente sur Terre.

À cette époque, il y a quelques milliards d'années, grâce à cette comète, on pouvait boire de l'eau interstellaire ! Est-ce la même qui, aujourd'hui, vient nous hydrater ? Peut-être. Cette réflexion nous remémore que nous sommes tous des particules du cosmos et que l'humidification de nos cordes vocales, nous la devons à ces comètes venues à la rencontre de notre planète. L'origine de la vie, les particules d'eau, les nombreuses molécules organiques viennent d'arriver sur ce vaisseau spatial lumineux qu'est la comète, poussière interstellaire, objet volant de notre galaxie, élément de transmission de la vie. Mais cela ne fait que repousser plus loin la question de l'origine de la vie. Les comètes nous ont apporté le chaînon manquant de la planète bleue, entre l'inerte et la vie.

L'impact comète-planète Terre autorise, semble-t-il, la création de notre première cellule. Les cellules permettent d'enrichir notre écorce terrestre, mais également notre atmosphère. Est-ce que l'ADN prend source dans cette rencontre entre comète, énergie solaire et planète bleue ? Cette théorie a été proposée dès 1950 par Whipple.

Mais comment ce formidable, cet incroyable gène FOXP2, gène de la voix humaine, gène du langage spécifique à l'homme, a-t-il pu se former ? Quelle est finalement l'histoire de l'ADN et de sa mutation à travers ces milliards d'années ? L'homme est le seul à avoir un langage articulé. Ce langage, il le contrôle avec son larynx, sa bouche. Il le commande par son cerveau. Ce gène n'est qu'un des éléments rendant possible la voix humaine. En effet, tout est multifactoriel. L'expérience nous montre que c'est l'assemblage, la complémentarité entre molécules, cellules, forces gravitationnelles, photons, qui a permis la magie de la création.

La première unité de la vie apparaît sur la planète

Ce n'est pas la première cellule apparue sur Terre qui est importante, c'est sa reproduction, car elle va se reproduire des milliards et des milliards de fois pour permettre la complexité de l'être vivant.

Mais comment cette cellule est-elle apparue ?

L'ADN existe-t-il seulement sur Terre, lorsque l'on sait qu'il existe des milliards de galaxies et des milliards de milliards d'étoiles ? La conjoncture de la position de la Terre et de la Lune par rapport à notre étoile le Soleil, la présence de Jupiter, qui équilibre les forces gravitationnelles dans notre système solaire, sont des ingrédients presque uniques pour la création de la vie. L'eau est l'élément indispensable à la vie mais ne suffit pas. La température tempérée permet aux protéines de ne pas se coaguler ni se réfrigérer. Ainsi, l'homme est une harmonie exceptionnelle multicellulaire. Il est un système chaotique car complexe et régulé par une grande variété de facteurs. Et comme la trajectoire d'une feuille qui tombe de l'arbre, son souffle, son rythme cardiaque, sa pensée, sa voix ne sont pas régis par des lois rationnelles immuables. Il dépend de paramètres dont la caractéristique fondamentale est l'extrême sensibilité aux conditions initiales. Il est le chaos dans la perfection. La planète Terre, par son harmonie dans la galaxie, et surtout par la préservation de son atmosphère, permet l'évolution.

Charles Darwin, en 1859, publie un ouvrage révolutionnaire, *L'origine des espèces*, qui va provoquer une révolution dans le monde de la science et celui de la philosophie, et bouleverser les croyances de l'homme. Darwin émet deux hypothèses : d'une part, que l'évolution est le fruit de la sélection naturelle, d'autre part, qu'elle commence par une cellule. Aujourd'hui, nous dirions que le gène a donné l'évolution.

Darwin et l'évolution

Ce visionnaire avait déjà proposé un schéma qui, s'il a le mérite d'être clair, est pourtant réducteur. Une cellule donne dans cette chaîne du temps la méduse, le poisson, l'amphibien, le reptile, l'oiseau et le mammifère. Parallèlement à l'ouvrage de Darwin, une théorie sur la génération spontanée fait son chemin. Celle-ci précise que la vie peut apparaître de l'inerte. Louis Pasteur y est farouchement opposé. Il démontre, en 1864, que cela est impossible. La matière inerte ne peut donner la vie. Jusqu'à nos jours, au début du XXIe siècle, il est admis que seule une cellule vivante peut donner une cellule vivante. Sa fabrication synthétique est actuellement impossible. L'homme ne peut pas jouer avec le Golem !

Créer l'ADN

Si l'on admet que l'univers a un début, il a aussi vraisemblablement une fin. La recherche de l'origine des premiers acides aminés et donc de l'ADN conduit Stanley Miller, en 1953, à l'expérience suivante : il mélange différents gaz, puis fait apparaître un éclair. Il constate la création *in vitro* d'acides aminés. Mais, depuis, quelle n'a pas été la déception lorsque l'on a découvert que les gaz présents dans le cosmos il y a 4,6 milliards d'années n'avaient plus rien à voir avec ceux employés. L'énigme reste entière sur l'apparition de la première cellule.

La vie, depuis quand ?

Pourquoi tant insister sur la cellule ? C'est l'unité de la vie de notre organisme, qui en possède des milliards. Cette unité est elle-même formée d'une autre composante : le génome. Il apparaît il y a près de 3,8 milliards d'années, soit 800 millions d'années après la naissance du système solaire. Tout d'abord, on observe des micro-organismes unicellulaires, comme l'amibe ou la paramécie. Leur structure fondamentale est semblable aux cellules de notre corps. Nous sommes « un amas de paramécies ». Cette cellule présente des éléments complexes. Elle doit se nourrir, se reproduire et mourir et ce depuis plusieurs milliards d'années. La microscopie électronique nous a permis de mieux comprendre le mystère cellulaire et son harmonie. Il s'agit d'un bateau dont l'armature est impressionnante : la cabine de pilotage est le noyau avec ses chromosomes, siège de l'ADN. Autour de ce noyau : le cytoplasme. Au sein du cytoplasme, une centrale d'énergie qu'est la mitochondrie. Ce sont de petits organites, qui transforment la nourriture en énergie indispensable à la vie. L'organite mitochondrie est le seul, à part le noyau, à posséder également une molécule d'ADN. Pourquoi ?

Une bactérie parasite la cellule

Les mitochondries sont l'une des seules sources d'énergie permettant notre survie et constituent des petits éléments de nos cellules. Cela n'a pas toujours été le cas. La mitochondrie au début de la vie sur notre planète était très vraisemblablement une bactérie avec son propre ADN. Au début du monde vivant, la mitochondrie s'est incorporée à la cellule, qui n'en possédait pas. Cette symbiose a permis le développement du monde vivant et plus particulièrement du monde cellulaire sexué. Elle donne la force, la cellule donne la reproduction.

Il est à noter qu'il existe sept fois plus de mitochondries dans les cellules du muscle de la corde vocale, du muscle de l'œil et du muscle du cœur que dans le biceps. L'énergie produite grâce aux mitochondries permet la synthèse des protéines. Ces protéines, propres à chaque gène, donnent la spécificité de l'organe : le rein, le cœur, le cerveau, mais aussi une spécificité de la fonction, qui pour la voix est, entre autres, le génome FOXP2. Ainsi, l'origine de la voix est également dans l'ADN. Les réactions chimiques favorisant la fabrication de la protéine sont en place. Lorsque la protéine est conçue, elle est utilisée dans un but précis et fonctionnel déterminé. Elle peut également être mise en réserve pour être employée à bon escient, voire dans l'urgence. Cette protéine donne la personnalité de la cellule. La cellule a une membrane, paroi qui la protège du monde extérieur. Cette paroi est perméable. Elle laisse pénétrer le message qui s'adresse à l'ADN ainsi que les ressources énergétiques dirigées vers la mitochondrie. Elle laisse sortir les déchets, et les messages nécessaires à d'autres cellules. Ce sont des messages qui concernent plus particulièrement les cellules glandulaires et les neurones, cellules du cerveau.

Survivre est une harmonie

Pour que la cellule puisse survivre, il faut que tous les paramètres coexistent. Pour elle-même, mais également dans notre corps, en harmonie avec les autres cellules. On comprend mieux pourquoi la synthèse d'une cellule vivante semble impossible. L'ADN, molécule géante, monstrueuse, présente une double hélice. Il a été découvert par Watson et Crick en 1955. Ils ont démontré qu'il existait dans toute cellule vivante et qu'il était donc indispensable à la vie et à la reproduction. Tous les organites vivants présentent de l'ADN. Mais, plus encore, cette molécule spiralée a le secret de notre évolution. Elle contient les indices de notre personnalité. Codée, elle peut muter. Elle est différente chez chaque individu, sauf pour les vrais jumeaux, dits jumeaux monozygotes. Ce sont de véritables clones. Ces jumeaux sont nés du même ovule et du même spermatozoïde, qui ensuite a donné deux êtres vivants distincts mais identiques. Alors que les jumeaux dizygotes sont formés à partir d'un ovule et de deux spermatozoïdes. Ainsi, on peut avoir une fille et un garçon semblables, mais dont l'ADN est différent. Les jumeaux monozygotes sont identiques physiquement. Si l'émission vocale, dans l'enfance, est strictement identique, les cicatrices de la vie apportent des différences perceptibles. L'ADN est formé de quatre éléments fondamentaux appelés bases : adénine, cytosine, thymine et guanine, soit ACTG. C'est l'alphabet de la vie. Il écrit le roman de notre existence. Vu la longueur de l'ADN, il faudrait un million de pages pour inscrire le nombre des bases formant cette molécule. Il est stocké dans le noyau, sur un espace de quelques millièmes de millimètre. En ce sens, le code dit « génétique » est un véritable langage. Mais c'est un langage qui est à l'origine de tous les langages. La combinaison de ces quatre unités moléculaires essentielles dicte sa loi. On pourrait presque dire qu'il permet de créer l'homme à son image ou encore que « c'est le langage qui aurait créé l'homme plutôt que l'homme le langage », constat impressionnant que faisait Jacques Monod le 3 novembre 1967 au Collège de France. Ainsi, comme le précise Grégory Benichou, « il existerait un lien direct, quasi filial, entre le code génétique et le langage humain ». La découverte du gène FOXP2 n'est-elle pas le premier pas vers cette éventualité scientifique et philosophique ?

L'ADN se transmet depuis plus de 3 milliards d'années. Il a subi de nombreuses mutations. Celles-ci entraînent une transformation physique, physiologique et morphologique des espèces. La mutation agit directement sur la chaîne des bases de l'ADN et sur le message codé. Elle peut modifier, briser, transformer, altérer le gène. Elle est une distorsion et une modification de l'écriture de notre patrimoine génétique. Si elle peut être considérée le plus souvent, de nos jours, comme une perturbation néfaste, dans l'espace-temps elle a permis l'évolution vers les différentes espèces et tout particulièrement l'espèce humaine.

L'horloge de l'ADN

Comment avons-nous retrouvé nos racines ? C'est la théorie appelée « l'horloge de l'ADN » : il semble que l'influence des rayons radioactifs solaires sur notre planète modifie et crée une mutation régulière de l'ADN de 0,23 % chaque million d'années. Ainsi, notre ADN, qui diffère de 1,6 % de celui du chimpanzé, tend à montrer que 7 millions d'années nous séparent d'un cousin commun. Cette constatation n'est qu'une hypothèse vraisemblable, elle reste discutée dans la mesure où l'impact des photons solaires a pu se modifier sur notre planète avec les influences climatiques. Mais si cette hypothèse est séduisante elle semble nécessiter des recherches plus poussées. Cette mutation régulière dans la flèche du temps de notre planète permet la datation de différentes espèces. On doit cette théorie à Sibley et Ahlquist.

L'ADN, unité fondamentale de la cellule, est reproduit de façon simple lorsque l'être vivant est monocellulaire. Ce fut la première forme de reproduction au début de la vie sur Terre. Cette forme de reproduction est une mitose. Cela signifie que la cellule se divise en deux, donnant deux cellules identiques à la première. Ainsi, aucun changement évolutif ne pouvait se produire puisque nous n'avions affaire qu'à des clones. Par ailleurs, pour que nous puissions observer l'existence d'un gène par une manifestation phénotypique comme, par exemple, les yeux verts ou marron, il est indispensable qu'il soit activé et stimulé. En effet, un gène peut être présent dans la chaîne de l'ADN et rester muet, personne ne saura qu'il existe !

La cellule a un sexe

Alors, une révolution s'installe. Le pourquoi, le comment sont sujets à controverses. Les premières cellules qui apparaissent il y a 3,8 milliards d'années ne se rassemblent pas pour former des êtres multicellulaires, elles restent chacune dans leur coin. Elles ne se séduisent pas. Elles ne s'accouplent pas car pour se reproduire il suffit qu'elles se divisent. L'énergie est puisée dans les rayons du Soleil qui inondent notre planète. Ces êtres vivants monocellulaires appelés eubacters ou procaryotes sont des cellules sans noyau mais avec de l'ADN. Ils existent toujours. Ils ont permis, à l'aide des rayons photoniques de l'astre solaire, la formation de l'oxygène à partir du gaz carbonique de l'atmosphère de notre planète de l'époque. Ce mécanisme s'appelle la photosynthèse. Près de 2 milliards d'années se passent. Notre atmosphère se transforme. La densité de l'oxygène de l'air devient satisfaisante. Dès lors, des êtres vivants multicellulaires ou eucaryotes existent. Désormais, les cellules ont isolé l'ADN dans le noyau, qui présente lui-même une membrane. La cellule devient sexuée : mâle et femelle. Ce n'est plus la cellule qui se divise pour donner des cellules identiques, mais c'est l'accouplement de deux cellules qui donnera naissance à une troisième. Cette troisième cellule porte en elle les caractéristiques des cellules mères, mais elle en est différente. Ce sont les prémices de l'évolution de l'homme.

Le bleu entoure la Terre

Le ciel existe. L'océan existe. Montagnes et vallées donnent le relief de la Terre. Les êtres vivants viennent la peupler. L'appareil sexué apparaît. La rencontre du mâle et de la femelle va permettre le miracle de l'évolution. L'accouplement de deux cellules sexuées, ou gamètes, dont chacune possède la moitié du nombre de chromosomes de l'être final qui va être conçu, existe chez tout animal.

Toute cellule d'être sexué possède 2 N chromosomes, ce qui rend possible la formation d'une gamète à N chromosomes et, ainsi, donne vie à une progéniture qui retrouve ces 2 N chromosomes. L'homme possède 46 chromosomes : 44 chromosomes dits autosomiques, et 2 chromosomes dits sexués X et Y. La femme a également 44 chromosomes autosomiques et 2 chromosomes sexués XX. La gamète est l'unité de la procréation. Le spermatozoïde chez l'homme renferme 22 autosomes (numérotés de 1 à 22) plus un chromosome sexué avec deux types de gamètes : Y ou X. Chez la femme, il n'existe qu'un type de gamète : l'ovule. Il possède également 22 autosomes (numérotés de 1 à 22) plus un chromosome sexué X. Lors de la rencontre des deux gamètes, on retrouve un mâle si le spermatozoïde Y a pénétré l'ovule, une femelle si c'est le spermatozoïde X.

La mitochondrie est fidèle à la mère

Le spermatozoïde ne transmet que son ADN nucléique. L'ovule quant à lui transmet son ADN nucléique et garde ses mitochondries, et donc l'ADN mitochondrial après la fécondation. L'enfant, quel que soit son sexe, aura les mitochondries de la mère, les chromosomes de la mère et du père. Le spermatozoïde, dès qu'il pénètre l'ovule, perd son flagelle. Seul le noyau, qui ne possède pas de mitochondrie, traverse la membrane de l'ovule et donc seule l'information chromosomique mâle sera contenue dans l'œuf définitif. La théorie de l'Ève mitochondriale repose sur cette constatation. Elle tendrait à démontrer que nous sommes tous issus de la même mère africaine. Nous verrons cela dans le prochain chapitre.

L'être sexué est la clef de l'évolution

Mais quel avantage avait la nature, il y a plus d'un milliard d'années, à se compliquer la vie, à vouloir un mécanisme chromosomique sexué au lieu d'une division simple ? Cette complexité permet une orientation de l'évolution du vivant exceptionnelle. Plus rien ne sera à l'identique. Les gènes, véritables maîtres de nos ancêtres et de notre descendance, sont soumis à des variations multiples. Ces variations peuvent être secondaires à une mutation, bien sûr, mais également à un brassage génétique lors de la formation de l'embryon entre les chromosomes des gamètes de la mère et celles du père. L'être qui va voir le jour sera unique mais aura en lui la marque de son passé.

L'ADN est presque immortel. Ce qui change, c'est son enveloppe

Après cette première révolution, l'apparition de la vie sexuée, survient celle de la chaîne alimentaire, du prédateur et de la proie. La sélection naturelle est en marche. Certains sont plus armés que d'autres. Étonnant : une espèce n'a pas changé depuis 400 millions d'années, c'est le requin ! Le monde des fossiles nous apprend l'apparition d'êtres vivants marins pluricellulaires existant depuis près de 570 millions d'années ; les trilobites ainsi que les fougères ont commencé leur existence il y a près de 400 millions d'années. Les trilobites sont déjà des êtres vivants très complexes. Leurs yeux sont constitués d'une centaine de facettes tout comme ceux des mouches d'aujourd'hui. Ce sont sans doute les premiers yeux de la planète, comme l'homme est sans doute le premier être vivant à avoir parlé sur la planète bleue.

Les trilobites qui les premiers ont regardé la Terre ont ensuite permis à de multiples espèces d'avoir la même faculté. L'homme est peut-être le point de départ d'autres espèces qui auront la capacité de pouvoir parler.

Le requin a conservé son aspect pendant l'évolution. Son corps est cartilagineux. En effet, la structure osseuse n'existait pas encore à l'époque. Sa survie, il la doit au fait qu'il est le maître des prédateurs dans les océans. Il est au sommet de la chaîne alimentaire. Avec les raies, il parcourt les océans dévorant les poissons nus, sans nageoires, sans dents, qui eux sont apparus il y a 530 millions d'années. Ces premiers poissons se nourrissent de plancton. Mais, bientôt, des organismes constitués d'un squelette central font leur apparition. Le phosphate de calcium, structure essentielle de l'os, qui résiste à l'épreuve du temps, nous permet ainsi de connaître l'existence de ces animaux par les fossiles qu'ils ont laissés derrière eux. De nombreuses espèces apparaissent et disparaissent au fil du temps et des climats. La diversité du monde vivant est impressionnante. Lentement, elle évolue vers le primate.

L'être vivant lutte contre la gravité

Les poissons que nous connaissons aujourd'hui ont un squelette osseux qui constitue leur structure centrale. Ils parcourent les océans. Le système respiratoire devient terrestre avec les amphibiens et les reptiles. Entre le poisson et la salamandre, le chaînon intermédiaire est l'acanthostega qui vivait il y a 350 millions d'années. La métamorphose du monde animal qui permet de conquérir la terre ferme débute il y a 330 millions d'années. Le squelette se modifie. L'appareil locomoteur, qui jusque-là n'était pas soudé à la ceinture pelvienne, le devient pour pouvoir supporter son propre corps sur la terre ferme. En effet, la gravité joue dès lors son rôle. Il faut une structure osseuse suffisamment stable et solide pour pouvoir se déplacer sur la terre ferme. Il faut également développer un système respiratoire adapté à notre atmosphère terrestre. Dans la mesure où la mer recule, faisant place à la terre ferme, dans la mesure où des lacs, petit à petit, disparaissent, les animaux vivant dans les fonds marins doivent, pour survivre, s'acclimater à la terre ferme. Les reptiles, progressivement, deviennent maîtres de notre monde terrien. Les plantes se développent. Mers et rivières se partagent l'univers de l'eau. Le requin conserve sa suprématie. Le reptile va, lentement mais sûrement, évoluer vers le mammifère. Entre les deux l'ornithorynque, chaînon intermédiaire vit encore de nos jours. C'est un animal bizarre, même très bizarre. Il a le sang chaud. Il allaite son petit. Mais il pond des œufs.

L'évolution subit une catastrophe majeure il y a 250 millions d'années. Pour des raisons non encore élucidées, plus de la moitié des organismes vivants aquatiques disparaissent.

Les dinosaures arrivent

La formidable épopée des dinosaures commence il y a près de 200 millions d'années. Ces reptiles d'exception règnent sur notre planète. Le climat tropical s'y installe. Il favorise le gigantisme, non seulement des plantes mais également des animaux. Les couleurs enrichissent les terres, les fleurs apparaissent. Une nouvelle espèce d'animaux minuscules surgit : les mammifères.

La communication par le son s'installe. Certes, d'une façon embryonnaire, mais elle existe. Non seulement par la formation de l'oreille chez ces tout petits mammifères, mais également par l'apparition d'oreilles primitives chez les dinosaures. Car l'oreille est un préalable à la communication sonore. Le mammifère a déjà de petits osselets, une membrane tympanique et l'ébauche d'une oreille interne. La chaîne de l'intégration de la voix humaine s'amorce. L'organe récepteur de notre langage fait son apparition. Le dinosaure, lui, était pourvu d'une oreille beaucoup plus pauvre. Des bruits s'entendent. Des grognements se produisent. Ce n'est pas une voix. Mais on s'en approche. Comment le mammifère va-t-il pouvoir se développer sur notre planète où les dinosaures règnent en maîtres ?

Catastrophe ou miracle

Nous sommes il y a 65 millions d'années. Le ciel est calme. Le soleil brille à l'horizon. Soudain un astéroïde traverse l'espace, à 16 km à la seconde. Une boule de feu illumine le ciel de la planète bleue. Elle se rapproche. Elle accélère sa vitesse au fur et à mesure qu'elle pénètre dans la stratosphère. Son point de mire est le golfe du Mexique, dans la péninsule du Yucatán. Cet astéroïde a un diamètre de 12 km. Il percute de plein fouet la péninsule. L'angle d'attaque est de trente degrés. Il s'écrase. Le choc est terrible. Un cratère de 300 km de large est creusé par l'impact. Il rend compte du cataclysme monstrueux, sans précédent que subit la planète. Un nuage de fumée, de poussières, de débris rocheux s'élève dans l'espace. En quelques heures, quelques jours, l'Amérique du Nord puis la planète tout entière est recouverte. Au moment de l'impact, des feux se propagent. Tout est carbonisé sur des centaines de kilomètres. L'onde de choc anéantit le monde animal et végétal sur des milliers de kilomètres à la ronde. Mais, plus encore, ce réchauffement intense de l'atmosphère entraîne par sa brutalité la libération d'azote dans l'air. Une réaction chimique se produit. Une pluie acide dévastatrice en est la conséquence. La planète offre un paysage de désolation. À ces trombes de liquides mortels s'ajoute une énergie thermique impressionnante secondaire à l'impact, créant un radiant de chaleur sur Terre.

Sur le lieu de l'impact on trouve de l'iridium, du quartz déformé et des micro-diamants autour et dans le cratère du Yucatán. Ces découvertes confortent la théorie de l'astéroïde de Luis Álvarez expliquant la disparition des dinosaures.

Ainsi, la collision entraîne un déluge, une énergie thermique considérable, une réaction chimique en chaîne et plonge la Terre dans l'obscurité totale pendant plusieurs mois, voire quelques années.

Le Soleil ne peut plus réchauffer la planète. L'écran de poussière empêche l'action des photons solaires. La Terre se refroidit. La photosynthèse est presque inexistante. Cette photosynthèse est indispensable à la formation de l'oxygène. Des milliers d'espèces disparaissent à jamais, que ce soient des plantes (90 %) ou des animaux (70 %). C'est la fin du règne des dinosaures. Miracle ou catastrophe ? l'homme n'est pas loin.

Puis la vie reprend ses droits. L'épais nuage de fumée s'estompe. Le bleu du ciel réapparaît. La photosynthèse reconquiert la planète. Les mammifères s'acheminent sur la rivière du temps, qui les conduit inévitablement vers l'*Homo vocalis*.

Regarder un oiseau survoler les mers, c'est regarder l'ancêtre d'un dinosaure.

Le mammifère tape à la porte

Le climat devient plus clément. L'éclosion des mammifères est impressionnante. L'évolution vers l'homme s'amorce. On assiste à l'apparition de marsupiaux, chez qui le fœtus se développe dans une poche ventrale extérieure. Puis, les mammifères placentaires, ligne directe conduisant à l'homme. Ici, le fœtus se développe à l'intérieur du corps, dans l'utérus. La trajectoire spatio-temporelle avance, imperturbable. Les moyens de communication entre les mammifères s'enrichissent de manière spectaculaire. Chez les chauves-souris, apparues il y a 55 millions d'années, existe l'écholocation, moyen de se diriger par ultrasons. Chez les dauphins, existe également cette écholocation associée à d'autres émissions sonores particulières que nous verrons.

Le gène gâchette de l'homme, celui qui va le faire parler, FOXP2, va bientôt être activé, stimulé. À moins qu'il ne s'agisse d'une mutation.

L'évolution progresse non seulement par les mutations de l'ADN, mais également et surtout par la chaîne alimentaire. Tout animal herbivore dépend des plantes qu'il consomme. Mais ces plantes elles-mêmes ne sont-elles pas la transformation de l'énergie solaire en énergie biologique ?

Le mammifère, pendant sa vie embryologique, va parcourir de façon accélérée ce que nous avons vécu en quelques centaines de millions d'années. À savoir la rencontre de deux cellules que sont les gamètes, puis la formation de métazoaires, c'est-à-dire de petits êtres vivants possédant deux couches de cellules. Puis, d'êtres vivants possédant trois couches de cellules. Ces couches sont nommées ectoderme, mésoderme, endoderme chez l'embryon humain. C'est l'essence même de la structure de l'homme. L'endoderme, amas de cellules, n'est ni plus ni moins que la partie interne qui permettra de former notre conduit digestif. L'ectoderme sert de revêtement et le mésoderme est la partie intermédiaire qui forme nos viscères. Et voilà l'embryon humain formé ! C'est la théorie de Hoertl à la fin du siècle dernier. La vie intra-utérine de neuf mois du petit d'homme ressemble étrangement à l'évolution que nous connaissons, de l'amibe à l'homme.

La vie a un schéma universel

L'expérience suivante m'a beaucoup impressionné. La formation de l'œil est constituée par un groupe de gènes. Des chercheurs ont pratiqué l'ablation de ce groupe de gènes chez l'embryon de la drosophile (mouche). À sa naissance, elle ne voyait plus, les gènes de l'œil n'existaient plus. Chez l'embryon de la souris immune, ils détruisent également le même groupe de gènes de l'œil (qui est situé à la même place sur l'ADN) et le remplacent par une greffe de gènes de la drosophile. Une souris va naître avec dans son ADN des gènes de la vue de la drosophile : elle voit ! Cette expérience tend à démontrer que la localisation des gènes est universelle, que sur la chaîne de l'ADN elle est précise et qu'elle est pratiquement identique dans toutes les espèces animales. Ainsi, un groupe de gènes « crée, édifie et construit » l'œil, un autre groupe les organes du tronc, puis du bassin, et enfin du cerveau. Ils n'ont pas besoin d'être activés pour apparaître. Cette approche du génome tend à montrer que l'organigramme de l'animal est similaire à celui de l'insecte, du poisson, de l'oiseau ou de l'homme. Ici, l'information génétique de l'œil existe, elle s'impose. Il faut supprimer ce groupe de gènes pour qu'il ne soit pas transmis.

Ailleurs, pour d'autres fonctions, le gène existe, mais s'il n'est pas activé, la fonction n'existe pas. Une fonction peut également ne pas exister parce que les gènes n'existent pas et qu'elle dépendra d'une nouvelle mutation de l'ADN. Où se situe la voix humaine ?

Le patrimoine génétique entre le singe et l'homme est très similaire. Seulement 1,3 % nous distingue. En effet, si le singe a 48 chromosomes et l'homme 46, l'ADN du singe et de l'homme sont identiques à 98,7 %. Certes, cette différence peut nous sembler faible, elle est pourtant considérable. On sait par exemple que si un seul acide aminé dans la molécule de l'hémoglobine, qui en compte près de 574, vient à manquer, l'être humain ne peut pas vivre, ce qui peut se traduire ainsi : il y a 0,017 % de différence entre un être viable et un être létal.

Le cerveau du singe est bien plus petit que celui de l'homme. Pourtant, il semblerait que les gènes soient sinon identiques du moins très comparables. L'analyse de ces protéines destinées au cerveau a démontré que chez l'homme la diversité moléculaire est bien plus importante que chez le singe. En quelques millions d'années, la maturation cérébrale évolue de façon impressionnante pour parvenir jusqu'à l'*homo vocalis*.

L'ADN de nos chromosomes possède toute l'évolution de notre existence depuis sa naissance sur notre planète. L'ADN serait-il la vie même, dont seule l'enveloppe charnelle change ?

Évolution de la voix de l'homme

L'évolution des espèces, l'évolution humaine est une roue crantée qui ne peut tourner que dans un sens. La marche arrière n'existe pas.

De nombreux paléoanthropologues nous racontent l'odyssée de l'évolution comme une suite logique de la quadrupédie du grand singe à la bipédie de l'*Homo sapiens*. Ils précisent que la descente de l'arbre, sa présence définitive au sol imposeront sa position debout sur deux jambes. D'autres comme sir Arthur Keith prétendent que cette bipédie existait déjà dans les arbres. Peu importe, en fait, elle a permis l'encéphalisation, le langage articulé et, donc, la création de la voix.

Le nourrisson du XXIe siècle est semblable à notre ancêtre l'*Homo erectus*

Les différentes hypothèses émises sur le langage de l'*Homo erectus* s'accordent à conclure que celui-ci avait un appareil laryngé semblable à celui du nourrisson. Son cortex va être le siège d'aires spécifiques du langage : l'aire de Broca et l'aire de Wernicke. Cette individualisation n'est qu'esquissée chez le chimpanzé qui, lui, développe un système limbique important. La stimulation du système limbique chez l'homme ne permet pas la création du langage articulé mais provoque des cris et des sons.

Ainsi, l'*Homo erectus* avait sans doute un langage et un verbe particulièrement succincts dont l'émission et la conceptualisation étaient lentes, si l'on fait référence à la taille du cerveau et à l'empreinte qu'il a laissée sur la boîte crânienne des différents spécimens retrouvés en Afrique. Ces empreintes permettent de révéler la marque des aires du langage laissée sur les fossiles : il parlait !

Un autre élément entre en ligne de compte. L'*Homo erectus* devient adulte à l'âge de douze ans, meurt vers l'âge de trente ans. Les spécimens retrouvés témoins d'un âge plus avancé sont rares. La femme présentant une ostéoporose est encore plus rare. De ce fait, l'apprentissage est court, mais déjà suffisant. Il crée, grâce à sa voix, une pensée prédictive et abstraite. Il se sert de sa propre expérience pour inventer d'autres mots, d'autres concepts et découvrir un langage élaboré. Korbinian Brodmann, en 1912, a montré par une étude comparative sur le cortex frontal que le chat présente 3,5 % du cerveau dévoué au langage, le chimpanzé 17 % et l'homme 30 %. Ce cerveau frontal, ne l'oublions pas, est le cerveau décisionnel. Mais l'acquisition du langage repose sur notre cerveau tout entier ; elle est différente de l'acquisition de la voix.

L'homme, rescapé de l'évolution

En vivant plus longtemps, il a développé sa voix

Avec les millénaires, vivre plus longtemps pour l'homme a permis un développement exceptionnel de la voix et de l'intelligence. En effet, de nos jours, si l'on fait référence aux scientifiques de notre dernier millénaire, la communication orale traduite par l'écriture a permis des avancées par la transmission du savoir. Les chercheurs, pour la plupart d'entre eux, font des découvertes marquantes après l'âge de trente ans. Forts de l'expérience acquise, ils communiquent leurs connaissances aux plus jeunes. Ces jeunes étudiants, dès l'âge de vingt ans, ont dès lors le savoir théorique de leurs maîtres qui ont entre quarante et cinquante ans. Cet enseignement, cette transmission ont tout d'abord été oraux, ce qui nous montre l'importance de ce bien inestimable qu'est la voix.

La plume de l'intelligence s'écrit par notre voix depuis plusieurs millénaires. La voix va créer la pensée, la pensée se sert ensuite de la voix pour s'exprimer. Les deux contribuent à l'acquisition et à la découverte de notre monde scientifique, artistique et intellectuel. C'est l'effet boule de neige où l'un et l'autre participent à leur progrès et à leur évolution.

L'étude de Charles Darwin, en 1859, sur l'anatomie comparée des grands singes fait apparaître que l'homme était dans la lignée de l'évolution des primates et non pas un être à part. L'homme est délogé de sa position centrale. Il est le dernier chaînon actuel de l'évolution. De la même façon, Nicolas Copernic, homme d'Église, chanoine polonais, déloge en 1543 la Terre de sa position centrale dans notre univers. Il publie son ouvrage *De la révolution des sphères célestes* et dévoile le modèle héliocentrique de notre Univers alors que, depuis toujours, la Terre avait été perçue comme le centre du « monde ». Ce modèle géocentrique, ô combien satisfaisant, est parfaitement en accord avec notre mode de pensée pyramidal. Deux millénaires de certitudes sont remis en cause. Pourtant, Copernic se trompe encore car, pour lui, le centre céleste est le Soleil, la Terre n'étant plus qu'une planète parmi les autres.

Ainsi, deux révolutions s'inscrivent en l'espace de trois siècles dans la pensée humaine. Nicolas Copernic, mathématicien et astrophysicien du XVIe siècle, démontre un modèle héliocentrique de l'Univers à la place du modèle géocentrique. Trois siècles plus tard, Charles Darwin, anthropologue du milieu du XIXe siècle, démontre que l'homme n'est qu'une des espèces parmi les mammifères.

Qu'il existe une ligne directe entre le singe et l'homme ne semble pas une hypothèse vraisemblable. Il serait plus exact de considérer qu'ils sont cousins d'un même ancêtre comme le démontrent les arguments qu'apporte la récente théorie de l'horloge de l'ADN nucléaire. En 1927, Henry Fairfield Osborne, directeur de l'American Museum of Natural History, opte d'emblée pour deux arbres phylogénétiques différents. Il avait pressenti l'existence de l'ADN et de ses mutations.

Le goulet d'étranglement de l'évolution

La sélection naturelle permet à l'homme de survivre car il a su d'une façon efficace fuir les prédateurs et garantir sa descendance. Le langage articulé a été sans doute une des acquisitions les plus adaptées pour ce bipède de la savane. Le lion, le jaguar et le zèbre ont quatre pattes : pas seulement parce que cette anatomie donne une excellente stabilité, une vitesse de déplacement remarquable, mais également parce que ces animaux rentrent dans le schéma de l'évolution. Ce schéma existe dès le poisson, qui a quatre nageoires, puis les amphibiens, salamandres ou grenouilles, reptiles, crocodiles ou lézards, mammifères enfin, qui ont quatre membres. Les cétacés, baleines ou dauphins ont, tout comme l'*Homo sapiens*, au niveau des membres supérieurs ou antérieurs, cinq doigts. L'homme, cependant, est le seul mammifère bipède et son développement cérébral est exceptionnel.

La sélection naturelle nous conduit jusqu'à l'*Homo sapiens*. Pourtant, il nous faut maintenant ajouter une autre notion : celle de « goulot d'étranglement de l'évolution », qui va tenter de nous expliquer pourquoi tous les hommes de notre planète parlent. Cette démarche scientifique actuelle est décisive pour comprendre l'apparition de la voix humaine, du langage articulé et des cinq mille langues répertoriées sur notre planète.

Les primates singes

Une espèce, par une mutation de son ADN, produit une variation génétique. Sa carte d'identité génétique ou génotype devient différente, de ce fait son aspect physique ou phénotype également. La population originale ressemble au mutant comme, par exemple, le chimpanzé à l'homme. Dans la mesure où cette mutation a créé une nouvelle espèce, cette espèce peut devenir « super-prédateur ». Ce prédateur s'impose, colonise, envahit la planète, et peut parfois exterminer l'espèce dont il est issu. C'est la théorie du goulot d'étranglement.

Celui-ci peut être également secondaire à des influences climatiques, le climat faisant office de « prédateur suprême ». À la période glaciaire, des hommes ont survécu parce qu'ils ont construit des abris, appris à faire du feu, à se vêtir. Cette adaptation de l'homme explique sa distribution géographique si diverse. Des 185 espèces de primates vivant de nos jours, du petit lémurien qui pèse 80 g, grand comme votre pouce, au gorille qui, lui, pèse 150 kilos et mesure près de 1,80 m, l'homme est le seul primate à pouvoir vivre sous quelque latitude que ce soit. Les autres primates ont besoin des forêts boisées, humides ou des savanes d'Afrique, de Madagascar ou de l'Inde. Sa survie, l'homme la doit non seulement à la bipédie, qui a libéré ses mains, mais également à la position frontale de ses yeux, qui donne le relief aux choses, à la verticalisation du thorax, du cou et de la tête, qui a permis le développement de son encéphale, et à l'adaptation de son articulé mandibulaire et de sa dentition maxillaire, qui lui a permis le langage articulé. Les primates ne sont pas les seuls bénéficiaires d'une vue frontale. Il en va de même du chat, du hibou ou de l'aigle.

Il y a près de 65 millions d'années, les dinosaures disparaissent de notre planète. Durant cette même période, l'apparition des primates fait de notre planète « la planète singe ». *Primates*, ce mot est créé par Carl von Linné. Il signifie *premier* en latin. Ce scientifique du XVIIIe siècle place l'homme comme première créature apparue sur Terre. Ce qui n'est pas tout à fait vrai ! L'ère tertiaire permet le développement particulièrement riche des singes et des grands singes. Les prosimiens d'abord avec le tarsier et le lémurien, les simiens ensuite, avec le proconsul, le babouin, l'orang-outang, puis le gorille. Il y a près de 23 millions d'années, l'évolution des mammifères est considérablement ralentie. La planète se refroidit. Ces goulots d'étranglement climatiques favorisent certains primates et en désavantagent d'autres. Quelque temps plus tard, il y a 17 millions d'années, le climat devient clément, la Terre se réchauffe. La diversité des mammifères est alors impressionnante. Au sommet : le singe, le grand singe, puis, bientôt, l'homme. On voit courir dans sa savane des milliers d'espèces différentes. La terre ferme est de plus en plus importante du fait de la migration des continents, du niveau de la mer qui baisse. Des lacs se forment. Le monde des plantes est luxuriant. Les animaux, poissons, reptiles, amphibiens, oiseaux, mammifères terrestres ou marins, sont légion. L'*Homo sapiens* n'est plus très loin.

Différentes périodes de refroidissement surprennent l'évolution des primates. Il y a 15 à 16 millions d'années, puis, il y a 5,3 millions d'années, et enfin 4,5 millions d'années, on assiste à des périodes glaciaires. Ces périodes favorisent d'une façon impressionnante l'apparition des herbivores, des hominoïdes, et de certaines familles de primates.

Le dénominateur commun à cette nouvelle race, le primate, est le développement de la boîte crânienne et, *ipso facto*, du cerveau. On voit évoluer les primates vers différents groupes. Le premier donnera, entre autres, le gibbon (hylobatidés), le second, l'orang-outang (pongidés), le troisième, la famille du gorille, du chimpanzé, du bonobo (paninés) et enfin, l'*Homo sapiens* (hominidés).

Mutation du singe à l'homme : quand et comment ?

Le passage fondamental des grands singes à l'homme se serait produit il y a 5 à 10 millions d'années. À cette époque, nous avions un ancêtre commun. Si l'ADN et son étude nous ont permis de pénétrer cette période préhistorique, rappelons ce que les fossiles nous ont enseigné. Le proconsul apparu il y a 20 millions d'années évolue progressivement vers les hominoïdes. La première trace non contestable de la bipédie a été retrouvée par l'empreinte laissée dans des cendres volcaniques en Tanzanie il y a près de 3,7 millions d'années. Comment cette bipédie est-elle apparue ? L'énigme n'est toujours pas résolue. Mais, comme nous le verrons dans le développement du cerveau, elle a été essentielle dans l'évolution de l'homme. Yves Coppens, dans les années 1980, propose une théorie climatique et géographique sur l'évolution, sur l'origine de l'homme et des grands singes, *East Side Story*. La forêt équatoriale et tropicale de l'Afrique, il y a près de 7 millions d'années, subit un séisme, qui change la face du monde : c'est la formation du rift. Cette barrière montagneuse crée une séparation géographique et climatique. Les nuages ne peuvent plus passer la chaîne montagneuse. La partie orientale de l'Afrique s'assèche. En revanche, l'Afrique de l'Ouest est sous un climat plus clément, saisonnier, subissant la saison des pluies et des moussons. Les premiers hominidés s'adaptent à ce changement. L'homme subit lui-même sa propre évolution de l'australopithèque à l'*Homo sapiens*.

L'homme porte en lui l'histoire de l'évolution de sa voix : sa mâchoire provient des premiers poissons, qui avaient des dents, il y a 350 millions d'années. Rappelez-vous, le requin existait déjà ! Ses oreilles moyenne et interne viennent des reptiles, qui, eux, n'avaient pas d'oreille externe. Son système pileux et son oreille complète (oreille externe, oreilles moyenne et interne) n'apparaissent que chez les premiers mammifères. Puis, enfin, sa verticalité s'installe de façon progressive et permet le développement de son cerveau, la descente du larynx et la production de la voix il y a près, semble-t-il, de 5 millions d'années.

À poids du corps équivalent, l'homme, de nos jours, possède un cerveau trois fois plus important que celui des grands singes. Ce qui ne fut pas toujours le cas.

L'australopithèque (5,5-2,5 millions d'années), homme des savanes, avait un cerveau de 400 g, l'*Homo habilis* (2,5 millions à 1,5 million d'années), 600 g, l'*Homo ergaster* (2 millions à 1 million d'années), 800 g, l'*Homo erectus* (1-0,4 million d'années), 900 g, l'*Homo sapiens* (0,3 million d'années à nos jours), 1 400 g. Cette hypertrophie cérébrale accomplie par l'évolution donne la parole à l'homme. En effet, son néocortex, région où se situe le langage, se développe d'une façon exceptionnelle.

Nous savons que l'australopithèque avait une projection du langage au niveau de son cerveau grâce à des moulages pratiqués sur les boîtes crâniennes qui montrent en négatif l'impression faite par le cerveau sur cette cavité osseuse. Étonnant ! On observe une asymétrie importante entre le lobe droit et le lobe gauche, plus nettement chez l'*Homo sapiens* que chez l'australopithèque. Le cerveau droit permet d'analyser la structure spatiale, la reconnaissance des objets et la gestion de l'information, comme les harmoniques de la musique, par exemple. Le cerveau gauche, lui, est cartésien, mathématique, analytique. La circulation veineuse conduite par les veines méningées, qui impriment également leur trajet sur la boîte crânienne, est plus développée chez l'*Homo habilis* que chez l'australopithèque, surtout au niveau des lobes frontaux, temporaux et pariétaux, ce qui témoigne du développement particulièrement important de la fonction, de la conception, de la production, et de la compréhension du langage et des mots représentés uniquement sur le lobe dominant, dans des régions appelées aire de Broca et aire de Wernicke. Donc, il est raisonnable de déduire que déjà, il y a 5 millions d'année, les prémices de la voix existaient.

À l'apparition de l'*Homo habilis*, l'homme parlait

Comment parlait-il ? Combien de mots faisaient-ils partie de son langage ? Une forte présomption autorise l'hypothèse suivante en s'appuyant sur les peuplades de Nouvelle-Guinée qui vivent encore à l'âge de pierre et pour qui le feu reste un élément essentiel de leur croyance. Ces peuplades utilisent six mille mots et souvent s'interpellent dans un borborygme intelligent où le sacré existe, où le conscient abstrait, propre de l'homme, remplace le conscient comportemental. Parler permet la mise en place des premières civilisations humaines. Mais, pour ce faire, la gestuelle de la voix nécessite la syntaxe et la construction sémantique des mots et des phrases. La bipédie a permis la verticalisation d'un élément fondamental : l'articulation entre la colonne vertébrale et la base du crâne ou occipital. C'est également une des caractéristiques du genre humain. Cela entraîne un développement particulier de certaines régions cérébrales prédisposées au développement de l'homme tel que nous le connaissons aujourd'hui, et surtout au développement du langage. La position de la colonne cervicale par rapport à l'occipital fait un angle d'environ 45° chez le singe. Chez l'homme, et cet élément est capital, elle est de 90°. Le crâne est comme posé sur la colonne vertébrale. Dès lors, il est simple pour le larynx de pouvoir descendre dans l'espace du cou et de prendre sa place définitive au niveau de la cinquième vertèbre cervicale. Ainsi le développement des caisses de résonance en harmonie au niveau de la tête et du cou est possible.

L'homme par son langage articulé
émet des voyelles bien connues quelle que soit la langue parlée

Le moulage de la caisse de résonance du chimpanzé, du fait de sa petitesse, objective l'impossibilité pour lui d'émettre des voyelles. La différence de distance des cordes vocales aux dents, la différence de volume et de surface non seulement du conduit vocal mais des caisses de résonance montrent que seul l'homme, primate des primates, possède le langage articulé. Il semble grâce à l'étude de Jeffrey Laitman que le néandertalien pouvait de façon limitée prononcer les voyelles *a-i-ou*. La base du crâne est plate, la mandibule est étirée, ce qui a amené à conclure que le néandertalien avait un langage vocal très pauvre avec un larynx resté haut situé. Pourtant, un tout petit os perdu dans le cou a une importance capitale. C'est l'os hyoïde. Il amarre les muscles puissants de la langue. Il a été retrouvé chez l'homme néandertalien en 1983 à Kebara, au niveau du mont Carmel, en Israël, témoignant d'un langage déjà évolué. On a retrouvé des tombes et des symboles témoignant vraisemblablement de prières. Est-ce déjà la voix au service de l'abstraction, de la religion ? Ainsi, l'évolution de la voix humaine s'inscrit dans une dynamique et dans une mutation faisant appel non seulement au cerveau mais également à la mécanique phonatoire.

L'homme de Tautavel

Chez l'*Homo habilis*, le larynx reste haut situé dans le cou, l'émission de la voix articulée est sommaire. Pourtant, elle existe, comme le démontre l'empreinte cérébrale de l'aire de Broca sur les éléments osseux de la boîte crânienne.

C'est chez l'*Homo erectus*, que, sans aucun doute, il y a près de 450 000 ans, la voix humaine est devenue satisfaisante. La base du crâne est posée sur la colonne cervicale à 90°. Le larynx est au niveau cervical moyen. La cavité bucco-pharyngée s'adapte au langage articulé. C'est en 1971, dans la région de la caune de Tautavel dans les Pyrénées-Orientales, que fut découvert l'homme de Tautavel. Il présente un front plat, une face élargie et un cerveau de 1 200 cm^3. Ses mandibules retrouvées montrent qu'au niveau osseux les bourrelets internes très puissants qui limitaient par leur excroissance les mouvements de la langue sont moins importants que chez l'*Homo habilis*. La langue a plus d'espace et donc plus de facilité dans sa mobilité buccale. Elle peut mieux se bomber en arrière pour créer les différentes voyelles qui sont le support du langage articulé.

Pourtant, une question se pose. Avant que l'on ne parle, avant que notre voix soit notre moyen privilégié de communication, que se passait-il ? C'est en fait un monde de signaux, d'indices, comme le précise Boris Cyrulnik. Par exemple, pour une petite fourmi, une simple molécule olfactive est un signal capital pour informer sa colonie. C'est l'élément essentiel de leur survie. Elle est inscrite dans son patrimoine génétique. Pour l'homme, il ne semble pas trop fort de dire que la voix, son langage, est indispensable à sa survie. Sa pensée en a fait l'*Homo sapiens*, dont l'évolution inéluctable sur notre planète impose une créativité constante. En effet, contrairement au saumon qui revient à sa source, l'homme cherche de par sa nature des mondes nouveaux.

L'homme, un jour, a franchi le seuil de la voix articulée : il a parlé

Mais, si nos caisses de résonance ont une importance fondamentale dans la régulation de la hauteur de notre voix, dans la beauté du timbre et de ses harmoniques, dans la participation à notre empreinte vocale, son rôle essentiel chez l'homme est de pouvoir émettre un langage articulé.

Tout d'abord, il faut créer une place à cette caisse de résonance. Il faut lui former une structure à la fois dure dans certains endroits, pour que nos repères soient fixes, molle dans d'autres, pour pouvoir modifier nos résonateurs. Si l'homme peut parler et pas le primate, sur le plan mécanique, c'est tout simplement parce que le larynx est descendu dans le cou. Cette migration époustouflante du larynx vers le bas, sur 7 à 8 cm, secondaire à la verticalité de l'*Homo sapiens*, est le cofacteur indispensable de la voix humaine ; l'autre cofacteur, bien sûr, est le cerveau.

Un larynx situé à la cinquième vertèbre cervicale, en a-t-il toujours été ainsi ? Eh bien non. Le nourrisson peut téter et respirer en même temps jusqu'à l'âge de dix-huit mois sans faire de fausses routes. Il se comporte comme les grands singes et tous les mammifères qui peuvent boire et respirer en même temps pendant toute leur existence. Ainsi, le lion, la gazelle ou la panthère étanchent leur soif le plus rapidement possible, en continuant de s'oxygéner pendant plusieurs minutes, et peuvent se mettre hâtivement à l'abri des prédateurs.

Entre un mois et dix-huit mois, le nourrisson voit son larynx descendre de la deuxième vertèbre cervicale à la cinquième vertèbre cervicale. Dès lors, il peut boire ou respirer mais pas les deux en même temps. Il crée sa caisse de résonance qui lui permettra de former son langage articulé. Le singe, lui, ne pourra pas bénéficier de cette flèche du temps de l'évolution. En effet, son larynx reste haut placé. C'est ce qui nous distingue tant des autres primates. Bien sûr, la taille du cerveau est un élément fondamental. Mais c'est l'aspect multifactoriel, cette magie de l'évolution en symbiose parfaite dans tout notre corps, cet enchaînement génétique secondaire à des mutations progressives de l'ADN qui ont permis notre langage articulé : la voix humaine. Ainsi, l'homme, un jour, a franchi le seuil de la voix articulée. Il ne parlait pas. Il a parlé. Ce langage était bien différent du grognement du singe. En radiotélescopie, il a été démontré que le nourrisson respire, avale et vocalise de la même façon que le chimpanzé.

Dans les recherches fascinantes faites au cours du XXe siècle notamment dans les gorges d'Olduvai en Tanzanie, lieu d'Afrique privilégié dans la recherche de nos racines, Louis Leakey et Yves Coppens, entre autres, nous ont permis d'entrevoir les premiers indices de la voix humaine. Il semblerait, étant donné la forme du crâne, les empreintes laissées par le cerveau sur l'os, son angle avec la colonne cervicale, et la caisse de résonance permettant le langage et l'émission de voyelles, que l'homme ait pu parler il y a plus de 3 millions d'années. Comme l'a remarquablement décrit Jeffrey T. Laitman, l'évolution la plus importante de l'*Homo erectus* est bien, mis à part son cerveau, la formation des résonateurs.

Machine à explorer le temps de la voix

Si l'on pouvait envoyer une machine à explorer le temps, on verrait qu'il y a près de 15 millions d'années la communication des tout premiers primates était vraisemblablement faite de borborygmes, de hurlements, de cris. Le chimpanzé a de longues cordes vocales également galbées mais moins que celles de l'homme. Son larynx est surtout fait pour respirer mais aussi pour communiquer. Cette communication phonatoire a aiguisé au fur et à mesure de l'évolution la structure de l'instrument vocal. Au sommet de l'évolution des éléments laryngés, nous trouvons l'homme. Ses cordes vocales sont longues, galbées, mais leurs bords vibratoires sont précis et délicats, leurs frottements sont comme l'archet sur la corde du violon. La corde vocale de l'homme est la seule à présenter trois couches au niveau de son épithélium. Elle est la seule également à avoir un tel registre vocal, pouvant aller jusqu'à trois octaves. L'ampliation thoracique, l'élasticité de l'appareil costal lui donnent la possibilité d'un contrôle expiratoire et une grande capacité à emmagasiner l'air afin de pouvoir émettre une voix puissante.

Dans ce monde de la préhistoire, l'homme est à la recherche de sa nourriture, il court sur la terre ferme, son langage se perfectionne. Les chefs de tribus s'imposent par leur voix. Les mâles ont une voix dominatrice. Je ne peux affirmer lequel du larynx ou du cerveau a été le premier, mais il semble raisonnable de considérer que cette évolution a été synchrone dans tous les éléments anatomiques que nous avons décrits. Plusieurs éléments sont propres à l'homme : que ce soient la descente du larynx, la formation de lèvres pulpeuses dont le bourrelet est en dehors, la formation épithéliale originale des cordes vocales, les localisations cérébrales comme l'aire de Broca ou l'aire de Wernicke... Dans cette évolution, l'homme n'est qu'un chaînon dans l'espèce mammifère qui parle. L'intellect, la faculté d'adaptation, la vocalisation sont les ingrédients indispensables de l'évolution du langage.

Le langage de demain fera-t-il appel à d'autres formes de langage dont le support restera toujours la voix humaine ? La télépathie sera-t-elle un nouveau moyen de communication ? L'homme est-il le premier chaînon de l'espèce *Homo vocalis* ?

La voix fossile

La voix humaine est immatérielle et ne laisse pas de trace. Percevoir son origine semble donc impossible. Pourtant le vent impalpable laisse sa signature sur le flanc des montagnes.

Le langage, la voix, les phonèmes, les voyelles, les consonnes sont autant d'éléments impalpables dont il n'existe aucun fossile direct. Pourtant les témoignages indirects de la voix fossile ne manquent pas.

Un couple marche côte à côte dans la savane, dans la vallée d'Olduvai en Tanzanie. C'était il y a 3,6 millions d'années. Le temps a gardé leur trace, découverte par Marie Leakey, en 1978. Leurs pieds ont imprimé l'argile de l'époque. La datation de ces empreintes a été possible par les cendres volcaniques. L'analyse de ces pas a apprécié le rythme de la marche, la pression sur le sol, sa régularité, j'allais dire sa légèreté. Non loin de là, on retrouve également des crânes fossiles avec des conduits auditifs étroits.

L'empreinte de sillons sur la face cachée de ces crânes anciens révèle que ce couple discutait sans doute de la pluie et du beau temps. Leurs moulages nous font découvrir les circonvolutions du cortex cérébral qui sont le sceau indélébile de l'évolution de notre voix, de notre parler, de notre pensée. Sur ces mêmes moulages, on objective l'organisation cérébrale : on a la surprise de constater d'une part l'extraordinaire ressemblance entre le genre *Homo* et les grands singes, mais également leurs différences inquiétantes.

L'homme ne naît pas fini : le cerveau fossile

Le développement du cerveau de l'*Homo sapiens sapiens* par rapport aux grands singes est impressionnant. Il semble exister une véritable théorie quantique, un saut de l'un à l'autre sans évolution réelle, une métamorphose dans la continuité. Un chaînon manque dans ce parcours : pourquoi le cerveau humain continue-t-il à grandir autant après la naissance ?

L'homme est le seul mammifère à avoir une telle croissance cérébrale. Elle s'effectue, certes, jusqu'à la naissance, mais bien après et ce de façon rapide et efficace. Le crâne du nouveau-né présente une similitude impressionnante avec celui du chimpanzé. Mais, en quelques années, la différence est spectaculaire. L'homme acquiert une forme qui lui est propre et permet la mise en place de sa force suprême : son cerveau. Le volume du cerveau de l'adulte est trois fois et demie supérieur à celui du nouveau-né. Il semble qu'il ne naisse pas fini. Tout se passe comme si la gestation était de neuf mois à l'intérieur de l'utérus et de douze mois en dehors. Ce n'est que vers l'âge de dix-huit mois que les éléments indispensables à l'*Homo sapiens sapiens* prennent corps : le babil, la conception du langage, le début de la bipédie, la descente du larynx, la verticalisation.

Ce mode de croissance cérébrale que nous connaissons aujourd'hui a changé depuis 3 millions d'années. Le volume cérébral à la naissance, chez le nouveau-né actuel, est d'environ 400 cm^3 et celui de l'adulte d'environ 1 005 cm^3. Le crâne d'un *Homo habilis* adulte d'il y a quelques millions d'années était plus petit, le nouveau-né était également beaucoup plus petit. Ce que nous savons, puisque le canal vaginal de la femelle de l'*Homo habilis* est plus étroit que celui de la femme d'aujourd'hui. À cette époque, la croissance cérébrale continuait *ex utero* dans les mêmes proportions que pour l'homme d'aujourd'hui.

Toute proportion gardée, notre cerveau est dix fois plus

gros que celui des reptiles, cent fois plus gros que celui des amphibiens. Les baleines, les dauphins et certains primates ont des cerveaux plus volumineux en valeur absolue. L'homme doit sa suprématie à son volume cérébral par rapport à sa masse corporelle. En effet il représente environ 2 % de sa masse corporelle mais il est très gourmand. Il consomme 20 % de son énergie métabolique. Il a besoin d'une température, d'une pression artérielle et d'un taux de glycémie constants pour être opérationnel et efficace. Si l'un de ces éléments vient à s'altérer l'individu tout entier est perturbé. Maux de tête, vertiges, torpeur, convulsions sont les signes d'alerte. La dépense énergétique cérébrale est considérable et démontre la nécessité d'avoir un équilibre alimentaire régulier afin de nourrir l'énergie indispensable à notre développement cérébral quel que soit l'âge.

Le larynx fossile : les cartilages aryténoïdes, clef de l'évolution

De même que l'empreinte cérébrale retrouvée sur les crânes fossilisés ou les pas imprimés dans l'argile, la découverte d'un larynx, d'une mandibule ou d'un os hyoïde sont des signes indirects du langage articulé de nos lointains ancêtres.

Le larynx, instrument indispensable de notre voix, nous apprend également notre passé. Il est formé de muscles, de cartilages et d'articulations. Il est surprenant de constater que ce sont les plus petits éléments du larynx, de seulement quelques millimètres d'envergure, qui nous instruisent de façon remarquable sur l'évolution de l'appareil vocal du singe à l'homme. Ils se nomment les « cartilages aryténoïdes ». Ils sont symétriques. Ils permettent d'ouvrir, de fermer, de raccourcir ou d'allonger les cordes vocales qui sont également symétriques. L'étude de ces petits osselets par le Dr Lampert en 1926 a permis de mieux comprendre l'évolution laryngée. L'articulation de la corde vocale est formée entre les aryténoïdes et le cricoïde. Le cricoïde est un cartilage situé au sommet de la trachée. Lampert analyse les facettes de cette articulation chez les singes et chez l'homme. L'inclinaison de l'articulation entre le cricoïde et les aryténoïdes par rapport à l'horizontale se modifie lorsque l'on se rapproche de l'homme. L'inclinaison est de 25° chez le mycète ou lémurien, 45° chez le cebus ou singe hurleur, 55° chez le chimpanzé. Chez l'homme l'inclinaison est de 60°. Grâce à cette angulation, le débattement de l'articulation est plus ample de 0 à 60°. Le larynx peut s'élever et basculer de façon plus rapide et plus efficace. La gestuelle de l'instrument laryngé dans les trois dimensions de l'espace est très nettement améliorée. L'évolution de cette angulation a commencé il y a près de 15 millions d'années, du mycète à l'*Homo sapiens*. L'homme peut dès lors jouer avec sa voix.

Il découle de cette angulation une forme spécifique de notre espace laryngé. Il est fait de cinq côtés distincts grâce à l'individualisation importante des articulations crico-aryténoïdiennes. Seul l'homme possède cette caractéristique. Chez les autres mammifères, on ne retrouve que quatre côtés. L'espace respiratoire est plus large, ce qui leur permet un excellent flux aérien, essentiel lors de la course. Ils disposent ainsi d'une réserve d'oxygène suffisante lors de l'inspiration qui engouffre un maximum d'air en un minimum de temps. Ces petits cartilages aryténoïdes ne sont pas les seuls éléments mécaniques dans le jeu de la phonation.

L'autre élément anatomique propre à l'homme, mais seulement à partir de l'âge de dix ans, est la structure de la surface de la corde vocale. Comme la peau, elle est nommée épithélium. Cet épithélium ne possède que deux couches chez tous les mammifères. Chez l'homme, il en va de même jusqu'à la puberté. Puis une troisième couche se forme. Elle permet une précision impressionnante de la puissance, de la hauteur et du timbre de notre voix.

Pleins et déliés de la face cachée du crâne

Les empreintes osseuses des circonvolutions cérébrales ainsi que le relief des aires corticales du réseau veineux méningé ont donné la cartographie cérébrale de l'ancêtre de l'*Homo vocalis*. Depuis plusieurs millions d'années, on note une asymétrie du cerveau gauche le plus souvent aux dépens du cerveau droit. Ces développements correspondent à la spécialisation de chaque région cérébrale liée, par exemple, à la latéralisation de la projection de la main, dont l'importance est capitale dans la fabrication des outils et dans la gestuelle vocale. La densité du réseau veineux méningé dans les aires antérieures traduit l'activité cérébrale intense de cette région. Cette partie du cerveau régit les relations complexes entre l'environnement physique et social. Ces moulages ont démontré l'expansion de l'aire pariétale qui joue un rôle essentiel dans l'analyse des informations collectées par les récepteurs des organes des sens et donc dans la réponse à ces informations. En ce qui concerne la projection du langage et de la voix humaine, pour la première fois, chez l'*Homo habilis*, on note une empreinte du renflement du lobe temporal gauche en regard de l'aire de Broca, aire de la *production* du langage parlé. Immédiatement en arrière d'elle, on retrouve l'aire de Wernicke. L'aire de Wernicke est l'aire de la *compréhension* du langage parlé. Ces moulages sont le témoin incontournable d'un cerveau vocal dès cette époque. La projection de l'aire motrice de la main est contiguë à l'aire motrice de la voix. C'est peut-être pour cela que « nous parlons avec les mains ».

À partir du bivouac

Le cerveau se développe particulièrement avec l'environnement culturel. Les hommes se regroupent en tribus. Ils fabriquent des outils, des armes. Ils font des dessins figuratifs. Pendant les périodes de refroidissement de la Terre, ils sont amenés à se regrouper dans des habitats afin de se protéger du froid. Ces huttes ou ces cavernes sont le centre d'échanges culturels, de paroles et ainsi de création de nouveaux mots. Le feu est l'élément central, les repas sont pris en commun. En revanche, lorsque le climat se réchauffe, ce type d'habitat n'est plus nécessaire. Le rassemblement des tribus se fait surtout pour des raisons alimentaires. En Éthiopie, des bivouacs datant de 2,4 millions d'années pour les plus anciens à 1,3 million d'années ont été découverts. La conquête du feu remonte sans équivoque à 1,4 million d'années. Des vestiges archéologiques d'argile brûlée ont été constatés à Olduvai. Darwin semble avoir raison lorsqu'il stipule que l'Afrique est le berceau de l'humanité. C'est au Suédois Carl von Linné, au milieu du XVIIIe siècle, que l'on doit la classification des animaux. Il est le premier à nommer l'*Homo sapiens* à côté du chimpanzé.

De l'embryon au nouveau-né, il n'y a que 2 milliards d'années

La découverte des premiers ossements humains a permis d'asseoir la théorie de l'évolution. L'infiniment petit est venu à la rescousse pour mieux appréhender le processus. Dès 1954, les chercheurs analysent différents systèmes immunitaires et, notamment, les chaînes d'hémoglobine. Cette chaîne protéinique faite à partir d'aminoacides comporte 574 aminoacides charpentés en 4 chaînes différentes qui forment une structure globulaire tridimensionnelle (deux chaînes alpha de 141 acides aminés et deux chaînes bêta de 146). Cette structure est invariablement répétée dans toutes nos hématies, soit 6 000 millions de millions de millions de fois. Si un changement d'un seul acide aminé sur les 574 venait à se produire, la molécule d'hémoglobine ne serait plus fiable. L'oxygénation de notre corps ne pourrait plus se faire. Le dénouement serait fatal.

L'anthropologie moléculaire est née par cette approche. L'horloge moléculaire est un concept impressionnant. Les mutations, si elles peuvent exister de façon accidentelle, semblent régies par une chronobiologie, un cycle spatio-temporel prévisible : une mutation de 0,26 % de l'ADN surviendrait tous les millions d'années.

La comparaison de l'ADN chromosomique ou nucléaire de l'homme avec celui du chimpanzé permet d'estimer notre ancêtre commun à 8 millions d'années. Au chimpanzé bipède occasionnel fait place l'homme bipède exclusif. Cette bipédie exclusive a entraîné une position des vertèbres particulière et notamment différentes courbures. La courbure située juste en dessous de la base du crâne libère au mieux la cavité crânienne et rend possibles un meilleur développement du cortex ainsi que la descente du larynx et de l'os hyoïde. Par ailleurs la courbure du sacrum vient s'insérer entre les ailes du bassin et oblige, lors de l'accouchement, la tête du nouveau-né à tourner et à sortir vers l'avant du bassin et non vers l'arrière comme chez tous les autres mammifères.

Gène de la parole : concept révolutionnaire

Existerait-il un gène de la parole qui expliquerait le passage rapide entre l'*Homo habilis*, ancêtre adapté à la vie dans les arbres, et l'*Homo ergaster*, hyperspécialisé pour la marche, la course et dont le développement du cerveau gauche fut sans aucun doute le plus important ? L'étude des crânes fossiles a montré son développement particulièrement avancé pour le langage par rapport aux *sapiens*.

L'équipe de Wolfgang Enard et Swante Paabo a découvert un gène qui serait propre au langage, le FOXP2. Il semblerait que ce gène doive se trouver sur les deux chromosomes allèles n° 7. Autrement dit que la copie binaire du FOXP2 soit nécessaire pour avoir un langage normal. Ils sont absents chez les grands singes. Ce gène paraît indispensable au développement de la voix et donc de l'articulé imposant le contrôle du larynx, de la bouche et des autres éléments de la caisse de résonance. Ces recherches de l'institut Max-Planck de Leipzig et de l'université d'Oxford permettraient d'expliquer le fameux chaînon manquant dans l'évolution qui serait ni plus ni moins qu'une mutation d'un gène devenu indispensable à la voix humaine. On connaissait déjà l'importance du gène dans certaines maladies de la parole comme la dyslexie.

Cette mutation serait à la source, pour toute la population humaine de la planète, du langage parlé.

Une mère africaine unique pour la voix

La faute à la mitochondrie

Grâce à l'ADN, encore lui, non plus au niveau nucléaire mais au niveau mitochondrial, nous pourrions retrouver notre première mère. Ce goulet d'étranglement de l'évolution des espèces est exposé dans la théorie développée par Alan Wilson et ses collaborateurs de l'université de Berkeley de Californie en 1987 : « l'Ève mitochondriale ». Ces chercheurs ont examiné l'ADN mitochondrial de 147 femmes jugées comme représentatrices sur la planète. Il était très semblable.

Nous savons que, lors de la fécondation, le spermatozoïde vient pénétrer l'ovule. La queue du spermatozoïde reste hors de l'ovule. Seule sa tête, où existent les chromosomes au nombre de 23, féconde l'ovule qui présente également 23 chromosomes. La grande différence entre ces deux indivudalités qui ne vont plus en former qu'une, c'est que l'ovule et le spermatozoïde ne sont pas égaux dans les composants de cette nouvelle cellule. L'un garde en son sein le noyau, le cytoplasme et les mitochondries : c'est l'ovule. L'autre, le spermatozoïde, laisse le flagelle dehors et ne procrée que par son noyau isolé, sans cytoplasme ni mitochondrie. Le spermatozoïde ne fournit que l'ADN nucléaire et, par ce biais, le sexe de l'enfant. La mitochondrie est le seul organite de la cellule, à part le noyau, à avoir une molécule d'ADN. Donc, le petit d'homme résultant de cette fécondation ne verra dans son corps tout entier que des mitochondries dont l'ADN vient de la mère. Si la même mère est au début de tout le peuple « homme », nous devons tous avoir des mitochondries semblables. Ainsi, la théorie de l'Ève mitochondriale a démontré, en prenant des individus de cinq continents différents, qu'ils avaient un ADN mitochondrial semblable en tenant compte de l'horloge de l'ADN. À noter que l'ADN mitochondrial ne comprend que 37 gènes répartis sur 16 569 nucléotides : c'est peu par rapport à l'ADN du noyau qui possède 3 milliards de nucléotides et près de 25 000 à 30 000 gènes.

Il se dégage de cette étude plusieurs scénarios.

Premier scénario : nous sommes tous issus de la même mère, qui n'avait pas d'ascendant. Son apparition est une mutation de l'ADN. Mais alors comment se fait-il qu'il existe des fossiles de l'espèce avant cette datation, précisée par l'horloge de l'ADN, de 200 000 années environ ? Cette hypothèse est peu vraisemblable.

Le second scénario est digne d'un film de science-fiction. L'espèce humaine a été éliminée sauf un couple, qui a survécu. Nous sommes des rescapés originaires du même continent, de la même contrée, du même village, de la même hutte en Afrique centrale. Nous avions donc des ascendants avant cette époque. Cette femme, cette Ève, a fait partie d'une population importante d'*Homo sapiens* dont elle est la seule survivante avec un ou plusieurs mâles et 200 000 ans nous séparent de cette époque tragique.

L'instituteur de Cheddar : hérédité de 9 000 ans

Dans les années 90, un squelette vieux de près de 9 000 ans est retrouvé dans la petite ville anglaise de Cheddar. D'après les écrits de Bryan Sykes, l'analyse mitochondriale sur le squelette a été possible. La même analyse faite sur le professeur d'histoire exerçant à l'école de cette ville a permis de retrouver pratiquement à l'identique le même type d'ADN mitochondrial. Étonnant, cette hérédité de près de 9 000 ans !

La génétique et les langues

Il semble réducteur de vouloir remettre la source de notre voix à un seul génome. On compte près de 5 000 langues sur notre planète. On pourrait essayer de les classer. Des racines de mots comme des racines de gènes peuvent être retrouvées dans différentes populations.

Nous savons aujourd'hui que si l'Afrique semble être à l'origine de la voix humaine, elle est également à l'origine de 400 langues bantoues, entre autres. Nous savons aussi que certaines langues ont disparu. On ne peut donc évoquer une origine génétique des langues. En effet, un enfant vietnamien adopté par une famille anglaise ou française parlera sans accent la langue de ses parents adoptifs. À l'inverse, si une famille massaï, dans les plaines de Tanzanie ou du Kenya, adopte un petit Occidental et lui apprend le swahili, il le parlera sans accent. La voix n'est donc pas seulement génétique.

La voix : un apprentissage

La voix, chemin du réel au virtuel, s'apprend, se construit et nous caractérise. La voix est le propre de l'homme.

« L'homme est un bipède à peau nue », proclame Platon. Diogène lui rétorque : « Ce poulet déplumé est l'homme de Platon. »

L'homme est le seul doué d'une véritable voix. Il n'est pas un répétiteur. La voix n'est pas objet. La voix est vie : elle évolue, elle s'enrichit avec les millénaires. Créatrice de la pensée, elle est le lien entre l'individuel et le collectif.

Un jour comment l'homme a-t-il pu parler ? Quand s'est-il différencié des autres mammifères dans ce monde vieux de 4,5 milliards d'années ? L'homme est-il le seul à détenir ce pouvoir ? Certes, la mécanique est en place dès l'âge de deux ans. La commande cérébrale emmagasine, apprend et se perfectionne. Mais qui, de la voix ou de la pensée, fut la première ? Est-ce un hasard de la mutation génétique ? Est-ce une nécessité pour notre survie sur la planète ? Le langage articulé de nos ancêtres se met en place. La mécanique du verbe s'installe. Elle autorise la construction de la pensée et la pensée à son tour se sert de cette mécanique pour s'exprimer. La création de notre monde abstrait s'édifie. Le mot nous permet de nommer les choses et de les faire exister.

L'écoute a engendré la voix d'aujourd'hui

De l'embryon au fœtus

L'apprentissage du nouveau-né par la mère jusqu'à l'âge de deux ans est un élément essentiel sur ce cerveau encore inachevé à la naissance. L'éducation, l'intelligence, mais plus encore l'initiation au verbe permettent à ce petit d'homme d'entrer dans le monde culturel de son espèce. Élément fondamental de l'évolution, la communication acoustique est la source de la voix humaine. Par l'approche de l'oreille, l'aspect fossile de l'expression verbale de notre pensée livre ses secrets dès la vie fœtale. L'oreille présente trois parties : l'oreille externe où se situe le conduit auditif externe, l'oreille moyenne avec ses trois petits osselets cachés derrière une membrane appelée tympan, et enfin l'oreille interne où se positionnent deux structures, la cochlée qui régit le son et apprécie les fréquences, et les trois canaux semi-circulaires qui règlent notre équilibre. Dans le ventre de la mère, on a tout d'abord une cochlée de poisson qui ne reconnaît que les fréquences graves, ensuite d'oiseau et, enfin, de mammifère, qui reconnaît les fréquences relativement aiguës. Dès le sixième mois de la vie intra-utérine, faire entendre une gamme de fréquences, une richesse d'instruments de musique différents, des voix superbes, ne peut qu'éduquer d'emblée cette cochlée de l'oreille interne du fœtus. Ces vibrations stimulent son circuit cérébral, activent l'aire auditive et ses connexions dans les différents territoires ou aires de notre cerveau.

Le fœtus perçoit deux types de sons : le son interne de la mère, les sons externes de l'environnement sonore parlé et chanté. Certes, ce monde sonore extérieur, pour être entendu, doit franchir la paroi abdominale, la paroi utérine, le liquide amniotique. Donc, les sons vont être absorbés lors de ce trajet du monde extérieur jusqu'à l'oreille du fœtus. Il sera plus sensible à la voix de sa mère entendue à la fois de l'extérieur et de l'intérieur qu'aux autres voix. Le nourrisson est plus sensible aux voix aigües. Cela semble un élément inné et non pas acquis. En effet, des parents sourds profonds ont vu leur nourrisson particulièrement réceptif à l'environnement de voix à harmoniques aiguës.

Dès le huitième mois, le fœtus peut reconnaître l'octave. Plus tôt il sera éduqué dans le monde musical, mieux il pourra reproduire la voix chantée et charmer avec sa voix parlée. Dès la fin de la première semaine, lorsque l'on parle au nouveau-né, il oriente sa tête dans la direction de la voix émise.

Communiquer, pour l'homme et l'animal

Communiquer, c'est d'abord communiquer avec sa mère pour le bébé. Dialoguer, c'est parler par sa voix avec l'autre, mais également avec soi-même.

Bien avant nous, l'oiseau chanteur a colonisé notre planète, plus tard est venu le tour des mammifères marins. Mais la communication acoustique n'est pas présente dans tout le monde animal. Elle implique un organe émetteur et un organe récepteur : seuls les vertébrés et les arthropodes ont ce privilège. Au début de l'évolution, les arthropodes ont leurs émetteur et récepteur sonores non pas au niveau de leur tête, mais au niveau des pattes, du corps, du thorax, de l'abdomen. La base de la communication chez cette espèce est un code du rythme. Les moustiques, les grillons ou les cigales émettent un son que nous savons reconnaître : le « zzz » du moustique est la vibration de ses ailes. Le grillon, lorsqu'il stridule, frotte les siennes l'une contre l'autre. La cigale, lorsqu'elle « chante », utilise un système de percussions complexe où émetteur et récepteur sont le même organe, à la fois baguettes, cymbales et tympans, situé au niveau de son tronc. Il faut attendre plusieurs dizaines de millions d'années pour voir s'individualiser dans deux régions différentes du corps l'émetteur et le récepteur. L'émetteur est l'organe phonatoire et le récepteur l'organe acoustique. Les amphibiens sont les premiers animaux à avoir acquis cette caractéristique.

Si l'arthropode comme la cigale possède un instrument à percussion, l'amphibien, lui, a un instrument à vent. L'homme utilise un instrument à cordes et à vent : son larynx. La communication acoustique est impalpable. Elle naît et elle meurt au moment de chaque émission sonore. Elle nécessite un émetteur mais également un récepteur vibratoire approprié au milieu ambiant de l'espèce. Cette communication évolue dans les quatre dimensions de l'espace. Le récepteur, ou oreille, se développe dans l'évolution. La voix humaine, fruit de notre émission vocale, crée une empreinte vibratoire impalpable, éphémère, dans notre environnement atmosphérique. La voix humaine est l'empreinte du souffle de la vie.

Au XXIe siècle, il existe près de deux cents espèces de primates. Du plus petit d'entre eux qui tient dans notre main au gorille, le creuset initial semble, sans aucun doute, avoir une origine commune. Nous avons, certes, des caractéristiques spécifiques. En plus de 60 millions d'années, le mammifère au gré des climats, des périodes de glaciation, des intempéries de notre système solaire, progresse lentement mais sûrement vers l'évolution qui a donné l'espèce humaine. Beaucoup d'espèces disparaissent après un passage furtif sur notre planète. L'homme et la puissance de sa voix survivent par leur exceptionnelle possibilité d'adaptation climatique depuis près de 7 millions d'années.

La voix : un apprentissage

Mais, finalement, l'homme, qui possède les éléments pour articuler des sons, des voyelles, des consonnes, va-t-il parler tout comme il va respirer, marcher ou courir ? À supposer qu'il ne l'apprenne pas, connaîtrait-il le langage ? Le patrimoine génétique qu'il possède est-il suffisant pour que la voix soit une émission innée ?

Le roi de Prusse et la voix originelle

« Moi, Frédéric II le Grand, roi de Prusse, je veux connaître la voix primitive utilisée par le premier homme. Plusieurs jeunes nourrissons de mes paysans seront élevés par des gens de mon palais. Ils ne leur parleront pas. Ils seront déguisés en loups. Ils devront rester devant eux, sans un mot. Ces bébés seront bien nourris. Ils ne manqueront de rien. » C'est sans doute ainsi qu'au milieu du XVIIIe siècle, ce souverain, esprit éclairé et philosophe, avait décidé de comprendre la voix originelle. Existe-t-il une voix « naturelle » ? Il cherche à percer le mystère du langage. Il s'attache à comprendre laquelle du latin, du grec, ou de l'hébreu est la langue primitive. En quelle langue l'enfant serait-il amené à s'exprimer spontanément sans aucun apprentissage préalable ? Ces nourrissons sont élevés par des personnages qui ne prononcent aucun mot. Aucune mimique humaine n'est visible par leurs yeux pendant trois à quatre ans. Aucune information acoustique humaine n'est perçue par leurs systèmes auditifs. Ils sont immergés dans un monde étrange et isolé. Le résultat est impressionnant. Ils s'agitent. Ils ne parlent pas. Ils émettent des borborygmes.

Pourtant la structure mécanique du langage est là. Pourtant, le cerveau est un cerveau d'homme. Pourtant ils peuvent marcher, ils sont bipèdes, la verticalité est là. Mais la voix en tant que telle n'existe pas. Ils sont remis dans la vie « active » entre trois et quatre ans. Vers l'âge de cinq ans, ils sont désormais dans un monde qui parle, qui s'exprime, qui ne fait pas que manger et boire. Mais ces jeunes enfants ne parlent toujours pas. On ne leur a pas appris le monde de la parole ni celui de la voix. On ne leur a pas non plus appris le monde de la communication avec les autres par un quelconque langage. L'apprentissage et l'ontogenèse vocale n'existent pas. La conclusion fut simple : la voix originelle n'existe pas à la naissance du petit d'homme ! Mais l'avenir de ces nourrissons fut terrible. Tous ces enfants devinrent rapidement des débiles profonds et moururent aux alentours de la puberté.

La voix est-elle indispensable à notre survie ? L'ontogenèse semble indispensable pour que l'*Homo sapiens* devienne l'*Homo vocalis*.

Les chances de survie de l'homme depuis des millions d'années, il les doit sans aucun doute à la communication, à l'échange qu'il a su créer dans son espèce pour survivre. Sa créativité prend naissance en partie dans sa propre voix, mais surtout dans la voix de l'autre.

Kamala et Amala dans une région de l'Inde

À quelques milliers de kilomètres de la Prusse, deux siècles plus tard, en Inde, deux fillettes, Kamala et Amala, vivent dans une tanière retirée dans la forêt depuis presque leur naissance. Tapies au fond de celle-ci où logent habituellement des loups, pour ne pas avoir froid elles se réchauffent l'une contre l'autre pendant l'hiver glacé. Nous sommes en 1920. Un jour de novembre, le Dr Sing s'approche de la caverne. Aucun loup n'est dans les environs. Deux êtres vivants grognent, râlent, poussent quelques cris craintifs. Leurs mains sont rugueuses. Leurs genoux et leurs pieds recouverts de callosités. Elles marchent à quatre pattes bien qu'elles sachent se tenir debout. Sing les observe. Figées, elles le regardent la bouche ouverte, la langue pendante. Elles sentent le loup. Quelques minutes se passent, elles se mettent à boire, ou, plus exactement, à laper.

Amala et Kamala, enfants-loups, ne mangent que de la viande crue. Elles ne parlent pas. Elles ont entre trois et quatre ans. Sing les recueille. Il les ramène dans l'univers de l'homme, du langage. Des mois se passent. Ces deux fillettes ne s'adaptent pas. Elles dépérissent. Amala meurt un an plus tard en ayant appris quelques mots. Le changement de civilisation lui a été fatal. Kamala est plus résistante. Son pouvoir d'adaptation est plus grand. Huit ans plus tard, juste après sa puberté, elle meurt à son tour. Malgré les efforts du Dr Sing, pendant ces huit années, le vocabulaire de Kamala reste très pauvre, avec à peine une cinquantaine de mots. Elle est difficilement compréhensible. Son apprentissage du monde dit civilisé est arrivé trop tard dans sa vie.

L'enfant sauvage dans la vallée de Tam

En France, dans la forêt dense de Tam, au milieu de l'Aveyron, des paysans et des bergers découvrent un petit enfant qui ne parle pas. Il marche de façon humaine. Il est presque nu. Il erre dans les bois de Lacaune et s'enfuit dès qu'on tente de l'approcher. Il ne prononce que des grognements, des cris d'animaux. Lui, contrairement à Kamala et Amala, ne mange pas de viande ; il est végétarien. Le 8 janvier

1800, l'enfant sauvage, âgé d'environ dix ans, bientôt surnommé Victor de l'Aveyron, quitte le monde des bois pour celui des hommes. Il se réfugie dans la maison du teinturier Vidal, à Saint-Sernin. Deux jours plus tard, ramené au village, on le confie au Dr Jean Itard qui le prend en charge. Dure épreuve que de vouloir l'éduquer, changer l'empreinte des premières années de l'éducation animale de cet enfant. Tâche surhumaine, si l'on peut dire, que de lui faire découvrir Paris. Pourtant, le Dr Itard, dans sa calèche, monte à Paris et se rend dans sa demeure des Batignolles. Il arrive dans la capitale le 6 août. Il y séjourne jusqu'en 1803. Voilà l'enfant livré à la curiosité des scientifiques. L'apprentissage de Victor est laborieux et long. Il intègre un langage primaire et pauvre. Pourtant, jamais il ne saura s'adapter à ce monde de l'homme. Il est confié à Mme Guérin qui le soigne pendant dix-sept ans, de 1811 à sa mort en 1828, dans une maison de l'impasse Feuillantine. Pendant toutes ces années, il n'aura jamais acquis un langage évolué. Alors se pose la question : où est la normalité ? Ce qui fera dire au Dr Jean Itard : « L'homme n'est pas né homme, mais construit homme », dans son livre *Mémoire et rapport sur Victor de l'Aveyron.*

Le petit Victor, Amala, Kamala, ces enfants sauvages, ces enfants-loups, marchent sur deux pieds. La forme de leur crâne et la taille de leur cerveau sont humaines. Mais le langage parlé est inexistant. Leur attitude asociale, voire violente, est compréhensible. Leur comportement est conditionné par la peur de l'autre et l'inconnu. Ces enfants, animaux parmi les hommes, et hommes parmi les animaux, ne peuvent s'intégrer. On est bien loin de la légende de Tarzan l'homme-singe !

Si besoin est, nous voyons l'importance de la voix humaine dans la constitution de notre corps tout entier, de notre paraître, de notre moi. Elle participe au souffle de notre survie et à la condition humaine. La voix, au fur et à mesure des millions d'années, s'est améliorée. Si l'homme élevé parmi les animaux ne peut pratiquement pas parler, le chimpanzé, lui, élevé parmi les hommes, ne développera pas un langage articulé et n'aura qu'un langage des signes et ce dans un contexte bien spécifique.

Ce langage, il ne peut le transmettre à l'autre. Ses capacités peuvent être comparées à celles d'un enfant de deux à trois ans. Mais méfions-nous de l'anthropomorphisme qui est une dérive facile. Déjà en 1623, quelle n'est pas la stupeur de Jobson, capitaine d'un navire anglais, se trouvant face à un homme bizarre : « Il vit dans la forêt et il ne veut pas nous parler. » C'était un orang-outang. La création de l'homme impose un apprentissage du langage articulé.

La route de la voix

Passe-t-elle par Lucy ?

La plus ancienne femme bipède est Lucy, découverte en 1974 par Yves Coppens et Donald Johanson. Son nom, Lucy, elle le doit à la chanson des Beatles *Lucy in The Sky with Diamonds* qui passait en boucle à la radio ce jour-là. Ses ossements découverts sur le site de Hadar en Éthiopie constituent le squelette de 105 cm de haut qui a été reconstitué. Il remonte à 3 millions d'années. À partir de ce fossile, les scientifiques déduisent le reste. Elle était bipède. Elle avait une verticalité presque complète, comme en témoignent sa colonne lombaire cambrée, son bassin avec ses ailes iliaques incurvées en avant pour former une cuvette, sa tête de fémur sans callosités propres aux grands singes, son corps de fémur rectiligne propre à l'homme. Pourtant, il manquait quelque chose. Il manquait ce quelque chose nécessaire à une voix normale. Ce quelque chose est la position du larynx, la verticalité des vertèbres cervicales et l'angle de 90° que fait la première cervicale, ou atlas, avec le crâne chez l'*Homo vocalis*. Ici, chez Lucy, la tête reste incurvée et projetée vers l'avant. Le crâne n'est pas assis sur l'atlas et fait un angle bien supérieur à 90°. Il n'y a pas de verticalité vraie. Lucy ne parlait pas comme l'homme d'aujourd'hui ! Elle ne pouvait pas prononcer tous les phonèmes dont nous disposons.

Le larynx, organe de référence de la voix humaine, existe chez de nombreux animaux. Si le larynx « vocal » est celui de l'homme, il n'en est pas moins vrai que sa structure primaire dans le monde animal a deux autres fonctions : sphinctérienne et respiratoire. Du poisson à l'amphibien, du reptile au dinosaure, de l'oiseau au mammifère, le larynx est présent.

Le larynx : morphing de l'évolution

Chez certains animaux, le larynx permet une vibration, la création d'un son fondamental associé à des harmoniques. Chez d'autres, comme le reptile, il n'y a pas création de vibrations harmonieuses. Ce n'est que l'émission de ce qu'on appelle un bruit, c'est-à-dire des vibrations anarchiques, irrégulières, apériodiques, comme lorsque vous vous raclez la gorge ou comme le *sss* du serpent, qui n'a rien à voir avec la vibration superbe de la syrinx du rossignol. C'est en 1921 que V. U. Negus, professeur à la Royal Academy d'Angleterre, publie un remarquable ouvrage sur le développement du larynx à travers les différentes espèces animales du poisson à l'homme. Pour comprendre le larynx, il faut appréhender son rôle dans l'arbre respiratoire et comme charpente de passage pour l'oxygénation de l'animal. L'oxygène est la source de la vie. La respiration est le chaînon inéluctable du monde complexe du vivant. Que ce soit à l'air libre ou dans l'eau, que ce soient les branchies ou les poumons, la migration de l'oxygène se fait de l'extérieur vers l'intérieur de l'animal. La nature a trouvé différents stratagèmes pour parvenir à cette dynamique respiratoire. Les branchies sont un organe simple. Le poisson n'a pas de poumons. L'eau passe et caresse ses branchies. Elles vont capturer l'oxygène de l'eau et relarguer le gaz carbonique. C'est sans doute le tout premier larynx de notre planète, dont la fonction n'est que respiratoire. L'évolution fait son chemin et un poisson découvert dans le Nil, appelé *Polypterus* ou bichir, a non seulement des branchies mais également des ébauches de poumons. Ce qui impose l'existence d'un orifice canalisant l'air à l'intérieur même du corps. Cette ébauche pulmonaire vient créer l'ébauche du larynx. Ce poisson pouvait respirer dans l'eau et à l'air libre. Cette évolution est la conséquence de l'assèchement de rivières et de lacs, elle permet à ces animaux marins de pouvoir survivre. Seule la possibilité de capter l'air sur la terre ferme pouvait maintenir l'existence de ces espèces. Le « poissonpoumon » ou *Geratodus* est découvert en 1931 en Australie. Il présente non seulement un larynx, mais un pharynx et l'ébauche du conduit aérodigestif supérieur. Le larynx a dès lors deux fonctions : respiratoire, d'une part, et sphinctérienne, d'autre part. Respirer et avaler passent par le même circuit dans le cou. On avale le bol alimentaire qui passe dans l'œsophage et non pas dans les poumons grâce à la fermeture de la glotte. La glotte est l'espace situé à la base du larynx, entre les cordes vocables. Cet espace glottique est structuré par des fibres musculaires permettant d'être un sphincter, c'est-à-dire de se fermer, afin d'isoler l'espace pulmonaire de l'espace pharyngé. Ces éléments restent relativement souples, sans aucune armature cartilagineuse. Ils s'ouvrent passivement lors de la respiration. Chez l'homme, l'embryon de 5 mm possède ce type de pharynx. Nous voici à l'aube du larynx vocal.

Le poisson devient amphibien

Le voyage laryngé dans le temps continue. Le pharynx et le larynx s'enrichissent de fibres musculaires plus spécifiques de la fonction laryngée. Elles s'entrecroisent comme pour renforcer la puissance du larynx. L'ébauche des cartilages apparaît chez le triton et la salamandre. Le cartilage cricoïde, les deux cartilages aryténoïdes s'esquissent. Le larynx devient une structure respiratoire, sphinctérienne et ébauche son rôle de mécanique vibratoire qui permet le coassement de la grenouille.

L'amphibien devient reptile

L'organe laryngé reste petit. Son rôle vibratoire est mineur. On voit apparaître et s'individualiser l'anneau cricoïdien à la base du larynx et au sommet de la trachée. Comme nous l'avons déjà vu, les petits cartilages aryténoïdes permettent l'ouverture et la fermeture des cordes vocales, et sont le siège de l'articulation crico-aryténoïdienne. Là encore, à la huitième semaine de la vie embryonnaire de l'homme, on retrouve l'ébauche de ces structures. Plus tardivement va se former l'élément essentiel de protection du larynx : le cartilage thyroïde, véritable bouclier en avant des muscles du larynx. Chez le crocodile, ce cartilage est relié et fusionné avec le cartilage cricoïde : c'est un cartilage unique crico-thyroïdien. Cette masse cartilagineuse permet l'insertion des muscles dont le principal rôle est de fermer le larynx et de l'utiliser comme un sphincter aérien efficace.

Le reptile devient oiseau ou mammifère

Chez le reptile et l'oiseau se développe l'instrument sonore laryngé. Si, chez les amphibiens, respirer c'est comme avaler l'air, chez l'oiseau et le mammifère et quelques reptiles évolués, des mouvements thoraciques sont nécessaires. L'air est ainsi inspiré de façon active, expiré de façon passive. Si la trachée n'était pas formée par des anneaux cartilagineux rigides, lors de l'inspiration, on observerait un véritable collapsus, comme une succion intratrachéale, comme lorsque l'on aspire un ballon presque vide dont les parois se touchent. La conséquence est l'asphyxie. Cet incident peut s'observer chez le nouveau-né souffrant d'une trachéomalacie.

Le mammifère évolue

Le processus se poursuit. Le larynx se transforme dans sa structure propre, mais également dans l'inclinaison qu'il va prendre par rapport à la trachée et son emplacement dans le cou. Chez le crocodile, l'angle entre le larynx et la bouche est de 0°, c'est pratiquement une ligne droite. Chez le chat et le chien, l'angle est très faible, de 20° à 30°, chez le chimpanzé de 60° et chez l'homme de 90°. Cette angulation individualise complètement le larynx par rapport aux structures de la cavité buccale et du pharynx et crée ainsi la caisse de résonance, clef du langage articulé grâce à cet angle droit.

Les cartilages du larynx (aryténoïdes, cricoïde et thyroïde) sont bien distincts chez le mammifère. Une articulation évolue : c'est l'articulation crico-aryténoïdienne. Une autre se forme : l'articulation crico-thyroïdienne. Leur rôle devient prépondérant dans la voix parlée. Des muscules entre cricoïde et aryténoïdes prennent une importance capitale. Ils vont permettre l'ouverture du larynx et donc la respiration. D'autres muscles spécifiques permettront la fermeture du larynx, ayant ainsi un rôle de protection des poumons pour éviter les fausses routes. La corde vocale s'insère en arrière sur les aryténoïdes, en avant sur le cartilage thyroïde où elle vient pratiquement au contact de l'autre corde vocale. Ainsi, le larynx présente deux cordes vocales en forme de V. Jointes en avant, elles s'ouvrent et se ferment par l'arrière. Le larynx est un instrument à cordes et à vent. Lors de la phonation, les cordes vocales se ferment et créent des vibrations de la muqueuse de la corde vocale. Cette muqueuse, et non la corde, ondule pour venir vibrer avec son homologue et ce quatre cent quarante fois par seconde chez le chanteur qui émet la note *la*. Ainsi, la vibration naît au niveau des cordes vocales, les voyelles et consonnes au niveau des caisses de résonance. Est-ce ce même schéma que nous observons chez les animaux ?

Le larynx est parfois curieux : de l'oiseau au dauphin

Chez l'oiseau, le larynx est appelé syrinx. Il se situe à la bifurcation de la trachée. Il ne sert qu'à chanter. Chez les mammifères des mers, dauphins ou baleines, la fermeture du larynx est remplacée par une fermeture située au niveau des évents. Chez ces animaux, la respiration se fait là, sur le sommet de leur tête, et non pas au niveau buccal. Les cétacés peuvent donc garder la bouche ouverte dans leur milieu de prédilection sans crainte d'inhaler de l'eau de mer et de s'étouffer.

Du singe à l'homme

Du poisson au reptile, du dinosaure à l'oiseau, du cétacé à l'homme, le larynx est l'organe le plus représentatif de l'évolution. Sa vocation ultime, au IIIe millénaire, semble être la voix humaine. Mais ce n'est vraisemblablement qu'une étape dans ce long voyage de l'évolution qui ne saurait s'arrêter là.

Seuls les primates ont un espace entre le voile du palais et l'épiglotte. Il est très court chez les singes, très long chez l'homme, ce qui lui permettra de parler. Chez l'homme, le palais est plus court que chez tous les autres mammifères. Il est l'un des seuls à posséder une luette centrée sur le voile du palais à son extrémité postérieure. C'est le reliquat des voiles du palais très longs du monde animal. L'épiglotte évite les fausses routes et va pratiquement jusqu'à la base du crâne chez tous les mammifères, chat, panthère, antilope ou chien alors que chez l'homme elle s'arrête en dessous de la langue.

Quant à la position du larynx au niveau du cou, seul l'homme adulte voit son instrument laryngé bas au niveau cervical et situé en regard de la cinquième vertèbre cervicale. Chez l'embryon, le larynx ne fait que 14 mm de long et est à la base du crâne tout comme chez l'ours et le chien. Chez le fœtus à deux mois et demi, le larynx descend aux deuxième-troisième vertèbres cervicales comme chez le chimpanzé ou le gorille. Ici, l'épiglotte ne touche plus le voile du palais. Il faut attendre sept mois de vie fœtale pour voir le larynx arriver à la troisième vertèbre cervicale. Dès lors, l'espace entre le voile du palais et l'épiglotte devient significatif et comparable à celui du chimpanzé. Puis, jusqu'à l'âge de vingt-quatre mois, le larynx continue son chemin pour atteindre sa destination définitive.

La raison de cette descente du larynx peut être expliquée par de multiples facteurs : la verticalité de notre posture, la flexibilité de notre colonne cervicale, l'angle entre notre première vertèbre cervicale et notre crâne. Nos cordes vocales deviennent parallèles au sol. Elles sont dans un plan horizontal, perpendiculaires à la trachée.

Notre approche de la mécanique de la voix ne serait pas complète si l'on ne s'arrêtait pas aussi sur l'évolution de la mâchoire. La mâchoire de l'homme est nettement moins développée que celle des autres primates. Nous n'avons aucun prognathisme, le menton n'est pas projeté en avant. Notre cavité buccale est pratiquement à la verticale de notre boîte crânienne. De même, la langue a un rôle fondamental dans la voix parlée : elle garde un volume musculaire imposant. Elle perd en partie sa forme plate et se situe au niveau buccal et pharyngé. Elle a permis de refouler le larynx dans une position basse au niveau de notre cou. Si au repos il se situe au niveau de la cinquième vertèbre cervicale, en action il peut remonter jusqu'à la quatrième et descendre à la sixième.

De la gazelle à la panthère

En ce qui concerne la structure interne du larynx, les petits cartilages aryténoïdes sont bien séparés chez l'homme, ce qui n'est pas le cas chez le kangourou, par exemple. Ainsi, l'agilité phonatoire est au maximum de sa souplesse du fait d'une indépendance des cartilages du larynx : cricoïde, thyroïde, aryténoïdes. L'extrême mobilité de l'articulation crico-aryténoïdienne qui peut glisser, tourner, basculer sur elle-même, autorise une gestuelle vocale propre à l'homme. Cette articulation présente un petit ménisque tout comme celui du genou. Il peut être le siège d'une inflammation ou d'une arthrose. La forme de l'espace glottique, ou espace entre les cordes vocales, a très schématiquement une forme triangulaire dont la pointe est en avant et la base en arrière.

Mais notre chemin, dans cette exploration de l'évolution du larynx, continue à nous surprendre. L'importance des aryténoïdes est insoupçonnée. Leur forme, leur longueur, l'angle qu'ils constituent avec le cartilage cricoïde dépendent de chaque espèce animale. Chez le cheval, la longueur du larynx mesure sept dixièmes du diamètre de la glotte. Chez l'homme, il mesure trois dixièmes du diamètre de la glotte. L'explication semble simple. Les aryténoïdes servent à ouvrir largement l'espace glottique. Ils permettent d'emmagasiner l'air au maximum et très rapidement puisque c'est la glotte qui contrôle son passage. L'homme n'a pas besoin de courir aussi vite pour fuir ou attraper un prédateur. La gazelle court à 80 km/h sur une distance de 500 m, la panthère à près de 100 km/h sur une distance de 100 m. La surface glottique de la gazelle est 30 % plus importante que celle de la panthère. C'est dire que la fonction crée l'organe.

S'agripper aux branches avec de fausses cordes vocales ?

Au niveau du larynx, les cordes vocales sont surplombées par des bandes ventriculaires au nombre de deux, appelées également fausses cordes vocales. Chez l'homme, leur rôle n'a qu'un intérêt phonatoire restreint. Chez la salamandre, la grenouille, le crocodile, son rôle est essentiel. Ces pseudo-valves laryngées permettent au larynx de résister à la pression de l'eau et d'éviter l'inondation pulmonaire. Chez le mammifère et plus particulièrement chez les primates, les fausses cordes vocales ont permis une meilleure utilisation des membres supérieurs : curieux, n'est-ce pas ? Les bandes ventriculaires sont surtout développées chez le gibbon, le macaque, le chimpanzé, moins chez le gorille, car il se déplace à terre et très peu de branche en branche. Pourquoi ?

Ces membres supérieurs servent à agripper les branches, à passer d'arbre en arbre. La pression abdominale exercée par la poussée sur le larynx donne une force beaucoup plus importante. Les fausses cordes vocales renforcent la puissance exercée comme quand on pousse lors d'une constipation ou que l'on soulève des poids et haltères. La respiration est bloquée, la cage thoracique s'immobilise, la force abdominale est à son maximum, la contraction des membres supérieurs est importante et très puissante. Avec l'évolution, l'homme n'a plus besoin de se suspendre par ses membres supérieurs pour se déplacer de branche en branche comme les grands singes. Ici, le développement des fausses cordes vocales n'a plus de raison d'être. Le mouvement des membres supérieurs provoque également une contraction importante des muscles insérés au niveau des côtes et une immobilisation de la cage thoracique est nécessaire pour une contraction efficace et puissante des pectoraux. On le voit particulièrement chez l'athlète qui pratique l'haltérophilie. Au moment de la levée du poids, il contracte son larynx, bloque sa respiration, immobilise sa cage thoracique et contracte les fausses cordes vocales pour mieux isoler les poumons de la cavité pharyngée et avoir ainsi une meilleure efficacité musculaire des membres supérieurs, des muscles abdominaux et pelviens.

L'homme est le mammifère dont les bandes ventriculaires sont le moins développées dans la mesure où il ne se déplace plus de branche en branche et n'a qu'une activité terrestre. Lors de l'effort de poussée, comme chez le chanteur, le diaphragme est parfaitement contrôlé. L'inspiration s'arrête aux deux tiers pour permettre une excellente précision du muscle diaphragmatique. Ce contrôle est la clef de l'expiration vocale maîtrisée. Ainsi, si l'on était amené à enlever les bandes ventriculaires, la puissance des membres supérieurs chez l'homme, la force de la poussée pour l'instrumentiste à vent, l'efficacité de l'exercice pour les haltérophiles seraient très légèrement diminuées. La phonation ne changerait pratiquement pas, mais on observerait une diminution de la lubrification des cordes vocales. Le nourrisson, dès les premiers jours de la vie, peut supporter son poids en *grasping* pendant une dizaine de secondes. Il se suspend par les mains sur l'index de la mère ou du pédiatre. Ce test, dit « test grasping », est pratiqué à la maternité. C'est un réflexe archaïque. En cas d'absence de ce réflexe, soit il s'agit d'un prématuré, soit il existe un retard psychomoteur du bébé. Dès le vingt-huitième jour, il peut tenir ce grasping pendant deux minutes. Ce mécanisme persiste jusqu'à environ trois mois. Pendant cette période, l'examen du larynx montre des bandes ventriculaires importantes qui vont diminuer par la suite.

Le cerf, qui n'a pas besoin de grasping, n'a pas de bandes ventriculaires. Si les chiens ont des reliquats de bandes ventriculaires, ces dernières sont pratiquement inexistantes chez l'amphibien, le reptile, l'oiseau, ou le cétacé.

L'homme va parler ou chanter

Un nouvel équilibre se crée dans le déséquilibre perpétuel. Ainsi, des sciences complexes comme la biologie, la physiologie ou la physique ont pour dénominateur commun notre patrimoine génétique : l'ADN. La continuité anatomique de l'aire cérébrale entre le grand singe et l'homme est difficilement contestable. L'apparition de la voix humaine montre une rupture violente, une mutation profonde où le gène FOXP2, gène dit de la voix, n'explique pas tout. Ce bouleversement inclut de multiples facteurs associatifs et qui semblent indissociables. L'audition et le larynx sont intimement liés au langage. Ces deux pôles récepteur et émetteur sont l'alchimie de la voix humaine.

La commande de la voix est le nerf de l'émotion

Mais, dans notre recherche du mystère du langage articulé, plus époustouflante encore est la commande du muscle des cordes vocales. Cette commande ne dépend que d'un seul nerf : le nerf crânien n° X. Il permet de moduler les cordes vocales, il les écarte pour respirer, il les ferme pour parler, il crée la voix, il peut ralentir le rythme cardiaque, augmenter notre acidité gastrique. Il conjugue l'émotion et l'expression verbale. On comprend mieux pourquoi la voix trahit notre moi intérieur.

Ainsi, la voix humaine, reflet de notre pensée, n'en est aujourd'hui qu'au début de son évolution. Seuls 10 % de notre cerveau sont exploités. Ce langage articulé, essence même de la communication entre les six milliards d'individus de notre planète, permet d'assimiler, de mémoriser une somme de connaissances impressionnante. Si l'homme ne parlait pas, serait-il comme ses cousins, les grands singes ? C'est ce que semblent nous avoir appris les enfants sauvages.

Le souffle du primate et la voix chantée

Chez les grands singes et chez l'homme, les côtes situées au niveau supérieur du thorax conservent une certaine mobilité alors que, chez les autres mammifères, elles sont fixes. Chez le chanteur, ou l'enseignant, cette observation est capitale. Elle va permettre un contrôle optimal de la voix de tête et de la voix de poitrine. Cette mobilité costale associée à une synergie musculaire du corps tout entier apporte au professionnel de la voix une possibilité vocale sur deux registres. Le contrôle de la pression d'air est indispensable surtout dans la voix chantée. La précision de la puissance et de la hauteur de la voix nécessite la maîtrise de l'expiration. Elle requiert également une souplesse et une élasticité non seulement de l'appareil laryngé mais également des appareils respiratoires pulmonaire, musculaire et abdominal. Lors d'un forçage excessif, on peut être amené à faire vibrer non seulement les cordes vocales mais également les fausses cordes vocales. Dans ce cas, c'est la voix de Louis Armstrong que vous aurez.

Chez l'homme, la capacité pulmonaire, ou la cage thoracique elle-même, peut être considérée également comme un amplificateur des résonances, comme chez l'oiseau. La caisse de résonance pulmonaire existe quoi qu'en disent certains scientifiques, elle est propre à chacun, elle est comme le bois du violon, on ne joue pas dessus mais on joue avec ! Elle a un rôle d'amplificateur. La silhouette de l'individu permet souvent d'avoir une idée sur sa tessiture vocale. Un baryton ou une contre-alto vont être minces ou longilignes avec des cordes vocales puissantes et un larynx relativement grand. Un ténor ou une soprano sont plus enrobés avec des cordes vocales plus courtes et plus galbées. Un enfant doit sa voix aiguë non seulement à une imprégnation hormonale qui n'a pas encore joué son rôle, mais également à une structure laryngée petite, des cordes vocales courtes dont le bord est extrêmement fin.

Siffler et chuchoter : ce sont toujours les cordes vocales

La voix parlée, la voix chantée nécessitent la vibration des deux cordes vocales. La voix dite « de sifflet » lors d'un cri strident et très aigu est particulière : les cordes vocales ne vibrent pas. Elles sont l'une contre l'autre, très proches, très tendues. C'est l'air expiré à très forte pression qui fabrique le son comme lorsque vous soufflez sur une brindille d'herbe calée entre vos mains. D'ailleurs, à l'étude spectrographique, le sifflet n'a qu'une trace qui est le son fondamental sans aucune harmonique. Il en va de même lorsque l'on siffle avec ses lèvres. Les cordes vocales se rapprochent et s'éloignent sans se toucher afin de contrôler la hauteur et la puissance du sifflet aidées en cela par les mouvements permanents de la langue. À l'inverse, un *a*, en vibrato tenu, est très riche en harmonique. La vibration du *falsetto* est différente. Seul restera entrouvert pendant la vibration le tiers moyen de la corde vocale qui va vibrer. Cette technique n'est possible que dans les fréquences très aiguës. Les cordes vocales observées en fibroscopie restent ouvertes lors du chuchotement doux et sans forçage. Elles peuvent se rapprocher légèrement sans jamais se toucher. Il n'y a pas de vibration. En fait, la voix chuchotée est créée par le souffle expiratoire qui traverse l'espace glottique et l'achemine dans le pharynx. Elle est modulée par la caisse de résonance qui donne ainsi les différents phonèmes que l'interlocuteur peut écouter.

Un chuchotement forcé est très néfaste pour les cordes vocales, car il provoque un bruit apériodique au niveau du larynx. Les cordes vocales se rapprochent partiellement, s'effleurent mais ne vibrent pas. Une friction est produite entre les deux bords des cordes vocales, pouvant entraîner des micro-traumatismes.

La voix se transmet et se nourrit de notre passé

L'ADN ne suffit pas pour avoir une voix

Le concept de gène au niveau de l'ADN est bien connu. C'est l'unité indispensable qui permet à l'espèce de transmettre l'information de génération en génération. Notre survie, nous la devons à la stabilité de notre patrimoine génétique et à des mutations qui sont allées dans le sens de l'évolution de l'homme. Les gènes sont à la fois architectes, maîtres d'œuvre mais également, paradoxalement, récepteurs du message. Pour certains d'entre eux, ils sont acteurs, pour d'autres, ils sont spectateurs. Ils permettent la synthèse des protéines qui vont servir à l'énergie de nos muscles ou à l'activation de nos circuits cérébraux et ce, semble-t-il, en quelques millisecondes. Ce bagage génétique se transforme en fonction des espèces en un instinct de survie. Nous avons vu que la brebis peut boire et respirer en même temps. En effet, elle boit le plus rapidement possible pour éviter les prédateurs. L'homme n'a plus besoin de cela puisqu'il est au sommet de la chaîne alimentaire. Son comportement est différent. Il va faire activer et stimuler d'autres parties géniques de son ADN qui seront plus adaptées à sa survie.

Quand le mot se comporte comme un gène

L'évolution de l'homme semble reposer uniquement sur le concept génétique sexué. En effet l'importance de l'alliance mâle/femelle permet l'enrichissement de notre patrimoine héréditaire. Je pense que l'évolution et l'apprentissage de l'*Homo vocalis* depuis des millions d'années reposent également sur un autre concept : la voix est « l'ADN » de la pensée, et le mot « le gène ».

Elle se construit, s'enrichit et se nourrit de notre passé verbal. La transmission de l'impalpable vocal est la force de nos connaissances. Le mot ayant une densité et une signification puissantes est l'unité génétique de notre intelligence.

Richard Dawkins, scientifique éthologiste, émet une théorie séduisante où certains types de mots ayant une forte signification seraient l'équivalent d'un « gène ». Le « meme » serait l'unité « génétique » du langage vocal. Dans son ouvrage *The Selfish Gene*, il précise que la culture de l'homme est fondée non seulement sur notre appartenance à l'ADN mais également sur notre appartenance au langage humain. Ce que semble corroborer Jared Diamond dans son livre *The Third Chimpanzee* où l'homme n'est ni plus ni moins que le troisième chimpanzé qui s'habille et qui parle.

Le développement de la voix n'existe que chez l'homme. Le crâne, le cerveau, l'arbre respiratoire avec les poumons, la trachée constituée d'anneaux cartilagineux, le larynx, la caisse de résonance, les lèvres sont autant de facteurs mécaniques, chimiques et neuronaux transmis génétiquement par l'ADN. Mais le mot s'apprend. La force de la voix transmet la connaissance au petit d'homme. L'apprentissage de la voix et des mots est capital dans l'évolution et la survie de son existence. Chaque mot permet par sa compréhension d'en apprendre un nouveau. Petit à petit se constitue un cortège de mots qui par leurs associations rendent possibles la formation, la création et l'expression de nos idées. Ce langage qui se construit nous donne également la possibilité d'évoluer avec l'autre, de tisser des liens, non seulement entre deux personnes de même génération, mais également de passer le témoin entre Aristote, il y a un peux plus de deux millénaires, Léonard de Vinci, il y a près de cinq cents ans, Einstein, il y a moins d'un siècle, et nous. Comme la flamme des jeux Olympiques qui doit être entretenue. C'est la flamme de notre émotion, de notre pensée, de notre survie. En Occident, beaucoup de philosophes ou de scientifiques connaissent plus de 250 000 mots.

À l'aube du IIIe millénaire, nous inventons de nouveaux mots pour échafauder de nouvelles idées, comme, par exemple, « digitaliser » l'image : cette invention de nouveaux mots peut être considérée comme une mutation brutale. C'est une création et non pas une transformation d'un mot en un autre comme *hospital* qui est devenu *hôpital.* La progression de nos cultures depuis près de deux mille ans, mais surtout depuis un siècle et demi, s'est édifiée sur notre verbe, sur notre voix, sur la communication entre le religieux et la science, entre le paysan, le poète, le chercheur et le philosophe.

Quand l'homme rencontre la puissance du verbe

Le scientifique qui donne un cours communique une idée à son élève qui rebondit dessus. La voix humaine est le véhicule de cette évolution cérébrale et intellectuelle. Le mot nécessite que l'autre soit réceptif. Il faut qu'il y ait interactivité cérébrale. Mais, chose remarquable, le verbe ne meurt jamais. L'idée passera de l'un à l'autre et sera amplifiée, voire déformée, mais toujours, à quelque degré que ce soit, elle sera présente tout comme le patrimoine génétique. Faut-il qu'il y ait une stimulation vocale, auditive, cérébrale de l'autre ?

Le mot est une arme à double tranchant. Il permet depuis des millénaires la transmission de la culture. Il a permis d'ériger, par exemple, les différentes religions monothéistes en quatre mille ans. Il permet la création d'œuvres scientifiques et de théories philosophiques. Il peut parfois entraîner une déferlante de guerres et d'intolérance. Par exemple, le mot « nazi » définit à lui seul un ensemble d'atrocités. Ce mot n'existait pas il y a un siècle. Il aurait mieux valu qu'il n'existât jamais.

Dans un autre domaine, la théorie du big bang sur la naissance de notre univers apporte également avec elle un imaginaire exceptionnel que l'on doit à Stephen Hawkin. L'expression « big bang » évoque des questions sur la naissance de la vie, des étoiles, de la Voie lactée, de notre planète, de l'espace où la raison tente de rejoindre le rêve !

Le mot, ayant une forte signification, s'inscrit dans notre existence et permet à tout un chacun de former d'autres mots. Il ne doit sa survie qu'à l'échange avec les autres. Égoïste, isolé, il va mourir avec l'individu. Les mots sont le reflet de la culture de l'homme.

La route de la voix est un long parcours non seulement emprunté par l'ADN mais également par l'apprentissage des mots depuis des millions d'années. Cette route a érigé la force de l'homme d'aujourd'hui et a permis ses découvertes. La voix a son énergie dans la mémoire. Son territoire, c'est l'homme, son futur, c'est le langage de demain, son présent, c'est la vie.

Cerveaupolis aux commandes de la voix

Le cerveau, écrin de notre émotion et de notre pensée, crée notre voix.

La voix, son mot, sa prononciation, sa compréhension sont à Cerveaupolis

Le 12 avril 1861, M. Le Borgne est conduit dans le service du Pr Paul Broca pour un phlegmon gangreneux de la jambe. Ce qui intéresse le patron, ce n'est pas le phlegmon mais les troubles du langage que présente M. Le Borgne. En effet, il ne prononce que la syllabe « tan ». À part cela, il n'existe aucune paralysie bucco-pharyngée, aucune anomalie du visage, aucun autre déficit. Mais il ne peut pas dire autre chose que cette syllabe. C'est son seul mode d'expression verbale. Toutes les autres fonctions persistent. La compréhension du langage, les fonctions cognitives sont normales. On lui donne le surnom de « Tan ». M. Le Borgne décède de sa gangrène le 17 avril 1861, soit quelques jours après son admission à l'hôpital. L'autopsie montre une lésion au niveau du cerveau gauche et plus précisément dans la troisième circonvolution du lobe frontal. La région du langage est découverte. Le lendemain, Paul Broca présente cette observation à la Société d'anthropologie, dont il est le secrétaire. Il en déduit que la lésion du lobe frontal a entraîné la perte de la parole. Pour la première fois, on donne une localisation à la voix humaine. Neurochirurgien de l'hôpital du

Kremlin-Bicêtre, professeur à l'École de médecine de Paris, il est le premier à démontrer que le cerveau présente des localisations spécifiques particulières et propres à certaines fonctions mentales. Le lien est établi. Trouble du langage et lésion cérébrale sont associés. Cette aire, car c'est ainsi que l'on appelle les différentes zones du cerveau, sera appelée l'aire de Broca. Elle est spécifique à l'homme. Elle est la caractéristique essentielle de la voix humaine. Cette approche est l'amorce de l'association « fonction et projection cérébrale ». C'est la naissance de la neuroanatomie qui, depuis le XIXe siècle, n'a cessé de passionner les scientifiques à la recherche des mystères de notre cerveau.

Cette publication stimule de nombreuses vocations. Carl Wernicke complète la découverte de Paul Broca. Neuropsychiatre allemand, il effectue des études de médecine à Breslau et de neuropsychiatrie à Vienne, dans le service de Heinrich Neumann et il fut très influencé par Theodor H. Meynert avec lequel il travailla six mois. Sa thèse de doctorat, *Le complexe symptomatique de l'aphasie* (1874), décrit la forme aphasique sensorielle secondaire à une atteinte de la réception et de la compréhension du langage. Ce territoire cérébral de la compréhension du langage et non pas de la prononciation du langage porte son nom : l'aire de Wernicke. Il définit ainsi une image auditive du mot, qui imprime le cortex cérébral après qu'il l'a entendue. Il décrit l'existence d'un véritable lexique interne de notre cerveau. Il associe les troubles de l'intelligence des mots à une lésion localisée de façon précise au niveau de la partie postérieure de la première circonvolution temporale. Les prémices des recherches sur le cerveau, centre de commande de la voix, voyaient le jour.

L'apprentissage du verbe nécessite l'écoute. La projection cérébrale de l'audition se situe au niveau du cortex droit et gauche. Mais, fait étonnant, une lésion unilatérale de l'aire auditive provoque une légère diminution de la perception et de la direction du son, mais pas de surdité. En effet, l'audition a une projection bilatérale. L'oreille gauche donnera une information au niveau du cerveau gauche, mais également de façon différente au niveau du cerveau droit. Il en va de même pour l'oreille droite. Fait exceptionnel, si l'on stimule la région de l'audition dans le cerveau, l'individu ne perçoit que des fréquences musicales élevées ou basses mais jamais les mots. C'est vers le milieu du XXe siècle que Norman Gershwin, neuropsychologue américain, affine l'importance des différentes projections cérébrales de la voix humaine. L'aire de Wernicke et l'aire de Broca s'associent respectivement dans la compréhension et dans l'émission du langage articulé.

Une atteinte de l'aire de Broca ou de l'aire de Wernicke ne se traduira pas par les mêmes conséquences. Chaque localisation cérébrale a un rôle spécifique.

Wernicke « écrit le mot », Broca « le lit à haute voix »

L'aphasie de Broca intervient lorsque l'aire de Broca est touchée, lors d'un accident vasculaire cérébral par exemple. La voix est altérée. Mais, plus précisément, c'est la production du langage qui est concernée, la formation du mot. L'élocution est lente, hachée, scandée. C'est une succession de syllabes. Le patient s'arrête après avoir émis quelques phonèmes, puis repart d'une façon anarchique, non rythmée. Le mot « soleil », se prononce : « sss... so... leil ». Il n'y a plus de composition grammaticale. Le verbe est souvent utilisé à l'infinitif : « je voir soleil ». La phrase n'est pas construite. Le patient comprend tout mais il a du mal à se faire comprendre.

L'atteinte de l'aire de Wernicke est différente. La production du langage est possible. Le lexique, le dictionnaire interne de nos mots emmagasinés depuis des années, est altéré. Le patient parle avec un débit important. La phrase peut sembler correcte, la phonation satisfaisante, mais il parle, il parle, il parle... C'est une logorrhée incontrôlable et incompréhensible. La séquence des mots dans une phrase est respectée, mais les mots associés dans cette phrase ne veulent rien dire. On assiste à une distorsion du mot, à une modification des phonèmes : « soleil » pour « sommeil », « dopin », pour « dauphin ». Ici, le traitement phonologique est perturbé.

Ces choses-là étaient déjà bien connues par les Anciens. Dans les papyrus de l'Égypte des pharaons, des hiéroglyphes nous apprennent qu'il y a près de trois mille ans, on opérait le cerveau : « Si tu examines un homme ayant la tempe enfoncée, que tu l'appelles, qu'il ne répond pas, c'est qu'il a perdu l'usage de la parole. » Ces écrits démontrent déjà la connaissance de la projection cérébrale de la voix à l'époque des pyramides. On peut lire dans le Psaume 137, 5-6 de la Bible : « Si je t'oublie, ô Jérusalem, que ma main droite se dessèche, que mon visage se paralyse, que ma langue s'attache à mon palais et que je perde ton souvenir. » N'est-ce pas le tableau clinique de l'atteinte du cerveau gauche avec aphasie ? En effet, le cerveau gauche permet de parler et de bouger son hémicorps droit. Il permet d'intégrer la parole, le langage. L'aire de Wernicke, lieu de notre lexique de mots, se trouve à la croisée des chemins des circuits cérébraux de la vue, de l'audition et de la motricité de notre corps gauche : avec en arrière l'information visuelle, en bas l'information sonore, et latéralement la gestuelle physique. Ainsi, cette région intègre le mot sur le plan auditif, sur le plan visuel. L'aire de Wernicke « l'écrit » dans le cerveau. L'aire de Broca « le lit à haute voix ». Elle est le « porte-parole ».

Des spasmes dans la voix et pourtant le larynx est normal

M. Paul, cinquante-quatre ans, professeur dans une université de province, me consulte avec un grand désarroi. Il parle d'une voix compréhensible, logique, avec une syntaxe normale mais scandée : « Lorsssque... jjje parle, ma vvvoix est hachée, difficile, spasmodique. On a examiné mon larynx. On m'a dit qu'il n'y avait rien. Pourtant jjje nne comprend pas. » Effectivement, l'examen de son larynx est normal sur le plan anatomique mais les cordes vocales bégayent, elles bougent même au repos avec des mouvements saccadés. Il ajoute : « Quand le téléphone sonne, que ma secrétaire n'est pas là, je préfère ne pas répondre. J'ai peur de décrocher, mais je dois répondre, c'est peut-être urgent. D'une main malhabile, je prends difficilement le combiné. Je le mets sur mon oreille gauche et je dis : Allllô ? Je suis nerveux, anxieux. Mes mains sont moites. J'ai comme un spasme dans la gorge, comme un spasme dans la voix. Pourtant je sais que mes cordes vocales sont normales, que les examens neurologiques de mon cerveau sont normaux. On m'a parlé d'une commande qui se fait mal, qui est anarchique, qui s'embrouille. Docteur, ce cerveau si complexe, comment se fait-il qu'il n'arrive pas à harmoniser ma voix ? Il n'arrive pas non plus à harmoniser mes mains lorsque je veux m'exprimer avec force et conviction dans les débats que je dirige à la faculté ! Tout simplement, je ne peux pas parler convenablement tant avec ma voix qu'avec mes mains. »

La mécanique musculaire, le larynx, la respiration sont normaux. Les examens neurologiques n'ont rien montré. M. Paul a une dysphonie spasmodique. La commande est perturbée. Dans la maladie de Parkinson ou chez des patients qui présentent des mouvements incontrôlables et involontaires des muscles de la face, la voix est perturbée, parfois méconnaissable, tremblante, déformée, la commande est altérée. Le larynx n'a pas d'anomalie particulière. Mais pour mieux comprendre cette difficulté à parler, pénétrons dans le monde du cerveau.

Voyage au centre du cerveau : Cerveaupolis

Voix et pensée : va-et-vient de notre moi

La communication passe par les phonèmes, qui viennent nourrir l'intellect. Les mots stimulent notre cerveau, enrichissent notre vocabulaire, notre voix. La pensée, à son tour, utilise l'outil qu'est le mot pour s'exprimer. La voix s'installe, ce langage est intimement lié à la main, dont la projection cérébrale est très proche de l'aire du langage. La latéralisation de la main et du langage se situe dans l'hémisphère dominant. Le cerveau, tel qu'on le connaît chez l'homme, est-il le fait d'une seule mutation brutale ou de plusieurs mutations évolutives et progressives ?

Notre cerveau n'est pas un mais trois. Sa naissance

remonte à plusieurs centaines de millions d'années. Poisson, reptile, oiseau, mammifère primitif et évolué ont laissé leur empreinte. Quelle machine étonnante, composée de milliards de cellules et de connexions, est notre système nerveux central ! Quel imbroglio de câbles neuronaux pourtant si bien orchestrés, dirigés et classés nous gouverne ! Le système nerveux est constitué par la moelle épinière qui court dans notre colonne vertébrale. Elle donne naissance à trente et une paires de nerfs rachidiens. Le tronc cérébral situé à la base de notre cerveau donne à son tour naissance aux nerfs crâniens. Le cervelet ou petit cerveau comprend deux hémisphères reliés par le vermis dans sa partie postérieure, qui est la partie la plus ancienne de notre cerveau dans l'évolution. Ces hémisphères du cervelet présentent quelques circonvolutions. On retrouve ces structures chez le poisson. À la base du cerveau, l'hypothalamus apparaît comme la partie médiane, sous le système limbique. Il contrôle la stratégie de notre survie. Il est en relation directe avec notre hypophyse, chef d'orchestre de nos hormones. Le thalamus, bilobé, au centre de notre cerveau, est la masse nucléaire la plus volumineuse de notre système nerveux (masse où sont les noyaux des neurones). Appendice à la base du cerveau, la glande pinéale est le siège de la sécrétion de la mélatonine. Le tout à la surface est chapeauté par le cerveau dit « noble », ou cortex cérébral. Il présente six couches différentes étagées jusqu'à la surface. Cette disposition laminaire est fonction de son aspect phylogénétique : chaque étape de notre évolution a ajouté sa marque.

Ainsi, on distingue l'hémisphère gauche et l'hémisphère droit. Ils sont asymétriques. Notre survie est liée au cerveau reptilien : c'est lui qui gère nos fonctions vitales. Notre mémorisation, nos émotions, nos stress dépendent, eux, de notre cerveau limbique, qu'on retrouve chez les mammifères primitifs. Vient enfin la troisième structure fondamentale de notre système nerveux : le cerveau évolué. C'est le plus sophistiqué de tous, le plus superficiel. Il est à la surface, juste en dessous de la boîte crânienne. On l'appelle le néocortex.

La boîte crânienne, ceinture de sécurité de notre pensée

Fait étonnant : tout notre corps est un squelette central avec des muscles qui l'habillent, une peau, de la muqueuse. Une seule exception pourtant : le cerveau. Le cerveau est protégé par son squelette : la « boîte crânienne » ou crâne.

Lorsque l'on a un trauma crânien, lors d'un accident de la route par exemple, est-il si grave d'avoir une fracture du crâne ? Pas toujours, au contraire. Prenons une analogie. Si vous faites tomber délicatement un œuf sur le sol, la coquille ne se casse pas. Pourtant, le choc doit être absorbé. Ouvrez délicatement la coquille d'œuf à un point précis. Regardez à l'intérieur, le jaune et le blanc se sont mélangés. Le choc a été absorbé par l'intérieur de l'œuf. Maintenant, faites tomber cet œuf de façon que la coquille se casse, observez : le choc a été absorbé par la coquille elle-même mais le jaune et le blanc ne se sont pas mélangés. Il en va de même pour le crâne et le cerveau. Si le choc est absorbé par l'os lui-même, qu'il existe une fracture du crâne, à l'intérieur du cerveau on observe peu de dégâts. Ce choc absorbé par la boîte crânienne, amorti par un petit coussin interne de protection qu'on appelle les méninges, n'entraîne pas de souffrance majeure intracérébrale. Lorsqu'il n'y a pas de fracture du crâne, le choc est absorbé par l'intérieur du cerveau et, dès lors, on observe des altérations neurologiques. En effet, l'onde de choc perturbe la structure interne. Bien sûr, dans un traumatisme violent, tout est altéré. La boîte crânienne extrêmement solide protège, tout comme la coquille d'œuf, l'élément le plus noble de l'évolution de l'homme : le cerveau. Mais celui-ci n'est pas directement en contact avec l'os lui-même. Ce petit coussin constitué d'éléments tissulaires liquidiens et fibreux, les méninges, sert d'interface entre la structure osseuse dure et le cerveau extrêmement mou. D'ailleurs, on appelle dure-mère la membrane qui tapisse la paroi osseuse interne du crâne et pie-mère la paroi qui est en contact avec le cerveau. Car, comme leur nom l'indique, elles nourrissent le cerveau. Elles lui apportent les éléments énergétiques indispensables. Dans l'espace entre ces deux tissus, il existe un liquide, dit liquide méningé ou céphalo-rachidien, associé à une trame dite arachnoïde car elle ressemble à une toile d'araignée.

Poisson, reptile et mammifère sont dans notre cerveau

Ce qui est frappant dans cette construction des hémisphères cérébraux, c'est la concentration dans un volume particulièrement compact des unités de commande. Tout est centralisé. La totalité de l'information de toutes nos fonctions est là tant par les fibres afférentes que les fibres efférentes de notre corps. Nous avons vu les différentes parties du cerveau. Mais il faut noter que tout n'est pas séparé à droite et à gauche. Le cerveau comporte une partie inférieure, impaire, médiane et basale, au sommet du tronc cérébral : c'est le cerveau intermédiaire ou diencéphale. C'est le siège du cerveau limbique. Le diencéphale comprend l'hypothalamus, l'hypophyse, le troisième ventricule et le corps pinéal. La partie supérieure, paire et asymétrique, nommée télencéphale, comporte nos deux hémisphères cérébraux, le corps strié avec son cortex, la substance blanche et les ventricules latéraux, les commissures interhémisphériques avec le corps calleux qui est le pont entre les hémisphères cérébraux droit et gauche. Ce même cerveau dans sa globalité, chez l'éléphant d'Afrique, pèse près de 6 kg. Chez l'homme, il pèse près 1,5 kg, sa longueur est de 16 cm, sa largeur de 14 cm, sa hauteur de 12 cm. Sa masse relative est la plus importante de tout le monde animal. Chez l'homme, au niveau du néocortex, on observe de multiples circonvolutions. Il est le seul à posséder une structure aussi développée. La projection cérébrale des différentes fonctions est impressionnante de précision. Lorsque l'on stimule un endroit bien défini du lobe temporal gauche, la main droite bouge. Cette stimulation s'accompagne d'un langage articulé appris à l'âge de deux ou trois ans. Quand la même région est stimulée chez le chimpanzé, il lève le bras droit et il crie. Ainsi, à une région cérébrale donnée, la réponse chez l'homme est beaucoup plus sélective que chez le chimpanzé. Cela est dû à l'augmentation de surface considérable provoquée par l'abondance des circonvolutions cérébrales pour toutes les aires du néocortex, ce qui a permis l'hyperspécialisation de chaque territoire. Chez le reptile, le néocortex est pratiquement inexistant. Notre paléocortex ou cerveau reptilien est semblable à celui du chien, de la panthère ou du cerf. Son volume est similaire. L'évolution du cerveau est propre à chaque espèce, et spécifique au groupe d'individus de l'espèce. Chez le perroquet, par exemple, la taille du cerveau, suivant les races, peut varier de un à trois avec des aires agencées de façon différentes. Chez l'*Homo vocalis*, ce qui est unique dans le monde animal, le cerveau a la même dimension ou presque, la même structure, la même répartition des zones cérébrales. Tous les hommes ont le même cerveau. Ce qu'ils en font, c'est une autre histoire !

Chaque espèce a son empreinte cérébrale

Le dauphin a un lobe acoustique particulièrement développé. Il maîtrise les ultrasons qui sont mieux perçus dans l'eau. L'éléphant, lui, de par son environnement, doit entendre les sons graves et les infrasons à travers la savane. Ils sont mieux propagés dans cet espace. L'oiseau migrateur ne possède-t-il pas une boussole interne ? Le chien a un odorat exceptionnel tout comme le saumon qui remonte sa rivière natale, en reconnaissant la senteur de l'eau. Mais, chez l'homme, à quel âge la projection cérébrale vocale apparaît-elle ? Les techniques d'imagerie médicale explorant notre cerveau nous ont permis une découverte exceptionnelle. Juste après la naissance, le développement vocal commence, la neuro-imagerie nous dévoile son mystère et sa trace.

La voix humaine est un « sport d'équipe » : la voix est le stimulus indispensable de sa propre évolution. Cet enfant naît sourd. Il a une surdité bilatérale complète à la naissance. Très rapidement, on constate une atrophie de la zone du langage parlé. Il ne communique pas verbalement puisqu'il n'entend pas. On observe une atrophie des lobes temporaux gauche et limbique qui donc préexistent avant la naissance pour le développement de la voix. Ainsi, la voix humaine avec sa puissance de développement, non seulement dans la communication avec l'autre mais également avec soi-même, conserve, actionne et génère des circuits des aires de la projection cérébrale du langage. Elle est le stimulus indispensable pour cette fonction. Si la voix ne stimule pas les premiers neurones de connexion entre les trois cerveaux, ces zones cérébrales s'éteignent.

La voix active, développe, construit, forme et crée les nouveaux circuits neuronaux. L'acquisition du langage parlé articulé, de la musique, de l'abstrait vient conquérir de nouveaux territoires. Elle stimule la mémorisation de l'information. Elle accélère la constitution d'un dictionnaire de mots et l'apprentissage des langues étrangères. La voix s'autostimule dans son développement. Tout comme l'activité et l'entraînement du sportif le sculptent musculairement, l'entraînement cérébral, dès les premiers mois de la vie, forme l'intelligence vocale de l'enfant. L'entraînement par la voix et la musique active la structure cérébrale du langage humain et la faculté d'anticipation.

Le développement vocal est associé au développement comportemental. L'environnement psychologique, social, culturel a un impact définitif sur la formation de la voix humaine. La voix est essentiellement sociale. Ce mot, d'ailleurs, « social » du latin *socius*, ne signifie-t-il pas « compagnon vivant dans un environnement de même espèce, mêmes individus » ? L'homme ne peut pas être isolé de son milieu sans altération de l'évolution de son moi, de son être tout entier. L'interaction d'autres individus du groupe lui permet de construire son identité, de rebondir sur la pensée de l'autre, de « couper » la parole à l'autre, d'apprendre les mots qui sont la nourriture de son monde linguistique. L'information en retour d'autrui est indispensable. On peut difficilement jouer seul au tennis ! Le petit d'homme, dès sa tendre enfance, assimile les outils du langage. Cet apprenti de la voix va très vite devenir son maître. La présence de l'autre, l'interaction des autres, la confrontation des opinions forment cet animal qui parle : l'*Homo vocalis*.

L'apprentissage de la voix, pour être possible, repose sur l'aire de Brocas (formulation des mots), l'aire de Wernicke (lexique des mots) et le planus temporal (communication du langage). Ces trois lieux privilégiés sont situés uniquement dans le cerveau gauche pour tous les droitiers et également pour une grande partie des gauchers. C'est par excellence le cerveau dominant. Cette asymétrie est hormono-dépendante. Elle dépend de la testostérone. Deux tiers des gauchers sont des hommes. Cependant, plus des quatre cinquièmes des individus de notre planète sont des droitiers.

L'éveil de notre cerveau

Le premier élément fondamental de l'ontogenèse vocale n'est-il pas d'apprendre à nommer les choses ? C'est entrer dans le monde psychoaffectif du nourrisson et dans son développement moteur et cognitif. Jean Piaget avait défini six stades dans l'évolution du nourrisson à successivement un, quatre, neuf, douze, dix-huit et vingt-quatre mois. Les premiers balbutiements du nourrisson permettent la demande concrète de la nourriture, d'un objet, d'un jouet. Plus tard, ce balbutiement évolue. Il sert de communication avec l'autre. Il permet le partage émotionnel. Il permet d'exprimer joie ou tristesse. Ainsi, la voix humaine devient progressivement le véhicule idéal du symbolisme du mot qu'elle représente. Les actes dits « préintelligents » ont lieu de un à quatre mois (stades 1 et 2) et prolongent le développement de l'activité réflexe. Ils construisent le lien inébranlable entre la mère et l'enfant. De neuf à vingt-quatre mois (stades 4 à 6), les actes intelligents se mettent en place, dont le plus important chez l'homme est le langage articulé. Sa période transitionnelle a lieu entre quatre et neuf mois. Cette étude simple que Jean Piaget a faite sur ses propres enfants, Sue Taylor Parker, anthropologue de Sonoma States University en Californie, a voulu l'appliquer au singe macaque. Ses conclusions sont impressionnantes. On retrouve le développement des différents stades mais dans un laps de temps beaucoup plus rapide que chez l'homme (entre trois et cinq fois plus rapide). Cependant, dès neuf à douze mois, il y a un arrêt de l'apprentissage. La route de la voix ne peut pas se bâtir. L'évolution en ce sens ne peut pas se poursuivre puisqu'elle n'a jamais commencé. Le langage articulé n'existe pas. Le langage communicatif est pauvre ainsi que l'intérêt porté aux différents objets qu'on lui présente. Le langage des signes reste succinct. Si l'homme a un authentique langage, comme le stipule D. Listel, il ne peut enseigner qu'une communication symbolique aux animaux, même à Washoe et Kanzi, chimpanzés bien connus dont nous allons découvrir l'histoire.

Dans les années 60, Allan et Beatrice Gardner enseignent le langage de signes à Washoe le chimpanzé. Il possède cent cinquante mots-signes dans ce même langage. Ses maîtres réalisent un film scientifique qui fait le tour de la planète. Pourtant, rapidement, on observe une limite dans cet apprentissage. La syntaxe n'existe pas. Autrement dit, l'ordre précis des mots et la construction des phrases semblent impossibles. Chaque signe correspond à un objet précis, à l'expression de la faim, ou à une action concrète. Aucun nouvel objet présenté ne pouvait être défini par un nouveau signe créé par le chimpanzé. L'apprentissage du concept est impossible.

En 1986, Savage et Rumbaugh ont « éduqué » Kanzi, un bonobo, chimpanzé considéré comme le plus proche de l'homme. Certes, s'il avait appris également à reconnaître les symboles graphiques, il pouvait les combiner dans un certain ordre et, ainsi, associer l'usage du geste et du lexigramme. Mais, comme précédemment, il ne pouvait créer un nouveau concept et sa lenteur d'exécution montrait ses limites. On est bien loin de la voix humaine, qui a pu permettre la création de plus de deux cent mille mots, et ainsi la création du concept et du récit.

Washoe ou Kanzi utilisent un langage sur demande après une impulsion particulière. L'abstrait n'existe pas. Nous ne sommes pas si loin du réflexe de Pavlov. L'enfant, lui, se sert de son langage pour informer, indiquer une idée, déclarer son opinion, prévoir une situation, partager son émotion, créer un imaginaire. Le chimpanzé ne parvient à ces quelques centaines de signes que par un apprentissage difficile, que par un don d'imitation, impressionnant certes mais presque uniquement répétiteur.

Mais le chimpanzé a pourtant son propre langage. Il est rusé, il a une forme d'intelligence. L'approche anthropomorphique est intéressante mais ne doit pas nous faire oublier le respect de l'animal et sa noblesse. En 1997, De Wall est le témoin d'une scène plus qu'intéressante dans le monde des singes. Une chimpanzé femelle trouve un fruit. Elle crie un son particulier qui signifie « alarme, attention, on est attaqués ». Tous les chimpanzés partent, ce qui lui permet de déguster tranquillement son repas. Personne ne viendra lui dérober son fruit. Il existe donc, même chez les animaux, un mensonge comportemental. Mais le support en est matériel. On connaît ainsi de nombreuses feintes chez les chimpanzés femelles. I. Pepperberg a testé également l'apprentissage du langage chez Alex, perroquet gris du Gabon. Ici, on a affaire à un véritable langage articulé. Mais le langage appris aux animaux est créé par l'homme et pour l'homme. On aperçoit donc immédiatement les limites de ce type de langage et de ses applications.

Alors se pose la question du secret de la voix humaine. Existe-t-il une programmation cérébrale génétique ? Déjà, Noam Chomski, en 1968, avait osé soulever une telle hypothèse. Ce mystère de la voix humaine réside-t-il en partie dans l'ADN ? Nous avons vu la structure intime de cette molécule. Il est vraisemblable que le gène FOXP2 est un des éléments du langage humain.

Tout comme chez l'homme, les grands singes, c'est-à-dire les singes n'ayant pas de queue comme le chimpanzé, le gorille ou l'orang-outang, présentent une asymétrie des hémisphères cérébraux. Ils ont donc un hémisphère dominant. S'ils n'ont pas d'aire de Broca, ils possèdent bien un planum temporal, région supérieure du lobe temporal, dont le rôle fondamental est le traitement de la communication et du langage. Il est beaucoup plus développé à gauche qu'à droite. Ainsi, l'étude pratiquée par W. Hopkins, du Yerburst Regional Primate Research Center, a montré que près de 67 % des chimpanzés possèdent un hémisphère gauche dominant. Mais cette espèce présente également une oreille directrice qui est l'oreille droite. Se pose la question : est-ce seulement le langage articulé qui manque au chimpanzé ? Il semble que cette analyse soit un peu simpliste. Bien sûr, la position anatomique du larynx est un élément indispensable pour pouvoir parler. Mais l'intelligibilité vocale est nécessaire.

L'hémisphère dominant parle mais les deux hémisphères commandent les muscles

L'hémisphère dominant gère la voix, nous dit-on. Mais les muscles de la phonation se contractent tant à gauche qu'à droite. Nos cordes vocales se contractent de la même façon à gauche et à droite, permettant ainsi la vibration symétrique. Comment cette structure de la voix peut-elle se vanter d'avoir son siège dans un seul hémisphère ? Des neurones ou fibres calleuses de notre cerveau passent de l'hémisphère dominant à l'autre et permettent la commande simultanée, synchrone et harmonieuse des muscles de la phonation à droite et à gauche dès que l'on veut parler. La commande de la mécanique musculaire de notre corps et des muscles de la voix est bilatérale. Les aires nobles du langage sont unilatérales. La création du langage nécessite la capacité motrice d'organiser la mécanique phonatoire qui a été préalablement pensée et puisée dans les aires du langage. Nous voyons combien est complexe cet organigramme.

Je veux dire un mot : l'aire de Wernicke trouve le mot. Le planum temporal l'organise dans son contexte. L'aire de Broca permet sa prononciation et informe les aires motrices des hémisphères cérébraux droit et gauche d'actionner de façon symétrique la mécanique musculaire de la phonation. Le mot est prononcé.

Ces constatations ont été possibles grâce à la pathologie. Quand le cerveau gauche est atteint, la partie droite de notre corps ne fonctionne plus. Chaque localisation cérébrale particulière a un rôle spécifique. Une atteinte du lobe frontal droit créera un trouble de l'articulé : c'est la mécanique qui fonctionne mal. Elle se définit comme une aphasie motrice ou anarthrie et peut s'accompagner d'une hémiplégie. On comprend mal le patient mais il peut s'exprimer. Lorsqu'il existe une atteinte du lobe gauche chez un droitier ou chez la majorité des gauchers, alors non seulement il existe une atteinte motrice des mouvements, mais le centre de la parole est affecté. Nous avons vu les conséquences de l'aphasie de Broca qui est une atteinte de cette région et qui se présente chez un patient qui parle lentement, difficilement, en style télégraphique. Ce qui est terrible pour le patient, c'est qu'il comprend ce qu'on lui dit. Il est conscient de sa pathologie, mais il est également conscient d'être incapable d'avoir des phrases intelligibles et fluides. Souvent, cette incapacité verbale s'associe à des troubles de l'écriture.

Il peut s'adjoindre à cela l'aphasie de Wernicke, qui est bien différente. Ce sont des aphasies sensitives. Lorsque seul ce territoire est touché, c'est la cécité verbale. On ne peut pas comprendre le langage écrit ; ou la surdité verbale : on ne peut pas comprendre le langage parlé. Là encore, on observe un déficit de la parole. Mais il y a un déficit de la compréhension. Le patient ne contrôle plus sa propre conversation. Sa fluidité verbale est correcte, pourtant il se trompe de mots ou de phonèmes. Il n'est pas conscient de ses erreurs ni de son aphasie. Ces aphasies ne sont pas en rapport avec la mécanique du larynx mais, uniquement, avec la mécanique de la pensée qui devient voix.

Dans un tout autre registre, il y a la dyslexie qui touche 3 % de la population environ et le bégaiement ou le bredouillement. Le bégaiement se développe de trois à cinq ans, le plus souvent. On le connaît depuis Hippocrate, Aristote ou Démosthène, dont on sait qu'il mettait des cailloux dans sa bouche pour s'entraîner à parler. Plus fréquent chez l'homme, certains l'ont surnommé la « névrose de la parole » (Jean Tarneaud). D'autres prétendent qu'il existe une hérédité. Des études faites au milieu du XXe siècle ont montré que sur cinq couples de jumeaux monozygotes, tous bégayaient. Le bégaiement est secondaire à plusieurs facteurs, que ce soit un choc émotionnel, un traumatisme ou une frayeur. L'hérédité est un facteur favorisant mais non obligatoire. Il y a autant de cas de bégaiement que de bègues. Il est illusoire de vouloir faire entrer dans un format rigide cette expression verbale. Il s'agit d'un trouble de la communication de la voix parlée, c'est la raison pour laquelle le chant n'est pas perturbé. Plus de 70 % ne bégaient plus après la puberté. Actuellement, l'orthophonie est un des éléments essentiels pour traiter ces troubles de la parole.

Mais notre cerveau crée également nos rires et nos pleurs. Le rire est une réaction complexe, émotionnelle, mettant en jeu des phénomènes moteurs rarement contrôlés aux niveaux facial, respiratoire et phonatoire. Ils peuvent entraîner des spasmes laryngés. Son expression est également libératoire. Certaines médecines chinoises en ont fait une thérapie.

La cartographie cérébrale empreinte de notre évolution

Hommes du XXIe siècle, nous sommes en possession de nos cerveaux ancestraux, l'archéocortex, siège des centres des commandes vitales de notre organisme, paléocortex, siège de la personnalité inconsciente et involontaire dont la traduction est l'humeur et la réaction spontanée, et néocortex, ou néoencéphale, siège prédominant de la personnalité consciente et volontaire. Ce dernier est également le seul siège du langage articulé de l'homme.

Le tronc cérébral ou archéocortex

Formé du bulbe rachidien et de deux pédoncules cérébraux ou mésencéphales, il fait suite à la moelle épinière. Une lésion des hémisphères cérébraux entraverait notre comportement, mais une altération du tronc cérébral nous conduit inéluctablement à la mort. Une atteinte partielle entraîne un état végétatif nécessitant une assistance médicalisée. Il participe à la vision et à l'audition. L'audition, rappelons-le, est l'élément indispensable à la création de la voix humaine. C'est au niveau du tronc cérébral que vont naître les nerfs nobles de notre corps qu'on appelle les nerfs crâniens (à l'exception du premier nerf crânien, nerf de l'odorat, qui arrive directement au cerveau par des fibres nerveuses situées sur le toit du sinus ethmoïdal encore appelé plaque olfactive, vestige de notre vie reptilienne). Les nerfs crâniens sont pairs et symétriques au nombre de douze.

Le cervelet : déplacement dans l'espace et la voix

Ce petit cerveau comporte comme le grand des couches étagées de cellules avec les trois épisodes phylogéniques : archéo-, paléo- et méno-cellules. Il est relié au tronc cérébral, qui se situe en avant de lui. Le cervelet a un rôle majeur dans la coordination des mouvements et l'équilibre. Mais, contrairement au tronc cérébral, il n'est pas indispensable à nos commandes vitales. Il permet la mémoire du langage, du travail et de l'apprentissage. Alors que c'est l'hémisphère gauche qui est siège de l'aire du langage, ici, c'est l'hémisphère cérébelleux droit qui est dominant. Il a un rôle majeur chez le comédien, qui associe la mémoire, le verbe et le déplacement dans l'espace.

L'encéphale : deux continents de notre vie amarrés l'un à l'autre par trois ponts

Il présente un cerveau gauche, un cerveau droit et une base. Ils ne sont pas indépendants. Trois groupes de câbles ou faisceaux nerveux constituent des ponts dont le plus important est le corps calleux. L'information passe ainsi d'un côté à l'autre et d'arrière en avant ou l'inverse.

Le paléocortex ou système limbique

Le système limbique est le cerveau du comportement situé au pied des deux hémisphères cérébraux, en dedans et contigu des lobes temporaux. Il est à la jonction des voies efférentes et afférentes neuronales du néocortex. Il est le siège des émotions, de notre monde affectif, nostalgique, mais également de la mémoire, du souvenir. C'est ici que se situent plusieurs structures particulières. L'hippocampe, particulièrement développé chez l'oiseau, est le siège, entre autres, de la boussole biologique de l'orientation. L'amygdale cérébrale, appelée ainsi car elle a la forme d'une amande, est symétrique. Elle est la source des réactions primitives de l'animal. C'est une structure cérébrale essentielle au décodage des émotions et en particulier des stimuli qui menacent l'organisme. Elle régule l'agressivité, la peur, le rythme biologique, l'aspect comportemental primitif. Dans la partie médiane se situent l'hypophyse et l'hypothalamus qui sont les chefs d'orchestre de notre monde hormonal particulièrement sensible au stress et aux émotions.

Le néocortex

Il est le plus récent dans l'évolution. Il recouvre les hémisphères avec des reliefs évoquant des collines et des vallées. Ce sont les circonvolutions cérébrales. Dans l'état actuel de nos connaissances, on distingue six couches. Chacune gère des circuits cellulaires. Cajal en 1909 se pose la question suivante, remarquable : dans la mesure où on emploie très souvent la main, sa projection cérébrale est-elle proportionnelle à son utilisation ? La réponse fut positive. La fonction exercée par la main a une projection particulièrement étendue au niveau cérébral sans doute parce que cette région est souvent stimulée. À l'inverse, une fonction peu utilisée verra sa zone de cortex plus petite et moins épaisse. Plus la stimulation cérébrale est importante, plus la projection qui commande cette fonction est sollicitée, plus elle va se développer et épaissir les couches du cortex. Chez le sujet qui souffre de cécité, son centre de la vue s'atrophie au profit des autres qu'il développe particulièrement. Il en va de même dans l'utilisation de la voix, nous l'avons vu chez l'enfant sauvage.

L'aire de Broca et l'aire de Wernicke sont les épicentres de l'aire du langage

Si l'aire de Broca et l'aire de Wernicke sont les épicentres de l'aire du langage, la voix humaine a de multiples projections cérébrales et notamment les territoires de la mémoire sans lesquels nous ne pourrions pas assimiler les mots, l'aire auditive sans laquelle on ne pourrait pas apprendre la voix, l'aire du planum temporal avec laquelle on construit la voix, l'aire motrice qui formule mécaniquement la voix.

Certes, les deux projections essentielles sont dans l'aire de Broca au niveau du sillon frontal inférieur gauche qui intervient dans la production vocale, et dans l'aire de Wernicke située au niveau de la partie postérieure des première et deuxième circonvolutions temporales gauches et qui intervient dans la perception des mots et des symboles du langage. Mais contiguës à ces territoires se situent des régions qui traitent la motricité du son du langage ou phonologie, stockent les mots, les comprennent, construisent la phrase et apportent le rythme et la musicalité de la voix parlée. Pour dire ces mots, encore faut-il les avoir appris et donc entendus : c'est le rôle, entre autres, du lobe pariétal, qui fait partie du cerveau de la perception. Le lobe occipital joue un rôle essentiel dans la vision. Il permet la lecture des mots et, grâce aux connexions intercérébrales multiples et complexes, la voix se forme dans une apparente simplicité.

Les fonctions évoluées de l'homme : circonvolutions cérébrales comme source du langage

Les fonctions telles que la gestuelle de la main, le langage, la vision, la mémoire, l'apprentissage des langues étrangères et de multiples autres entretiennent et permettent le développement du cerveau. Dans tous les stades de l'évolution chez le mammifère, du chat à la souris, du singe à l'homme, on observe au niveau du cortex cérébral une structure cellulaire semblable. Cette organisation cellulaire, identique chez l'homme et les autres mammifères, est faite de six couches. Meynert, en 1884, avait montré que l'épaisseur du cortex n'était pas la même en tout point bien que les six couches existent. Cette différence d'épaisseur cellulaire traduit la différence de stimulation des aires cérébrales en question. Plus récemment, en 1980, Rockel prélève des neurones dans cette région cérébrale, et montre que la densité est identique pour un même volume chez le macaque et chez l'homme (soit 146 000 neurones/mm^2). Le cortex cérébral humain, dont la surface est d'environ 22 dm^2 contient près de 30 milliards de neurones, alors que celui du chimpanzé est de 4,9 dm^2 avec 7 milliards de neurones, et celui du gorille de 5,4 dm^2 avec 8 milliards. La souris n'en a que 65 millions. Exception faite des céphalopodes (pieuvres, calamars), qui possèdent plusieurs millions de neurones, les invertébrés, comme la limace de mer, ne disposent que de 2 000 neurones. Dans cette approche Darwin est à son aise : « La structure corporelle de l'homme porte l'empreinte indélébile d'une origine inférieure. » Le neurone ne nous vient-il pas de la limace de mer ?

Les milliards de neurones du néocortex humain s'accompagnent, bien évidemment, d'un nombre incroyable de connexions interneuronales possibles. Cette adaptation de notre néocortex à la voix a été démultipliée par des stimulations de cette région cérébrale d'une part depuis des millions d'années, et d'autre part durant notre propre existence. Vouloir parler et créer des mots pour concrétiser notre pensée entraîne de nouveaux circuits cérébraux et de nouvelles occupations de notre espace cérébral. La matière est là, elle ne demande qu'à être activée, à devenir fonctionnelle. La fonction peut activer une zone qui ne l'était pas. Elle va garder ce nouveau circuit en mémoire et s'en resservir pour construire d'autres circuits. Ainsi, la fonction cérébrale s'amplifie par elle-même et par l'importance des stimuli extérieurs. Les hémisphères cérébraux sont asymétriques en faveur de l'hémisphère gauche et plus particulièrement de la région du planum temporal. Entre la dixième et la vingt-septième semaine de gestation, le fœtus forme son cerveau. L'aire de Broca prend naissance : la voix est donc génétiquement acquise ! Mais, si elle n'est pas stimulée, elle n'existera pas, ou plus exactement, elle n'apparaîtra pas.

Description du paysage cérébral

Nous avons deux hémisphères qui contiennent chacun cinq lobes cérébraux. Quatre sont bien connus : ils contiennent près de 70 % des neurones que nous possédons. Le *lobe frontal*, à la partie antérieure du cerveau, siège de l'aire de Broca, est juste derrière le front. Ce lobe supervise la gestuelle volontaire et coordonne les mouvements. Cortex moteur, il est également responsable de notre sensation du toucher par son cortex sensoriel. La pensée, une partie de notre mémoire, de notre raisonnement et de notre politesse siègent dans ce lobe. Le *lobe temporal*, au-dessus de l'oreille, est le siège de l'aire de Wernicke, des aires auditives, des aires gustatives et d'une partie de notre mémoire. Le *lobe pariétal* est dans la partie moyenne de l'hémisphère cérébral. Responsable de la sensibilité et de la motricité inconsciente, il permet notre orientation spatiale. Il nous informe sur le toucher. Le *lobe occipital*, en arrière du cerveau, est le centre de la vision. L'*insula*, cinquième lobe bien caché à la partie interne des hémisphères, intervient dans le bâillement et le complexe vestibulaire.

Les lobes cérébraux sont marqués par des scissures qui se subdivisent en circonvolutions. Chaque hémisphère est parcouru par deux à trois sillons et scissures. Ces scissures permettent d'augmenter de façon impressionnante la surface de notre cortex cérébral. Elles n'ont cette importance que chez l'homme. La scissure d'Orlando ou sillon central apparaît à la vingtième semaine de gestation. Elle trace une ligne légèrement verticale sur la partie latérale de l'hémisphère. En avant se loge le lobe frontal, en arrière se trouve le lobe pariétal. Une seconde scissure est importante, celle de Sylvius. Elle apparaît à la dixième semaine de gestation. Elle forme une ligne presque horizontale, perpendiculaire à l'autre. Le lobe frontal est également en avant de la scissure de Sylvius. Ce lobe est le siège de la motricité des différentes parties de notre corps : ce sont des fibres efférentes, des fibres qui partent de notre cerveau vers les muscles. En arrière de la scissure de Sylvius on observe la projection sensorielle de ces mêmes parties du corps : ce sont les fibres afférentes qui arrivent au cerveau. La scissure de Sylvius est horizontale et individualise le lobe pariétal, en haut, le lobe temporal en bas. Elle sépare le lobe frontal en avant du lobe temporal en arrière.

Comment avons-nous compris cette cartographie cérébrale ?

Plusieurs observations ont été faites par Penfield dans les années 50. Des patients volontaires, présentant une tumeur du cerveau, conscients mais sous anesthésie locale, se sont prêtés à des stimulations électriques autour de cette tumeur. Ces stimulations entraînaient un effet inhibiteur ou activateur. Ainsi, stimuler une région sensorielle provoque l'existence d'une sensation et stimuler une zone motrice entraîne un mouvement particulier en fonction de la région stimulée.

Mais, et cela ne nous étonne pas, aucune région spécifique de la voix humaine n'a été découverte. Aucune stimulation n'a déclenché la formation d'une phrase. C'est donc l'action conjointe d'un ensemble de régions qui permet la création de la voix. Quand on stimule l'aire de Broca, on déclenche la production de quelques voyelles, jamais de phrases construites. Ces techniques de stimulation ont permis de mieux comprendre cette projection multicentrique de la voix humaine, mais également de limiter au maximum l'ablation de tissu cérébral dans les tumeurs de ces régions afin d'éviter de toucher les zones du langage. En 1989, sur cent dix-sept patients, G. Ojemann observe que, si globalement les projections cérébrales sont dans la même région pour tous les patients, il existe une légère variabilité pour chaque individu.

Le néocortex est le siège des fonctions nobles des primates : la main, le visage, le pharynx, le larynx. L'exploration neurochirurgicale a permis, grâce à des micro-électrodes, de reconstituer la cartographie neuromotrice et neurosensorielle de notre corps. La projection de la tête est en bas près de la base du crâne, les pieds sont en haut près de la voûte crânienne. Qu'en est-il de la dominance du cerveau gauche ? Elle existe chez tous les mammifères mais également chez les oiseaux et notamment le perroquet. Depuis les invertébrés, dont le système nerveux est particulièrement primitif, le mammifère s'est enrichi d'un système nerveux complexe. Il a permis chez l'homme la coordination motrice et sensitive du langage.

Mémoire et voix

La mémorisation du mot est indispensable à la voix humaine. Cette mémoire peut être de deux ordres. La mémoire immédiate ou la mémoire à long terme.

La mémoire immédiate nous permet de conserver quelques heures, quelques jours, des phrases, des mots ou des mélodies entendus de-ci, de-là. Elle est une extension de notre audition immédiate de l'information. Mais quelle extension ! En effet, la rémanence d'un rayon de soleil sur notre rétine ne dure que quelques dizaines de secondes. Mais cette même rémanence pour l'écoute d'un mot ou d'une musique est perçue en 50 millisecondes par le cerveau, en 2 à 5 millisecondes par l'oreille interne, et peut durer plusieurs jours. Elle garde dans une partie de notre cerveau l'information pour quelque temps. Puis elle est éliminée. L'amnésie peut effacer notre mémoire à long terme ou à court terme, selon les régions atteintes du circuit neuronal. Des tests intéressants ont été pratiqués sur la mémoire immédiate. Elle est limitée à sept informations mémorisées à court terme. Nous n'avons pas la capacité de retenir plus d'éléments en une seule fois que l'information soit visuelle, palpable ou vocale. Lorsque l'on additionne une autre information verbale, la huitième information verbale efface la première et nous gardons un contingent de sept.

Cette mémoire immédiate est relayée par une mémoire à long terme qui permet le souvenir et la conception de l'espace-temps. Cette mémoire à long terme est le creuset par lequel de nouveaux mots, de nouvelles phrases et des pensées originales vont pouvoir se créer. L'instituteur de l'école primaire vous a appris à réciter votre poésie et a permis aussi de retenir des $E = mc^2$. Cette mémoire du savoir permet de garder au sein de notre cerveau des dizaines de milliers de mots. Elle est indispensable à l'évolution humaine. Comme le disait Richard Dawkins, le « meme » est le gène du mot sur lequel se construit notre structure langagière. L'information auditive, source de notre voix, pénètre le tronc cérébral, arrive jusqu'à notre projection hémisphérique, puis par des connexions multiples interfère avec la zone du langage, reconnaît l'instrument de musique, que ce soit le violon, le piano ou la harpe. Cette projection de l'aire auditive n'est qu'à quelques millimètres de la projection de l'aire de Wernicke. Ces territoires sont particulièrement développés chez les professionnels de la voix et les musiciens. Le corps calleux, pont qui câble les deux hémisphères, est lui aussi très hypertrophié chez ces artistes. En effet, les familles de mélomanes développent ces régions cérébrales dès la plus tendre enfance. Chaque hémisphère écoute. L'aire auditive de l'hémisphère droit intègre un tiers de l'information de l'oreille droite, et deux tiers de l'information de l'oreille gauche. L'hémisphère gauche reçoit un tiers de l'information de son oreille gauche et deux tiers de l'information de son oreille droite.

Dans la boucle audio-phonatoire, les éléments précités sont particulièrement importants. C'est ce feed-back ou rétrocontrôle qui fait qu'une voix est juste ou fausse, qu'un malentendant ne peut être ténor, baryton ou soprane, pianiste ou guitariste. Il n'a pas acquis cette boucle audio-phonatoire. Nous connaissons bien l'exemple de personnes âgées qui perdent progressivement l'audition. La voix se modifie et devient monocorde. Le timbre perd de sa chaleur et de ses harmoniques. Ayant la forme d'un coquillage en spirale de deux tours et demi, la cochlée, structure de l'oreille interne, est le révélateur de fréquences. Dans la voix chantée, ce « clavier cochléaire », comme l'a surnommé le Pr Chouard, est l'intermédiaire indispensable entre notre cerveau et le monde sonore. Il fait 2 mm environ de diamètre sur 35 mm de haut. Il permet d'intégrer trois octaves au minimum. Celui du lézard n'a que 0,04 mm de haut et ne perçoit que les fréquences graves. Celui du pigeon n'a que 0,06 mm. Le cobaye perçoit jusqu'à 15 000 Hz qui sont des fréquences très élevées, sa dimension est de 2,5 mm. Le fœtus entend. La cochlée et l'étrier, petit osselet de l'oreille moyenne, ont acquis dès le quatrième mois de la grossesse leur taille définitive. Chez la fille, l'activité du clavier fréquentiel est plus importante que chez le garçon. Ces fréquences sont surtout développées dans les harmoniques aigus et prédominent au niveau de l'oreille droite par rapport à l'oreille gauche (si le cerveau gauche est dominant).

Parler avec des gestes : même dans la tête

« Main libre »

À la station verticale, à la bipédie, à la libération du corps supérieur, on découvre la « main libre ». Comme le décrit André Leroi-Gourhan, on peut distinguer quatre temps de l'évolution posturale. Le premier temps correspond aux quadrupèdes marcheurs chez qui l'on note sur le bord du sillon de Rolando les premières traces d'une organisation fine de la motricité des muscles faciaux antérieurs avec, en avant, la commande de la sensibilité. Le deuxième temps correspond aux quadrupèdes préhenseurs qui présentent la possibilité de s'asseoir. Cette station assise libère temporairement les membres supérieurs. La main devient libre de façon épisodique. Mais il n'y a pas de modification de la suspension crânienne. On remarque sur le néocortex une organisation précise, motrice et, surtout, particulièrement développée et individualisée au niveau de la main. Le troisième temps correspond aux singes. On relève l'existence de la position assise, mais là il existe une suspension crânienne particulière, dont l'angulation va se rapprocher de l'axe vertical. Les projections faciale et manuelle sont particulièrement développées dans le néocortex avec une différenciation importante de la main et du pouce. Le quatrième temps est marqué par la bipédie, la verticalisation propre à l'homme. La modification fondamentale, certes, est la libération complète de la partie supérieure du corps avec l'utilisation libre de la main, mais surtout la suspension crânienne qui permet une libération du cerveau avec des connexions particulièrement développées afférentes et efférentes intéressant le langage articulé.

Tout au long de son évolution, des invertébrés en passant

par les reptiles jusqu'à l'*Homo sapiens*, l'homme semble être la seule espèce qui ait échappé à l'hyperspécialisation anatomique. Comme, par exemple, les dents du mammouth, les membres du cheval, le cerveau des oiseaux chanteurs, les signaux acoustiques particulièrement développés de la chauve-souris. L'homme, lui, est capable de s'adapter à toutes les situations possibles. Sa main, sa vue, son ouïe, sa bipédie, sa possibilité de s'exprimer, son verbe enfin le rendent unique et indépendant. La raison essentielle de cela reste le dégagement mécanique de la face postérieure du crâne par la verticalité.

Le quantum du cerveau : le neurone habitant de Cerveaupolis

La voix est créée par la synthèse d'informations du cerveau tout entier. Les milliards de câblages et de connexions entre les neurones engendrent l'existence même de l'expression vocale. Le mystère vocal réside entre autres dans « Cerveaupolis ».

Tout détective que nous sommes, la pièce à conviction est ce quantum cérébral : le neurone. Quelles sont les caractéristiques de cette cellule ?

Le neurone, mot inventé par Waldeyer en 1890 (il a également inventé le mot « chromosome »), est la seule cellule qui forme un immense réseau de communication. C'est une merveille du monde animal. Le système nerveux contient 300 milliards de cellules, formant deux grandes familles : la première, celle des neurones, conduit l'information, la seconde, celle des cellules gliales, maintient et entretient la structure cérébrale. « Papillons mystérieux de l'âme, dont les battements d'ailes pourraient, qui sait, clarifier un jour le secret de la vie mentale », c'était la façon dont Santiago Ramón y Cajal, prix Nobel en 1906, décrivait les éléments nobles du cerveau qui baignent dans un liquide nourricier dénommé « liquide céphalo-rachidien ». Le battement d'ailes de papillon fut repris bien plus tard dans la théorie du chaos.

Les neurones, près de 100 milliards, ont leur corps cellulaire situé dans la matière grise cérébrale. Cette matière grise n'a que quelques millimètres d'épaisseur. Pour mieux permettre son extension, elle se replie sur elle-même par les sillons qu'elle forme dans le cortex cérébral, à la surface du cerveau. Ce cortex, chez l'homme, occupe 50 % de notre volume cérébral. Les neurones, nous l'avons vu, sont organisés en six couches parallèles sauf au niveau du cortex visuel où il existe une septième couche. Ces cellules nerveuses sont connectées entre elles par près de 100 milliards de jonctions synaptiques. Chaque neurone reçoit 10 000 signaux différents par l'intermédiaire de ses dendrites provenant d'autres neurones. Un seul neurone envoie ensuite, par le biais de son axone, 10 000 autres signaux à 10 000 autres neurones. La vitesse de l'information est de 200 à 360 km/h. Ces chiffres donnent le vertige !

Si les corps cellulaires sont la substance grise, les axones, eux, fils conducteurs de l'information du neurone, sont la substance blanche dont le plus gros faisceau constitue un énorme câble, le corps calleux, qui comporte plusieurs centaines de millions de fibres. Il est le pont unique entre la rive droite et la rive gauche du cerveau.

Rive droite, rive gauche : un pont entre les deux

Ce pont, le corps calleux, entre les hémisphères droit et gauche est-il indispensable ? Peut-on le détruire, le sectionner ? C'est dans le traitement des épilepsies graves que l'on a pu comprendre son rôle exact.

Un certain M. Pierre, épileptique, au début des années 60, considère son état épileptique comme intolérable. Il ne supporte plus les salves de crises invalidantes et pénibles physiquement et psychologiquement. Il entend parler d'une intervention possible pour améliorer sinon guérir ces crises. Il décide de se prêter à l'expérience suivante : sectionner le corps calleux. Pierre entre à l'hôpital anxieux. Le neurochirurgien lui précise que l'intervention aura lieu le lendemain, qu'il y a un risque vital. Peu importe, Pierre n'accepte plus sa maladie. L'opération se déroule sans aucune difficulté. Les suites opératoires sont remarquables. Aucun déficit moteur, il marche normalement, s'alimente normalement, semble parler normalement. Son épilepsie a pratiquement disparu. L'équipe neurochirurgicale et Pierre sont euphoriques. Mais, après quelques jours, le patient et le chirurgien observent certaines anomalies. L'harmonie des deux hémisphères est rompue. Chaque rive vit seule. La raison et l'émotion ne peuvent plus se croiser. Pierre est droitier. Son cerveau gauche était le cerveau dominant, celui du langage. À présent, quand on lui demande de lire le mot « chevalier » uniquement avec son œil gauche, il dit ne rien comprendre à ce qu'il voit. Normalement, l'information visuelle du mot « chevalier » devrait être transmise vers l'hémisphère frontal et temporal gauche, au niveau de la projection du langage, après avoir été intégrée par l'aire occipitale droite visuelle. Mais la communication interhémisphérique est coupée, le câble « corps calleux » est sectionné. L'information occipitale droite de « chevalier » ne peut plus passer dans l'intégration du langage des aires de Broca et de Wernicke à gauche. Pour Pierre, il n'y a pas de mot. Il n'y a que des formes géométriques. Le mot n'est plus lu comme un langage, mais comme des courbes et des droites. Le stimulus visuel existe mais sa traduction, sa représentation, son concept sont introuvables dans Cerveaupolis. Le message afférent existe, mais la réponse verbale n'existe plus, le message efférent n'existe plus. Preuve est faite du rôle complémentaire des deux hémisphères qui s'harmonisent pour permettre de mieux intégrer le monde du langage et de la voix.

Des millions de connexions pour émettre des vocalises

Câbles, cellules, électricité et embranchements

Ces milliards de milliards de synapses ont trois rôles fondamentaux dans cette rencontre neuronale. Le neurone est une autoroute à sens unique : le corps cellulaire est le point de départ, l'axone est la route qui se termine par une synapse. Il se dirige vers le muscle, l'axone est de direction centrifuge lorsqu'il va commander un muscle par l'intermédiaire de la synapse :

c'est une information motrice. Un autre axone se dirige de l'extérieur vers l'intérieur du cerveau pour l'informer. Il est centripète. C'est toujours une information sensorielle. On le dit sensitif. Ainsi, le cerveau va avoir des fibres efférentes qui exportent l'information (centrifuges) et des fibres afférentes qui l'importent (centripètes).

À Cerveaupolis, trois étapes sont nécessaires à son fonctionnement. Par exemple, lorsque vous décidez de contracter votre muscle du bras, la première étape est l'information qui va du cerveau au biceps par les fibres efférentes. Elles vont permettre la contractilité des fibres musculaires. La seconde étape est l'information qui revient au cerveau par un autre neurone. Le cerveau est informé qu'il y a une contraction musculaire. Ce renseignement, parti du muscle, s'introduit dans le cerveau. L'information est revenue par la moelle épinière, elle est dite sensitive. Il y a près de 14 millions de neurones permettant de rapatrier ce type de message. La troisième et dernière étape est l'intégration cérébrale. L'information arrive dans notre cerveau. Elle est traduite, interprétée, décryptée pour avoir un sens. Nous en avons vu l'importance chez M. Pierre.

Cet exemple simple d'un seul muscle se complique d'une façon impressionnante lorsque l'on va émettre une vocalise. Vous décidez de chanter un *la*. Les neurones efférents entraînent la contraction de nombreux muscles du larynx. Les neurones afférents informent le centre nerveux : « c'est OK ». Vous intégrez l'information par le troisième groupe de neurones. Mais ce n'est pas fini car il faut ajuster la note voulue. C'est le retour son qui a son tour se met en marche. Vous modulez, vous corrigez, vous perfectionnez la tonalité désirée. Toutes ces étapes se font en quelques centièmes de seconde. Notre cerveau, virtuose de l'*Homo vocalis*, peut reconnaître, adapter et répéter une note en un quinzième de seconde. Un chef d'orchestre peut distinguer quinze notes différentes ou quinze instruments en une seconde. Si l'exercice répété permet de mémoriser la gestuelle laryngée musculaire et la gestuelle sonore vibratoire, la gestuelle émotionnelle est une création de tous les instants. Elle est ou elle n'est pas, mais elle ne se répète pas !

L'interprétation harmonise le tout. L'apprentissage, fondé sur la répétition de cette gestuelle, fait appel au cerveau gauche pour le solfège et au cerveau droit pour les harmoniques. Les vocalises mémorisées sont « prêtes à l'emploi ». De ce fait, lorsque vous rechanterez le même couplet, la vitesse d'ajustement des vocalises sera incomparablement plus efficace que lors de votre premier essai. Tout comme chez l'athlète, l'entraînement musculaire et cérébral est primordial chez les professionnels de la voix chantée.

Le neurone, un grand bavard

L'unité maître de cet exploit est le neurone. Il présente en tout point des caractéristiques uniques dans notre organisme. Il ne peut pas se diviser. Il est le seul possédant cette complexité, mais il est le seul aussi à ne pouvoir être remplacé que très difficilement. Quand il meurt, c'est fini. Vivant, il n'arrête pas de communiquer avec ses semblables : c'est un grand bavard, c'est un coursier qui va toujours dans le même sens. Mais il peut, à la demande, créer de nouvelles connexions. Sa forme est caractéristique. Ce serait un grand arbre avec un tronc très fin, très long, des feuilles à son sommet, de nombreuses branches, des racines plantées peu profondément. Les branches sont des dendrites de 2 microns de diamètre, qui reçoivent l'information d'autres cellules neuronales. Le centre des branches, en haut de l'arbre, c'est le corps cellulaire avec son noyau et de multiples mitochondries. Le tronc, c'est l'axone long de quelques millimètres à plus d'un mètre. Les racines sont les synapses de 50 microns de diamètre, terminaisons du neurone. L'information part de la dendrite, arrive dans le corps cellulaire, parcours l'axone, se termine aux synapses qui font la jonction soit avec un autre neurone, soit avec un organe récepteur mais jamais l'inverse.

Prenons un exemple concret : je vais prononcer quelques mots. Puis je vais me taire. Le silence va diminuer l'activité des différentes aires du langage de mon cerveau. Les neurones sont désactivés. Je prononce la phrase : « Que ce coucher de soleil est beau ! » Le stimulus cérébral du langage est mis en action. Les neurones s'activent. Les synapses excitatrices transfèrent l'information vers les zones motrices de mon larynx. La gestuelle de mon langage articulé et du larynx se met en marche. Plusieurs dizaines de milliers de connexions interneuronales ont été déclenchées et ont permis l'harmonie de la phrase de notre langage articulé. Grâce aux différentes observations de l'imagerie médicale on a pu observer que certaines régions cérébrales consommaient plus d'oxygène que d'autres lorsque nous parlons. L'imagerie par résonance magnétique fonctionnelle ou IRMf concrétise cette information en temps réel et montre la vitesse d'acquisition impressionnante des informations ainsi que l'importance du lobe dominant.

Vitesse de transmission de l'ordre donné

Mais, fait exceptionnel, si pour l'oreille la vitesse de conduction du nerf est de 40 m/s (144 km/h), pour la phonation, via le nerf qui la commande (nerf vague), la vitesse est de 100 m/s (360 km/h). L'axone a un isolateur du signal électrique nerveux. Il est entouré d'une gaine dite gaine de myéline qui évite toute déperdition du signal. Il n'y a donc pas de dispersion dans la transmission de l'information électrique qui est en fait un va-et-vient entre les ions calcium et potassium de la membrane de l'axone. Mais, fait encore plus exceptionnel, ce va-et-vient entre les ions calcium et potassium, appelé potentiel de membrane, agit par rafales successives parfaitement méthodiques, rythmées et synchrones. L'énergie permettant la création de ce courant électrique est créée par l'ATP, molécule exclusive de notre énergie interne, qui sans relâche, de manière spontanée, réalimente la cellule nerveuse. Cet influx nerveux est le même quelles que soient les espèces. Du calamar à l'homme, la structure est identique. C'est la respiration cellulaire, l'oxygénation pulmonaire qui permettent la formation de la molécule énergétique de tout notre corps, l'ATP, et donc la création de l'influx nerveux, qui est ni plus ni moins qu'un signal électrochimique. On comprend mieux pourquoi notre cerveau va jusqu'à utiliser 20 % de notre énergie. La cadence est maîtresse de la transmission nerveuse. Le message est passé non pas d'une façon continue mais d'une façon séquentielle par des milliers de petits stimuli. L'information arrive au bout du nerf. La jonction entre deux neurones fonctionne à la manière d'une prise électrique. La transmission se fait par des neurotransmetteurs. Il existe plusieurs types de prises électriques et donc de neurotransmetteurs.

Les neurotransmetteurs : agents de liaison

Les neurotransmetteurs, ces messagers moléculaires hormonaux, sont sous la dépendance, mais également sous l'influence de notre cerveau limbique, notre cerveau émotionnel. Ils permettent l'activité musculaire, la sécrétion glandulaire, la sensation de plaisir, de séduction, la libido.

L'acétylcholine : maître de la contraction musculaire

L'un des neurotransmetteurs les plus importants fait agir la mécanique musculaire, notamment au niveau des cordes vocales : c'est le transmetteur cholinergique. Il entraîne la contraction musculaire. Cette jonction nerf moteur/muscle strié assure une opération « cybernétique » élémentaire. Cette loi est celle du tout ou rien. Il y a ou il n'y a pas contraction. Mais l'importance de cette contraction dépend de l'influx efférent et additionnel qui crée des microdécharges successives d'acétylcholine. Il y a un seuil minimal pour que la contraction se mette en marche. Ensuite, il y a un pouvoir additionnel du degré de la contraction, du contrôle de celle-ci ; à corde vocale allongée son aigu, à corde vocale raccourcie son grave. Ainsi le muscle strié de la corde vocale sera sollicité pour être de plus en plus étiré. La commande cérébrale, par l'impulsion nerveuse, gère la longueur, le galbe et la durée de la contraction. Le muscle de la corde vocale se contracte-t-il sans commande nerveuse volontaire ? Il semble que non. Pourtant, lorsque vous avalez de travers, un réflexe musculaire s'installe, immédiat, de la rapidité du centième de seconde, permettant de tousser. C'est la boucle réflexe dont le neurotransmetteur reste l'acétylcholine.

L'adrénaline : activée par le stress

Ce neurotransmetteur dit noradrénergique permet la sécrétion d'adrénaline. Il est sécrété par le stress. Il déclenche une augmentation de la vigilance, de l'attention, du rythme cardiaque. Il accroît notre dépense énergétique et stimule nos réserves dynamiques. Il active les circuits de la mémoire, de la compréhension, de la créativité, de la pensée, du verbe.

D'autres neurotransmetteurs

Le neurotransmetteur dopaminergique (permettant la sécrétion de dopamine) a une action différente. Il va apporter la notion de plaisir et de désir. Un troisième groupe de neurotransmetteurs faisant actuellement l'objet de recherches sont les dérivés de la sérotonine. Ils gèrent le caractère, la douleur, le relationnel, le sommeil. Ils régulent l'humeur et l'agressivité.

Les endorphines que nous sécrétons sont des drogues autoeuphorisantes bien connues des grands sportifs, des marathoniens par exemple. Elles font oublier la douleur et donnent une sensation de bien-être. Elles sont excitées également lorsque vous écoutez une voix qui vous séduit.

Comment les neurotransmetteurs passent-ils l'information ?

Sur le plan structurel, la cellule neuronale est en tout point identique à toute autre cellule. Sa caractéristique est qu'elle est spécifique à la « route d'information ». C'est le « coursier » de notre organisme qui transmet les « nouvelles de l'instant » de la dendrite via l'axone à la synapse, jamais l'inverse. Comment cette information est-elle transmise ? Ce sont des messages électriques et chimiques. Le message est électrique dans le voyage cellulaire, puis devient chimique au niveau des synapses soit avec les dendrites d'un autre neurone, soit avec un organe récepteur comme un muscle ou la peau. Chaque impulsion électrique délivre une quantité unitaire moléculaire de base. Le nombre d'impulsions donne la qualité et l'ampleur du message. La quantité de la substance chimique qui passe dose avec une précision impressionnante l'information transmise. Il faut un seuil minimal pour déclencher l'information et provoquer le stimulus, sans quoi le message ne peut être transmis. Mais l'admirable gradation de la réponse possible par ces microparticules chimiques permet un dosage adapté à la note chantée que nous aimerions émettre lors de la contraction de la corde vocale au un huitième de ton près, du vibrato au pianissimo souhaité. C'est digne de la précision des spationautes du cosmos qui dirigent au millième de degré la direction de leur vaisseau. Chaque impulsion précisément quantifiée donne l'information, déclenche ce qu'on appelle le potentiel d'action, message électrique dont la finalité est l'émission vocale dans ce cas précis. Les dendrites peuvent avoir de 1 000 à 10 000 connexions. Mettons que nous ayons 10 000 connexions. Si 6 000 connexions sont excitatrices et 4 000 inhibitrices, seules 2 000 impulsions excitatrices seront prises en compte. Dans ce cas précis, la qualité de l'information est de deux dix millièmes.

Ressentir sa voix : l'information afférente revient dans notre cerveau

Pour l'instant, nous avons surtout insisté sur l'aspect moteur de cette commande neuronale. Mais il existe également un impact sensitif, c'est-à-dire que le cerveau est informé de la mobilité et de la façon dont cette mobilité se déroule. Le cerveau est également informé sur le plan sensitif. Par exemple, lorsque je prend une sculpture, la musculation de mon épaule, de mon bras, de ma main permet de la prendre, de la soulever : le cerveau lance la commande. Mais je sais également si elle est froide ou chaude, sèche ou humide, si elle est en bois ou en bronze – le cerveau reçoit l'information : c'est la sensibilité proprioceptive. Au niveau de la mécanique vocale, nous retrouvons cette même sensibilité. Elle est essentielle. Grâce à elle vous pouvez ressentir votre voix, votre vibration. Toutes les composantes de cette sensibilité participent à la régulation de la phonation. La sensibilité musculaire dose les éléments laryngés et respiratoires, elle contrôle la vibration émise par les cordes vocales de deux façons : d'une part par la tonicité des muscles de la corde vocale et d'autre part par la puissance du souffle expiré. Elle harmonise la caisse de résonance. Elle équilibre notre force respiratoire.

À un muscle donné, il existe un neurone donné spécifique

de ce muscle. Il assure la modulation de la contraction musculaire. Il est un des éléments pour l'harmonie de la coordination. Mais cette commande motrice est centralisée et dirige plusieurs muscles à la fois. C'est le cervelet, la formation réticulaire et l'étage thalamostrié qui centralisent cette commande motrice. Une tumeur du cervelet entraîne une parole plus lente, laborieuse, hachée, scandée, voire explosive. Le thalamus participe au débit du langage, à la formation du mot, au contrôle de l'élocution, à la syntaxe. Il est par ailleurs, responsable de la mémoire à court terme. Le cortex cérébral est l'élément essentiel du langage volontaire et émotionnel.

L'intégrité du neurone est indispensable à la survie du muscle qu'il commande, à la fiabilité du récepteur qu'il informe, à notre sensation proprioceptive. Sa blessure, son traumatisme, sa dégénérescence entraînent la mort de l'organe cible ou du récepteur cible. Par exemple le muscle s'atrophie ou se paralyse après section ou traumatisme du nerf qui le commande. Pour qu'un organe survive, il doit être stimulé. Si le nerf de la corde vocale venait à être coupé, celle-ci s'atrophierait et s'immobiliserait. Elle ne pourrait plus fonctionner.

Cerveau droit ou gauche : l'harmonie est dans la symbiose

Cette analyse cérébrale précise a permis de dégager le rôle essentiel de chaque hémisphère. L'hémisphère gauche est plus dévoué au traitement du langage, de la raison, de l'analyse mathématique, l'hémisphère droit à l'approche de notre espace, à l'harmonie de la musique, de notre monde émotionnel. Sont-ils complètement séparés ? Certainement pas. Des connexions existent de l'un à l'autre. Elles mettent en relation d'une façon caricaturale cerveau de la raison et cerveau de l'émotion. Les gauchers possèdent une projection du langage répartie dans l'hémisphère gauche et l'hémisphère droit que certains ont appelée lambilatéralité. 96 % des droitiers ont un hémisphère gauche spécialisé pour le langage, 70 % des gauchers également. Seulement 15 % ont une latéralisation à droite et 15 % sont ambilatéraux. Il existe moins de femmes gauchères que d'hommes. Pourtant, la femme présente de meilleures performances verbales que l'homme. L'imagerie par résonance magnétique a mis en évidence que les hommes ont une projection des aires du langage avec une prédominance gauche lorsqu'il s'agit de mots concrets. En revanche, lors du travail cérébral pour des mots abstraits, on note une activation importante du cerveau droit. L'homme et la femme ne sont pas égaux dans la projection de la voix humaine. Shaywitz et ses collaborateurs de l'université de Yale, en 1995, pratiquent une imagerie cérébrale fonctionnelle chez l'homme et la femme. Ces chercheurs demandent à leurs patients de prononcer quelques phrases identiques pour tous. Le résultat n'était pas prévisible. La projection du langage « phonologique », c'est-à-dire la détection des rimes, se fait chez l'homme uniquement dans son cerveau gauche. Chez la femme, le cerveau gauche est également activé, mais, à droite, dans une région similaire, on observe aussi une activation. Ce qui tend à montrer que le langage chez l'homme occidental est particulièrement cartésien, alors que chez la femme il est à la fois cartésien et émotionnel. Cette étude a provoqué d'autres recherches. La différence entre l'homme et la femme dans l'intégration de l'écoute d'un texte a encore mis en relief la participation du cerveau droit beaucoup plus accentuée chez la femme que chez l'homme.

La neuro-imagerie a démontré que notre cerveau évolue, bien sûr, du nourrisson à l'adulte, mais également différemment selon le sexe. Dans notre civilisation occidentale, l'homme est un soldat. Il doit être décisionnel. Son langage ne doit pas faire place à l'émotion. C'est un guerrier. Il ne semble donc pas étonnant que sa projection langagière soit principalement à gauche dans son cerveau mathématique. Certains mâles de l'Occident ne sont-ils pas des atrophiés du cerveau droit ? La femme, en revanche, a une charge affective indéniable. Elle a le droit de pleurer. Elle a le droit de montrer ses émotions. Elle laisse parler son cerveau droit.

« Tout est dans tout et réciproquement », disait Jean-Paul

Sartre. Cela est sans doute vrai pour notre cerveau. En effet, si chaque partie cérébrale a un rôle spécifique, c'est l'association de l'harmonie de notre cerveau gauche et de notre cerveau droit qui permet l'expression de notre voix. Nous avons vu l'importance de l'apprentissage des mots avec le petit Victor, ou les petites Kamala et Amala. Nous avons vu l'impressionnante galaxie cérébrale sillonnée par les routes des neurones. La réalité dépasse la fiction dans ce monde où le commandeur semble maître de son destin par les stimulations qu'il déclenche. Pourtant Cerveaupolis est-elle vraiment au service de l'*Homo vocalis* ou de l'évolution ?

Le récepteur de la voix

La voix humaine est le capteur privilégié de notre connaissance et soumise dès notre plus tendre enfance à notre oreille et à notre réception du monde vibratoire.

Philippe, âgé de neuf ans, entre dans mon bureau accompagné de ses parents. Il est vêtu d'une chemise à carreaux blancs et bleus, d'un jean bleu, l'aspect sportif, débrouillard, tonique. Je n'ai pas le temps de lui demander pourquoi il vient que déjà il m'interpelle : « Docteur, est-ce que tu sais pourquoi mes copains peuvent entendre le téléphone avec leurs deux oreilles ? » Surprenante question. Il continue : « Je prends toujours mon téléphone avec ma main droite sur mon oreille droite. Quant il m'arrive d'écrire, je suis obligé de prendre le téléphone avec ma main gauche, mais je place l'écouteur sur mon oreille droite et jamais sur mon oreille gauche. *On n'entend rien de ce côté-là !* » L'enfant est en avance pour son âge. Les parents me confirment qu'il n'a jamais eu de problème particulier. L'examen ne montre pas d'anomalie anatomique sur les tympans. Il est en bonne santé. Mais les tests de l'audition révèlent une surdité à gauche. En fait, Philippe n'a jamais entendu du côté gauche. Pour lui, c'est la normalité. Les parents ne s'en étaient jamais rendu compte ; il ne s'en plaignait pas. Parfois il ne comprend pas bien les notes quand il joue du piano. Mais il parle normalement. Le récepteur de sa voix est unilatéral depuis sa plus tendre enfance. Il avait donc compensé la cophose gauche (surdité totale gauche) de façon remarquable, avec son oreille droite. Le diagnostic était simple ; il s'agissait d'une surdité unilatérale n'ayant en aucune façon entravé la vie sociale du petit Philippe.

En revanche, une surdité bilatérale à la naissance entraîne un mutisme. Mais la capacité cérébrale est exceptionnelle : un enfant qui naît de parents malentendants de naissance parlera normalement : c'est dire que la voix est une alchimie d'éléments multifactoriels dont l'approche est loin d'être terminée.

L'oreille est le récepteur exclusif de la voix

L'oreille : le chemin acoustique

On distingue trois parties au niveau de l'oreille de l'homme. 1. Le conduit auditif externe, qui apporte la vibration jusqu'au tympan. Il est recouvert d'une peau fine qui, parfois, est le siège d'un eczéma. 2. L'oreille moyenne commence au tympan. On y retrouve successivement le marteau, l'enclume et l'étrier. 3. L'oreille interne présente deux parties bien distinctes : l'une responsable de notre équilibre avec trois canaux semi-circulaires, l'autre, responsable de notre audition avec la cochlée. Ces éléments se développent dès la vie embryonnaire et sont le garant du récepteur de notre voix.

Le récepteur auditif est indispensable pour apprendre à parler. La voix résonne à l'intérieur de nous-mêmes. C'est notre propre écoute qui nous donne la sensation d'exister socialement, ne plus entendre nous isole des autres mais également de nous-mêmes.

L'embryon puis le fœtus plongés dans le liquide amniotique perçoivent non seulement les vibrations de la mère, les bruits intérieurs du corps maternel, mais également ceux du monde extérieur assourdis et filtrés par leur milieu protecteur. Ces vibrations sonores influencent le développement intra-utérin. Le sens de l'ouïe est déjà sollicité pour permettre plus tard l'apprentissage du verbe.

Dès l'âge de deux-trois ans, l'enfant stimule et construit sa personnalité vocale. L'un des premiers éléments développés chez l'embryon, l'oreille, reste l'un des derniers à terminer sa croissance. L'oreille éduque l'enfant. La voix qu'il perçoit par sa propre écoute crée son édifice culturel. La voix permet de communiquer, de s'orienter, elle ordonne ou elle caresse, elle invective, elle émeut, elle trahit souvent, mais la touche indispensable est le sens de l'ouïe. Ce sens finalise la perception entre le monde extérieur et le monde intérieur. Françoise Dolto ne disait-elle pas : « Parler, c'est vivre » ?

L'oreille de l'homme

Naissance et fréquences aiguës

À la naissance, le nouveau-né subit une véritable secousse sismique. Après neuf mois « nourri, logé et chauffé », il quitte le monde aquatique et se rend sur la terre ferme. Il émet son propre cri, premier souffle de sa vie à l'air libre. Son monde sonore s'habille. Sa voix est embryologique. Un afflux considérable de nouvelles informations convergent vers son cerveau. Il était dans un monde sans voir. La luminosité apparaît brutalement lorsque ses paupières s'ouvrent. Il est ébloui. Les hémisphères droit et gauche de son cerveau connaissent la clarté photonique. Au moment où il perçoit de façon efficace la lumière du ciel, son oreille interne développe la faculté d'entendre les sons aigus. La clarté et la lumière sont intimement liés à l'aigu dans le cerveau du petit d'homme. Le clavier acoustique et le spectre photonique coexistent. Cela explique peut-être pourquoi les fréquences aiguës sont liées au regard vers les cieux et le chant sacré. Le nouveau-né préfère la voix de sa mère à toute autre voix. Il reconnaît son timbre, sa mélodie, son rythme. Puis, quelques semaines plus tard, il perçoit la voix d'autres femmes. Quelques semaines passent encore et il reconnaît la voix paternelle.

Découverte de la voix : c'est l'audition

Il crie, pleure : c'est sa manière sonore de s'exprimer. Il met en tension ses muscles expiratoires et, de toutes ses forces, il

« hurle ». Ce cri perçant a une fréquence de 400 à 450 Hz. Pourtant, il ne casse pas sa voix. Le chant et les mots doux n'y font rien. Il a faim. Vers quatre-six semaines, la voix câline de sa maman le calme, quelques sons apparaissent. À dix semaines, quand on lui parle, il regarde son interlocuteur, l'écoute, oriente son regard ; le corps se mobilise, se concentre. Vers trois-cinq mois, les gazouillis apparaissent. Le langage s'ébauche. Le larynx est toujours haut situé ; il boit et respire en même temps. Il fait son parcours vocal évolutif. La voix se constitue, se forme, se crée. Le cri n'est plus la seule manifestation laryngée. À six-huit mois, il écoute et reconnaît le timbre vocal, s'agite sur des musiques rythmées. Il comprend l'octave, il peut écouter de la musique. Dès ces moments privilégiés, on le nomme, on l'appelle par son nom, on lui donne un statut de petit d'homme. Il rit, vocalise, manipule les objets. Son langage s'installe, sa voix commence à se former. Il semble surpris de pouvoir dire des voyelles et des syllabes hachées par la respiration non encore adaptée à la phonation. L'harmonie pneumophonatoire apparaît vers neuf-douze mois. Quand on lui parle, on attend en retour une réponse dans un cadre vocal particulier. Il élimine certaines vocalisations au profit d'une véritable gestuelle vocale. Les harmoniques apparaissent et deviennent plus graves. Il chantonne. Il répète des sons et mots entendus : « papa », « maman ». Dès la deuxième année, il émet des mélodies, il mémorise des mots, il crée son propre dictionnaire vocal intracérébral. La prosodie, le rythme vocal de la langue maternelle viennent s'ancrer au niveau de son cortex cérébral, cela grâce au récepteur de la voix qu'est l'oreille. À vingt-quatre mois, l'appareil phonatoire est en place, le système nerveux central se finalise, les éléments multifactoriels de la voix humaine prennent leur marque ; le *nourrisson*, celui qu'on nourrit, devient l'enfant, *infant*, celui qui apprend à parler ; il apprend aussi à chanter, il sait utiliser la tierce majeure, les intervalles et le rythme adéquat.

Puis, dès l'âge de trois ans, il entre dans le monde de l'adulte enfant avec ses fameux « Pourquoi ? » et « Encore une histoire ». Le langage-pensée devient la pensée-langage. Il apprend à jouer d'un instrument de musique. Son oreille s'affine, certains acquièrent l'oreille absolue. Il crée les fondations de son édifice vocal. Il améliore, enrichit, apprend et gère ce nouvel outil au service de sa pensée. Il invente des mots ou plus exactement les prononce à sa façon. Son cerveau gauche est une éponge qui absorbe le verbe : il est « verbaphile ». L'espace de Wernicke est vide. Il est prêt à engouffrer les mots et à loger des sons et des phonèmes. L'aire du planum temporal facilite l'apprentissage de la grammaire et la formation des phrases apparaît. Son cerveau droit associe cet ensemble de façon harmonieuse et musicale. Le petit d'homme est à l'aube de sa voix. Il en prend conscience. Il l'écoute et écoute celle des autres. À sept ans, il sait imiter, moduler et jouer avec sa voix. Sa fréquence fondamentale s'abaisse. Sa voix est « la voix de l'ange ». Elle deviendra sexuée à la puberté.

L'impact des hormones sexuelles n'a pas encore agi sur le larynx. Entre sept et neuf ans se situe la période faste de l'intégration de la musique. « Absorbée » avant l'âge de cinq ans, elle est « digérée » à cette période. Ce n'est pas un hasard si les chorales d'enfants se forment vers huit ans.

Les mathématiques et le solfège se logent dans l'hémisphère gauche, celui du langage. Les harmoniques demeurent dans l'hémisphère droit, celui de l'imaginaire et de l'émotion. Vu le monde émotionnel de l'artiste, on pourrait s'attendre à ce que la fibre du musicien hypertrophie son hémisphère droit du fait de l'importance de son monde affectif. Ce n'est pas le cas. L'apprentissage du solfège et de la technique musicale nécessite une telle rigueur qu'il impose un hémisphère gauche commandeur. Une étude d'Agnès Chan et de Mei Chun Cheung a montré par l'imagerie cérébrale que les musiciens ont non seulement un hémisphère gauche plus développé que le droit, mais que cet hémisphère gauche était plus développé que la normale. En effet, il nécessite des fonctions cognitives plus performantes que la moyenne. La stimulation cérébrale est l'élément indispensable au développement de nos fonctions, notamment vocale et musicale, et accroît les capacités de notre cortex.

La voix, l'écoute et le miroir

La voix, support de notre parole, n'existe qu'à partir du moment où l'enfant a dépassé le stade du miroir et qu'il se sait comme un être séparé : dire « maman », c'est accepter que l'autre existe et qu'on n'est pas « maman ». S'exprimer, c'est reconnaître que l'on peut nommer les choses, que le monde extérieur n'est pas seulement goût et nourriture. Parler, c'est installer une expression symbolique évolutive verbale, qui borne la route de la voix et nous permet d'avoir des repères sécurisants. Cette symbolique vocale nous singularise des autres animaux. On peut toujours soutenir l'hypothèse d'une structure langagière et d'un système de communication incontestable entre le chien, le chat ou son maître, indiscutable entre le perroquet, le tigre, un lion et son dompteur, mais il n'en est pas moins vrai que dialoguer sur l'air du temps, la commedia dell'arte ou notre condition existentielle est le propre de l'homme. Comme le dit Bergson, l'animal établit avec le monde qui l'entoure une connivence interne qui lui permet une adaptabilité mais la réflexion de cet état de choses n'existe pas. La question « pourquoi » que pose inlassablement l'enfant de six ans démontre l'importance de la réponse qui est la source des connaissances à partir de laquelle son futur va se construire. Le concept du mot, symbole de notre expression, est l'unité de cette connaissance du langage comme le gène l'unité de notre patrimoine génétique, l'ADN.

Le temps est intégré dans le comportement animal, que ce soit chez les oiseaux migrateurs à certaines saisons ou chez les baleines qui parcourent les océans. Notre voix ne semble que peu influencée par ce découpage temporel, que ce soit le jour, la nuit, les saisons ou les climats. En revanche notre comportement émotionnel et auditif en est un des facteurs essentiels.

L'important n'est pas ce que vous dites,
mais ce que l'autre comprend

Entendre l'autre, ce n'est pas toujours le comprendre. « Il n'a pas compris ce que j'ai voulu dire, il ne m'a pas écouté. »

Nous disons souvent cette phrase. Le message n'est pas seulement dans les mots mais également dans la forme d'écoute de l'autre. L'important n'est pas ce que vous dites, mais ce que l'autre comprend. C'est l'essence même de la communication verbale. Votre discours ne sera pas identique pour dire les mêmes choses en fonction de votre interlocuteur. L'action de parler, le fait d'écouter imposent un apprentissage culturel, personnel, émotionnel qui passe par la vibration du corps. La perception intuitive d'une sinusoïde vibratoire perçoit des mots. La symbolique du mot que le nourrisson va devoir apprendre, puis à son tour recréer, impose une ontogenèse vocale impressionnante, surtout chez l'enfant bilingue (*cf.* le chapitre « Voix et langage »). L'affect passe par les harmoniques. L'enfant reconnaîtra toujours la musicalité de la voix de sa mère.

Le filtre de notre voix est l'oreille

Le langage parlé implique une coordination entre l'activité motrice et l'activité intellectuelle qui est considérée comme acquise. Elle impose un apprentissage rigoureux qui passe inévitablement par le filtre de notre voix : l'oreille.

Que dire de l'autiste, cet enfant qui entend tout et ne dit rien ? Lorsqu'il le désire, il est compréhensible. Il parle sans aucun doute avec lui-même mais les autres sont ailleurs. Selon Linda et René Gandolfi « les impasses du langage » de l'enfant autiste se situent à la frontière du physiologique et du psychique, entre le corps et la psyché, entre la coordination gestuelle et la coordination de la pensée. Ces enfants se comportent comme si l'émission vocale était paralysée. Le récepteur auditif existe et l'enfant réagit à l'autre qui lui parle. On a retrouvé des gènes spécifiques à l'autisme sur le chromosome n° 15. Mais un gène n'explique pas tout dans une symptomatologie comportementale aussi complexe. Il est seulement un des éléments contribuant à ce comportement.

Apprendre à s'écouter, c'est apprendre à parler ou à chanter juste

Louis Jouvet, Roger Blin, comédiens prestigieux bien que bégayant, ont su, et avec quel talent, maîtriser leur voix sur scène. Dans un autre registre, Enrico Caruso, Ruggero Raimondi, Mario Del Monaco, Mady Mesplé ou la Callas ont prêté leur voix à l'opéra. Cela n'est possible que par une excellente oreille, par une stratégie de l'être tout entier pour permettre de créer la voix, aboutissement de l'alchimie multifactorielle entre l'outil qu'est le conduit vocal, le récepteur qu'est l'oreille et le maître qu'est la pensée.

La voix, lors de ses premiers mots dans notre évolution, a permis de nommer les choses et de créer la pensée abstraite. Secondairement, la pensée est devenue maîtresse de la voix : le maître qui était outil devient à son tour maître lui-même. Tout comme Michel-Ange voyait dans un bloc de marbre une sculpture qu'il n'avait plus qu'à déshabiller, le poète recevant des mots n'a plus qu'à les harmoniser pour permettre au comédien et au chanteur de traduire son monde émotionnel.

Reproduire une mélodie, chanter juste dépend de l'appareil vocal, mais aussi de la justesse de l'écoute. Notre oreille est l'accordeur de la voix. Si vous chantez faux, ce n'est pas parce que vos cordes vocales fonctionnent mal, mais tout simplement que votre accordeur, l'oreille, est « faux ». Pourquoi ? Certes, il y a un facteur génétique. Il s'agit surtout de l'éducation de l'organe auditif dès la plus tendre enfance. L'oreille doit reconnaître la note, saisir les harmoniques et la mélodie pour pouvoir les reproduire. Les défauts de notre écoute créent une distorsion vocale.

Premières ébauches de la voix humaine

Nous avons vu que l'histoire de l'évolution de l'oreille s'harmonise avec l'évolution du larynx. L'homme exprime son passé, son présent, son futur. Il projette son moi non seulement au sein de la planète, mais également dans l'Univers galactique. Le filtre vocal, l'oreille, passe donc par l'évolution des espèces ou phylogenèse et sa présence sur la planète bleue. L'animal, lui, ne formule pas son futur. Son langage sert à se défendre, à informer d'un danger immédiat, à séduire pour s'accoupler. Et pourtant, pas toujours ! En effet, lorsque j'ai entrepris cette analyse, ma surprise fut grande de constater que, dans le langage animal, il y a des ténors, des chanteurs lyriques que sont les oiseaux chanteurs, les dauphins et autres cétacés dont l'activité musicale semble exister simplement pour le plaisir et la beauté.

L'oiseau et sa musique

Certains oiseaux chanteurs reproduisent jusqu'à 50 monosyllabes différentes en moins d'une minute. Leur famille les reconnaît parfaitement, surtout leur compagne. Dès le premier jour de la vie, le petit oisillon commence à émettre des cris. Il peut presque chanter. Il a obligatoirement appris ce langage dans l'œuf. Son hémisphère gauche est dominant. Le chant qu'il émet nécessite une structure cérébrale particulière et un apprentissage : c'est un chant ordonné. Est-ce un langage avec une syntaxe ? Des études remarquables sur des mésanges ont été faites en ce sens par l'équipe de J. P. Hailman. Sur 3 500 chants différents de mésanges, ils ont isolé 362 « phrases » différentes. Ici, le langage musical utilise non seulement les phrases, les silences mais également la courbe mélodique en fonction de sa vitesse d'émission. Cette espèce d'oiseau est très différente des oiseaux qui crient, chez qui le signal sonore est purement à but alimentaire ou de détresse, d'attaque ou de défense. Ainsi, sur les 8 500 espèces d'oiseaux connues, moins de 40 % sont des oiseaux chanteurs. C'est l'apanage des mâles. Ces chants, tout comme chez de nombreux mammifères, servent, d'une part, à défendre leur territoire, à séduire la ou les femelles et, d'autre part, à s'imposer comme maîtres dans leur clairière.

Du dauphin à l'homme

Le pirate est devenu dauphin

Chez le dauphin le langage est étonnant. Dauphin, du grec *delphis*, signifie « esprit des mers ». Pour les Grecs, le dauphin était homme. La légende veut que, par un beau jour d'été, Dionysos se rende de l'île d'Icaria à celle de Naxos. La mer est tranquille. Le bateau est au large. L'équipage, composé de pirates déguisés en honnêtes marins, s'empare du reste des hommes du vaisseau et des voyageurs pour les vendre comme esclaves. C'est compter sans Dionysos. Il comprend leur stratagème et, pris de colère, il transforme les haubans du navire en serpents. Il recouvre l'embarcation de lierre et joue de la flûte. Les pirates, pris de panique, sautent par-dessus bord. Dionysos les métamorphose en créatures inoffensives, les dauphins, qui seront les gardiens des eaux profondes.

Le dauphin a deux systèmes de communications sonore

La bouche ne sert qu'à manger. Il respire par l'évent situé au sommet de sa tête. Merveille de la nature. La trachée passe « à travers » l'œsophage. Elle parvient directement par un chenal vers les évents. Le langage du dauphin est double : par les ultrasons et par les sons audibles (par nous).

Les ultrasons lui permettent ce qu'on appelle l'écholocation. Il localise avec une précision rare sa proie à près de cent mètres, de nuit comme de jour, que la mer soit trouble ou claire. Sous l'évent, on observe six petits sacs superposés pairs, symétriques de part et d'autre de l'évent. Ils communiquent entre eux pour produire les ultrasons. L'air passe avec le conduit nasal d'un sac à l'autre. Il fait varier le diamètre du canal entre les sacs, permettant ainsi de faire varier la fréquence. C'est un instrument à vent. Mais pour acquérir la puissance de l'émission sonore, le son qui vient d'être émis se réfléchit à l'intérieur et au sommet de son crâne, dans une surface concave, graisseuse, véritable lentille convergente sonore, avant d'être orienté de façon précise vers le lieu visé. Ce système d'écholocation qui crée les ultrasons est associé à un autre système qui, lui, crée les sons audibles.

La fréquence des sons que nous pouvons entendre, en revanche, est formée par un système complexe produisant un véritable langage. 400 sons différents sont actuellement connus. C'est sans doute le langage de communication le plus performant à part celui de l'homme. Un instrument technique se met en marche : le larynx du dauphin. Ce larynx est en bec de canard. Il termine la trachée. Il permet des émissions fréquentielles de 100 à 20 000 Hz. Ces émissions sonores, audibles par l'homme, sont créées par une vibration de pseudolèvres laryngées situées dans la trachée, un peu comme chez l'oiseau. Cela n'a rien à voir avec les émissions d'ultrasons qui, eux, sont formés dans les fosses nasales.

Le Caruso des mers

Les chants les plus impressionnants sont émis par le Caruso des mers : la baleine à bosse. Les mâles, seuls, sont appelés ainsi. Ils émettent des sons perçus à dix kilomètres à la ronde. Ils peuvent se mettre à chanter pendant des heures. L'eau est leur milieu de transmission sonore de prédilection. Ils plongent leur tête vers le bas. Ils se figent. Leurs nageoires caudales fléchies, hors de l'eau, leur permettent une excellente stabilité. La position étant prise, la chorale du monde de la mer s'organise, ils chantent. Des groupes d'individus se réunissent et s'harmonisent pour former le chœur. Ils accordent en quelques minutes leur « clef de sol ». Un intrus viendrait à passer par là, il peut se joindre à eux. Il doit adapter sa fréquence vocale à celles de ses nouveaux compagnons. La baleine à bosse est l'une des seules espèces à pouvoir modifier ce qu'elle a appris au cours des années. Ce Caruso des mers délimite son territoire, charme la femelle par ses harmoniques et son chant imposant. Il semble éprouver un réel plaisir à faire ses vocalises. La mésange, la baleine à bosse, le dauphin ont en commun un langage qui charme.

Oreille absolue : seulement pour le musicien

Reconnaître la hauteur exacte d'une note, c'est avoir l'oreille absolue. C'est un don. Ohnishi, après avoir démontré l'importance du développement des lobes temporal et frontal gauches chez le musicien, précise que l'oreille absolue n'est pas génétique. Elle serait favorisée par l'influence de l'apprentissage de la musique dans la plus tendre enfance. En effet, l'oreille absolue dépend du cerveau gauche. La localisation de la musique et du mot sont, ici, intimement liés.

Cerveau gauche et cerveau droit : y-a-t-il vraiment une différence ?

La réception des sons et des harmoniques est bien différente entre les hémisphères gauche et droit du cerveau. À gauche, l'information sonore vient capter des bandes de fréquences larges, peu nombreuses, mais qui peuvent changer rapidement. À droite, le cerveau est plus spécialisé dans la réception des harmoniques, le filtre est plus affûté. L'information est lente à s'exprimer. Ainsi, l'oreille de la parole et de l'analyse du solfège est à gauche. L'oreille des harmoniques et de la mélodie est à droite. D'ailleurs, en chantant, faites le test. Bouchez l'oreille droite, puis l'oreille gauche. Votre écoute est différente. L'une est harmonique, l'autre analytique.

Mécanique et audition

Rencontre entre la vibration et la chimie

La vibration sonore est une force transmise à des molécules d'air qui, de proche en proche, poussent ces molécules et créent un train d'ondes. Cette énergie vibratoire est acheminée par le pavillon de l'oreille d'abord, puis par un canal aérien jusqu'au tympan : c'est le conduit auditif externe. Le pavillon de l'oreille, chez l'homme, ne sert qu'à canaliser les sons. Le chien a un pavillon mobile. Il peut l'orienter sans pour autant bouger la tête. Il est doué d'une remarquable audition. Nous avons perdu cette faculté, bien que des vestiges de ce muscle existent encore derrière notre pavillon.

Cette vibration, force multimoléculaire, heurte le tympan tous les quatre cent quarantièmes de seconde pour la note *la*. Le tympan, membrane fine, va transformer l'impact aérien en une vibration de cette membrane au même rythme fréquentiel. Le conduit auditif externe aura servi de concentrateur : c'est une loupe acoustique. Ainsi, l'énergie vibratoire sur ce tympan de 8 mm de diamètre sera transmise vers l'oreille moyenne. Nous restons dans une transmission mécanique au niveau de l'oreille moyenne grâce à son système ossiculaire. Jusque-là, nous sommes dans un milieu aérien, et la vibration de la voix est transmise sans aucune transformation. Mais bientôt nous entrons dans l'oreille interne qui est un milieu liquidien.

L'étrier, par une surface ovale, communique cette force mécanique à ce liquide qui constitue le milieu de réception des vibrations dans la cochlée. L'énergie mécanique vient d'être transformée par le liquide de la cochlée en énergie chimique au niveau des cellules qui tapissent la cochlée. À l'endroit où l'étrier vient fermer la cochlée en bas du colimaçon, nettement plus large que le haut de cette pyramide, ce sont les sons aigus. Au sommet sont perçus les sons graves. Les trains d'ondes sont ainsi absorbés par les cellules qui recouvrent la cochlée, progressivement de bas en haut. C'est le clavier cochléaire. Cette vague ondulatoire va traduire, au niveau de notre cerveau, la hauteur de la voix. Quelle extraordinaire magie ! Sur quelques millimètres, l'homme entend des fréquences de 20 Hz à 20 000 Hz ! Lorsque vous avez écouté de la musique fort, souvent, il persiste un sifflement continu, aigu et qui vous perturbe. Pourquoi ? Le choc de ce traumatisme sonore va être absorbé par les premières cellules de la cochlée, à sa base. Les cellules du socle cochléaire sont responsables de la reconnaissance des sons aigus. De ce fait, elles sont les premières à recevoir le choc sonore qui blesse les cellules ciliées cochléaires. Ce sifflement traduit une souffrance avec une rémanence du traumatisme mécanique vibratoire. Le chasseur ou l'amateur de musique forte va léser régulièrement sa cochlée. Il finira par détruire ses cellules et donc une partie des fréquences aiguës. Le pic le plus sensible et le plus fréquent qui est touché est à 4 000 Hz.

L'onde sonore, qui constitue le stimulus propre et spécifique de notre organe de l'audition, a eu tout d'abord comme vecteur essentiel l'air. (Sa vitesse de propagation est de 340 m/s à une température de 16 °C. Sa vitesse augmente d'environ 60 cm chaque fois que la température augmente de 1 °C.) Nous pouvons distinguer une fréquence de 256 Hz par rapport à la fréquence de 257,5 Hz. Mais, sous 64 Hz, notre acuité auditive n'est plus aussi performante. Elle ne distinguera que les différences de 3 Hz. Au-dessus de 4 096 Hz, notre acuité est de 23 Hz. Notre meilleure performance se situe entre 128 Hz et 1 024 Hz. C'est le registre de la voix parlée de l'homme.

La longueur d'onde donne la hauteur du son, à savoir, pour le *la*, 440 Hz correspond à 440 vibrations par seconde. La hauteur de la note est perçue par la localisation des cellules de la cochlée. Une cellule en bas du clavier cochléaire reconnaît les sons aigus, en haut les sons graves. Ces mêmes cellules ont des cils en surface qui baignent dans le liquide cochléaire. Plus les cils, stimulés par l'importance de la vibration, bougent, plus la puissance du son est importante. Ainsi fréquence et puissance sont intégrées par la même cellule qui ensuite envoie la double information dans notre cerveau.

Ainsi, le son parcourt durant son voyage une série d'amplificateurs : le pavillon de l'oreille puis le conduit auditif externe. Il arrive sur le tympan de 50 mm^2, porte de l'oreille moyenne. Puis les osselets amplifient à leur tour le signal et, en fin de chaîne, une toute petite surface située à la base de l'étrier et appelée fenêtre ovale, de 3 mm^2, permet une excellente restitution de cette force mécanique aérienne sur le liquide de la cochlée qui achemine l'information aux cellules ciliées de l'organe auditif.

Si vous appuyez votre front contre une tige d'acier qui vibre, vous entendrez la vibration. Pourtant le son ne passe pas par l'oreille. C'est l'os de votre crâne qui a conduit le son. C'est une conduction osseuse. La cochlée reçoit l'information directement par l'os qui l'entoure et non par le système auditif classique (oreille externe-oreille moyenne), qui lui se définit comme la conduction aérienne.

L'oreille se protège

L'oreille sait se protéger. Lorsqu'un son est émis violemment, il arrive sur le tympan conduit par les osselets. Il existe deux petits muscles qui, si le son est trop fort, serviront d'amortisseurs pour éviter un traumatisme sonore. Le premier est le muscle de l'étrier, situé juste avant que l'onde vibratoire ne soit transmise au niveau de la cochlée. Certains d'entre nous, si ce muscle venait à être enflammé, auraient une écoute douloureuse. Tous les sons seraient trop forts, non contrôlés. Le second est le muscle du marteau situé près du tympan. Ces deux muscles sont localisés aux extrêmes de la chaîne des osselets. L'oreille humaine est surtout sensible entre 1 000 et 3 000 Hz pour une puissance de 30 à 40 dB.

L'oreille moyenne comporte un élément essentiel : la trompe d'Eustache. C'est un tuyau entre l'arrière-nez et l'oreille moyenne. Elle permet d'aérer la caisse (cavité de l'oreille moyenne) et d'équilibrer ainsi la pression de chaque côté du tympan. Si un tambour est plein d'eau, on n'a pas la même pression de chaque côté de sa membrane. Elle vibre mal, le son est altéré. En avion ou bien en plongée sous-marine, il vous arrive de ne pas pouvoir « équilibrer ». Vous avez l'impression d'une oreille pleine, qui entend mal malgré une poussée violente au niveau du nez que vous pincez. Du fait de cette différence rapide de pression entre l'altitude et le sol, ou entre les basses pressions et les hautes pressions, vous entendez déformé. Pourquoi ? C'est comme pour le tambour : pour que l'écoute soit efficace, il faut que la pression de part et d'autre du tympan soit identique. Si vous n'avez pas la même pression, la membrane tympanique est aspirée du côté où la pression est le plus faible. Elle n'est plus souple mais rigide et tendue. Une douleur apparaît due à la tension infligée sur le tympan. Vous entendez moins bien, certaines fréquences ne passent pas, notamment les fréquences aiguës. La trompe d'Eustache est parfois malade lors d'un rhume, l'écoute est rendue difficile, la voix chantée peut être altérée par un mauvais rétrocontrôle. Si le rhume persiste, une otite séreuse (liquide dans la caisse) apparaît et pénalise le professionnel de la voix. À ce stade la douleur a disparu mais l'audition est diminuée.

Ailleurs, à l'inverse, il arrive que la trompe d'Eustache reste béante. Elle amène trop d'air vers l'oreille moyenne. L'écoute est douloureuse lorsque le chanteur monte dans les aigus. Il s'entend résonner. Il est soumis à deux phénomènes vibratoires, l'un est la vibration perçue de l'extérieur et l'autre reçu de l'intérieur. Ce phénomène est secondaire à un défaut de l'orifice de la trompe d'Eustache au niveau de l'arrière-nez, qui ne se referme pas au moment où l'on parle. En effet, l'orifice de la trompe d'Eustache s'ouvre en bâillant, en mâchant, voire en soufflant dans son nez bouché et, ensuite, se referme naturellement lors de la voix parlée ou de la voix chantée.

Entendre sa voix : deux circuits différents

On peut entendre sa propre voix par deux circuits différents. Quand on prononce un mot, il va de nos lèvres vers le pavillon de l'oreille, c'est le circuit externe. Le circuit interne relie directement les vibrations de notre larynx et notre propre oreille par la conduction osseuse et parfois le canal de la trompe d'Eustache. Notre oreille doit écouter, apprendre et ensuite reconnaître les fréquences pour pouvoir chanter juste. Comprendre les mots est essentiel. Ainsi, il arrive que nous entendions un bruit parlé, sans pour autant pouvoir préciser ce qui a été dit. C'est l'intelligibilité vocale. Elle peut être due à une perte de la stéréophonie de notre écoute, par une différence auditive de l'oreille droite par rapport à l'oreille gauche ou être secondaire à une difficulté d'intégration cérébrale. Il existe toujours une troisième possibilité : on a « la tête en l'air ».

L'expression verbale dépend du pays où l'on vit, de la langue que l'on parle

La voix parlée, pour les six milliards d'êtres humains que nous sommes sur Terre, se situe entre 100 Hz et 3 000 Hz. Cette variation dépend, bien sûr, du milieu socioculturel. Cette fréquence sera plus élevée en Russie qu'en France. Elle sera plus musicale en Italie qu'en Allemagne. L'importance de cette fréquence parlée est essentielle à considérer pour l'utilisation du téléphone. La bande passante téléphonique est située entre 300 et 3 000 Hz. Votre voix, lorsque vous parlez à un ami au téléphone, n'est perçue que dans cet intervalle : c'est la fréquence conversationnelle classique. Pourtant, elle risque de créer des erreurs acoustiques. Certes, le « réflexe » auditif corrige. Une syllabe mal perçue sera immédiatement réintégrée dans son contexte global. C'est d'ailleurs ce qui se passe chez le ventriloque, comme on le verra ultérieurement. Ainsi, certains mots peuvent être confondus, surtout dans une langue qui n'est pas la langue maternelle, comme, par exemple, « beurre » et « peur », ce qui oblige à préciser B comme Bernard, P comme Patrick. Pourquoi ? La voyelle est le véhicule de la voix. La consonne ne crée pas de vibration. Elle vient ponctuer le langage articulé. *B* et *p* sont des consonnes qui entraînent une vibration inférieure à la bande passante, dont la limite est de 300 Hz. Elles sont situées seulement à 150 et 200 Hz. C'est la raison pour laquelle il peut y avoir confusion. Il en va de même pour le *s* et le *f*, qui sont des sifflantes, dont la fréquence vibratoire est située au-dessus de 3 000 Hz. On n'a donc pas fini de dire S comme Simone, F comme Françoise...

Le chaos et l'harmonie fusionnent dans l'oreille

L'oreille réceptionne des fréquences, des vibrations, des bruits qui font partie de la voix. Ces vibrations sonores sont en fait un mélange de bruits et de fréquences pures. Une tonalité pure et isolée est le diapason : une seule vibration est créée, uniforme, définie habituellement comme le son fondamental. Ce qu'on appelle le bruit est un mouvement sonore vibratoire irrégulier. On ne lui reconnaît pas de fondamental. C'est un véritable pot-pourri de plusieurs vibrations avec différentes tonalités, irrégulières et imprévisibles. La voix humaine est faite du mélange de ces deux éléments : les fréquences et le bruit.

12 tonalités peuvent créer plus de 500 000 variations auditives, que certains chefs d'orchestre sont capables de détecter

Dans ce voyage à travers l'évolution, seuls les oiseaux et les cétacés ont développé un chant musical et une communication sonore régie par certains codes très complexes. Tous les animaux n'ont pas une oreille. Certains en possèdent, mais ils sont sourds, comme le cobra par exemple. Il peut ressentir les vibrations à travers sa peau. Son oreille, c'est tout son revêtement. Le poisson perçoit les très basses fréquences par le même mécanisme. Suivant les animaux, le registre de ce qu'ils entendent peut être très différent. L'éléphant perçoit les infrasons, le dauphin, les ultrasons.

Lors de notre évolution, si nous avons perdu une certaine acuité auditive dans les suraigus et dans les infrasons, si nous avons perdu la possibilité, comme les chauves-souris, de nous repérer dans le noir, de sentir comme certains animaux une goutte de sang dans un étang, nous avons développé notre communication phonatoire de façon unique. S'il existe un code primitif chez l'animal, en aucun cas on ne retrouve un code verbal mettant en jeu l'impressionnante machinerie de la phonation humaine. Mais cette mécanique ne suffit pas. L'oreille est indispensable et sa précision est remarquable ; 12 tonalités peuvent créer plus de 500 000 variations auditives, que certains chefs d'orchestre sont capables de détecter !

Comment « l'homme orchestre » peut-il intégrer cette masse d'informations acoustiques ? Il lit le solfège comme un roman. Pour lui, les notes sont des phonèmes, les strophes, des chapitres. Ce n'est pas la musique qu'il entend, c'est une histoire qu'il comprend. En effet, la mémoire des mots est principalement, si ce n'est exclusivement, localisée dans le lobe cérébral gauche, et la mémoire visuelle dans celui de droite. Les musiciens précoces ont un entraînement verbal et visuel très développé. Apprendre la musique avant l'âge de douze ans permet un équilibre entre l'harmonie et le rationnel. Elle permet également une meilleure mémoire de la voix parlée et de la voix chantée. C'est après l'apprentissage du langage musical que l'artiste créera son imaginaire en allant puiser ses outils dans son cerveau gauche, son émotion dans son cerveau droit.

Les musiciens professionnels sont démasqués par la neuro-imagerie médicale. Ils écoutent Beethoven ou Bach : on observe une utilisation prépondérante du cerveau gauche tout comme s'ils n'écoutaient pas l'harmonie mais le discours de la musique. Les notes de la mélodie sont lues comme un non-musicien lirait un texte. Le musicien ensuite transpose les couleurs des notes sur une toile et crée l'œuvre artistique.

Fait surprenant, si vous n'êtes pas musicien et que vous écoutez de la musique, la neuro-imagerie va montrer une activité non pas du cerveau gauche, comme chez le violoniste, le pianiste ou le chef d'orchestre, mais du cerveau droit. En effet, vous ne déchiffrez pas la musique, vous n'écoutez que ses harmoniques. Vous n'analysez pas la vitesse du vent, vous l'écoutez bruisser dans les feuilles. 52 blanches et 36 noires, c'est le clavier que le pianiste transforme en *Nocturne* de Chopin. Vous n'écoutez pas les notes mais la mélancolie.

Le chef d'orchestre est l'amiral du vaisseau musical qui navigue avec le vent de l'émotion

Je me rends à l'Opéra Bastille pour assister à la générale de *La Traviata*. Je suis au troisième rang derrière le maître, James Conlon, qui est vêtu d'un polo noir. Les musiciens ne sont pas en smoking. Les chanteurs lyriques ont revêtu leur tenue de scène, afin d'être dans les conditions du spectacle. (En effet, le costume peut modifier la technique vocale de l'artiste.) J'ai la chance d'être convié dans cette atmosphère privilégiée de répétition générale avant la première. Le maître s'octroie le droit de corriger les derniers détails. Un violon soprano vient à se tromper d'un demi-ton, son regard et sa main gauche signifie à ce musicien de retrouver immédiatement l'harmonie. La soprano n'est pas à sa juste place sur la scène, d'un mouvement brusque de la tête, elle comprend la demande du chef d'orchestre. James Conlon est à la fois acteur, metteur en scène, musicien et chef d'orchestre. L'oreille du maître corrige le violon alto d'un geste de sa baguette, rectifie le rythme des contrebasses sur sa droite, apprécie la justesse de la soprano et semble lui indiquer de faire un legato plus soutenu. Je le vois vivre sa musique, sa main gauche dirigée vers le ciel, sa main droite tenant sa baguette. La partition est dans sa tête.

On ne peut qu'être impressionné par l'importance des messages acoustiques qu'il reçoit et la passion qu'il met à réagir pour approcher la perfection de l'œuvre. Amiral de ce vaisseau musical, il navigue avec le vent de l'émotion.

Voix et langage

La voix est un langage dont le support est immatériel.

L'origine du langage articulé de l'homme a laissé son empreinte sur les fossiles de notre planète. Si l'écriture a permis de concrétiser la tradition orale par sa griffe, elle n'a que quelques milliers d'années. L'observation de moulages endocrâniens d'hominidés, de leurs outils et l'horloge de l'ADN nous permettent d'évoquer la possibilité d'un langage articulé datant de plusieurs millions d'années. Ainsi l'image de l'homme-singe n'existe pas. Le singe n'est pas devenu homme, mais il a un ancêtre commun qui a donné deux lignées : l'homme et le singe. Si tous les deux ont un langage, seul l'homme a une voix.

La voix est prête à l'emploi dès la naissance

Chez les grands singes, le cerveau se développe de façon majeure jusqu'à trois mois après la naissance. Chez l'homme, en revanche, cette évolution dure quinze mois après la naissance. Les neurones se multiplient. Les interconnexions augmentent de façon considérable pour atteindre des milliards de milliards de synapses. Les différentes parties cérébrales prennent leurs marques. Ainsi, dans les deux premières années de l'enfant, l'éducation, l'apprentissage, le milieu socioculturel, le relationnel autorisent un développement de certaines aires cérébrales plus important que d'autres. Cela a été particulièrement bien démontré chez les musiciens. Cependant, si la croissance jusqu'à l'âge de quinze mois est impressionnante, 95 % du cerveau est formé à l'âge de 6 ans. Cette croissance cérébrale continue de façon moins flagrante, lentement et progressivement, jusqu'à la puberté, jusqu'au stade où l'homme peut se reproduire, puis très imperceptiblement jusqu'à l'âge de 20-22 ans. Le langage est commun à beaucoup d'espèces de notre planète, que ce soit par des substances chimiques entre certaines bactéries, origines de nos phérormones, par le langage des oiseaux chanteurs ou par la voix qui n'existe que chez l'*Homo vocalis*, mammifère privilégié.

La neuro-imagerie révolutionne nos connaissances. Au début des années 70, la radiographie, connue depuis la fin du XIXe siècle, subit une métamorphose. Allan Cormac et Godfrey Hounsfield, prix Nobel en 1979, mettent au point l'imagerie tomographique aux rayons X assistée par ordinateur, appelée scanner. Plus tard, Paul Loterbur, dans les années 80, développe l'imagerie par résonance magnétique ou IRM. Son principe est différent des rayons X. L'image n'est pas produite par l'impact des rayons qui traversent le corps et informent l'ordinateur, mais par sa propre résonance magnétique. En fonction de l'orientation particulière des électrons de notre corps induite par la machine, différents signaux sont émis. Récupérées et numérisées, ces informations deviennent dès lors visibles sur ordinateur. Dans le domaine de l'exploration de la voix, l'IRM fonctionnelle ou IRMf permet de voir, de traquer, de dépister les mystères de notre cerveau pendant son activité vocale. L'image devient dynamique. Elle enregistre l'action de l'aire cérébrale active. Le lieu exact du fonctionnement de la vision, de la lecture, de la voix parlée et de la voix chantée est décelé et analysé. Cet examen peut être pratiqué dès le plus jeune âge. Il ne présente aucun danger d'irradiation.

La tomodensitométrie par émissions à positons ou TEP permet de mieux dépister les indices cérébraux de la projection et de la création de la voix. La technique utilisée est très ingénieuse. Elle fait appel à l'énergie nécessaire à notre corps : on injecte une solution de glucose, élément énergétique du cerveau, avec des particules radioactives peu agressives et sans danger. (Une autre technique consiste à faire respirer un gaz radioactif.) On positionne la tête du sujet dans un anneau, qui va détecter le rayonnement radioactif gamma. Les parties cérébrales actives consomment de l'énergie. Elles captent donc plus de glucose que les autres cellules. Les molécules radioactives se concentrent dans ces régions. On détecte ensuite sur film radio sensible aux rayons gamma, et en temps réel, la région qui s'active pour la fonction désirée : parler ou chanter par exemple. L'ordinateur récupère les données, coordonne l'information et imprime l'imagerie cérébrale. Cette collecte de données permet non seulement une analyse en trois dimensions, mais également dans la quatrième dimension, le temps. Ces techniques en quatre dimensions ont révolutionné notre domaine scientifique et nous permettent de suivre à la trace la fonction *in vivo* de la voix.

Regarder le cerveau parler à trois mois

À l'aube de ce IIIe millénaire, l'étude pratiquée par G. Dehaene-Lambertz de l'hôpital Necker à Paris a observé le petit d'homme dès l'âge de trois mois dans sa possibilité cérébrale langagière. Chez 20 nourrissons, 14 petites filles et 6 petits garçons, on recherche la préexistence d'un cerveau « voix ». À l'aide d'un casque, le nourrisson écoute une voix de femme émise pendant près de 20 secondes, suivie d'un silence de même durée. Cette voix est assimilée à un langage maternel. Puis l'enregistrement est passé 20 secondes à l'endroit, puis 20 secondes à l'envers entrecoupé de 20 secondes de silence. Que se passe-t-il ?

L'IRMf confirme une activation cérébrale droite et gauche au niveau des lobes temporaux. L'activation gauche est beaucoup plus importante On retrouve des repères bien connus chez l'adulte. Mais ce n'est pas tout. Une autre région cérébrale s'active seulement pendant l'écoute de la bande sonore à l'endroit, et non pas à l'envers. Cette région est la localisation de la mémoire du langage. C'est la région frontale droite connue chez l'adulte. Jusqu'à présent on pensait qu'elle n'était mise en jeu dans nos fonctions cognitives qu'après la puberté. Cette région permet la mémorisation complexe, le contrôle, l'attention, la réflexion ! Ainsi, tout est déjà prêt dans le cerveau du nourrisson pour faciliter l'ontogenèse du langage, l'apprentissage de la voix humaine, ses interconnexions cérébrales. Dans quelques mois, l'enfant n'aura plus qu'à stimuler ces zones cérébrales prêtes à l'emploi. Langage et pensée peuvent désormais prendre vie.

Voix et influence du langage

Chaque culture a sa propre langue. Pourtant, on est frappé d'observer qu'une langue « colle » souvent à son pays. La langue germanique ou russe est souvent rigoureuse comme son climat. Au Brésil, on s'habille avec son corps et peu avec ses vêtements, la voix est musique et gestes, la danse est dans la culture. Mais l'expression artistique, que ce soient les opéras allemand ou italien, que ce soient les fresques de Lascaux ou les peintures chinoises, montre que l'homme naît artiste.

La voix est une transmission de génération en génération

La langage verbal nous est imposé au premier jour de notre vie. Tout comme un petit dauphin qu'on jette à l'eau et qui nage dès les premières minutes. Le petit d'homme, « jeté » dans le monde de la voix, va apprendre cette vibration, véhicule de la communication. La stimulation des gènes déclenche l'irréversible évolution de l'intelligence du cerveau gauche, du cerveau droit, du système limbique. Depuis les années 50, la science cognitive a permis une approche multifactorielle de la voix humaine en associant à la linguistique, la psychologie, la philosophie, la biologie et, plus particulièrement, la neurobiologie. La voix influence notre approche de l'autre, notre approche du moi. Elle se modifie avec les années. Si son apprentissage est indispensable, cela n'empêche pas qu'elle soit spontanée et naturelle. Elle est innée et acquise à la fois. Elle s'apprend. La stimulation de l'autre est indispensable à son émergence chez l'enfant. Steven Pinker est en faveur d'un langage et d'une voix instinctifs et qui ne s'apprendraient pratiquement pas. Cette approche semble discutable quand on observe les enfants sauvages. Certes, cette singularité propre à l'homme, la voix, lui a permis un moyen de communication. Mais cette approche instinctive vocale ne nous semble pas la même que celle de l'oiseau migrateur, qui lui possède une boussole interne, localisée dans son cerveau, qui l'oriente sur des milliers de kilomètres et qui n'a qu'une seule localisation cérébrale et qu'une seule fonction. La voix fait appel à de multiples facteurs interdépendants.

Des questions se posent : le langage est-il une adaptation de l'évolution des mammifères ? La voix est-elle acquise ou innée ? La voix vient-elle créer la pensée ou la véhiculer ? A-t-elle une structure scientifique, cartésienne, reproductible, une structure artistique, unique ? Dépend-elle d'une voix du chaos pour chaque phonème, chaque phrase, chaque silence ?

La voix innée : pas seulement !

Cette approche du langage « instinct » est une idée chère à Noam Chomsky. Si cette approche est intéressante, il me semble cependant qu'elle impose une certaine réserve car créer un poème ou l'aria d'un opéra sont certes secondaires à des neurotransmetteurs, à des sécrétions d'endorphines, mais il y a autre chose qu'on appelle l'émotion ! C'est être trop réducteur et ne pas faire la place aux muses de l'artiste, c'est faire mourir le rêve ou, pis, nier son existence.

La phrase est conçue avec des mots connus mais avec une combinaison toujours renouvelée. Elle n'est jamais identique. Chaque phrase est une création. Un peu comme dans *Le bourgeois gentilhomme* : « Vous dites de la prose sans le savoir. » Cette phrase est régie par une règle de grammaire propre à chaque langue. D'après Noam Chomsky, le petit enfant développe une grammaire semblable à celle de ses proches, sans pourtant l'avoir apprise à l'école. Cette règle complexe serait innée ou génétique. La logique grammaticale s'inscrit dans une grammaire universelle. Elle nous permet de nous comprendre l'un l'autre, et comme le disait en 1836 Wilhelm von Humboldt : « Le langage fait un usage infini d'un langage fini. » Si aucun anthropologue ne peut trouver un peuple sur notre planète qui ne parle pas, cela veut-il dire que la voix est innée ? Qu'il existe un système génétique prédisposant à la formation de la voix, peut-être, mais le phénomène « voix » se déclenche-t-il comme le phénomène « marcher » ou « courir », et de façon réflexe ? Il nous semble difficile de franchir ce pas.

Le bouche-à-bouche de l'évolution de la voix

Des gènes au niveau de notre ADN caractérisent un ensemble de facteurs. Cependant, ces facteurs peuvent ne jamais voir le jour s'ils ne sont pas stimulés. La voix humaine, son langage produisent également un élément transmissible, pouvant subir des mutations, être détruit ou être créé : le mot. Cette unité de transmission culturelle évolue de façon incontrôlable. Elle permet l'évolution croissante du langage sans aucun support anatomique ou génétique. C'est le bouche-à-bouche de l'évolution de la voix. Une des particularités de l'homme est sa culture. La transmission de celle-ci ne se fait pas par l'ADN, bien qu'on puisse la comparer à cette hérédité génétique, à cette différence qu'après dix générations, notre culture, notre langage évoluent alors que notre ADN est pratiquement identique depuis des millions d'années. Cette évolution langagière est beaucoup plus rapide que l'évolution génétique dans l'échelle de l'homme. Elle a accéléré notre processus de compréhension et d'anticipation intellectuelle. La transmission génétique, elle, est bien différente. Elle est à la mesure de la planète Terre. Elle nous vient de l'ADN, de centaines de millions d'années, et seule l'horloge du temps associée à la sélection naturelle rend possible son évolution. André Laganey nous précise, si besoin est, que les théories de Lamarck et de Darwin, l'une parue en 1809, l'autre quelques dizaines d'années plus tard, en 1856, n'expliquent pas tout : « Tout se transforme dans la nature et les mots plus que toute autre chose. » Ce monde culturel structuré par le verbe, le mot véhiculé par la voix humaine sont indispensables à l'éducation de l'homme. Depuis près de sept millions d'années, l'*Homo sapiens* ne doit sa survie qu'à son environnement de communication avec ses semblables.

Si l'histoire de la vie de l'*Homo vocalis* est liée à l'ADN, sa survie tient à sa voix

Le langage de l'ADN

Les gènes prennent leur origine dans l'ADN. Lui-même, pour certains scientifiques, aurait presque son langage et sa grammaire. L'ADN, ou acide désoxyribonucléique, est formé de quatre molécules qu'il nomme molécules de la vie. Ce sont quatre nucléotides – adénine, thymine, guanine, cytosine – qui se combinent de 64 façons différentes, ou codons, et peuvent s'associer à l'infini. Ces codons, ces associations multiples dans cette double hélice du secret de notre existence, quoi de plus troublant, quoi de plus mystérieux que de les comparer à un langage particulier. En effet, on retrouve au sein même de l'ADN des ponctuations, des gènes qui signifient « arrête », « repars », des silences, des groupes de gènes qui sont des synonymes, d'autres des homonymes, un autre pour former une phrase, un chapitre, ou encore le gène de l'aptotose, qui signifie « la mort ». Ici les chapitres s'appellent cellules du rein, des yeux ou du cœur.

Atome de la voix et espace-temps

La flèche du temps existe également dans le langage des mots. C'est la survie de l'homme. La notion d'irréversibilité dans le temps passé est simple à appréhender : une assiette tombe, elle se casse. Jamais elle ne va se reconstruire toute seule, même si on allait à la vitesse de la lumière. La source engendre une rivière, l'eau s'écoule vers la mer. Jamais elle ne remonte à son origine. De même le mot prononcé ne peut retourner vers son néocortex. La voix est espace-temps. La voix est entropie. Notre cerveau est à la fois sujet et objet, notre voix aussi. Elle est l'outil de notre imaginaire après en avoir été le maître. La communication animale existe, mais, dans tous les cas, elle a un but précis et concret. Son langage est systématiquement tourné vers l'autre : pour se nourrir, se défendre, attaquer, s'imposer et parfois séduire. En aucun cas pour se remettre en question. L'homme est le seul à s'interroger sur sa condition.

Chaque individu, pour parler ou monologuer, possède au sein de son cerveau un lexique de mots avec d'une part les mots eux-mêmes, et d'autre part une règle qui combine ces mots entre eux : la grammaire. Le mot peut être considéré comme l'unité linguistique. C'est l'atome de la voix au sens propre du mot atome qui signifie : qui ne peut être divisé. Celui du langage est le phonème surnommé morphème par comparaison avec phonème, qui signifie unité phonétique indivisible.

Quelle force le mot peut-il avoir ? Prenons un exemple bien connu que Mounin avait décrit en 1972, dans le mot « réembarquons ». Nous avons quatre phonèmes : *ré* (à nouveau), *em* (à l'intérieur), *barque* (objet flottant), *ons* (tous ensemble). En quatre syllabes, on a une « multi »-signification. Dans le mot « réembarquons », l'énergie du souffle expiratoire permettant d'émettre ce mot est négligeable. Pourtant, le message qu'il comporte est important. Cet outil de la pensée a une répercussion au quintuple par rapport à la dépense énergétique. Le mot accélère notre mode de communication, économise notre énergie. Pourtant, le mot qui ne reste qu'un symbole est suggestion : dire « la rose », c'est déjà la sentir.

Le rythme des mots et les phonèmes

Le rythme

L'onde vibratoire qui transmet le nom « rose » nous permet de comprendre le message. Ce message peut parfois nous leurrer, une onde pouvant en déguiser une autre. Notre oreille, récepteur de la voix, absorbe l'énergie acoustique, ses harmoniques, ses bruits, ses vibrations. La différence entre deux messages sonores est sous la dépendance de la hauteur de la vibration, de l'intensité, de la musicalité des phonèmes prononcés.

Cela nous amène parfois à entendre quelque chose qui n'a pratiquement pas été prononcé. À la place de rose on aurait pu entendre prose. Cet aspect intriguant de l'émission vocale a été remarquablement analysé dans l'expérience suivante conduite par Steven Pinker en 1981. L'expérience vaut la peine d'être contée.

Une phrase, « Où étais-tu l'an dernier ? », subit une distorsion acoustique. Elle est modifiée en donnant l'impression que les sons sont anarchiques, que la musicalité et les harmoniques sont travaillés dans la puissance et l'accentuation de certains formants. Des observateurs écoutent ces bruits, sans être préalablement avertis que c'est une phrase maquillée. Ils interprètent ce message sonore comme un bruit venu d'ailleurs, sans doute des bips, sans donner d'autre explication rationnelle intéressante. Un second groupe va écouter la même phrase, mais en ayant été préalablement averti que cette phrase a une signification, qu'elle renferme des mots bien ordonnés, sans pour autant indiquer le sens de la phrase. Le résultat est surprenant : ces observateurs précisent qu'il s'agit d'une voix humaine, qu'elle est déformée et modifiée. Un quart d'entre eux reconnaît la phrase. Trois quarts en reconnaissent au minimum trois mots.

Le cerveau, via notre oreille, a décrypté ce message sonore brouillé et en a extrait l'élément intelligible, interprétable grâce à son dictionnaire interne. Le cerveau gauche (aire de Wernicke), le cerveau droit (aire frontale), mais également le cerveau limbique (celui de l'intuition) ont permis chez certains une reconstitution du message malgré le masking de l'information.

L'acquisition de la voix n'est possible que si le nouveau-né est exposé à une ou plusieurs langues spécifiques. Cette perception auditive des langues parlées lui permet de créer sa propre voix. Les mots, les phrases ne peuvent être construits que par l'acquisition d'une grammaire particulière propre à chaque langue. Le caractère grammatical du langage est indispensable pour construire la phrase et se faire comprendre. Le signal acoustique de la musicalité, de la prosodie de la phrase émise est également nécessaire pour que l'interlocuteur comprenne le locuteur. On peut, ici, parler de stimulus linguistique cérébral qui déclenche l'apprentissage du langage de l'ontogenèse de la voix humaine. La voix transmet une suite de phonèmes qui, isolés, ne veulent rien dire. L'association des phonèmes permet la compréhension des mots, le sens de la phrase. Dans ce cheminement de la voix de l'être, le mot lié au mot suivant puis au suivant crée la pensée. La musicalité, le rythme des phonèmes vont, avec les mêmes syllabes, changer le sens de la phrase. Par exemple :

« La rose est belle au lever du jour et surtout parfumée. »

« La rosée, belle au lever du jour, est surtout parfumée. »

Entendre quinze phonèmes à la seconde

Comprendre la voix de l'autre passe comme nous venons de le voir par de nombreux chemins. Cependant, tous ces chemins s'engouffrent dans notre conduit auditif externe, envahissent les neurones qui transmettent cette information dans les profondeurs de notre cerveau. La vibration mécanique se transforme en molécule chimique et électrique. Cette alchimie vibratoire relie l'homme à lui-même et aux autres. À lui-même car la voix intérieure est l'une des sources de sa créativité. À l'autre avec lequel il communique, avec lequel il fait vivre sa voix. Notre capacité cérébrale est étonnante. Vous pouvez comprendre jusqu'à 15 phonèmes par seconde, voire, si vous êtes entraîné, 40 phonèmes par seconde. L'exemple le plus remarquable est celui du chef d'orchestre. Il reconnaît la fausse note du violon alto à sa droite, de la clarinette à sa gauche, du piano près de lui. Et ce en un quinzième de seconde, car il discerne ces trois instruments de façon indépendante. Cette exceptionnelle analyse, aucun ordinateur, de nos jours, n'en est capable. La machine ne peut reconnaître plusieurs personnes qui parlent en même temps.

300 000 mots peut-être, mais combien de phonèmes ?

Ainsi, chez l'homme, la caisse de résonance dont la source vibratoire est le larynx peut produire mécaniquement les mots par le biais de phonèmes associés, de musicalités différentes, de rythmes propres à chacun. Ainsi il existe des phonèmes, éléments acoustiques unitaires du mot, il existe des syllabes, qui sont en fait des unités linguistiques. Elles sont appelées des mores. Le more peut être une unité plus petite qu'une syllabe, notamment dans la langue japonaise, ayant une signification en soi.

Pour créer 300 000 mots, nous n'avons pas 300 000 façons de bouger la bouche. Nous possédons seulement une quarantaine de mouvements bucco-pharyngés qui permettent par leur association d'émettre le mot. 40 phonèmes correspondent à 40 mimiques vocales, chacune avec une vibration particulière des cordes vocales.

Les caractéristiques de notre voix associent puissance, hauteur, prosodie et voisement, mais également le bourdonnement qui est émis par ricochet dans notre caisse de résonance du son créée au niveau des cordes vocales. De ce fait, nous n'avons jamais exactement les mêmes fréquences lorsque nous faisons un *a* pendant dix secondes étant donné les multiples facteurs sollicités.

En écoutant une musique synthétique, vous savez qu'elle est synthétique car la perfection de l'harmonique est telle qu'elle est identique pendant vingt secondes. Cette voix de la machine ne vous plaît pas. Quelque part, elle est trop « parfaite ». C'est la raison pour laquelle une nouvelle génération de musiciens utilisant des synthétiseurs produisent des imperfections, un huitième de ton toutes les demi-secondes, pour approcher la voix humaine. Notre conduit vocal, par sa forme, sa souplesse, son humidification, sa plasticité lui permettant de s'agrandir ou de se raccourcir, amplifie certaines fréquences mais en efface d'autres. Plus la distance qui existe entre les lèvres et les cordes vocales est grande (le larynx descend), plus la fréquence est grave. Plus elle est courte (le larynx remonte dans la gorge), plus la fréquence est aiguë. Un exemple simple : verser de l'eau dans une bouteille vide. Au début, le son est très grave. Plus elle se remplit, plus le son écouté est aigu, le volume d'air devenant progressivement de plus en plus restreint. Si vous changez la bouteille de forme, le son va également se modifier par amplification de certains harmoniques aux dépens d'autres.

Fabriquer le phonème

Dans les sept éléments de la mécanique vocale, le premier, le larynx, bien sûr, puis les trois suivants font partie de la langue. Le cinquième, lié directement à l'instrument lingual, est le voile du palais, qui ferme alternativement ou ouvre l'espace nasal. Le sixième est les fosses nasales elles-mêmes : en effet, si vous avez un rhume, votre voix est nasillarde. Le septième, et pas le moindre, est la porte de sortie de notre voix, les lèvres.

Le plus important, la langue, présente trois parties : la pointe de la langue, son corps, et sa base. La masse linguale centrale ou corps de la langue s'arqueboute, forme un dôme dans le *i* et reste plate dans le *a*. La pointe vient se blottir sur les dents supérieures ou inférieures en fonction des consonnes. La base de langue, située en arrière, très développée chez l'homme, se rabat ou s'écarte du larynx. Elle ferme et ouvre l'espace nasal et ainsi, avec le voile du palais, permet la formation des sons nasillards comme le *n*, par exemple. Enfin elle rend possible par son mouvement brutal la production des consonnes *b*, *p*, ou *k* qui sont presque des percussions. La contraction linguale diminue la caisse de résonance dans sa longueur. Si le larynx remonte vers le haut, les sons seront très aigus. C'est ce qu'on observe chez le ténor. Ces sons aigus sont beaucoup plus faciles à émettre pour le *i* car la langue est en dôme et haut située. Le larynx se hisse, les fréquences sont plus hautes. En revanche, pour le *a*, c'est tout à fait l'inverse. La langue s'efface sur le plancher buccal et abaisse naturellement le larynx, le son est grave. Le « a » aigu est plus difficile à émettre.

Nous observons qu'en fonction des voyelles les harmoniques peuvent être modifiés. Pour donner l'impression que nous chantons à la même hauteur de voix sur *a e i o u*, il faudra adapter la hauteur du larynx par rapport à la hauteur de la langue et du voile du palais. Un exemple : faites un *a* sur cinq secondes et dans la foulée un *i* sur cinq secondes. Sans le vouloir, vous avez monté la fréquence du *i* car vous n'avez pas corrigé la hauteur du larynx qu'a modifiée la position de langue que nous avons décrite précédemment. Vous venez tout simplement de faire un des premiers exercices de la voix chantée. Essayez le même exercice en contrôlant le *a* et le *i* sur la même fréquence. Pour mieux vous entraîner, commencez par faire des vocalises bouche fermée. Ainsi, les seuls éléments fréquentiels sont les cordes vocales. Les lèvres apportent la touche finale de la caisse de résonance. Associées à l'articulé dentaire, elles permettent à notre voix d'être dite jeune ou vieille. Elles dressent l'habillage final de notre vocalisation. Parfois, elle trahit au téléphone votre émotion. Par exemple, amorcez un sourire puis parlez, l'ami que vous avez au bout du fil vous dira : « Je vois que tu es en forme. » Il ne voit pas vos lèvres sourire, mais il les devine car vous avez ajouté à la gestuelle labiale du phonème une expression des lèvres. Vous venez de composez l'interprétation du mot.

De nos jours, certains livres de fiction ont créé leur propre vocabulaire, leur propre langage. Dans *Le seigneur des anneaux* de Tolkien, on est fasciné par cette nouvelle langue des elfes, qui a sa propre structure où on reconnaît presque une grammaire. Dans le film *Stars Wars*, l'intonation, la musicalité et le rythme des dialogues font que nous percevons également ce que veulent dire les androïdes et les personnages de l'Empire imaginé par G. Lucas.

Existe-t-il un dénominateur commun de la voix suivant les langages ?

L'utilisation des symboles que sont les mots impose des principes d'association de phonèmes, de phonologie, de grammaire et de syntaxe. C'est le dénominateur commun de la voix. Une chose m'a souvent frappé dans mes voyages. Vous écoutez des langues étrangères que vous ne comprenez pas, pourtant l'intonation, la prosodie vous orientent sur le sens du discours que vous percevez. On a presque l'impression que la voix humaine en soi est un seul langage vocal : le *terrien*, et que les langues sont ses dialectes. Cette caractéristique fait dire à S. Pinker qu'un extraterrestre qui arriverait sur la planète bleue demanderait quelles sont les règles du langage de la Terre et non pas de l'anglais, de l'italien ou du français.

Le facteur climatique jouerait-il un élément essentiel dans les différents dialectes de notre planète ? Vous vivez dans une caverne, dans un pays froid, vous êtes couverts, rassemblés autour d'un feu. Votre voix impose une résonance relationnelle de proximité immédiate, presque à portée de main. Cette résonance vocale doit être en harmonie avec l'habitacle. Parler dans une grotte, parler dans une caverne, parler dans un igloo, ce n'est pas la même chose, l'écho n'est pas le même. Le dialogue n'utilisera pas les mêmes harmoniques. Cette langue du citoyen protégé par son habitacle ne sera pas la même que la langue de celui qui vit au bord d'une plage dans une île en Nouvelle-Calédonie ou en plein air toute la journée dans la savane africaine. Mais entre l'homme de la mer et l'homme des régions tropicales avec ses forêts équatoriales denses le langage sera également différent. La voix colonise l'espace, elle est le pont entre les hommes. La langue utilise des phonèmes différents en fonction du territoire. Par exemple les sons graves et rythmés passent bien dans les régions équatoriales. La colonisation de l'espace voix est sans doute l'une des raisons de l'existence des différentes langues de notre planète. Les différences géographiques ont influencé les structures anatomiques de notre faciès, de nos caisses de résonance, de nos cordes vocales elles-mêmes et donc de notre voix. Rappelons que la majorité des femmes d'Amérique du Sud ont des nodules sur les cordes vocales à l'inverse des femmes du Japon chez qui c'est relativement rare.

Une langue a-t-elle une durée de vie : langue morte et langue vivante

Cette même structure vocale colonisatrice a influé sur la vie sociale du groupe, a permis de développer, d'enrichir l'individuel au profit du collectif.

Elle a entraîné sans aucun doute l'évolution intellectuelle de l'homme. La sensibilité de certains mots dans certaines langues ne trouve pas son équivalent ailleurs. La rencontre de ces dialectes terriens permet une évolution émotionnelle unique dans le monde du vivant. Les linguistes s'accordent à dire que la durée de vie d'une langue est d'environ cinq mille ans. Pourtant, l'hébreu ancien, l'araméen, le chinois ou le sanscrit ne semblent pas près de mourir. Ces langues anciennes, après avoir subi de nombreux assauts, ont persisté. Des dérivés cicatriciels ont sans doute permis de créer d'autres dialectes. Ainsi, on pourrait définir les langues mortes comme des langues fermées qui n'évoluent pas, qui ne grandissent plus et où la construction de nouveaux mots n'existe plus.

Les langues vivantes portent en elles la dynamique du futur. Elles sont dans l'espace-temps. Non seulement on les apprend, mais on les transforme, on les modifie, on les « modernise ».

L'enfant bilingue, ambidexte de la voix humaine : surdoué ?

Alice et Shigeru

Alice et Shigeru arrivent à ma consultation. La petite Alice a neuf ans, et le jeune Shigeru, onze ans. Ces deux jeunes enfants se présentent avec leur père qui est japonais et qui parle un français pratiquement sans accent et leur mère qui est française. Ils ont vécu au Japon pendant près de cinq ans. Venus en France il y a deux ans, les enfants ont baigné dans un monde culturel « bicéphale ». Ils présentent une rhinopharyngite banale. En quelques minutes, on est bien loin du mal de gorge : l'avalanche de questions dans un français parfait sur mes ordinateurs, mes caméras d'endoscopie, la curiosité de la mécanique de l'endovidéoscope Pentax, marque qu'ils connaissaient bien, m'ont passionné. Ma curiosité se dirige dans l'assimilation linguistique de ces enfants très éveillés et brillants. Après avoir répondu à leurs questions, je prends la relève et je leur demande : « Quelle est la langue que vous préférez parler ? » La réponse ne se fait pas attendre : « Peu importe, français ou japonais. » « Lorsque vous parlez entre vous, quelle est votre langage le plus fréquent ? » Alice me répond : « En français, pratiquement toujours, mais tu sais, quand on veut pas que les autres nous comprennent, on parle en japonais. » Pour Shigeru : « Je suis d'accord mais quand on se dispute, je parle en japonais. »

Je leur fais faire un test simple pour essayer de détecter s'ils ont une langue maternelle et une langue secondaire ou deux langues maternelles. « Additionne-moi 3 + 4 + 5. Ça fait combien ? » La réponse est immédiate en français : « 12 ». Je leur demande ensuite en japonais via leur père de m'additionner 2 + 7 + 8. La réponse est également immédiate. Ils précisent qu'ils ont appris l'anglais à l'âge de quatre ans avec leur nany. Je leur demande, en anglais, d'additionner 2 + 5 + 6. Un temps de latence de quelques secondes s'installe. Ils sont obligés de traduire dans leur cerveau ces chiffres, soit en français, soit en japonais, de faire le calcul, d'avoir la réponse et de me la donner en anglais. Ils ont deux langues maternelles, le français et le japonais et une seconde, l'anglais.

Essayons de comprendre ce qui se passe dans le cerveau d'Alice et de Shigeru. Pour ces deux langues apprises dès la plus tendre enfance, les aires du langage de Broca et de Wernicke se développent en même temps. Les langues « maternelles » s'inscrivent au niveau cérébral dans une région quasiment identique puisque la réponse temporelle est similaire. Alors que l'anglais, qui a été appris plus tard, est situé dans sa projection cérébrale plus en arrière. En effet si l'apprentissage des « deux langues » maternelles se fait avant quatre ans, la projection des deux langues est identique et superposable. La faculté d'apprendre l'anglais plus tardivement ne permet pas une intégration aussi efficace. Alice et Shigeru ont intégré avant l'âge de quatre ans le japonais et le français. Ils calculent à la même vitesse dans les deux langues dites « maternelles ». Bien sûr, si cette intégration imprime des circuits cérébraux, sont-ils exactement les mêmes ? Pour les bilingues de naissance, les aires de Broca sont superposées comme l'ont montré Kim et Husch par la tomographie par émission de positons et la résonance magnétique nucléaire fonctionnelle cérébrale. La possibilité d'apprendre et d'utiliser différentes langues est une qualité que seul l'homme peut pratiquer.

Si la seconde langue est apprise après l'âge de cinq-sept ans, la projection cérébrale n'est plus tout à fait dans la même région, mais légèrement en arrière de l'aire de Broca. Si l'acquisition de la langue étrangère se fait plus tardivement, la réponse au test du calcul est beaucoup plus longue, ce qui témoigne d'une projection encore plus lointaine. L'enfant bilingue doit continuer à pratiquer ses deux langues maternelles. Car s'il vient à ne pas pratiquer une des deux, les circuits neuronaux s'effacent et nécessiteront une réadaptation en cas de reprise linguistique.

Le mystère de Mario

Cela me rappelle une anecdote émouvante. Mario, comédien de théâtre et de doublage, basse profonde, se présente à ma consultation avec une voix enrouée. À soixante-quinze ans, il a une forte personnalité et désire récupérer sa voix d'artiste. Il présente un polype. L'intervention, sous anesthésie générale, est décidée. Elle dure moins d'une demi-heure. J'opère au laser. Tout est satisfaisant, il n'y a pas de lésion maligne. L'anesthésie se termine, le malade reprend conscience. Au réveil, quel n'est pas mon étonnement de l'entendre parler grec ! Il semblait me poser une question suivie d'un long commentaire. Et ce n'est que quelques dizaines de minutes plus tard que Mario qui, certes, a des origines grecques mais parle un français sans accent, me pose la question en français : « Est-ce un cancer ? » Je le rassure. Cette disparition temporaire du français m'intrigue. Après consultation d'un de mes amis neurologue et passionné de langage, la réponse semble presque évidente. Il s'est vraisemblablement produit une légère baisse d'oxygénation d'une région précise de la projection de l'aire du langage pendant l'anesthésie générale. La région « grecque », la plus ancienne, a été plus vascularisée que la région « française ». Chaque région cérébrale a gardé après plus de soixante ans son intégrité, sa mémoire, son dictionnaire linguistique. Quelques jours plus tard, de retour à mon cabinet, je demande à Mario depuis quand il n'a pas parlé sa langue natale : « Docteur, j'ai quitté la Grèce il y a près de soixante ans. Arrivé en France dans le monde des artistes, je n'ai parlé que français. J'ai continué à pratiquer ma langue maternelle pendant plusieurs dizaines d'années mais seulement en chantant. » Petit à petit, la langue française, sa musicalité, ce que l'on pourrait appeler « la voix française » a stimulé les neurones. « La voix grecque » s'est mise au repos. Sa projection cérébrale a été moins active. Elle s'est donc légèrement atrophiée. Sa seconde langue a, dans une certaine mesure, hypertrophié son aire de projection. Mais la langue maternelle est toujours présente.

Par analogie, si un incident par un micro-infarctus cérébral se produit, on peut perdre l'une des langues acquises après l'âge de cinq-sept ans puisque leur projection est distante de 8 mm et fait appel à deux régions cérébrales proches certes, mais différentes.

Chaque langue a ses propres phonèmes et des phonèmes fantômes

À la fin de sa première année, le petit d'homme bilingue distingue les différentes prosodies, les différentes musicalités de chaque langue et les incorpore de façon définitive dans son cerveau. Il aura moins de phonèmes fantômes qu'un enfant monolingue. Le « phonème fantôme » est un phonème qui n'a pas été stimulé. Il disparaît à l'âge de deux-trois ans. Nous pouvons parler toutes les langues avant cet âge. Après, la prononciation de phonèmes fantômes peut être difficile, voire impossible. Je ne peux pas, par exemple, prononcer certains mots que Shigeru m'a dits en japonais. C'est à l'âge de trois ans que commence la perte de ce pouvoir : prononcer tous les phonèmes. C'est au même âge que la distinction et l'expression des deux langues maternelles s'installent. Ainsi, l'apprentissage se fait sans accroc et sans difficulté chez le nourrisson et chez le tout jeune enfant. Ce n'est pas qu'il soit plus doué qu'un autre, ce n'est pas une prédisposition génétique particulière de son cerveau gauche ou de son cerveau droit, mais c'est tout simplement dû à la puissance exceptionnelle d'assimilation du cerveau humain dès la plus tendre enfance pour la musique et le langage articulé lorsqu'il est stimulé. C'est ainsi qu'on dira souvent de ces enfants bilingues qu'ils sont surdoués.

Au stade de nourrisson, le petit bilingue comprend très précocement qu'on lui parle deux langues, mais il présente un léger hadicap par rapport au bébé monolingue. Son temps de latence pour répondre dans la langue qu'on lui parle est plus long que le temps de latence du monolingue. Très vite, dès l'âge de trois-quatre ans, il rejoint l'aptitude du monolingue dans sa rapidité de repartie. Il est parfois considéré entre l'âge de deux-trois ans comme ayant un « retard » de langage. C'est faux. Au contraire, ce retard n'est que la surface des choses, il est en possession de nombreux phonèmes que l'enfant monolingue ne possède pas. Il a activé des circuits neuronaux supplémentaires.

La tomographie à émission à positons a démontré le chevauchement du vrai bilingue maternel. Mais elle a également permis de montrer que, lorsqu'on apprend une seconde langue, le chevauchement de la projection cérébrale de cette seconde langue est d'autant plus important que le degré de compétence est élevé et qu'elle est apprise tôt dans l'enfance. Alors, cela veut-il dire que le cerveau s'amuse à bouger son chevauchement en fonction de l'utilisation d'une seconde langue ? Comme, par exemple, les réflexes d'un joueur de tennis en revers ou en coup droit, qui perd la qualité de son geste après avoir arrêté le sport pendant quelques années. C'est vraisemblablement le cas.

De ce fait, plus tard, l'enfant bilingue ou trilingue n'aura pas d'accent. Il saura manipuler le silence, le rythme et les harmoniques de sa voix parlée dans ses langues maternelles. Son attitude vocale et sa gestuelle physique ne seront pas les mêmes en fonction de la langue parlée. Cet apprentissage qu'il a dès l'enfance, cette ontogenèse vocale multiple, a permis d'activer la stimulation cérébrale et d'initialiser des territoires propres à chaque langage et à chaque musique de ces langages. L'enfant bilingue, par son développement linguistique particulier, a une rapidité d'observation et d'anticipation souvent plus aiguisée.

La stimulation des aires de la voix augmente ses caractéristiques individuelles.

La voix fantôme

L'ordre des mots : clef de sol de la voix

Dès l'âge de deux ans, le tout-petit apprend cinq mots par jour. L'apprentissage est indispensable. Il intègre de façon surprenante non seulement la syntaxe mais également la grammaire. Quelle est l'importance de la grammaire et de la syntaxe par rapport au langage ? C'est tout simplement l'équivalent de notes sur un solfège dont vous n'auriez que la portée. La clef de *sol* ou de *fa* est la grammaire et les accords servent de syntaxe. D'ailleurs, lorsque vous écoutez une langue étrangère et que vous en possédez plusieurs, vous êtes souvent capable de dire, sans pourtant en comprendre le moindre mot, qu'il s'agit d'une langue anglo-saxonne ou chinoise. Il existe une stratégie de déchiffrage de notre cerveau pour analyser la voix humaine dans ses caractéristiques si particulières.

La maturation de notre structure cérébrale de la voix est relativement lente. Jusqu'à l'âge de quatre ans, l'aire de Wernicke évolue de façon importante, puis ultérieurement de façon beaucoup plus lente. Seule l'audition, en place avant même notre naissance, permet déjà de commencer à intégrer la boucle audio-phonatoire. La maturité auditive fait sa puberté à l'âge de sept ans. Le monde musical s'intègre à quatre ans. Rien ne sert d'apprendre la musique avant cet âge-là. Le monde de la voix parlée et du langage écrit s'intègre vers quatre ou cinq ans. Cette puberté vocale voit son accomplissement par le développement et la maturation au niveau cérébral décrits au chapitre sur le cerveau. Le corps calleux, pont entre les deux hémisphères, vient de perdre entre la naissance et l'âge de quatre mois près de 70 % de ses neurones. Ainsi la latéralisation du cerveau gauche s'accentue. Entre quatre mois et l'adolescence, des connexions sont de nouveau stimulées, le corps calleux s'accroît. La voix génère de nouveaux circuits avec des projections corticales particulières spécifiques. Le développement cognitif, socioculturel, intellectuel propre à chaque individu est dépendant de ces stimuli.

La musique des mots est un langage

Ainsi, la signification est dans la musique des mots plus que dans les mots eux-mêmes. Le rythme de la langue permet de créer des frontières entre les mots. Parler sa propre langue permettra de donner le rythme naturel, de connaître les indices de segmentation dans une phrase. Lorsqu'une langue étrangère est apprise après l'âge de cinq ans, on lui impose souvent, inconsciemment, le rythme de sa langue maternelle. Par exemple, un Français va « hacher » la langue anglaise de façon syllabique. Alors qu'un Anglais parlera français sans segmentation syllabique.

Il semble que le nourrisson soit, dès la naissance, capable de créer, de comprendre et d'apprendre un langage maternel, certes, mais sans doute plusieurs langages maternels, ce qui n'est pas encore entré dans notre éducation actuelle. Certains phonèmes existent dans une langue et non dans une autre. Par exemple, certains mores dans la langue japonaise avec leur musicalité très particulière n'existent pas en français. Ils s'apprennent dès les premiers mois de la vie. Jusqu'à l'âge de neuf mois, le nourrisson peut détecter ces contrastes et ce quelle que soit la langue utilisée. Ensuite, cette faculté décline entre neuf et douze mois. Le système de perception de la voix devient moins affûté. Il ne pourra plus distinguer d'une façon naturelle des contrastes de phonèmes qu'il n'aura pas entendus. Il sera incapable de former des consonnes spontanément si elles n'appartiennent pas à sa langue maternelle. Il perd les contrastes dits phonologiques s'ils n'existent plus dans son environnement linguistique. S'il ne les entend pas, il sera incapable de les reproduire. C'est une véritable surdité phonologique. Ces phonèmes perdus, ces phonèmes fantômes sont présents dans les toutes premières années de la vie. C'est comme si le nouveau-né avait dans son cerveau toute la gamme des phonèmes possibles et imaginables, une palette complète de toutes les couleurs de tous les langues et dialectes. Mais ne pas les employer, ne pas les stimuler, c'est presque toujours les perdre après l'âge de sept ans. Il existe pourtant des exceptions.

Le phonème fantôme

Les phonèmes fantômes sont des phonèmes fossiles. Le nourrisson, aux premiers mois de sa vie, peut intégrer tous les phonèmes existants. Petit à petit, les circuits des neurones perdent cette dextérité. Les phonèmes qui ne sont pas écoutés ne pourront pas être imprimés dans la mémoire de « la voix du cerveau », c'est-à-dire dans cette partie du cerveau qui comporte les aires du langage et les aires motrices permettant ce langage. Ils ne pourront pas être utilisés lorsque le langage parlé va émerger.

Par exemple, certains mots néerlandais ou russes seront pratiquement impossibles à apprendre phonologiquement pour le Français sauf s'il a une excellente oreille musicale. La richesse des contrastes auditifs est beaucoup plus importante dans les deux langes précédemment citées qu'en français. Bien sûr, nous ne sommes pas insensibles à ces langues et à cette expression de phonèmes inconnus, mais notre analyse est délicate, difficile et souvent déformée par l'apprentissage de notre langue maternelle. Elle ne peut reconstruire des phonèmes que nous ne connaissons pas. Notre langage maternel impose à la voix ses propres phonèmes, les crée et occulte les phonèmes fantômes.

Un faux mot pour un vrai mot

J'en ai fait l'expérience lors d'un congrès à Bangkok. L'histoire est cocasse. Je m'apprête à faire une conférence sur la chirurgie de la voix. Nous sommes à la mi-juillet, en 1992, et je prépare mes diapositives. Je demande en anglais à l'un de mes collègues thaïlandais où se trouve la salle de projection des diapositives, soit : « *Where is the* slide *room* ». Il ne comprend pas. Je tente de perfectionner mon accent, il ne comprend toujours pas. Je lui montre mes diapositives et lui explique par gestes ma question et il s'exclame : « *Ha ! where is the* glide *room ?* » Pour lui, en disant *glide*, il entendait *slide*. Il ne connaissait pas ce phonème fantôme « *slide* ». Par la suite j'ai toujours demandé la *glide* room.

À votre tour : faites l'expérience suivante : dites à un de vos amis : « J'ai acheté des *dlaïeuls.* » Demandez-lui de répéter la phrase, que va-t-il comprendre ? Bien évidemment « glaïeul ». Il n'aura jamais l'idée de vous dire « dlaïeul ». Pourquoi ? Votre apprentissage des phonèmes n'a jamais connu cette jonction *dl*, elle n'existe pas en français. Il ne peut donc pas la *re*connaître. Votre dictionnaire interne situé dans l'aire de Wernicke, votre structure du langage située dans l'aire de Broca n'ont jamais imprimé « dlaïeul ». Ce phonème fantôme est immédiatement remplacé par un phonème réel. Nous retrouverons ces hallucinations verbales avec les ventriloques.

La voix : relief sonore du langage

L'acquisition du langage est finalement guidée par l'importance de notre mémoire lexicale, notre mémoire des mots, et permet ainsi de constituer notre propre dictionnaire cérébral. Deux éléments fondamentaux permettent de faciliter cette acquisition, la sémantique d'une part, la phonologie d'autre part. La sémantique relie les mots entre eux, construit la phrase, lui donne un sens. La phonologie apporte une forme à l'écoute, un relief sonore, un rythme des harmoniques. La production d'une phrase est l'assimilation de ces deux points forts du langage.

Lorsque la voix est émise, lorsque la phrase est créée, l'ébauche qui commence cette phrase se pratique de façon incrémentale, c'est-à-dire de façon continue au fur et à mesure de la production de notre énoncé. Autrement dit, notre langage se construit dans l'espace-temps. Il se nourrit de son propre verbe. En effet, un mot en entraîne un autre et permet d'improviser et de créer de nouvelles pensées. Notre propre voix agit sur notre langage, enrichit celui-ci et notre écoute facilite la création de la phrase suivante. La résonance de la voix devient, parfois, maîtresse de notre imaginaire.

Lorsque je vous parle, j'entends ma propre voix. Une analyse rétroactive se fait pendant mon discours avec un temps de réponse d'un quinzième de seconde. Le locuteur que je suis décidera de l'importance de ce contrôle qui n'existe plus dans le vaudou, que nous examinerons ultérieurement. La voix et le langage interpellent la boucle audio-phonatoire. Il serait sans doute plus juste de qualifier ce contrôle de boucle phono-phonatoire, qui permet un autocontrôle de notre expression verbale.

Savez-vous que, dans le langage de tous les jours, vous n'utilisez pas plus de cinq cents syllabes pour près de 80 % de votre énoncé verbal ? Ces syllabes dépendent de votre langue maternelle. Mais quelle que soit la langue apprise, on retrouve toujours 80 % de notre langage construit par cinq cents syllabes.

La parole que vous produisez dépend d'une aire cérébrale spécifique du planum temporal. La personne qui vous écoute stimule la même localisation du cortex cérébral. Cela a été démontré par la tomographie à émission à positions. McGuire démontre également que la personne qui vous écoute, lorsqu'elle répétera le même texte que vous, activera la même région cérébrale que vous : les planums temporaux droit et gauche. C'est ce que l'on appelle les neurones miroirs. Cela tend à prouver que voix, audition et langage sont intimement liés, ce que nous savions déjà mais que la neuro-imagerie confirme. Par ailleurs les planums temporaux droit et gauche permettent la lecture labiale.

De la génétique à la voix et au langage

L'enfant est prédisposé

Dès l'âge de six mois, le nourrisson reconnaît les voyelles de sa langue maternelle, mais surtout la musicalité de ces voyelles. À douze mois, il commence à créer le mot, par exemple : Maman – ma-man. Il associe les deux phonèmes pour permettre par la contrainte phono-tactique de former le mot. Cette approche de la musicalité est étonnante. Elle est retrouvée dans le chant des baleines. Le petit d'homme, à l'âge de seize mois, commence à parler. À vingt mois, il organise ses mots, à vingt-quatre mois, il construit ses phrases, à trente-six mois, sa grammaire s'affine.

Tout est en place, mais non sans mal. L'ontognèse vocale est passée par là. En effet, le bébé ne naît pas en parlant. À trois jours, il ne discute pas alors que le poulain court, le dauphin nage. Cet enfant met en place progressivement sa mécanique phonatoire par la stimulation extérieure des territoires de son cerveau gauche, les harmoniques et sa sensibilité par la stimulation de son cerveau droit, et son intuition par la stimulation de son cerveau limbique. L'harmonie de tous ces facteurs dépend de la boucle audio-phonatoire, de l'équilibre pneumo-phonique. Beaucoup de mystère et d'inconnu reste à dévoiler dans cette matrice de la voix humaine !

Le gène de la voix existe-t-il ?

Notre pouce, en opposition par rapport à nos autres doigts, nous permet une exceptionnelle agilité, bien plus performante que chez le chimpanzé qui a également une main. Chez ce primate, on retrouve aussi un simulacre d'aire de Broca et d'aire de Wernicke mais qui n'a qu'un rôle mineur dans l'expression sonore.

Si, en 1861, Broca isolait la zone du langage, zone macroscopiquement visible dans notre cerveau, disséquera-t-on, au IIIe millénaire, au plus profond de la molécule ? La science actuelle permettra-t-elle de pénétrer notre patrimoine génétique qui est à 25 % dévolu à l'activité cérébrale ? Va-t-on vers une micro-analyse chromosomique, génétique et moléculaire de la voix ?

Actuellement, si l'origine exacte de la voix reste une énigme du fait de la complexité de la création du langage articulé et des circuits neuronaux, un gène, le FOXP2, situé sur le chromosome 7, a été isolé. En août 2001, dans *Nature*, Cecilia Lay, d'Oxford, a comparé ce génome qui avait été isolé dans une famille britannique atteinte de trouble grave de la parole à celui d'un patient d'une autre famille. Cette famille avait également des troubles de la parole. Ce même gène était responsable. De ce fait, le gène FOXP2 sur le chromosome 7 permettrait un langage articulé cohérent et une voix intelligible.

En août 2002, Svante Paablo précise que l'expression du faciès, le mouvement des lèvres et l'articulé dépendent également de ce gène. Il semblerait, d'après l'horloge de l'ADN, que ce gène a fait son apparition il y a deux cent mille ans, date proche de l'Ève africaine. Pourtant on retrouve au niveau des moules endocrâniens des traces de l'aire de Broca bien plus anciennes ! Ne serait-ce qu'un des gènes participant à la voix et non pas *le* gène de la voix ? Richard Klein, de Stanford, précise par ailleurs qu'il y a cinquante mille ans, une autre mutation aurait sans doute permis l'évolution galopante de notre langage. Cela nous fait frémir. Cela veut-il dire qu'une manipulation génétique par greffe du FOXP2 pourrait faire parler la souris ?

Les troubles du langage sont-ils acquis ou innés ?

La dyslexie a une origine génétique avec des minimalformations cérébrales qui entraînent des déficiences cognitives. Si l'hypothèse génétique de la dyslexie peut paraître réductrice, elle a cependant le mérite de démontrer que la source des troubles d'une voix peut être biologique. Lors du développement langagier du nourrisson, sa structure biologique cérébrale ne suit pas l'évolution normale. Il existe un défaut du traitement phonologique. De ce fait, son comportement se modifie. L'asymétrie cérébrale est moins prononcée que chez le droitier. De même, le planum temporal gauche n'est pas aussi développé. Le corps calleux garde ses proportions. Lors de la neuro-imagerie, l'activité est faible dans l'aire de représentation de l'orthographe. Il y a un support génétique, certes, mais la formidable possibilité du cerveau de reconstruire des connexions permet à l'acquis, au pensum, à la rééducation de pallier rapidement cette anomalie qui, très vite, devient négligeable.

Dès 1960, Noam Chomsky émet l'hypothèse que la voix présente un élément génétique, qui inclut le langage, la syntaxe, la grammaire. Son analyse pertinente a le mérite de poser la question d'un gène de la voix. Toutes les langues ont une grammaire, une syntaxe avec des règles souvent similaires. Cette assimilation naturelle est-elle le phénomène d'une traduction particulière de l'ADN, ou n'est-elle qu'un apprentissage transmis de génération en génération depuis plusieurs millions d'années ?

Les jumeaux

Clones naturels, les jumeaux nous permettent de répondre partiellement à la question de l'inné ou de l'acquis de la voix. L'étude menée à Washington par Philippe Dale sur 3 000 jumeaux monozygotes est surprenante. 540 d'entre eux présentent un retard du langage, soit 18 %. L'explication apportée tient plus du monde environnemental qu'à celui de la génétique. En effet les jumeaux vivent en vase clos. L'un parle avec l'autre mais pas avec les autres. Son monde relationnel se ferme et il limite son apprentissage. Ils créent souvent leur propre langage. La découverte des autres, de la voix des autres, nourrit l'activité vocale cérébrale dès l'enfance. Pourtant, cette analyse, si elle soulève une origine génétique (en effet 18 % de retard langagier c'est important), reste discutable si l'on prend en compte l'importance de l'ontogenèse vocale. Rappelez-vous l'expérience du roi de Prusse sur les enfants !

Il a la même voix que moi : François et Michel, jumeaux monozygotes, ont trente et un ans. Ils me consultent pour une voix éraillée. Ils sont bruns, avec des moustaches, habillés de façon presque identique. « Docteur, la voix de Michel et la mienne sont cassées. Il est vrai que même éraillées elles se ressemblent. » Michel prend la parole : « Effectivement, depuis près de trois ans, notre voix s'est altérée. » L'examen des cordes vocales montre des petits kystes sur les cordes vocales droite et gauche situés exactement à la même place chez François et Michel. Y aurait-il une origine génétique ? Sans doute ! Les travaux de Steven Gray ont isolé des pathologies de la corde vocale liées à un génome spécifique comme les nodules, les kystes et certains granulomes. Revenons à nos jumeaux : l'un travaille dans une banque, l'autre est représentant. Malgré une orthophonie suivie pendant près de six mois, on ne constate aucune amélioration. L'intervention est pratiquée, la voix récupère en quelques semaines et comme vous vous en doutez, leur identité vocale est retrouvée. On ne pouvait toujours pas les distinguer au téléphone. Ils voulaient rester semblables.

Les jumeaux monozygotes ont la même voix, la même expression, souvent, dit-on, la même émotion. Certes, toutes leurs molécules géniques sont identiques ! Plus de cent millions de résonances moléculaires identiques. De ce fait, on peut comprendre que leurs voix soient presque identiques, même si, quelquefois, la stimulation des gènes dès la plus tendre enfance n'a pas été strictement la même, car ils ne vivent pas toujours les mêmes événements. Par ailleurs, l'observation a montré que, même séparés pendant plusieurs années, ils gardent souvent la même intonation vocale, les mêmes manies gestuelles, les mêmes goûts et les mêmes désirs.

Lobe dominant et droitier : avantage ou inconvénient

Les dogmes de l'asymétrie du cerveau gauche reposent sur le chromosome sexuel X. L'étude de Crow, pratiquée sur 11 600 enfants anglais âgés de onze ans, a permis de comparer la symétrie des cerveaux droit et gauche en fonction du langage. Chez les enfants droitiers à cerveau gauche dominant, l'apprentissage du langage est rapide et l'acquisition correcte. Chez les ambidextres, l'étude par résonance magnétique nucléaire fonctionnelle montre un déficit de latéralité de la fonction du langage. Autrement dit, les hémisphères droit et gauche sont presque symétriques avec une fonction du langage double, droite et gauche. Il semble exister une activation, un stimulus de l'aire de Broca vraie à gauche et d'une pseudo-aire de Broca à droite. Le corps calleux fait la jonction rapide entre ces deux hémisphères. Cette prédisposition génétique est lourde de conséquences. N'est-ce pas une possibilité de schizophrénie vocale ? En effet, la schizophrénie est vingt fois plus importante chez ces patients que dans la population non ambitextre dont l'un des hémisphères est hypertrophié par rapport à l'autre. On a noté qu'un des gènes qui commandent cette asymétrie bénéfique se situe au niveau du chromosome sexuel X. Ici encore, c'est par l'observation d'une pathologie qu'on a mieux compris l'importance de l'asymétrie cérébrale et ses conséquences. Dans le syndrome de Turner, anomalie génétique où l'un des chromosomes X n'existe pas, où le caryotype est XO au lieu de XX, la schizophrénie a une fréquence très élevée. On n'observe pratiquement pas d'asymétrie cérébrale. La perception du langage est perturbée. Il semble donc, comme le précise Pierre Bustany, que l'asymétrie cérébrale soit un élément capital pour pouvoir parler. La prédominance du droitier existe depuis des millions d'années, comme nous le montre l'empreinte sur la calotte crânienne des sillons cérébraux retrouvés dans les fouilles en Tanzanie.

Langage et aire de Broca : seulement chez l'homme ?

La voix semble entre autres, depuis sa « naissance », être sous le joug des mutations de l'ADN mais également de la stimulation de nouveaux gènes, de nouveaux circuits neuronaux. Chez le grand singe, selon Al Galaburda, le cerveau gauche possède l'équivalent de l'aire de Broca et de l'aire de Wernicke. Il possède également des jonctions neuronales dans toutes les parties du cerveau. Il semblerait que cette localisation spécifique gauche leur serve dans la communication phonatoire, pour s'interpeller, pour donner des ordres, mais également comme chez l'homme, pour l'expression du faciès, de la bouche, et des structures des caisses de résonance. Cependant, leur boucle audiophonatoire est peu développée. Serait-ce l'amorce d'une preuve qu'un ancêtre commun au singe et à l'homme aurait d'emblée, par des mutations génétiques, permis à l'homme de parler ? L'homme, dès lors, aurait développé au paroxysme sa propre voix, sa possibilité langagière. À l'époque de la guerre du feu, les communications phonatoires étaient pauvres. Mais dans cet espace-temps de plusieurs millions d'années, l'accumulation de génération en génération de l'information verbale a créé elle-même sa propre évolution : l'apparition de l'homme vocal, l'*Homo vocalis*.

Les symboles transmis de père en fils, du locuteur à l'interlocuteur, ont progressivement évolué dans les groupes sociaux et les tribus. La création de nouveaux symboles n'a été possible qu'à partir d'« une soupe primitive » phonatoire. Le langage entre ces hommes évoluait avec le développement de leurs désirs, de leur volonté de communiquer, de nommer les choses et de comprendre l'impalpable. Certains scientifiques ont prétendu que la langue des signes était la première étape avant que la voix n'apparaisse. Cela n'est vraisemblablement pas exact, quand on connaît la complexité et la richesse abstraite du langage des signes dont le centre cérébral est le même que celui du langage. Ainsi, le cerveau gauche dévolu à la fonction langagière devient plus ample et plus volumineux.

Les langues meurent

Le langage parlé des peuples fait partie intégrante de nous-mêmes mais également de notre évolution. Il est en progression constante. Pour pouvoir exister, il doit appartenir à suffisamment d'individus pour se « reproduire », s'imposer par rapport aux autres populations, aux autres langues. Survivre impose qu'il y ait un prédateur. Les populations d'Amazonie ayant leur propre langage ont vu celui-ci totalement disparaître, happé par le géant brésilien, de même que certains dialectes des Indiens d'Amérique du Nord, d'indigènes d'Australie.

La chronologie du langage après la naissance

Ainsi, l'apprentissage des langues, dès la plus tendre enfance, retrouve son aptitude chez nos lointains ancêtres par la prédominance du cerveau gauche sur le cerveau droit chez le droitier. Quelle que soit la race, quelle que soit la langue, quel que soit le continent, la chronologie d'apprentissage de la langue maternelle ou de l'enfant bilingue est fixe et constante pour tous.

L'écriture de la voix : le langage et la pensée

On écrit notre pensée avec notre voix. Le langage est sa plume.

La voix s'inscrit dans un espace-temps, dans un monde connu, mais parfois elle nous permet de nous comprendre, de nous parler à nous-mêmes. Elle s'inscrit dans nos rêves, dans un monde mythique, utopique, qui signifie « non-lieu », un lieu qui n'existe pas. Elle est l'interface entre notre langage et notre pensée. La voix humaine possède un double pouvoir. Elle permet, par ses mots et ses silences, de dévoiler ou de cacher son « moi profond ».

La pensée, cet espace impalpable du verbe, creuset de l'imaginaire, est née dans le monde spatio-temporel il y a plusieurs millions d'années avec la voix humaine. L'abstrait est le seigneur de ce monde de la pensée. Il permet un langage avec l'irréel, avec un être que l'on va aduler, avec un Dieu unique ou multiple qui impose la prière et donc le verbe.

Langage et pensée à la rencontre d'une barre de fer

Phinéas Gage travaille à la construction du chemin de fer du Vermont, aux États-Unis. On est en 1848. Il tasse de la poudre dans la rocaille pour la dynamiter afin de pouvoir placer ensuite les traverses du rail. Il n'a pas le temps de se retirer, l'accident se produit. La poudre explose trop tôt. La barre de

1,80 m de long lui transperce la face et le crâne. Elle traverse la joue gauche et ressort au sommet de son front, juste au-dessus de l'œil. Malgré ce choc terrible, il s'évanouit à peine. On en perd son latin. Il est encore conscient, la barre dans le visage ! John Harlow, médecin à Cavendish, lui retire cette poutre. Phineas semble s'en sortir sans aucune séquelle. Il marche normalement, il parle normalement, sa mémoire et son intelligence sont conservées. Deux mois se passent. Il est sur pied et parfaitement autonome. Les blessures de la face sont cicatrisées. Cette observation impressionnante est publiée en 1848 à la Société médicale du Massachusetts comme le récit d'un cas guéri. C'était ne pas tenir compte de l'évolution de Phineas Gage, qui allait nous surprendre.

En effet après quelques mois, pour ses proches, quelque chose a changé. Ce n'est plus le même homme. Si l'enveloppe est identique, le langage et la pensée sont transformés. Phineas était un homme posé, poli, courtois et simple. Il devient irresponsable, vulgaire, asocial, bagarreur, à la limite de l'exhibitionnisme. On ne peut plus le garder dans l'équipe. Il est congédié. Pendant près de douze ans, il vagabonde et décède en 1860. Près de cent trente ans plus tard, en 1990, l'analyse de ce traumatisme crânien est remarquablement étudié par le Dr Hanna Damasio. Son cas était demeuré une énigme jusqu'à ce que cette neuro-anatomiste de l'université de l'Iowa parvienne à calculer précisément la trajectoire de la barre de fer. Ses travaux montrent que les régions cérébrales nécessaires à la motricité et au langage n'ont jamais été altérées. En revanche, celles des émotions et du comportement ont été endommagées. La poutre avait détruit une partie du cerveau, le lobe frontal antérieur. Cette région gère entre autres le comportement. Le lobe frontal droit détruit, l'attitude change, le raisonnement se modifie, l'autoanalyse est perturbée. Le caractère, le langage, la pensée ne sont plus les mêmes. Il existe donc un support anatomique à ces fonctions indépendamment de notre voix. Langage et pensée sont intimement liés. Ils sont indispensables à la dynamique et à la construction de notre personnalité vocale et traduisent notre moi émotionnel.

Langage et écriture

L'écriture est une forme concrète de notre langage et de notre pensée. Elle est le palpable de l'impalpable de notre voix. L'Égypte et la Chine sont deux lignées d'écriture particulières. Celles-ci ne sont pas que la traduction de sons phonétiques pour former un mot, elles sont bien autre chose. Sept cents ans av. J.-C., l'Égypte perdait progressivement de son influence. Les hiéroglyphes tombaient dans le monde de l'oubli. En revanche, la Chine, elle, a su garder une continuité depuis des millénaires. Elle est le fil d'Ariane qui nous ramène de l'écriture graphique à l'écriture vocale. C'est une écriture car chaque caractère peut traduire un élément phonétique. C'est une musique car elle indique une mélodie qui, pour le même phonème, a une signification différente. C'est également un idéogramme dans la mesure où il représente une idée ou un objet.

Les plus anciennes écritures chinoises connues datent de 1500 av. J.-C. Elles représentent l'objet nommé, comme les hiéroglyphes égyptiens, comme les glyphes aztèques, le sanscrit hindou et les figures assemblées en groupe. Les symboliques du dessin et du phonème sont intimement liées. Des langues ne faisant appel qu'à l'écoute, comme l'araméen, l'hébreu, l'arabe ou le latin, apparaissent. Ces langues font le phonème roi. L'aspect graphique comparable à un dessin est sacrifié au profit de l'aspect purement phonétique. Par exemple, la lampe électrique comporte : lam-pe é-lec-tri-que, soit six phonèmes. En chinois, l'image sera : *tin-k'l-teng*, ce qui signifie « éclair-vapeur-luminaire ». Un tel symbolisme a ses limites. Le verbe, comme tous les autres mots, est invariable. Il ne permet pas d'avoir, comme nous avons actuellement en Occident, plus de 250 000 mots, un genre féminin et masculin, et une conjugaison. On peut situer à près de six millénaires les premières traces de l'écriture et donc la trace objective du mot. La voix humaine semble le seul fil d'Ariane de l'homme depuis plusieurs millions d'années. En effet, au début il y avait les outils pour survivre, puis les outils pour créer une fresque artistique, les taureaux et les chevaux de Lascaux, ensuite l'écriture chinoise à la fois phonétique, symbolique et sonore et enfin le phonème des langues phonétiques.

De nos jours, l'écriture phonétique a succédé progressivement aux autres. D'une façon concomitante et depuis presque un siècle apparaît une autre forme d'écriture, une autre forme d'expression, qui semble nous envahir, l'écriture audiovisuelle. La voix humaine, en imprimant son expression sur la cire au début du siècle puis sur la pellicule magnétique et le numérique, s'est détachée du corps et est devenue objet d'observation et d'écoute. Le plus flagrant est l'emploi du téléphone.

Il faut près d'un quart de seconde environ pour comprendre le sens d'un mot que nous lisons. Cette captation visuelle des mots met en action l'aire visuelle du lobe occipital et le lobe frontal pour interpréter le langage lu, qui à l'intérieur de nous recrée « une voix interne ». Il faut 200 millisecondes pour connecter le lobe occipital au lobe frontal. L'œil humain individualise une image seulement si sa persistance dure plus d'un quinzième de seconde. Le cinéma s'est fondé sur ces données. Il nous donne l'impression d'une fluidité du mouvement alors qu'en réalité il n'y a que vingt-six images par seconde.

La voix : outil individuel au service du collectif

La tour de Babel montre ses limites, de l'uniformité va naître la désolation. La voix, outil individuel au service du collectif, est une puissance charismatique impressionnante. Il suffit d'écouter le général de Gaulle, ou Martin Luther King. Ici, le langage s'impose par ses symboles et sa musicalité à notre pensée. Le charme de la voix s'imprime dans nos cortex cérébraux droit et gauche et évoque les symboles propres de notre affect. L'évolution des langues ne semble en aucun cas aller vers une langue unique, car de la diversité naît la richesse de notre créativité.

Parler, c'est avoir un langage sous-tendu par une logique, une raison qui sont intimement liées. Si, jusqu'en 1997, aucune étude objective ne permettait de montrer le lieu exact de cette interrelation au niveau du cerveau, la neuro-imagerie, véritable loupe de Sherlock Holmes dans cette exploration de la voix humaine et du cerveau, a montré que le siège de la raison avait une projection cérébrale précise. La neuroscience venait de remporter sa plus grande victoire par l'observation en direct de la raison et de la voix humaines. Ainsi ont été étudiées l'interaction verbale et la logique du langage acquises précocement et qui montrent une activité cérébrale particulière dans des régions précises de l'hémisphère cérébral gauche lorsqu'on demande au patient de répéter : « Tous les hommes sont mortels, Socrate est un homme, Socrate est mortel. » Syllogisme, certes, mais qui impose une intégration importante du langage parlé et de la pensée. L'imagerie montre que la logique du cerveau gauche arrive sur une action émotionnelle du cerveau droit. Cette région cérébrale est le lieu de « création » de nos émotions et du sentiment de soi-même. Cette étude conduite par O. Houde montre l'interaction de nos deux cerveaux. Chacun a son rôle, chacun est indispensable à l'autre. Il en va de même pour l'acteur, l'artiste, le comédien, le chanteur.

La voix humaine n'est pas seulement un exercice de langage. Elle s'autocrée par son environnement, par le fait qu'elle est elle-même vivante. Certes, l'instrument anatomique, mécanique, est indispensable, mais comme il serait réducteur de ramener la voix humaine à cette mécanique ! Le mystère de l'émotion vocale, la lumière de la pensée exprimée par la voix nous permettent une créativité à la limite de l'ordre et du chaos.

Savez-vous que vous passez près d'un tiers de votre temps à parler ? La voix mentale est le relationnel entre le langage et la pensée. L'« autolangage » accélère d'une façon exponentielle la créativité et l'anticipation. En effet, c'est par cette faculté que l'homme a pu survivre depuis des millions d'années, bravant les prédateurs et les différents climats de la planète.

La conscience, alchimie entre la voix et le cerveau, entre l'émotion et le rationnel, entre le scientifique et l'art, n'est pas très loin. Quand vous parlez, vous vous écoutez, vous vous jugez et pourtant c'est vous avec vous-même. La voix peut amplifier votre acuité analytique mais également vous griser et vous piéger dans l'ego. L'accident vasculaire cérébral ou le traumatisme crânien vient à apparaître, notre monde verbal s'effondre. Notre voix, qui nous semble naturelle, indispensable, voire indestructible puisque impalpable, peut pourtant quitter notre corps lors d'une maladie ou d'une détérioration d'une partie de notre cerveau. Dans un coma profond, notre langage et notre pensée sont atteints, mais qu'en savons-nous ? De nombreux patients ne nous disent-ils pas, au réveil d'un tel coma, qu'ils ont gardé leur faculté de penser ? Anatomie et biologie ne sont que le support de la création du langage parlé, ils sont le chemin et non la finalité.

La voix n'existe que par la rencontre d'une autre voix

Voix et conscience

La voix émerge à la naissance. Elle semble aller de pair avec la conscience et le subconscient. Elle permet l'analyse de l'individu. Que serait la psychanalyse définie par Freud, sans elle ? Elle est à la fois création et mémoire. Elle est une mémoire individuelle, mais également une mémoire collective.

Boris Cyrulnik définit que « la prise de conscience est la rencontre avec une autre conscience ». C'est dire l'importance du contexte environnemental du langage parlé et de la voix humaine. De cela, découle de façon presque évidente l'accélération vertigineuse que nous observons depuis près de trois siècles dans le monde du langage parlé et musical. La voix humaine a permis la création de nouveaux mots, la fondation de nouvelles théories. Un mot rebondit sur l'autre. Il construit notre pensée et l'édifice de notre savoir. Ce qui nous semble aujourd'hui évident ne l'a pas toujours été. Le terme « conscience », ce mot à la fois simple et complexe, n'existe pas en chinois, ni dans le grec ancien. Il a fait son apparition il y a quatre siècles. La compréhension de notre propre corps, l'anatomo-physiologie, la phylogenèse, l'étude de notre cerveau – nous n'en sommes qu'aux balbutiements – nous permettent d'évoquer ce que sont la conscience et le subconscient, ce qu'est la rencontre du langage et de la pensée. Pourtant, depuis la nuit des temps, le nourrisson possède sans le savoir cette conscience, ce langage, cette pensée.

Les premiers mots créent la pensée
pour qu'ultérieurement le mot devienne outil
et la pensée son maître

Que la conscience soit perceptive (sensation des autres), qu'elle soit réflexive (sensation de soi), que ce soit la conscience de soi-même, que ce soit celle formée au fur et à mesure de notre expérience façonnée par notre environnement émotionnel et affectif, elle est en perpétuel conflit avec notre moi. Le lien est la voix, qu'elle soit énoncée, déclamée ou silencieuse, à l'intérieur de soi-même ou vers l'extérieur. Si je parle aux autres souvent, je me parle à moi-même toujours !

Dans notre moi profond, notre cerveau fossile du poisson, de l'amphibien, du mammifère primitif a son rôle. Il est tout aussi indispensable que les autres fonctions cérébrales. Le cerveau et son langage sont toujours en éveil, comme le cœur, il n'a pas de répit de notre naissance à notre départ.

Quel est le mobile qui a poussé l'homme dans cette aventure entre l'harmonie vocale et le chaos émotionnel ? La résultante et le mobile se confondent, s'entremêlent, se brouillent. Les pistes se croisent pour former un labyrinthe, il n'y a qu'une sortie : l'imaginaire, qu'un centre : la voix, dénominateur commun entre le langage et la pensée.

Du descriptif à l'affectif

Entre la création du souffle et les lèvres, quelle alchimie permet à l'onde sonore de devenir le mot, la mélodie, l'empreinte vocale ?

Le son, sa fréquence, sa vibration sont l'ébauche de notre monde acoustique

Le son et la lumière sont depuis des millénaires associés dans notre harmonie de la perception. Aristote explique l'écho par la réflexion du son tout comme le rayon du soleil sur un miroir. Pourtant, le rayon est une réflexion photonique et la vibration une réflexion mécanique. Ils sont intimement liés dans l'esprit des scientifiques. La décomposition de la lumière en sept couleurs fondamentales par le prisme de cristal ou par les particules d'eau dans une cascade traversée par le rayon du matin a été à l'origine de notre gamme en sept notes.

Au Moyen Âge, on écoute le troubadour, il joue sa mélodie de château en château. Il ne laisse aucune trace écrite de sa musique. Au VIIIe siècle, le moine Paul Diacre du mont Cassin perd sa voix. Il ne peut plus prêcher. Il a perdu sa raison de vivre. Après maintes prières, il invoque le pape Zacharie qui le guérit. Sa reconnaissance est immense. Il lui compose un hymne pour la fête de la Saint-Jean-Baptiste qui a lieu le 24 juin, considéré à l'époque comme le solstice d'été. (Quelques siècles plus tard, à trois jours près, la fête de la musique est créée le 21 juin 1982). Cet hymne donnera les phonèmes de la première gamme musicale : *Ut* queant laxis/Re*sonare fibris*/Mi*ra gestuorum*/Fa*muli tuorum*/Sol*ve polluti*/La*biti reatum*/Sancte *Johannes*..., qui signifie : « Pour que puissent résonner sur les cordes détendues de nos lèvres les merveilles de tes actions, enlève le péché de ton impur serviteur, ô saint Jean. »

Deux siècles se passent. Aux alentours de l'an mille, Guido d'Arezzo marque de façon définitive l'écriture de nos mélodies par la mise en place du solfège avec la gamme *ut, ré, mi, fa, sol, la*. Ce moine bénédictin de la cathédrale d'Arezzo, entre Sienne et Florence, professeur de musique, est un enseignant exceptionnel. Il perfectionne la gamme du moine Paul Diacre et nous lègue un alphabet musical qui a permis à Bach, Mozart ou Glenn Miller de nous faire parvenir leurs mélodies sans anicroches. La portée de musique qui était de quatre lignes est étendue à cinq.

Cette notation musicale est une révolution. Les notes et les mélodies sont apprises de façon objective. Déchiffrer et connaître la musique sans avoir un maître répétiteur devient simple. En effet, jusque-là, les artistes ne pouvaient apprendre que par compagnonnage, ce qui pouvait prendre des années. *Ut* est transformé en *do* par Bononcini en 1673 et la dernière note de la gamme est nommée *si* par Anselme de Flandres à la fin du XVIe siècle. La gamme actuelle est donc : *do, ré, mi, fa, sol, la, si*. Les Anglais et les Allemands sont restés fidèles aux lettres de l'alphabet pour désigner les notes. *Do, ré, mi, fa, sol, la, si* sont *C, D, E, F, G, H, A, B*. Mais une nuance est venue s'ajouter à la gamme : le système de chant grégorien est particulier. Il accepte deux types de tonalité pour la note *B* : le « *B* mou », situé un demi-ton au-dessus de *A*, et le « *B* dur », situé un ton au-dessus de *A*. Le « *B* mou » devient très simplement le « *B* moll » qui a donné ensuite le mot « bémol ». (...) (Ainsi le dièse élève la note d'un demi-ton chromatique et le bémol l'abaisse d'un demi-ton chromatique.)

L'acoustique de la voix

En 1737, Jean-Jacques Dortons de Mairan, de l'Académie des sciences, reprend l'analogie entre l'onde vibratoire et l'onde lumineuse. Nombreuses sont les théories mathématiques qui se sont contredites sur ce propos. La lumière était analysée en sept couleurs différentes comme pour la musique. Il faut attendre le début du XXe siècle pour admettre que l'onde photonique ou lumineuse voyage à 300 000 km/s aussi bien dans la galaxie que dans l'air. Elle transperce l'espace. Elle continue à susciter une agitation cérébrale chez les chercheurs dont la base reste toujours la théorie de la relativité avec la formule $E = mc^2$ créée par Einstein. Le rayon photonique voyage dans le vide et dans l'atmosphère. Il est très différent de l'onde sonore qui nécessite un support pour transmettre la vibration. Le vide ne transmet pas le son. En effet, mettez un haut-parleur sous une cloche où vous avez fait le vide, mettez-vous à quelques centimètres, vous n'entendez rien. Réintroduisez de l'air dans cette cloche, le son vous parvient de façon parfaite. L'air sur notre planète a permis à l'homme de parler.

Comment le son se propage-t-il ?

L'onde acoustique n'est ni plus ni moins qu'une série de secousses des microparticules de l'air qui se propagent de proche en proche tout comme l'effet en chaîne de la chute de dominos. Quand la vibration est formée, les molécules d'air se déplacent en vagues successives en fonction de la fréquence qui a été émise. Ainsi, l'onde peut se transmettre dans l'air, dans l'eau, dans le verre, dans le métal, dans le bois, mais jamais dans le vide. Sa vitesse est de 340 m/s dans l'air, à une température de 16 °C, de 1 450 m/s dans l'eau du fait de la densité importante des molécules d'eau. Elles ne sont pas éparses, mais côte à côte, la transmission est donc beaucoup plus rapide, de même que dans l'acier où elle est de 6 000 m/s. Dans la structure osseuse (le crâne), la transmission de notre voix est de 3 500 m/s. Cet élément ne joue pas un rôle important lorsque nous parlons, car si notre propre voix nous est transmise à l'intérieur par les os du crâne jusqu'à notre oreille d'une part et par le circuit extérieur aérien ambiant à seulement 340 m/s d'autre part, la distance est si faible jusqu'au tympan que notre cerveau assimile et intègre ces deux informations en même temps, seulement quelques millièmes de seconde les séparent.

Une puissance minimale du son (seuil auditif) est nécessaire pour stimuler notre tympan. Elle correspond à une amplitude de 20 dB. L'amplitude de 100 dB est à la limite du son douloureux et celle de 160 dB est très agressive pour nos oreilles, pouvant créer des traumatismes sonores avec des bourdonnements, des acouphènes et parfois des surdités passagères ou définitives. Lorsque vous avez deux enceintes acoustiques dans votre salon qui émettent chacune 100 dB, la somme des deux n'est pas de 200 dB, mais de 104 dB. En effet, les décibels sont calculés en fonction du logarithme de la pression atmosphérique (Pa) et ne s'additionnent pas. Le marteau piqueur fait un bruit de 140 dB, le cri du tout-petit de 110 dB, le murmure ou le tic-tac de la montre de 30 dB, la voix conversationnelle de 40 à 60 dB.

La fréquence est le nombre de vibrations par seconde caractérisé en hertz (Hz). Par exemple, 440 Hz, soit 440 vibrations par seconde, traduit la hauteur de la note musicale, sur la troisième gamme du piano, le *la* 3. Chez l'homme, la fréquence conversationnelle est comprise entre 100 et 4 000 Hz. L'octave est divisée en 12 demi-tons. L'écart entre 100 Hz et 200 Hz correspond à une octave, de même de 200 à 400 Hz, puis de 400 à 800 Hz, etc.

Le larynx : instrument à cordes et à vent

Instrument de musique propre à l'homme et à lui seul, le larynx et ses caisses de résonance sont exceptionnels. Ils sont uniques pour deux raisons : c'est le seul instrument à cordes et à vent que nous connaissons, et c'est également le seul instrument à paroles et à mélodie. Les cordes vocales sont symétriques. Il existe deux cordes vocales : une droite et une gauche. Elles sont ouvertes quand on respire et se rapprochent quand on parle. Placées à l'horizontale au sommet de la trachée, elles sont à la source de la vibration vocale. Elles sont constituées d'un muscle strié recouvert d'une muqueuse blanche nacrée. C'est la muqueuse qui va se mouvoir en rythme et produire la vibration. La muqueuse de chaque corde vocale vibre en se mettant au contact : ces muqueuses droite et gauche ondulent, s'écartent et se rapprochent de façon fréquentielle. Elles entraînent une cadence d'émissions de 440 « puffs aériens » par seconde, ce qui correspond à 440 vibrations si la note émise est *la* 3. Cette sonorité se propage dès lors au-dessus des cordes vocales et le son « originel » de l'instrument laryngé est créé.

La vibration de la muqueuse cordale

L'expiration habituellement passive devient active pour maîtriser la voix. La poussée de l'air expiré se fait de bas en haut. Elle permet la libération des puffs d'air du conduit vocal à chaque battement vibratoire, tous les énièmes de seconde, en fonction de la fréquence et de la puissance désirées. Le *v* vocal se ferme et vibre lors de la phonation. L'onde parcourt l'espace glottique (espace entre les cordes vocales) de la trachée vers les caisses de résonance que nous décrirons plus loin. Mais toutes les structures des cordes vocales ne vibrent pas, seules les surfaces en contact appelées les bords libres des cordes où se situent les muqueuses respectives entrent en « pulsations » contrôlées. Elles vont périodiquement s'accoler, se fermer, puis s'ouvrir. Si elles ne se touchent pas, il n'y a pas de vibration. Les vibrations sont secondaires à un effet purement mécanique du souffle de vos poumons sans aucune commande nerveuse. Ce souffle mobilise les muqueuses cordales qui lui font obstacle et qu'il doit franchir. Ce que vous commandez, c'est le muscle vocal, et non la muqueuse.

La puissance vocale est le souffle

Cette force expiratoire du souffle permet la puissance de la voix et la vibration elle-même. La puissance dépend de l'amplitude de la vibration de la muqueuse. Plus l'amplitude de la muqueuse cordale est importante, plus l'intensité sonore est forte, à l'inverse plus elle est petite, plus la voix est faible. La commande est ici l'expiration. La tonicité et la longueur de la corde sont également sous votre volonté de contracter ou non le muscle vocal.

Ainsi, ce n'est donc pas la vibration de la muqueuse vocale d'un seul côté qui crée directement la vibration dans l'air mais l'accolement des deux qui crée la formation de puffs successifs, des microbouffées d'air qui passent dans l'édifice glottique. Ces puffs entraînent une succession régulière de « vagues d'air transglottiques » jusqu'aux lèvres. C'est à la fois bien différent du fonctionnement des instruments à cordes comme la harpe qu'on pince ou à vent comme la clarinette lorsqu'on met l'anche en contact avec ses lèvres pour souffler. Le larynx, lui, crée sa vibration par le rapprochement des cordes et par le vent qui les fait vibrer. Il est instrument à cordes et à vent.

Un seuil minimal pour parler

Il faut un minimum de pression au départ pour lancer le processus vibratoire et une dynamique pour le faire durer. Daniel Bernoulli, scientifique du XVIIIe siècle, appartenait à la deuxième génération d'une famille illustre qui comptait neuf savants. Son traité d'hémodynamique publié en 1738 en a fait le fondateur de cette science et nous a permis de mieux comprendre la physiologie de l'instrument laryngé et d'éviter ainsi certaines blessures de la voix. Le cycle « ouverture-fermeture » des surfaces des cordes vocales dépend de la pression de l'air expiré et de l'élasticité de la muqueuse : c'est ce qu'on a appelé l'effet Bernoulli : « La pression d'un fluide diminue quand la vitesse de ce fluide augmente. » En d'autres termes, plus la vitesse du flux est élevée, plus la pression diminue. Le mouvement ondulatoire des cordes vocales se fait dans les trois dimensions de l'espace.

Ainsi, lors de l'attaque vocale bien connue des chanteurs, des politiques ou des tribuns de la cour d'assises, il est nécessaire de prendre son souffle et de lancer « la puissance vocale » pour déclencher les premières vibrations. Dès les premiers mots, on se doit de convaincre l'auditoire. Une pression minimale expiratoire pour mettre en marche la mécanique ondulatoire des muqueuses cordales est indispensable. Les deux cordes vocales, ouvertes lors de l'inspiration, se ferment puis entrent en contact lors de la phonation. La glotte s'accole pour préparer l'émission sonore en quelques centièmes de seconde. Les poumons, par l'arbre trachéo-bronchique, expulsent l'air qu'ils contiennent. Cette pression du flux aérien permet d'écarter progressivement les muqueuses vocales de bas en haut. Il y a lutte entre la pression de l'air expulsé et l'élasticité de la muqueuse qui s'oppose à l'ouverture. À cette pression de déclenchement, ou pression seuil, la glotte s'ouvre, l'air passe, les muqueuses s'écartent, la pression s'effondre. Dès lors l'élasticité cordale est plus forte que la force de l'air expiré, c'est elle qui domine, donc elle revient à l'étape initiale en se rapprochant. Les cordes vocales sont de nouveau en contact ; et cela repart des centaines de fois par seconde !

Chaque fois que vous voulez émettre une note de musique, vous allez reproduire la même longueur, la même épaisseur, la même tension, la même élasticité sur vos cordes vocales.

Chaque fois que vous désirez une puissance de 90 dB sur une note donnée, la même pression expiratoire sera produite. L'archet glisse sur la corde du violon. Sa pression est légère, le son est faible. Sa pression est forte, le son est puissant. La main qui guide cet archet ressent la vibration. De même, si vous fermez trop fort vos cordes vocales, que vous les comprimiez, vous empêchez la vibration. Si vous ne les fermez pas suffisamment, qu'elles ne puissent pas se toucher, vous empêchez également la vibration.

C'est un contrôle permanent de précision, un ajustement de tous les instants qui vont permettre le fortissimo ou le pianissimo, le *la* ou le *do*. L'apprentissage est long et difficile pour donner l'impression de facilité et de naturel. Connaître son instrument laryngé permet de mieux le contrôler.

Un contact minimal pour vibrer

Pour que le son soit créé sur le violon, il faut que l'archet touche la corde. À un millimètre ou à deux mètres, ce sera le silence. Seul le contact donne la vibration. De même, les deux cordes vocales doivent se toucher pour émettre un son. Si elles ne sont pas en contact, que ce soit à 0,5 mm ou à 2 mm, il n'y aura pas de son. S'il y a une masse qui crée une altération de la vibration, que ce soit un grain de riz comme un nodule ou un petit pois comme un polype, la gêne vocale sera presque la même. Il n'y a que peu de parallélisme entre l'importance de la lésion et les troubles de la voix. Un gros polype qui peut vibrer laissera une voix audible, alors qu'un nodule dur comme un grain de sable qui ne vibre pas donnera une voix très altérée.

Volume, forme, mobilité, souplesse, degré d'humidification, vascularisation sont des facteurs essentiels dans l'émission vocale. Les vibrations de la voix parlée sont plus ou moins rapides en fonction du sexe. Chez l'homme, la fréquence moyenne de la voix parlée est de 180 cycles par seconde ou 180 Hz, chez la femme de 220 Hz et chez l'enfant de 250 Hz.

Un seul nerf pour parler

Le seul nerf qui commande l'ouverture, la fermeture et la sensibilité des cordes vocales, est le pneumogastrique. Le fait qu'un même nerf conduise une information contradictoire (agoniste et antagoniste) est unique dans notre organisme : si ce nerf venait à être malade ou coupé, la corde vocale serait paralysée et la voix altérée.

Le nerf pneumogastrique permet aux cordes vocales de se contracter ou de se relâcher. Il commande leur tension et leur longueur. Elles sont courtes et épaisses dans les sons graves, longues et fines dans les aigus. Ce nerf permet aux cordes vocales d'être ouvertes pendant la respiration et de se fermer pendant le cri, la toux, le rire, les pleurs, les vomissements, la déglutition et la phonation.

La vibration des cordes vocales crée les harmoniques

Le diapason a un son pur. Il n'est constitué que d'une seule oscillation sans aucune résonance. Il n'émet aucun harmonique. Il sert donc de référence pour accorder les instruments et notre voix. Sa vibration est unique. Ce n'est absolument pas le cas de nos cordes vocales car quand la muqueuse vibre, elle met en harmonie résonante toutes les structures qui la composent, et qui est plus complexe que celui de l'instrument de musique.

Chaque élément qui constitue la corde vocale a sa résonance propre et réagit différemment. Toutes les résonances s'harmonisent avec comme dénominateur commun le son fondamental ou F Ø. Helmholtz a défini le F Ø comme le son fondamental du chanteur, et plus généralement de l'homme, pour la fréquence naturelle la plus grave qu'il peut émettre. F Ø entraîne la formation des harmoniques des cordes vocales et des caisses de résonance.

En arrivant sur les résonateurs, les différentes réflexions du signal acoustique créent les harmoniques. Le premier harmonique est le double de l'harmonique fondamental (F 1 = 2 × F Ø), si F Ø est égal au *do* 2, soit 128 Hz, F 1 est égal à 256 Hz, qui est le *do* 3, F 2 est égal à 3 × F Ø, soit 384 Hz, qui correspond au *sol* 3 et ainsi de suite. Ainsi, lorsque le chanteur entend le diapason et qu'il reproduit la même note, vous entendrez la note *la*, par exemple, accompagnée d'un ensemble acoustique, dont le détail est formé par le F Ø, identique au diapason qu'il aura créé au niveau des cordes vocales, et des harmoniques F 1, F 2, F 3 créés au niveau des structures des cordes vocales et des caisses de résonance.

La beauté d'une voix : ce sont les harmoniques et le bruit

Pourquoi la Callas, Mario Del Monaco, Caruso ou Roberto Alagna ont-ils une telle séduction et une telle émotion vibratoires ? Lorsqu'ils émettent le son fondamental qui prend naissance sur leurs cordes vocales, ils entraînent immédiatement la formation de fondamentaux dits secondaires ou harmoniques. Ces harmoniques forts, plus puissants que d'autres grâce à la qualité de réverbération de leur caisse de résonance, sont appelés les formants.

La voix du bel canto possède douze harmoniques alors que vous ou moi (si vous n'êtes pas chanteur) n'en possédons que quatre à six. Mais la quantité des harmoniques ne suffit pas. Il faut également une qualité d'harmoniques qui n'existe que chez certains d'entre eux. Dans le bel canto, ces harmoniques renforcés (formants) sont les deuxième, troisième, quatrième, dixième, onzième et douzième harmoniques. Donc sur douze harmoniques le chanteur de bel canto à six formants.

Les *singing* formants sont les formants situés au niveau des harmoniques de 2 800 Hz chez l'homme et de 2 300 Hz chez la femme. Ils apportent la brillance de la voix. Ils permettent à l'artiste chanteur de projeter sa voix à plusieurs centaines de mètres. Ils nécessitent une remarquable technique vocale. C'est le cas de Roberto Alagna, de Luciano Pavarotti ou Renée Fleming.

Mais ne soyons pas désespérés. Nous avons tous des formants lorsque nous parlons, lorsque nous chantons. Ils sont tout simplement moins nombreux ! Et une bonne technique enseignée par un maître vous permettra sans aucun doute de retrouver ou de trouver les formants du chanteur ou *singing* formants. Les formants du chanteur donnent la beauté et la puissance de ces voix tant aimées.

Le son que nous émettons avec nos cordes vocales et ses harmoniques s'accompagne de ce que l'on appelle le bruit, qui n'est ni vibratoire ni périodique. Il est naturel. Le spectre acoustique analyse de façon objective ces paramètres. La voix humaine n'est pas seulement harmonique, son régulier, vibration contrôlée, elle est également bruit. On le perçoit subconsciemment, en toile de fond. C'est le souffle du chanteur, c'est le « quelque chose » qui accompagne sa voix. Paramètres irréguliers, ils apportent leur contribution à l'empreinte vocale définitive.

La création de la vibration, ne l'oublions pas, reste toujours au niveau du corps vibrant. En aucun cas les résonateurs ne seront un générateur spontané de vibration. Ils sont le sculpteur de la vibration, mais pas le créateur de cette vibration.

Si la *la* émis par un violon ou par un piano vous paraît facilement reconnaissable, ce n'est pas par la note que vous reconnaissez l'instrument mais par les harmoniques créés par la caisse de résonance de cet instrument qui habille la vibration originelle et la personnalise. Ainsi, la forme des instruments de musique, leur texture, leur structure intime, leur ligne de force, leur élasticité imposent leur signature. Piano, harpe ou trompette, voix d'homme ou voix de femme sont reconnus par leur empreinte acoustique constituée par les harmoniques.

Théâtre, salle de conférences : l'artiste doit s'adapter

Lorsque notre larynx émet une mélodie, une phrase ou un poème, la voix envahit l'espace sonore qui l'entoure. Mais la couleur de cette voix se modifie en fonction de nombreuses variables extérieures comme la chaleur ou l'humidité. Le lieu dans lequel les ondes sont émises change, modifie, altère ou améliore la propagation de la voix. Cette modification intéresse la vitesse du son et la qualité de certains harmoniques. Cela est bien connu de nos chanteurs d'opéra et de variétés. Un opéra vide, non chauffé, ne donne pas le même rendu vocal qu'une salle comble, humidifiée par la respiration de trois mille spectateurs, chauffée avec un bruit de fond de 15 dB. La résonance de la salle modifie notre écoute.

La vitesse du son dans l'air à 0 °C est de 330 m/s. Elle augmente avec la température. Ce qui est logique puisqu'une augmentation thermique provoque une augmentation de l'agitation moléculaire et donc de la vitesse du son. Elle se modifie également en fonction de la composition de l'air. Par exemple, dans l'oxygène pur, elle est de 317 m/s, alors que dans l'hélium, elle est de 1 300 m/s. C'est la raison pour laquelle, si vous respirez de l'hélium, vous allez avoir une voix étrange à la Donald. Elle est plus aiguë avec pratiquement pas d'harmoniques graves. Le son fondamental est plus haut car le gaz qui stimule la vibration cordale est moins dense que l'air et les puffs se propagent donc plus rapidement.

Ainsi, plus la densité de l'air est faible, plus la température est élevée, plus la vitesse du son est grande. Par ailleurs, plus l'air est humide, plus les harmoniques se modifient. L'acoustique de la salle est également un facteur important. C'est la raison pour laquelle, avant un concert, lors des répétitions, on tient compte de l'écho de la salle, de l'atmosphère, de la réflexion du son, qui diffère selon l'instrument. Les instruments sont pratiquement toujours à la même place dans l'orchestre. En effet, l'angle de réflexion de la vibration, comme un rayon lumineux, envahit l'espace du théâtre et crée son propre environnement vibratoire. Changez la place du musicien et vous changez l'harmonie orchestrale de ce concert. La place du chanteur est tout aussi importante. Le chanteur doit avoir un contrôle optimal de sa voix qui peut être modifiée selon la salle de concert, la chaleur et l'humidité ambiantes, sa place sur scène et enfin la qualité et le nombre des spectateurs. Sa boucle audio-phonatoire est constamment en alerte. Tous ces paramètres sont bien connus de l'orchestre. Les musiciens accordent leurs instruments lorsque le public est déjà présent à l'opéra puis de nouveau à chaque entracte. Pendant le concert le degré d'hygrométrie augmente, l'air est plus lourd, les tonalités plus graves. L'adaptation du professionnel de la voix, du musicien, du chef d'orchestre est l'une des clefs de la réussite. Le chanteur, lui, a besoin de quelques dixièmes de seconde pour s'adapter à l'espace vocal du théâtre. Il doit se « re-connaître », son instrument c'est lui !

Notre oreille, sur le plan technique, ne peut écouter deux phonèmes que distants d'un minimum de temps pour être compréhensibles (un sixième de seconde). Si le rythme de la phonation est trop rapide, la réception du message s'en trouve affectée. Mais également l'oreille ne peut reconnaître deux fréquences trop rapprochées (un quinzième de seconde doit les séparer).

Ainsi, quand l'acteur émet un mot dans le théâtre, le son voyage à 340 m/s. Il rencontre un obstacle qui doit être au minimum à 34 m, soit un parcours complet de 68 m pour qu'il revienne à son oreille afin qu'il puisse le comprendre. Si la réverbération est plus courte, il y a perte de l'intelligibilité du mot. Si tous ces paramètres sont bien mathématiques, bien théoriques, ils expliquent souvent la cause de la déception qu'occasionne notre place dans une salle de spectacle. L'écoute est différente en fonction de la place. Les aficionados de l'opéra savent parfaitement où se placer pour ne rien perdre des harmoniques de la diva qu'ils viennent écouter. Nous connaissons tous des salles de théâtre où la réflexion du son est si parasitée qu'elle vient troubler la compréhension même du dialogue ou du chant, mais heureusement cela est peu fréquent. En effet, les grands théâtres tels la Comédie-Française ou les salles d'opéra comme la Fenice de Venise, la Scala de Milan ou l'opéra Garnier sont chacun une loupe vibratoire dont la voûte elliptique permet l'amplification des harmoniques de la voix. Ainsi, on entend chuchoter Cyrano de Bergerac au balcon de sa bien-aimée, on perçoit le pianissimo de Violeta, allongée sur son lit, au dernier acte de *La Traviata*.

Les décors de notre voix

La démarche du laryngologiste s'applique à retrouver cette empreinte vocale originelle altérée par l'agresseur : l'infection, l'inflammation, les tumeurs, ou plus subtilement chez les sportifs de la voix le stress, la fatigabilité des cordes vocales.

Regarder la voix ?

Regarder la voix fascinait déjà les Anciens. C'est à Léonard de Vinci que l'on doit les premiers schémas d'anatomie. En 1834, le Dr Elvey reçut le prix de la Médaille d'or à la Société royale de Londres pour avoir présenté un instrument que l'on introduisait dans la gorge pour regarder les cordes vocales. Il associait de multiples miroirs à une lumière à la bougie. Ce n'était pas très pratique. Vingt ans plus tard, une révolution scientifique voit le jour.

L'idée de voir le larynx pendant la parole et le chant hantait Manuel García, depuis des années. Ce professeur de chant renommé, né en 1805, s'achemine allègrement dans sa cinquantième année. Le secret de la voix humaine l'intrigue : comment sa sœur, diva de l'époque, la Malibran, avait-elle fait pour chanter avec une voix superbe ? Comment la vibration des cordes vocales était-elle créée ? Ce fils d'un chanteur espagnol de réputation internationale fait une brève carrière comme baryton mais perd sa voix. Cet épisode dramatique éloigne Manuel García du public dès l'âge de trente ans. Dès lors, il se décide à mieux comprendre l'instrument laryngé. En 1854, se promenant dans les jardins du Palais-Royal, un rayon de soleil illumine le pommeau de sa canne et l'éblouit. L'idée lui vient de regarder les cordes vocales par un système de miroirs qui permettrait d'illuminer l'intérieur de sa gorge et ainsi d'observer le larynx. Il court vers les Établissements Charrière, près de l'Odéon, qui fabriquaient des miroirs pour dentiste. Il achète un de ces miroirs pour six francs. Il regarde à peine le palais où avait résidé Richelieu, l'Empire et, actuellement, le duc d'Orléans. Il ne regarde pas non plus les cafés où est attablée la gent noble de l'époque. Il se précipite chez lui, place de l'Odéon, dans son hôtel particulier, et découvre ses propres cordes vocales : c'est la naissance de la laryngologie. En quelques années, il devient un maître incontesté en Europe pour ses cours de chant.

Quelques années plus tard, en 1861, Charles Bataille écrit le premier ouvrage sur la phonation. Edison invente le phonographe. La voix est mémorisée, nous sommes en 1877. Puis, à l'aube du XXe siècle, la technique cinématographique voit le jour. Elle permet aux scientifiques de développer la stroboscopie qui simule le ralenti. Elle consiste à illuminer les cordes vocales par des flashs successifs sur un rythme adapté à la fréquence de la vibration émise. On peut analyser le phénomène grâce à ce ralenti artificiel. Le secret de la vibration des cordes vocales est levé. En 1939, Jean Tarneaud écrit l'un des premiers traités de phoniatrie, puis en 1958 Paul Moore et Hans von Leden aux États-Unis nous présentent les premières images cinématographiques sur la vibration des cordes vocales qui révolutionnent le monde scientifique. Il faut attendre la venue des fibres optiques pour visualiser le larynx par voie nasale et non plus par voie buccale. On évite toute introduction d'instrument dans la bouche. L'articulé bucco-lingual est préservé, la mobilité des lèvres est normale. La phonation est naturelle. Le fibroscope est introduit dans la narine. Il est passé au niveau de la fosse nasale droite ou gauche, arrive en arrière de la luette, descend dans la gorge entre les amygdales situées de chaque côté et arrive jusqu'au toit du larynx.

En 1981, j'ai mis au point l'exploration dynamique vocale qui associe plusieurs aspects de l'observation laryngée. Regarder la voix est désormais possible pendant la parole et le chant par l'association de cinq techniques en synchronisation parfaite et enregistrement sur support magnétique ou désormais sur support numérique. Cette exploration intègre l'enregistrement de la fibroscopie pharyngo-laryngée, de la stroboscopie, de la position de la tête par rapport au thorax, de l'électrolaryngogramme et du spectrogramme.

La vidéofibroscopie naso-pharyngo-laryngée permet de regarder la mobilité de l'instrument vocal sans le perturber par l'introduction d'un matériel dans la bouche. La stroboscopie visualise des lésions qu'on ne peut diagnostiquer qu'au ralenti, notamment des toutes petites lésions cancéreuses ou des mini-kystes. La position de la tête par rapport au thorax évite les conclusions erronées d'asymétrie des cordes vocales. En effet si la tête est légèrement tournée à droite ou à gauche pendant l'examen, ou si elle est en hyperextension ou en hyperflexion, la voix n'est pas la même. Ce n'est alors qu'un problème de position larynx-cou-thorax, et non pas une pathologie laryngée. L'électrolaryngogramme apprécie la résistance et la qualité de la muqueuse vibratoire des deux cordes vocales. Le spectrogramme, enfin, donne la carte d'identité acoustique de chacun d'entre nous. Il analyse le son fondamental, les harmoniques et les formants, particulièrement importants chez le chanteur. Cette exploration vocale donne la carte d'identité de la voix : l'empreinte vocale. Ainsi, par cette approche, on a pu dépister des pathologies d'effort de la voix. En effet, après quelques minutes de vocalises, on peut observer la turgescence de petites veinules, la formation de nodules, l'apparition de mucosités épaisses. Tout comme on dépiste une pathologie cardiaque par l'épreuve d'effort afin d'éviter l'infarctus du myocarde, on reconnaît la fatigabilité vocale néfaste avant la blessure cordale afin de la prévenir.

Le violon, instrument façonné par l'homme depuis l'Antiquité, existe depuis quelque trois mille ans. Comme pour la plupart des instruments de musique que nous connaissons, il possède trois éléments : le corps vibratoire qui est la corde, l'agent moteur ou source d'énergie qui est le frottement de l'archet qui crée la note, et le corps renforçant ou résonateur qui est la caisse du violon.

Dans l'instrument vocal, les corps vibratoires sont les

cordes vocales, au nombre de deux, une à droite, une à gauche. Elles sont une partie intrinsèque du larynx. L'agent moteur, c'est le souffle expiratoire émis par un « porte-vent », composé des poumons, des bronches et de la trachée. Le corps renforçant, ou caisse de résonance, commence juste au-dessus des cordes vocales et se termine au niveau des lèvres.

Le larynx : ce n'est pas seulement les cordes vocales

Le cou enveloppe le larynx. Chez l'homme on le situe grâce à la pomme d'Adam. Il est suspendu par de multiples muscles entre la tête et le thorax. Ces muscles, en écharpe, sont indispensables à la gestuelle vocale. Juste sous notre mâchoire et au-dessus de la pomme d'Adam, un petit os perdu en forme de fer à cheval, suspendu tout seul, isolé, l'os hyoïde. Il sert de relais solide pour l'insertion des muscles de la langue et en assure ainsi l'impressionnante mobilité. La verticalité est un élément technique prépondérant chez les professionnels de la voix. Leurs muscles de la nuque sont particulièrement toniques. La verticalité dépend en grande partie des vertèbres cervicales qui forment une courbe bien connue en avant. Une contracture des muscles de cette région ou une arthrose cervicale peuvent gêner le chanteur.

Créer trois octaves

L'une des quatre cordes du violon vibre ? Elle est mise sous tension par le doigt qui la pince et qui modifie sa longueur, permettant de choisir la fréquence désirée. Mais, fait surprenant, alors que la corde du violon émet un son aigu lorsqu'elle est courte, un son grave lorsqu'elle est longue, la corde vocale émet un son grave lorsqu'elle est courte et un son aigu lorsqu'elle est longue : entre l'homme et l'instrument, c'est l'inverse. Pourquoi ?

La corde vocale devient plus fine lorsqu'elle s'allonge et s'épaissit lorsqu'elle se raccourcit. Lorsqu'on pince avec le doigt la corde du violon, on diminue ou on augmente sa longueur mais on ne modifie pas son diamètre. La fréquence d'une corde dépend donc de son diamètre et de sa longueur. Ainsi, quand on ne peut modifier son diamètre, il faut modifier sa longueur (cas du violon). Mais quand elle s'allonge avec un diamètre qui diminue, la tonalité est nécessairement plus aiguë (cas de la corde vocale ou d'un élastique qu'on tend). Cette notion n'est connue que depuis Manuel García.

La corde vocale est un muscle strié. Il peut donc s'amincir et s'étirer pour les sons aigus, se raccourcir et grossir pour les sons graves. L'élasticité assure la rapidité de changement des fréquences. La longueur, l'épaisseur, la tension, l'élasticité sont intimement liées à l'identité de chacun. C'est l'un des secrets du chanteur.

Pour émettre une fréquence, la corde vocale crée une seule onde vibratoire. C'est ce qu'on appelle une sinusoïde. Cette onde est en harmonie avec la corde vocale opposée. Si l'on prend une corde de marin longue de plusieurs mètres tendue entre deux points fixes et qu'on déclenche une ondulation, on aura plusieurs ondes, plusieurs sinusoïdes. Parfois, la pathologie vient troubler cette harmonie de nos cordes vocales et tout comme la corde de marin, au lieu d'avoir une onde, la corde vocale va en avoir deux ou trois. Un nodule ou un polype peut en être la cause. La voix est alors éraillée. Ailleurs, il peut y avoir une perte de la synchronisation vibratoire entre la corde vocale droite et la corde vocale gauche. Les raisons sont multiples : l'allergie, l'infection ou l'inflammation dues au reflux gastrique. Rarement il s'agit d'un problème neurologique secondaire au nerf laryngé supérieur. L'âge entraîne une atrophie du muscle vocal de façon asymétrique ayant également pour conséquence une asymétrie vibratoire.

Quelle merveille que le cerveau humain, il a une précision d'horloger !

Une belle voix repose sur trois impératifs des cordes vocales liés les uns aux autres et tous aussi indispensables. Ces trois mots clefs sont vibration, fermeture et lubrification.

Vibration : si les cordes vocales ne vibrent pas ou ne vibrent que partiellement, la voix est mauvaise.

Fermeture : si elles ne se touchent pas, il n'y a pas de voix.

Lubrification : avec 200 à 300 vibrations par seconde, l'humidification de la muqueuse cordale est nécessaire sinon la voix se casse en quelques minutes. L'échauffement assèche la muqueuse cordale et vous vous raclez la gorge. Frottez vos mains l'une contre l'autre seulement dix fois par seconde, elles chauffent. Il en va de même au niveau des cordes vocales.

Les cordes vocales sont protégées par un bouclier

Le larynx est un organe très mobile pour permettre la déglutition et la phonation. Sa forme est un cône renversé dont la base est tronquée. Entouré des muscles du cou et structuré en arrière par la colonne vertébrale cervicale, il est lui-même constitué de muscles, d'épithélium, de fibres, d'os et de cartilages. C'est un instrument de précision. Les deux cordes horizontales, symétriques et parfaitement mobiles, en sont la partie noble. Elles sont protégées par le cartilage thyroïde, du grec *thyros*, qui signifie « bouclier ». Ce bouclier est fermé en avant sur une arête que l'on peut palper dans le cou et ouvert en arrière dans l'espace de notre gorge. Il est formé de deux lames de cartilage qui se rejoignent en avant. À son extrémité supérieure se situe la pomme d'Adam, qui n'est ni plus ni moins que la calcification de ce cartilage propre à l'homme. Cette transformation s'effectue grâce aux hormones mâles. C'est ainsi que le cou d'un homme ou le cou d'une femme sont facilement reconnaissables.

Ce cartilage thyroïde repose sur le seul anneau complet de l'organisme qui s'appelle le cricoïde, du grec *krikos*, « anneau ». Figé et indéformable, il est au sommet de la trachée. Voilà mise en place l'architecture qui entoure et protège les cordes vocales.

Forme du larynx et tessiture vocale

L'anatomie du larynx, sa structure, ses dimensions sont souvent en relation avec la stature de l'individu. Par exemple, nous avons observé le plus souvent une corrélation particulière entre la forme laryngée et la tessiture vocale.

Le ténor est habituellement fort, avec un cou développé, surtout au niveau des muscles de la nuque. Le larynx est peu saillant, les angles sont arrondis et le cartilage thyroïde est plus ouvert en arrière. La pomme d'Adam est moins visible. Le larynx est un cône laryngé, relativement court en hauteur mais avec une large base. Le cartilage thyroïde est moins important que chez le baryton ou la basse profonde, et sa membrane crico-thyroïdienne (muscle entre les cartilages thyroïde et cricoïde) est très puissante et courte, témoignant d'une forte voix de tête.

En revanche chez la basse, chanteur grand et mince, le larynx est long. Toutes proportions gardées, son diamètre plus faible, l'angulation du cartilage thyroïde est plus fermée. Le cône laryngé est profond et plonge littéralement dans les cordes vocales. Ses cordes longues, puissantes, d'aspect plus foncé que chez le ténor, sont caractéristiques. Son épiglotte est particulièrement affinée. On peut presque dessiner l'anatomie laryngée en l'observant à la fibroscopie. Son larynx, logé dans un cou musclé, long et « affûté » a des angles marqués et bien dessinés. Sa pomme d'Adam est saillante et importante. L'espace entre l'anneau cricoïdien et le cartilage thyroïde est large, créant une grande facilité pour passer de la voix de tête à la voix de poitrine.

Le baryton se situe entre les deux aspects : ténor et basse. Chez la femme, les différences du cou entre soprano et alto sont plus difficiles à préciser d'un simple regard. Cette description est bien sûr schématique. Si elle a le mérite d'être claire, elle est réductrice.

À tout seigneur, tout honneur : les cordes vocales, une ficelle avec un clou

La corde vocale droite et la corde vocale gauche sont insérées en avant sur le cartilage thyroïde dans l'angle, à la rencontre des deux lames immobiles. Ce point de rencontre des cordes est fixe. En arrière elles sont insérées sur les aryténoïdes qui sont mobiles. Pour mieux comprendre leur forme, imaginez-vous un clou d'où partent deux morceaux de ficelle. La pointe en avant fige la ficelle. Ils ne peuvent s'écarter qu'en arrière. Vous venez de créer un V horizontal qui s'ouvre et qui se ferme par l'arrière et qui permet, lorsqu'il est fermé, de tousser, d'avaler, d'éternuer, de pleurer, de chanter ou de parler. Quand il est ouvert, il permet de respirer.

L'arthrose de la voix

Les arténoïdes bougent en arrière et s'articulent avec le cartilage cricoïde. Ce petit osselet que nous avons déjà rencontré dans les chapitres précédents a une forme curieuse. Il ressemble à une carafe ou à un entonnoir avec une base plus large que son sommet. *Arutainoeidês* signifie « en forme d'aiguière » en grec. Le muscle vocal s'y agrippe. Les aryténoïdes droit et gauche sont reliés entre eux par des muscles très puissants. Quand ces articulations crico-aryténoïdiennes viennent à être malades, à s'altérer, votre monde verbal et musical s'effondre. Cette articulation, la seule mobile de la corde vocale, peut voir apparaître avec l'âge des petits éléments calcifiés, témoins d'une arthrose. C'est une articulation synoviale comme le genou ou l'épaule. L'aryténoïde, de part sa forme pyramidale, glisse, pivote, roule et bascule de façon physiologique sur le cricoïde pour permettre les mouvements glottiques. Ce siège articulaire peut être affaibli et altéré par une affection, une inflammation, une ankylose, ou traumatisé par une intubation à la suite d'une anesthésie générale. Ces affections diminuent la mobilité articulaire. Le timbre est perturbé avec une fatigue vocale et des difficultés à déglutir.

Le larynx se fortifie avec les années

De la naissance à l'âge adulte, cet instrument laryngé se transforme et évolue. La puberté entraîne des modifications profondes chez l'homme. À vingt ans, la pomme d'Adam est formée par calcification du cartilage thyroïde. On constate également un début de calcification au niveau du cartilage cricoïde tant chez la fille que chez le garçon. Son ossification est définitive entre vingt-quatre et trente-huit ans. Le cartilage thyroïde a un angle plus fermé chez l'homme que chez la femme. Il devient dur, calcifié. Les traits sont plus saillants, plus aigus, plus droits. Il permet de développer habituellement une énergie vocale plus marquée avec les années. Cela est particulièrement important chez le chanteur, le comédien ou l'avocat. L'insertion des muscles laryngés se fait sur une région calcifiée tant au niveau thyroïde que cricoïde et permet ainsi une meilleure force d'amarrage, une plus grande stabilité et un contrôle plus précis de la gestuelle des cordes vocales.

Chez la femme, cette modification des cartilages essentiels du larynx est différente. À trente ans, on observe un début d'ossification du cartilage thyroïde. Le bouclier protecteur a un angle beaucoup plus large. Le larynx est plus rond, les lignes sont plus courbes, l'angle des cordes vocales est plus ouvert. Au moment de la ménopause, entre cinquante et cinquante-cinq ans, les cartilages thyroïde et cricoïde sont calcifiés à 50 %.

L'agilité de l'articulation du larynx et le développement de sa musculation dépendent de l'entraînement que l'on suit, que l'on soit chanteur de variétés, d'opéra, comédien, avocat, politique ou représentant. Si tous sont des sportifs de la voix, les capacités qu'ils privilégient ne sont pas toujours les mêmes. Par analogie, le corps d'un athlète qui nage la brasse ou le crawl ne sera pas le même au bout de cinq à huit ans puisqu'il aura développé la même structure de résistance athlétique et respiratoire mais avec une spécificité musculaire différente. C'est dire l'importance de l'entraînement vocal systématique que l'on doit maintenir tout au long de sa vie.

Les cartilages thyroïde et cricoïde sont reliés par une articulation très développée chez le chanteur. Celle-ci permet la bascule du larynx et facilite le passage des aigus aux graves. Mettez votre main sur votre larynx ou sur la pomme d'Adam, faites un *i* dans les aigus puis dans les graves : votre cartilage thyroïde monte et descend. Cela n'est possible que grâce à l'articulation entre ces deux cartilages (cricoïde et thyroïde). Cette manœuvre a permis à la membrane crico-thyroïdienne de se relâcher (voix grave) ou de se contracter (voix aiguë).

Nous venons de décrire les structures solides de notre instrument laryngé, en quelque sorte la coque de notre vaisseau vibratoire. N'oublions pas l'épiglotte. C'est une lame fibrocartilagineuse, qui recouvre notre larynx. Elle est amarrée par deux ligaments partant des aryténoïdes comme les haubans tenant le mat d'un bateau.

Vie intime de la corde vocale : acquis ou génétique ? D'Anna à Sanchi

Quel est le secret intime de la corde vocale ? Les cordes vocales agissent en synchronisation parfaite, comme nos globes oculaires. Quand l'un bouge, l'autre fait de même et de façon symétrique. Avant que nos cordes vocales atteignent leur dimension adulte, elles grandissent et changent de structure jusqu'à la puberté. À l'âge de deux ans, la corde vocale fait 6 à 8 mm de long, à neuf ans, 12 mm pour atteindre 14 mm à la puberté. Mais, là, l'égalité des sexes n'existe plus. La femme a des cordes vocales d'une longueur moyenne de 17 mm de long sur 3 mm de large. L'homme, lui, a des cordes vocales de 24 mm de long sur 4 mm de large. Cependant, dans notre étude, il nous est arrivé de voir des cordes vocales de 26-27 mm de long chez des basses de trente ans et de 20 mm de long chez des femmes altos.

Le muscle de la corde vocale est un muscle strié comme le biceps

Il donne la hauteur et la puissance de la voix. Le muscle cordal est recouvert d'un épithélium qui permet la vibration. La muqueuse ou épithélium de la corde vocale est faite de deux couches de cellules jusqu'à l'âge de neuf-dix ans, comme chez tous les mammifères. Puis, à partir de la puberté, la troisième couche cellulaire se construit.

Ainsi, l'épithélium de la corde vocale de l'homme est le seul dans le monde animal à posséder une structure aussi complexe avec trois niveaux spécifiques cellulaires qui forment le bord libre de la corde vocale. Le chien, par exemple, n'a que deux strates dans son épithélium. C'est pour cela peut-être qu'il est rarement enroué. En effet, on n'observe que très rarement des polypes de la corde vocale chez le chien ou l'enfant.

Certaines lésions cordales se modifient entre l'enfance et

l'adolescence. C'est le cas des nodules. Dans la mesure où la corde vocale continue sa croissance jusqu'à la puberté, voire quelques années après, il ne faut qu'exceptionnellement opérer les nodules chez l'enfant. On en observe autant chez le petit garçon que chez la petite fille. Mais après l'adolescence, plus de 99 % des garçons n'ont plus de nodules et près de 60 % des filles également. Mère nature les a opérés pour nous. A posteriori, cela semble normal. Les cordes vocales grandissent, la troisième couche de l'épithélium a restructuré la corde vocale.

Mais la corde vocale n'est pas seulement un muscle strié et une muqueuse. Elle est un peu plus complexe. Dans les années 90, S. Gray a découvert l'essence même de notre extraordinaire souplesse vocale et de notre agilité cordale entre le muscle et la muqueuse. On observe dans cette partie noble cordale de la muqueuse et de la sous-muqueuse des fibres élastiques (indépendantes des fibres musculaires) qui permettent la qualité de la vibration, des fibres de collagène qui gardent la trophicité et, enfin, des éléments nommés protéoglycans, véritables ressorts moléculaires entre ces fibres. Ces molécules absorbent les chocs vibratoires pour mieux les relancer et les amplifier comme un trampoline ou un matelas à ressorts.

La muqueuse cordale glisse sur le muscle thyro-aryténoïdien (corde vocale musculaire) grâce à l'espace dit de Reinke. Cet exploit naturel est conditionné par la structure laminaire de cette région (sous-muqueuse). C'est le souffle expiratoire qui la mobilise, qui la fait glisser, vibrer, onduler sur le tissu sous-jacent. Par analogie, pincez la peau en regard de l'articulation au dos de la main de l'un de vos doigts. Maintenez fortement en faisant bouger la peau par rapport aux tissus sous-jacents, elle est souple, mobile et glisse sur le muscle. Maintenant, si vous avez une inflammation, la peau est moins souple, vous ne pouvez que partiellement étendre ou fléchir le doigt. L'agilité est perturbée. Dans le pire des cas, la blessure entraîne une cicatrice rétractile, la peau ne peut plus être pincée, elle est collée au muscle, la flexion des doigts est difficile, voire impossible, après une brûlure, l'agilité est altérée. C'est la même chose au niveau de la corde vocale : l'enrouement est secondaire à une muqueuse collée sur le muscle, qui a perdu son agilité. Elle ne peut plus glisser. Elle ne peut plus vibrer correctement par rapport à ses structures sous-jacentes. Ainsi, une belle voix nécessite une muqueuse de la corde vocale bien hydratée, tonique et souple. Elle doit vibrer sur toute la longueur de la corde vocale sans aucune adhérence. Ainsi, la corde vocale possède une muqueuse, un espace de glissement, un ligament avec une structure lamellaire et le muscle vocal strié.

Quel est le rôle de la génétique ?

La corde vocale est soumise à l'influence des facteurs génétiques. La formation de nodules, de sillons des cordes vocales (altération de la vibration par anomalie de la muqueuse), peut être héréditaire mais également culturelle. Dès lors, la stimulation trop intense de la muqueuse pour une population à risque peut entraîner une altération des cordes vocales. La synthèse des fibres de collagènes et d'élastine ne montre pas, dans ces familles, une bonne résistance à l'effort vocal. La structure et la musicalité langagière est également importante.

Anna

La jeune Anna, vingt et un ans, a une voix cassée depuis l'enfance. La voix est faible et parfois émet deux vibrations en même temps. « La voix se dédouble », comme elle dit. Elle doit affronter les autres dans son métier. Sa voix, désormais, l'handicape. Elle présente un sillon des cordes vocales droite et gauche. Il s'agit d'une malformation de la muqueuse et de la sous-muqueuse qui n'ont pas été complètement formées dans l'enfance. On observe une perte de la vibration, un manque de glissement ondulatoire sur le muscle vocal, il n'existe qu'une couche d'épithélium et non pas trois. La nature n'aurait-elle pas terminé son travail ? Anna me précise que ses deux jeunes frères Pierre, vingt ans, et Bertrand, douze ans, ainsi que son père ont également une voix particulière. Après avoir examiné la famille, je constate qu'ils ont tous à des degrés divers cette malformation de la muqueuse et de la sous-muqueuse des cordes vocales. Il s'agit d'une anomalie génétique avec une pénétrance du gène différente. La mère a une voix normale. Les voix d'Anna et de Pierre ne s'améliorent pas malgré de nombreuses séances de rééducation vocale. L'altération de la muqueuse est trop importante. Je les opère afin d'injecter une substance pour récupérer l'espace de glissement entre le muscle et la seule couche de muqueuse existante. L'injection se passe bien. L'espace dit de Reinke ou zone de glissement entre le muscle et la sous-muqueuse est récupéré. Les voix de Pierre et d'Anna sont nettement améliorées. Bertrand est trop jeune pour subir une intervention. Ainsi la microchirurgie des cordes vocales permet de pallier partiellement les manques de mère nature. Cette possibilité est de nos jours très importante quand on connaît le développement du monde de la communication et l'impact du verbe.

Sanchi et le delta du Gange

Cette anecdote me rappelle un voyage en Inde, où j'ai été amené à opérer plusieurs familles présentant cette pathologie et toutes provenant de la région du Bengale. En février 2003, j'arrive à Pune, ville située à 150 km de Bombay, pour un congrès durant lequel je devais effectuer des démonstrations opératoires à l'hôpital universitaire. Les voix que l'on me demandait d'examiner étaient caractéristiques de l'anomalie des cordes vocales désignée sous le nom de sillon ou *sulcus vocalis* ce que présentait Anna. C'étaient des voix cassées avec des coupures vibratoires fréquentes. Mais pourquoi, brutalement, cette volonté d'y remédier, d'avoir une autre voix ? Certes le congrès était peut-être en cause, mais ce n'était pas tout. Ces patients se connaissaient ainsi depuis des années, des générations. Ils vivaient dans l'une des régions sacrées de l'Inde, humide et baignée par le delta du Gange. Que s'était-il passé ? Leurs voix étaient a-normales. Mais par rapport à quoi et par rapport à qui ?

Le déferlement des médias, l'envahissement du monde occidental et la voix claire des acteurs ou des publicités sur les chaînes de télévision onf fait changer les valeurs vocales de certains groupes de cette population du Bengale. Je n'ai opéré qu'un tiers des patients qui m'avaient été amenés, ceux qui présentaient une voix inaudible et invalidante. Quant aux autres, c'était plus un effet de mode qu'une gêne réelle dans leur activité de tous les jours. Ils avaient une voix correcte par rapport à la famille qui les accompagnait. Il n'était donc pas question de changer leur environnement verbal.

Tout semblait simple...

Puis un mercredi matin vers 10 heures entra sir Sanchi, quatre-vingt-un ans, habillé en *dotii* (robe beige et blanc), avec la *tika* (marque rouge sur le front). « *Good morning* », me dit-il d'une voix enrouée, dans le plus pur anglais, en dodelinant de la tête et en serrant ses mains paume contre paume. Un cordon blanc-beige de l'épaule à la hanche, qui le désignait comme brahmane, accentuait sa silhouette noble et élancée. Du haut de son mètre quatre-vingt-dix, son regard perçant était impressionnant. Il saisissait les moindres de mes gestes, de mes mots. « Ma voix me gêne dans mes prières, dans mon activité de tous les jours », me dit-il. Ses quatre enfants étaient là. Ils abondaient dans son sens et confirmaient cette gêne vocale. « Depuis combien de temps êtes-vous ainsi ? – Près de onze ans, après avoir crié lors d'un chant », me répondit-il. Il s'assit sur le fauteuil d'examen, au sixième étage de cet hôpital. Tous les instruments étaient là pour permettre un diagnostic précis. Si besoin était, un ventilateur au plafond dans cette salle bleu clair, digne des films d'Humphrey Bogart, dans cette atmosphère particulière, me rappelait l'Asie dans cet environnement scientifique et médical. Sanchi présentait un sillon de la corde vocale gauche. Le vieillissement et une cicatrice due à un traumatisme de la voix étaient sans doute la cause de cette altération vocale. Certes, il y avait une prédisposition familiale, son fils avait également une voix voilée. Que faire ? Un détail ne trompait pas. Il me précisa : « J'aimerais avoir une voix claire, ce que je n'ai jamais vraiment eu et aussi moins sèche. *Atcha ?* (ce qui signifie d'accord). » L'opérer, c'était changer sa voix, perturber son monde émotionnel. Agir sur sa vibration intérieure. Je lui expliquai ma réticence à l'opération et lui demandai d'en parler en conseil de famille. Je craignais d'opérer cette voix qui était partie intégrante de la spiritualité de ce brahmane. Elle avait une charge affective hors du commun. Sa voix voilée, faible, collait à cette personnalité où le monde émotionnel était dominant. Le lendemain matin, il se rangea à ma décision. Je ne l'opérerais pas. Sa famille et lui me remercièrent. Sanchi me précisa : « C'est vrai, ma voix c'est finalement la marque des cicatrices de cette vie-là. » Par cette expression, il signifiait sans doute, dans ce contexte de spiritualité, que sa réincarnation dans une vie future garderait l'empreinte vibratoire de son existence actuelle.

Cette altération de la muqueuse de la corde vocale chez Sanchi était sans doute la conséquence d'un hématome qui avait créé une cicatrice rétractile cordale et détruit l'espace de glissement vibratoire. Restait la sécheresse de sa gorge. La perte de lubrification pouvait également être en cause. Avec l'âge elle peut entraîner une fatigue vocale. Comme pour les yeux : s'il n'y a pas de larmes, ils sont secs. Les complications sont des micro-ulcérations de la cornée avec une kératite et une conjonctivite. Au niveau de la corde vocale, on peut avoir le même phénomène. On observe la formation de corne sur la muqueuse cordale et parfois de vraies ulcérations. L'évolution peut aller jusqu'au polype. Si au niveau des yeux la nature a fourni les larmes, au niveau des cordes vocales on possède des cellules glandulaires situées au-dessus et en dessous des cordes. Ainsi ces cellules humidifient la muqueuse sans la noyer. Parfois ces cellules glandulaires sont sur la corde vocale et entraînent la formation de kystes. Chez Sanchi, l'âge avait diminué ces cellules glandulaires et sa gorge était souvent desséchée.

Si chez Anna l'opération était nécessaire car sa vie sociale en était affectée, opérer Sanchi aurait, à l'inverse, altéré sa personnalité.

La soufflerie, énergie de la voix

Regarder la voix nous donne l'impression de regarder une cathédrale vocale. Mais l'énergie de cette cathédrale, dont nous venons de décrire le cœur vibratoire, est le souffle, l'appareil respiratoire. Cette puissance énergétique, c'est notre poumon qui nous la donne.

Inspiration, expiration sont notre va-et-vient incessant. La soufflerie prend naissance au niveau de nos poumons. Elle est activée par l'élasticité du poumon lui-même, le diaphragme, des muscles de la cage thoracique, de la poitrine, de l'abdomen, du dos et du bassin. Ces éléments complexes permettent de conduire le flux aérien des alvéoles vers les bronches et la trachée. La trachée se termine à la rencontre du larynx avec le cartilage cricoïde qui la surplombe. Inspiration et expiration se reproduisent dix-sept fois par minute chez l'adulte. Chaque cycle respiratoire permet d'emmagasiner 500 ml d'air chez le commun des mortels et 1,5 l chez le chanteur au repos.

La capacité pulmonaire, c'est-à-dire la quantité d'air maximale, ou dite forcée, que l'homme peut inspirer et expirer est de 4 à 4,5 l et chez la femme de 3 à 3,5 l. Chez le chanteur, on note 4 l chez la femme, 5,5 l chez l'homme. Cependant, il reste toujours dans les poumons ce que l'on nomme l'air résiduel, ce qui équivaut à 1 l. Lorsque vous respirez normalement, la phase inspiratoire est de 40 %, la phase expiratoire, donc, de 60 %, dans le cycle de la respiration. Mais, lorsque vous parlez, ou lorsque vous chantez, l'inspiration est beaucoup plus rapide, beaucoup plus courte. Elle n'est que de 10 % du cycle respiratoire. La phase expiratoire, donc de la parole, est de 90 %.

La voix n'est émise que pendant la phase expiratoire. Les changements de forme des cordes vocales pour émettre différents sons interfèrent sur la résistance du « courant » d'air transglottique (entre les cordes vocales). La soufflerie doit immédiatement s'adapter pour que la voix reste stable, et sans la moindre cassure entre deux hauteurs de notes émises. Cette superbe « machine à air » dénommée « soutien » par certains, « appui » par d'autres, met en jeu de nombreux facteurs dont nous commençons à comprendre le mécanisme. Le courant d'air respiratoire, lors de l'expiration, impose un fonctionnement normal de la mécanique respiratoire. Le centre de cette commande est la colonne vertébrale et non pas les nerfs crâniens. (Du système nerveux de cet axe vertébral vont naître les nerfs rachidiens. Ces mêmes nerfs qui s'échelonnent entre la troisième vertèbre cervicale et la deuxième vertèbre lombaire commandent la structure respiratoire complexe de notre organisme.) Bien connue des chanteurs d'opéra, la sangle abdominale ainsi que les muscles au niveau périnéal commandés par ces nerfs rachidiens interviennent dans la puissance de la voix chantée. Les chanteurs doivent entraîner cette musculature qui nécessite un apprentissage spécifique.

La puissance de la voix et la longueur d'une carrière dépendent non seulement du corps vibrateur, le larynx, mais également, de façon prédominante, de la capacité à entretenir son souffle. La soufflerie est située dans le thorax, espace très vaste où il y a peu de place pour des graisses ou des muscles. Tout est prêt pour recueillir l'énergie de la voix : l'air. De tout petits muscles intercostaux entourent en tout point les deux poumons droit et gauche qui sont larges et élastiques. Cette trame musculaire est une architecture d'une grande précision. Ce cortège musculaire strié, qui dépend donc de notre volonté (tous les muscles striés, à part le cœur, dépendent de notre volonté), est complété en avant par les pectoraux, situés au niveau des seins. En arrière, par les trapèzes, situés très haut, surplombant le thorax.

Quant à la partie située au-dessus du diaphragme, le thorax, c'est une merveille de la nature. Le terme consacré est « la cage thoracique ». Elle est constituée de 12 paires de côtes centrées sur le sternum en avant et la colonne vertébrale en arrière. Cette insertion entre les côtes et le sternum est élastique, souple ; elle ne se calcifie que vers la soixantaine. En haut, elle est surplombée par les clavicules. En bas, elle se termine par « les côtes flottantes » (ce sont les deux dernières côtes de notre thorax). Chez les professionnels de la voix, surtout les chanteurs lyriques, sa forme est celle d'un cône à base inférieure. Le plus souvent on observe, chez eux, un très léger étranglement au-dessus des côtes flottantes. La cage thoracique est un mécanisme qui travaille en deux temps : à l'expiration avec un serrage, une compression et une striction, à l'inspiration avec une dilatation et une expansion. Tout est synchronisé pour permettre une dépense énergétique minimale pour une efficacité maximale.

Le poumon gauche est plus petit que le droit, car le cœur vient se loger en son sein. L'unité fonctionnelle pulmonaire est l'alvéole pulmonaire, dernier rempart entre l'air et l'intérieur de notre corps, usine énergétique de captation de l'oxygène. Ces alvéoles sont suivies des petites bronchioles puis des bronches. Les bronches souches font suite à la trachée. La trachée, d'environ 10 cm de long et de 2 cm de large, est constituée d'un demi-anneau cartilagineux en avant. Ce cartilage est protecteur. Cette demi-circonférence forme, avec sa moitié arrière souple, élastique, non rigide, un cercle complet. Mais la demi-circonférence arrière peut se dilater lors de la toux, du cri, du chant. Cette partie de la trachée est capable de se resserrer lors d'une inflammation de la trachée ou de l'œsophage. Lors d'une trachéite, ou en présence de glaires, on a une respiration bruyante, voire sifflante, qui gêne la voix. Lorsque vous parlez, dans la mesure où ces glaires remontent vers les cordes vocales (nous parlons en expirant), elles vont provoquer un excès de toux.

Harmonie dans le rythme respiratoire

L'inspiration et l'expiration sont un glissement des poumons dans notre cage thoracique. Cela se fait de façon harmonieuse, grâce à la plèvre, petit feuillet permettant ce va-à-vient incessant sans anicroche, avec une moyenne de dix-sept inspirations et de dix-sept expirations par minute, soit trente-quatre mouvements pulmonaires thoraciques. Une simple infection de la plèvre entraînant une pleurésie, et la respiration devient difficile, le chant impossible. La pratique d'un sport harmonisant respiration et gestuelle musculaire est fondamentale. Cette soufflerie permet le fonctionnement de notre instrument à cordes et à vent. Tous les muscles participent à l'ampliation thoracique, que ce soient les muscles intercostaux, abdominaux ou du périnée. L'inspiration est un phénomène actif, le diaphragme s'abaisse et la cage thoracique s'élargit. L'expiration est un phénomène passif. Il est tout simplement dû à l'élasticité de notre complexe respiratoire. Le dernier souffle de notre vie n'est-il pas l'expiration et le premier, l'inspiration ?

L'inspiration se fait par voie buccale ou nasale. Lors de la voix chantée, l'inspiration est plus courte. La qualité de l'inspiration retentit sur le timbre. L'expiration s'allonge lors du chant, elle peut atteindre 20 à 45 s. Les qualités d'intensité, de timbre, de régularité sont commandées par le contrôle parfait des mouvements expiratoires. Le chanteur est un individu qui maîtrise sa soufflerie, son oxygénation, son rythme et sa cadence vocale. L'expiration qui est passive devient active, maîtrisée et contrôlée lors de la voix. Elle peut être perturbée chez l'asthmatique. L'asthme est une maladie pulmonaire qui prend en otage le souffle et donc la puissance vocale.

Le diaphragme est une lame musculo-membraneuse, fine en son centre, épaisse à sa périphérie. Il s'insère à tous les points en bas de la cage thoracique. Ainsi, il sépare de façon étanche le thorax de la cavité abdominale, avec quelques trous où passent les vaisseaux et l'œsophage sans gêner son efficacité. Sur le diaphragme vont reposer le cœur et nos deux poumons. En dessous du diaphragme se trouvent nos organes digestifs et le foie. Ainsi, s'il existe une faiblesse de l'orifice diaphragmatique au niveau de la rencontre de l'estomac avec l'œsophage, apparaît alors cette fameuse hernie hiatale. Elle est fréquente dès l'âge de cinquante-cinq ans (du fait de la faiblesse du muscle diaphragmatique) et provoque le reflux gastro-œsophagien. C'est à partir de là que vont remonter les acidités venant de l'estomac vers l'œsophage et se terminant au niveau de notre larynx. Ces acidités provoquent des brûlures des cordes vocales et une laryngite. Elles fatiguent notre voix. Elles entraînent des raclements de la gorge souvent pénibles pour soi-même et l'entourage. Ce reflux entraîne des toux chroniques, que certains ont qualifiées de « nerveuses ». Quand vous êtes contrarié, l'estomac se contracte. Lorsque vous avez un stress, il « fabrique » plus d'acides que nécessaire. Le reflux s'est s'installé et entraîne une sécheresse des cordes vocales.

Une indigestion perturbe la voix

On respire avec le ventre, dit-on. La sangle qui entoure notre abdomen est faite de nombreux muscles, dits muscles abdominaux. Elle mérite le terme de sangle musculaire. Elle contrôle notre respiration. Mais cela s'apprend. Cela se muscle. L'abdomen contient nos organes digestifs. Si l'on est dérangé, que l'on a fait un mauvais repas, qu'on est sujet à une indigestion, on ne peut pas être en pleine possession de ses moyens et contrôler ce ventre ballonné ou ces coliques. Le diaphragme recouvre ces organes. Il est donc perturbé par les tergiversations de nos intestins. La respiration abdominale est gênée, voire douloureuse. En ce qui concerne le petit bassin, situé juste en dessous de notre nombril, son rôle est également indispensable dans le contrôle vocal. La voix peut être perturbée lorsque la femme a des règles douloureuses, un kyste de l'ovaire sensible ou un fibrome utérin dont le volume peut parfois perturber la sangle des muscles du périnée. Là encore, il est difficile de chanter lorsque les douleurs menstruelles irradient dans le bas du dos, à l'aine, et sous l'ombilic. Ne s'appuie-t-on pas sur son bassin pour émettre un contre-*ut* ?

Puissance du souffle et voix

Le chanteur debout sur scène, face à son public, connaît bien l'importance du souffle et de l'appui. La souplesse pulmonaire, l'élasticité diaphragmatique sont essentielles. Il faut s'appuyer sur le bassin pour prendre racine dans le sol, répètent souvent les professeurs de chant. Le bassin est le réceptacle de l'énergie de la puissance vocale. C'est un anneau musculaire, qui chez la femme soutient l'utérus. Il permet la poussée impressionnante de l'énergie vocale chez le ténor. Le périnée n'est pas plus large que la paume de la main et cependant il est le siège d'une forte résistance élastique musculaire. Certains chanteurs n'ont-ils pas dit au Dr Wickart, laryngologiste éminent de Clemenceau, dans les années 20 : « Tu vas voir cette paire de *si* bémol que je vais te sortir au deuxième acte. » Cette manifestation « érotico-lyrique » s'explique par la sensation de résistance qu'a le ténor. Il recherche la puissance vocale au niveau du périnée. Force est de constater que le *si* bémol est l'une des notes les plus difficiles à émettre et peut créer une impression de vertige fugace chez l'artiste. Le corps tout entier vibre.

La verticalité du corps est indissociable d'une belle voix. La charpente osseuse de la colonne vertébrale, cervicale, dorsale et lombaire est l'élément essentiel de cette verticalité. C'est l'édifice solide autour duquel s'amarrent les lignes de force musculaires, comme le mât d'un bateau par rapport aux voiles et aux cordages, et qui permet ainsi au « tube pneumo-phonique » d'avoir son maximum d'efficacité. Mais lorsque la technique est acquise, Violeta chante magnifiquement bien qu'elle soit couchée et, avec beaucoup d'émotion.

Comment le son devient voix : les caisses de résonance

En 1840, à Munich, le Pr Pellisson détache une corde de piano et la fixe au mur de sa chambre. Il la pince, il n'entend pas grand-chose. Il passe dans la pièce d'à côté. Dans la cloison, il fait un petit trou et, en regard de la corde, il met la caisse du piano contre ce petit trou. Il retourne dans sa chambre. Il pince la corde du piano. Il entend un son superbe et reconnaissable : le son d'un piano. La preuve était faite que la corde ne suffit pas et que sa caisse de résonance est un élément incontournable. Un autre de ses collègues a une idée analogue mais plus simple à réaliser. Dans son laboratoire acoustique, il isole la corde d'un violon et la fixe entre deux clous. Il fait glisser l'archet sans succès. Il n'entend pratiquement rien. Il approche subrepticement la caisse d'un violon de sa fabrication. Le son est médiocre. Il fait de même avec un stradivarius : le son est sublime. L'importance non seulement de la caisse de résonance, mais de sa qualité est démontrée. Le stradivarius renforce d'une façon admirable la vibration des quatre cordes. Sa résonance est inégalable.

Aussi incroyable que ça paraisse, la corde vocale de l'homme présente des analogies avec le stradivarius. Ce violon a une conception unique. Sa face supérieure est en sapin, sa face inférieure en érable. La distance entre ces deux tables est d'une précision remarquable. Elles sont réunies par ce qu'on appelle l'âme, pièce en bois particulière. Ainsi cet ensemble, fait de quatre-vingt-trois pièces, que les luthiers de Crémone, au XVIIe siècle, ont porté à la perfection donne l'harmonie et contribue à créer cet amplificateur sonore majestueux. La résonance est d'autant plus efficace que le sapin est constitué d'éléments fibreux et linéaires. Ces éléments favorisent la propagation de la vibration. Au niveau de la corde vocale, on retrouve une structure analogue. Il existe également des éléments faits de fibres. Ils sont abondants et parallèles à la corde vocale. Ces fibres de collagène et d'élastine reliées entre elles par des molécules de protéoglycans jouent un rôle essentiel dans la qualité du son laryngé. La nature est ainsi faite que la muqueuse de la corde vocale, qui produit la vibration, possède dans la sous-muqueuse des éléments qui enrichissent sa résonance. C'est la toute première caisse de résonance de la voix humaine.

Chaîne hi-fi, résonance et harmoniques

Les caisses de résonance agissent exactement comme sur votre chaîne hi-fi, qui reçoit le son fondamental du chanteur que vous écoutez. Le son fondamental de la mélodie n'est pas modifié, mais l'*equalizer* de votre radio agit sur certains des harmoniques graves, médium ou aigus en les accentuant ou en les diminuant grâce à des filtres acoustiques. La chanson semblera plus agréable à votre oreille car le timbre musical aura été modifié et non la musicalité. C'est le rôle des caisses de résonance qui accentuent certains harmoniques, changent le timbre vocal. Ces harmoniques dépendent du moule des résonateurs. Ces filtres acoustiques naturels se modifient non seulement par les formes différentes qu'ils peuvent prendre – le pharynx se contracte ou se dilate, le voile du palais se relève ou s'allonge, la langue s'étire ou se rétracte –, mais également par l'humidification de la muqueuse qui recouvre cette caisse de résonance et qui a un rôle essentiel dans la réverbération du son et le relief de celui-ci avant sa formation définitive au niveau des lèvres. Les résonateurs ont un double rôle : d'une part la formation des harmoniques que nous avons vue, et d'autre part la formation de notre langage articulé, de nos voyelles, de nos consonnes.

Les voyelles

Les voyelles sont le lien indispensable entre chaque consonne pour émettre des mots. Elles sont l'élément fondamental de la voix. Nous pouvons distinguer deux types de voyelles : le premier est directement relié au changement de longueur de notre caisse de résonance, le *a* et le *o*, qui devient *ou*. Le second est plus directement secondaire à la modification des mouvements de notre langue avec le *e* et le *i*. L'analyse des voyelles par le spectrographe vocal ou sonographe, dont l'une des premières descriptions a été faite en 1896 par Edison, créateur du téléphone, permet d'analyser de façon précise les différents harmoniques de chaque voyelle et leur intensité.

La voyelle crée plusieurs harmoniques. Tous les harmoniques n'ont pas la même puissance. Certains d'entre eux vont être plus forts, plus audibles, plus isolés dans leur perception grâce aux résonateurs. Chaque voyelle produit une amplification d'harmoniques ou formants qui lui est propre et qui la définit. Ces formants constituent la carte d'identité de la voyelle. Ils sont différents pour *a, e, i, o, ou.* Toutes les voyelles ont deux formants spécifiques très marqués. La voyelle *a* en comporte quatre dont le troisième et le quatrième sont intenses. Elle nécessite que le voile du palais ferme complètement le pharynx. L'air sort uniquement par voie buccale. Les fosses nasales sont fermées. La langue est affaissée sur la mandibule, les formants peuvent s'épanouir au maximum. Chez le chanteur professionnel les quatre formants existent sur toutes les voyelles. Ces troisième et quatrième formants plus légers dans leur intensité, plus fragiles, plus frêles, plus aigus, apportent le charme, la chaleur et donc habillent le timbre de la voix. Ils permettent de passer la rampe des premiers rangs et d'être entendu à plus d'une vingtaine de mètres. Lorsque l'on analyse l'enregistrement des ténors, on note la puissance particulière des quatre formants et pas seulement des deux premiers. Cependant, les formants évoluent avec les années, s'enrichissent entre vingt et cinquante ans puis déclinent après la soixantaine. Il y a une perte de la souplesse, de l'agilité bucco-pharyngée, de la structure même du tissu musculaire et de la muqueuse. Ces caractéristiques sont surtout observées si l'entraînement vocal n'est pas continué.

Les consonnes

Les consonnes, comme les voyelles, sont formées dans les résonateurs lors de l'expiration. Mais elles n'ont pas de vibrations propres. Elles créent des sons, plus exactement des bruits irréguliers avec peu d'harmoniques. Elles sont de durée variable lors de la voix parlée, brèves, voire très brèves lors de la voix chantée.

Les consonnes sont produites à partir de deux mécanismes différents : soit de l'explosion de l'air entre deux éléments de notre caisse de résonance, soit du rapprochement incomplet de deux éléments de cette même caisse de résonance.

Sur le plan acoustique, on distingue trois types de consonnes : les fricatives, les sifflantes et les nasales. Elles sont longues si elles viennent précéder la voyelle, comme dans « Ma*mmm*an ». Le son consonnique est régulier, variable. Il peut se surajouter au son fondamental lui-même. Il est alors appelé voisement car la vibration des cordes vocales participe à l'élaboration de la consonne comme, par exemple, le *v*, le *z* ou le *j*. Ici la consonne est accompagnée par la vibration des cordes vocales qui se rapprochent lors de leur émission. Le son fondamental vient habiller la consonne pour mieux la distinguer, pour mieux la différencier, par exemple pour différencier *Jean* de *ch*ant ou alors *z*oo de *s*ot ou enfin *v*eux de *f*eu.

Certaines consonnes peuvent paraître gênantes. Elles sont bien connues des imitateurs, mais surtout de certains comédiens comme Louis Jouvet ou Roger Blin, qui bégayaient et qui ont mis à profit ce handicap pour en faire une caractéristique qui leur est propre. En effet leur rythme vocal, leur prononciation sont particulièrement reconnaissables : Louis Jouvet par exemple : « Bbonjour (un microsilence) m*m*adame. » Ces consonnes sont des explosives : *p, b, t, d, k, g*, parfois les constrictives : *f, v, th, s, z, ch*, ou les nasales, *n, m, ng*. Les consonnes explosives produisent un signal sonore bref et intense de l'ordre de 15 millisecondes. L'harmonique est inexistant. Alors que la voyelle qui suit cette explosive dure 1 à 2 s.

Certaines consonnes sont produites non seulement par la caisse de résonance, mais également grâce à la fermeture/ouverture rapide des cordes vocales. Ce sont les consonnes vocalisantes *b, d, g, v, th, z, j.* Pour les autres, les cordes vocales restent ouvertes. Il y a les consonnes non audibles et non vocalisantes comme les *h*, et non audibles et vocalisantes comme *r, w, l, m, n, ng.*

Les consonnes à caractère explosif mettant en jeu les lèvres sont dites labiales (labio-labiales) et sont *p, b*, secondaires à l'impact brutal des lèvres supérieure et inférieure, et le *m*, consonne plus douce, plus soutenue, qui n'est pas explosive. Le *f* et le *v* sont produits entre les dents et les lèvres (labiodentales).

Des consonnes mettent en jeu la langue : le *t*, le *d*, le *the* de l'anglais entre la langue et les dents (linguo-dentales), le *the*, le *l*, le *n*, le *gh*, le *gl*, qui sont entre la langue et l'avant du palais sollicitant également le voile du palais (linguo-palatines), enfin le *qu* et le *gu* qui sont entre la langue et l'arrière du palais.

Le *r* est formé entre la langue et l'avant du palais qui est dur et ne peut pas vibrer (linguo-palatine), à ne pas confondre avec le *rre* de la *rota* espagnole qui se forme entre la langue et la partie postérieure du voile et de la luette qui sont souples et peuvent vibrer. À noter d'ailleurs que lors de l'opération du ronflement, si on supprimait la luette, la *rota*, le roulé des *r*, ne serait plus possible.

Musicien ou ronfler : il faut choisir

Jean-Pierre, le cor de chasse et ses nuits calmes

Me Jean-Pierre, avocat international, ronfle considérablement, à tel point que son épouse en était presque à demander de faire chambre à part. Ce professionnel de la voix décide de se faire opérer. Il consulte un collègue et subit une intervention pour soulager son ronflement et permettre à sa femme de dormir tranquille. La chirurgie qu'il subit consiste à enlever toute la luette et une partie du voile du palais. Les semaines se passent. Sa femme fait ses nuits, il ne ronfle plus, l'intervention est un succès.

Néanmoins, quelques mois plus tard, il me consulte pour la première fois. « Après une demi-heure de plaidoirie, ma voix se fatigue, je ne pense plus à ce que je dois dire mais à comment je vais faire pour terminer ma réunion. » En fait la demande, chez ce très sympathique patient, était beaucoup plus originale : « Ma gorge est sèche, je parle beaucoup espagnol avec mes clients et je ne peux plus rouler les *r*. Mais docteur, le pire pour moi, et ça m'a gâché ma vie... » Il devient pâle, une perle de sueur se devine sur son front. « Oui, que s'est-il passé, maître ? » Il reprend son souffle : « Je suis passionné de musique et je joue du cor de chasse, depuis c'est terminé. J'ai pourtant essayé, aucun son ne sort. Toute la puissance de mon souffle sort par le nez. J'ai l'impression que ma bouche n'est plus étanche, que l'intervention m'a enlevé la séparation entre l'arrière-gorge, le nez, et ma cavité buccale. » Il ouvre une valise avec laquelle il était venu et sort un superbe cor de chasse. Il me le montre comme une œuvre d'art puis il essaie d'en jouer. En effet rien ne sort. La description de sa pathologie est digne d'une observation médicale. À l'examen, l'exploration par fibroscopie de sa région opérée ne montre aucune anomalie particulière. L'intervention a été faite correctement sur le plan technique. Certes il n'existe plus du tout de luette, son voile du palais est rétracté, sec, et a perdu sa lubrification. Mais je voulais mieux comprendre cette mécanique du voile et mettre au jour tous les indices de ce mutisme du cor de chasse. Je décide de l'observer avec l'endovidéoscope pendant qu'il joue. Introduit par le nez, l'endovidéoscope est glissé à l'arrière de sa fosse nasale, au-dessus du voile et de sa cicatrice. « Jouez, et forcez pour essayer de me faire un son. » Impossible. Que s'était-il passé ?

Sa voix parlée est satisfaisante. Sa sécheresse de la gorge ne nous étonne pas puisqu'on supprime, lors de cette intervention chirurgicale, un des éléments lubrificateurs les plus importants de la caisse de résonance qu'est la luette. Elle se situe au centre de la cathédrale vocale comme un « brumisateur » permanent. Rouler les *r* se fait entre autres par la vibration de la luette et son contact avec la paroi du pharynx en arrière, il était donc logique également qu'il ne puisse plus parler espagnol correctement. Car le ronflement, chez Jean-Pierre, était dû à la vibration très importante de la luette avec le pharynx. Mais ce n'était pas terminé. Après mes explications sur le pourquoi et le comment de sa gêne, il me demande : « Docteur, faites-moi donc une nouvelle luette. » Ce geste chirurgical avait pénalisé ce musicien.

De façon plus précise (il existe deux parties dans le voile : le voile mou qui est mobile et le voile dur plus en avant qui recouvre l'os du palais), comment la luette et le voile du palais souple agissent-ils dans la façon de jouer de cet instrument à vent ? J'explique à Jean-Pierre que ces deux éléments, la luette et le voile mou, servent à fermer, en arrière, les fosses nasales. Lors de l'expiration forcée, dans le cor de chasse ou le hautbois, l'air arrive à pleine puissance dans le bec ou l'embouchure de l'instrument. La pression nécessaire pour déclencher le son du cor de chasse, du saxophone, de la tromplette ou de la clarinette est impressionnante (observez les joues de Louis Armstrong). Elle nécessite un contrôle très précis de la force de l'air expiré. Si le voile du palais et la luette ne peuvent fermer complètement les fosses nasales, comme c'est leur rôle, on observe une fuite de l'énergie de l'air expiré au niveau du nez qui peut aller de 5 % à 50 %. Au-delà, la voix parlée est nasale avec une phonation caractéristique que l'on oberve chez l'enfant qui présente un bec-de-lièvre, ce qui nécessite une chirurgie réparatrice. D'ailleurs il ne faut pas la confondre avec une voix nasillarde à la Donald, voix caractéristique lors d'un rhume ou si vous êtes sujet aux sinusites avec une déviation de la cloison nasale. Mais ici Jean-Pierre a une voix satisfaisante, la fuite aérienne nasale est peu importante mais suffisante pour l'empêcher de jouer de son instrument favori. Il ne peut plus rendre étanche sa cavité buccale par rapport à sa cavité nasale. Malheureusement il m'est impossible de reconstituer sa luette. Seul le temps permettra d'assouplir le voile du palais et peut-être de rendre la joie à ce musicien.

Jouer de la clarinette ou ronfler, il faut choisir

Jacques est passionné de musique de jazz. Il joue remarquablement de la clarinette et depuis des années. Fait du hasard ou coïncidence, il me consulte le même jour et seulement une heure avant Jean-Pierre. L'histoire aurait pu être similaire. Ce musicien artiste et avocat ronfle terriblement. Son épouse ne supporte plus ce ronflement. Il me consulte pour se faire opérer du voile du palais. Que faire ? il faut choisir : ronfler ou jouer de la clarinette. Me Jacques a décidé. Je vous laisse deviner...

La voix résonne et s'habille dans sa caverne intérieure

La cathédrale vocale de l'homme est unique

Elle n'est pas figée, elle n'est pas fixe ; elle est déformable, adaptable. La vibration est créée au niveau laryngé puis chemine dans l'espace aérien des résonateurs. Le voyage de la vibration commence juste au niveau de la muqueuse des cordes vocales avec les fausses cordes vocales, ou bandes ventriculaires. Elles sont symétriques et épousent les cordes vocales à quelques millimètres au-dessus d'elles. Entre elles et les cordes vocales se situent les ventricules laryngés. Ces ventricules sont minuscules : 5 mm de profondeur. Ils renforcent la vibration. Ils sont trop petits pour avoir un rôle important dans la caisse de résonance. Cependant, ils contribuent à la lubrification des cordes vocales. Les bandes ventriculaires sont un vestige de notre évolution. Nous avons vu leur rôle et leur importance dans le chapitre sur l'évolution de la voix. Chez l'homme, les bandes ventriculaires peuvent se développer. Ainsi, si vous faites de l'haltérophilie, ces bandes ventriculaires sont particulièrement sollicitées pour créer une surpression thoracique de l'air emprisonné dans les poumons. Ce sport est fortement déconseillé chez les professionnels de la voix. Ces éléments viennent perturber le chemin de la vibration des cordes vocales car les fausses cordes vocales se musclent trop et deviennent hypertrophiées. Il en va de même si vous jouez du hautbois, de la clarinette ou d'un instrument similaire. Chanteur, clarinettiste ou trompettiste c'est difficile, sauf pour Louis Armstrong. Il avait un œdème et une hypertrophie des fausses cordes vocales qui lui avaient donné cette voix si particulière.

Continuons notre chemin. Nous arrivons dans la caverne des résonateurs propre à l'homme. Elle est faite de deux matériaux différents. Les résonateurs figés composés d'os et de cartilage que sont les sinus, la cloison nasale, les mastoïdes (os du crâne situés à la base de l'oreille), et les résonateurs malléables, souples, extensibles et compressibles qui sont les cavités nasales, la langue, le pharynx, la bouche, et le larynx. Ces cavités souples modulent, déforment, sculptent le son qui devient voix. Les mouvements de notre maxillaire inférieur et de la langue sont, et de loin, les éléments qui modifient le plus notre caisse de résonance avec nos lèvres.

Le palais est constitué du palais mou qui prolonge en arrière le palais dur et qui constitue ainsi la surface de percussion de la caisse de résonance où viennent se réfléchir les vibrations émises au niveau des cordes vocales. En arrière et en haut de la luette se trouve le cavum où siègent les végétations adénoïdes, petites granulations situées entre le nez et la gorge. Elles peuvent compromettre la résonance vocale et la rendre nasillarde. Les végétations adénoïdes disparaissent habituellement à l'âge de sept ans. Si elles persistent, la voix est nasale, et elles entraînent la formation de mucosités qui coulent dans la gorge. Si vous bouchez votre nez, la propagation vibratoire ne rencontre plus la caisse de résonance supérieure. L'émission sonore est diminuée. Aucun harmonique ne peut s'épanouir au niveau supérieur de la face. Une déviation de la cloison nasale peut avoir les mêmes conséquences.

Claudine se guérit le sinus en chantant

Claudine, soprano colorature, a traité sa sinusite de façon curieuse. Cette chanteuse professionnelle d'une quarantaine d'années consulte pour une gêne provoquée par des mucosités sur ses cordes vocales. Cette gêne apparaît régulièrement au printemps et à l'automne. « Comme vous le savez, depuis des années, je suis gênée deux à trois semaines en avril et en octobre. Mais là, depuis début avril [nous étions en juin], ces mucosités persistent. J'ai également mal au niveau des sinus, juste sous les yeux. Je ne suis pas venue vous voir plus tôt car je réussissais d'habitude à guérir en quarante-huit heures en faisant des exercices vocaux particuliers. Aujourd'hui je n'y arrive plus. » J'avoue que je ne comprenais pas très bien comment des vocalises pouvaient traiter une sinusite, si elle avait vraiment eu une telle affection. Je lui demande de poursuivre son récit. « En émettant certaines vocalises sur des fréquences graves, je sentais comme une vibration dans le sinus et un filet de mucosités glisser du sinus vers mon nez en avant et en arrière. » Cette soprano avait tout simplement créé une résonance spécifique de la paroi osseuse des sinus maxillaires, et ces fréquences avaient contribué à l'évacuation des mucosités intrasinusiennes. Tout comme les vibrations avec un rythme particulier déplacent, dans la même direction et de façon homogène, des grains de sable sur une table.

Descendre un espion dans le sinus et la gorge

Lorsque l'on chante ou lorsque l'on parle, quel son se produit-il dans les sinus ? Dans les années 1990 j'eus l'idée de placer un microphone miniature sur le vidéofibroscope Pentax et d'explorer le sinus maxillaire droit puis le gauche. Cette expérience, faite sur dix chanteurs et chanteuses, m'a permis d'enregistrer la voix parlée et la voix chantée. L'intérieur des cavités sinusiennes est propre, vide, rempli d'air à la pression ambiante. Ce sont donc des sinus normaux. Rappelons que les cavités de résonance des sinus sont nombreuses. Elles comportent le sinus maxillaire que nous allons explorer, mais également le sinus frontal ethmoïdal et sphénoïdal qui, lui, n'est pas bilatéral. Savoir comment était le son à l'intérieur du corps m'intriguait.

Le vidéofibroscope et son micro espion sont introduits délicatement dans la fosse nasale puis dans le sinus. L'enregistrement commence. La phrase d'une chanson bien connue est répétée pour chaque chanteur. « Frère Jacques, frère Jacques,/Dormez-vous, dormez-vous,/Sonnez les matines, sonnez les matines... » On analyse en temps réel par le sonographe le message sonore afin de percevoir le mystère des harmoniques de la face. La phrase est enregistrée d'abord en voix parlée puis ensuite en voix chantée. Le résultat est étonnant. Le sinus est silencieux pour tous les chanteurs. La paroi vibre, sans aucun doute, mais l'intérieur de la « maison sinusienne » est isolée du bruit. J'en étais le premier surpris à tel point que j'ai refait chaque test. Comme vient de nous le démontrer Claudine qui traite sa sinusite en chantant, la paroi osseuse vibre de façon isolée avec sa propre résonance. Cela semble paradoxal, d'autant plus que les professeurs de chant disent toujours : « Projette la voix dans le masque facial... » Pourtant, il n'y a rien de paradoxal dans cette proposition. Faites vibrer un diapason, posez-le sur votre bureau, le bureau va résonner. Ainsi, cette métaphore de projection de la voix au sommet de son corps est plus que justifiée.

Cette démarche scientifique m'a poussé plus loin sur le chemin de la compréhension de la vibration vocale. J'ai descendu mon espion vibratoire jusqu'à 5 mm au-dessus des cordes vocales, dans l'antre du larynx, à la naissance de la voix. Je demande à ces artistes devenus avec moi explorateurs de la voix intérieure de dire *a e i o u* puis la phrase chantée et parlée précédente. Là encore, que croyez-vous que le micro espion fidèle m'ait ramené comme indice ? Le son récupéré de ce voyage intérieur était encore plus étonnant : toutes les voyelles, toute la prose chantée ou parlée n'avaient qu'une seule traduction sonore : « mmm », comme si vous faisiez un son bouche fermée. Je remonte le micro en arrière du voile du palais : les voyelles sont à peine audibles. Je le place en avant du voile et à proximité de la langue, la caisse de résonance a habillé le « mmm », les *a e i o u* sont là. On les reconnaît sans problème. En conséquence, le son originel des cordes vocales ne signifiait pas grand-chose sans les résonateurs.

La cavité de résonance, au niveau buccal, va non seulement structurer le son pendant son trajet, le rendre voix, mais également l'amplifier. Plus la caisse de résonance sait mettre à profit son rôle naturel d'amplificateur sonore, plus la qualité et la portée de la voix seront importantes avec un effort moindre, sans forçage vocal. La fontaine sonore, dont l'origine est glottique, s'épanouit en avant, vers l'espace des résonateurs. Sa direction, sa forme seront modulées principalement par l'épiglotte puis à la base de la langue. Lorsque ces deux reliefs s'estompent, l'écoulement vibratoire se fait sans heurt. Il peut alors venir ricocher sur la voûte palatine, toit de la cathédrale de notre instrument vocal.

La langue parle avec les consonnes et les voyelles

La langue, partie centrale de notre cavité de résonance, indispensable à l'émission de la voix, joue un rôle fondamental non seulement pour la déglutition mais également pour la phonation. Sans elle, point de voyelle, point de consonne. Son agilité est unique. Parfaitement mobile en avant, elle peut se mobiliser, se déformer, se courber, se tendre à son gré. Si son volume global reste fixe, son volume apparent dans la caisse de résonance est éminemment variable. Le chanteur lyrique connaît bien ce phénomène pour l'avoir sollicité dans de nombreux exercices vocaux. Lorsque la pointe de la langue devient étroite et courte, le dos de la langue devient gros. Lorsque celle-ci s'étale en arrière des incisives inférieures, la partie postérieure semble plus petite. Ainsi, plus la base de la langue prend de l'importance, fait le dos rond, plus elle refoule en arrière l'espace libre situé juste au-dessus des cordes vocales et diminue le diamètre du conduit vibratoire. À l'inverse, en prononçant un *a* la bouche grande ouverte, la langue est aplatie en arrière des incisives inférieures, le conduit vocal est grand ouvert. L'intensité du chanteur peut être au maximum. Lorsque la base de la langue recule et couvre le larynx, la vocalise est appuyée. Le stretching de cette région musculaire de notre corps permettant un véritable étirement de la caisse de résonance est le bâillement.

Les lèvres : aspect unique chez l'homme

Les lèvres délivrant le phonème définitif sont la transition entre notre monde sonore intérieur et le monde vibratoire extérieur. Leur aspect chez l'homme est unique dans l'espèce animale. Le singe a des lèvres tournées vers l'intérieur. Ce ne sont que deux petits liserés qui n'évoquent aucun signal sexué. Qu'en est-il pour l'homme ? Seul l'être humain a des lèvres tournées vers l'extérieur, démarquées et galbées. Chez la femme, les anecdotes sont nombreuses. Certaines modes ont entraîné une chirurgie esthétique des lèvres dites siliconées, amplifiant l'aspect sensuel et pulpeux. Parfois, cependant, ce modelage peut, s'il n'est pas parfaitement bien réalisé, perturber, modifier et altérer la voix chantée surtout lors de l'émission de consonnes nécessitant la fermeture labiale, comme *b, f, p* ou *m*. Les lèvres finalisent le phonème. Elles sont un élément essentiel pour la voix. La preuve en est qu'on peut « lire » sur les lèvres.

Les dents trahissent l'âge de la voix

La bouche, porte de sortie de la voix, est délimitée par la dentition puis les lèvres. La bouche d'une personne âgée, qui est édentée et déformée, ne permet plus de dire certains phonèmes. Les lèvres viennent se coller sur la gencive et la langue ne peut plus prononcer certaines consonnes. L'hygiène dentaire est indispensable dans le maintien d'une voix dite « jeune » avec si besoin le recours à la prothèse type implant dentaire. Les imitateurs savent parfaitement coincer leurs lèvres entre les dents pour imiter les personnes âgées.

Le visage, la voix et la commande

Le visage est un élément indissociable de notre voix. Plusieurs dizaines de muscles participent au langage articulé, dont les principaux sont situés au niveau des lèvres et de la mâchoire. Cet édifice est sous la dépendance de notre cerveau et d'une impressionnante armada de nerfs, activateurs de la commande mécanique des caisses de résonance.

Le nerf grand hypoglosse (nerf n° XII) permet la mobilité de la langue, et la formation de presque toutes les consonnes et de toutes les voyelles. Le nerf trijumeau (nerf n° V) commande la mobilité de la mâchoire. Il modifie l'espace volumétrique de notre caisse de résonance. Il est également responsable de la sensibilité du visage. Le nerf glossopharyngien (nerf n° IX) contrôle les mouvements du pharynx, une partie de la gestuelle de la langue, la mobilité du voile du palais permettant des sons plus ou moins nasillards et sa sensibilité. Il gère également la sécrétion de notre salive. Le nerf pneumogastrique appelé également nerf vague (nerf n° X) contrôle les mouvements du voile du palais, mais également les cordes vocales. Par ailleurs il agit sur le cœur, les vaisseaux ainsi que sur les poumons et le tube digestif. C'est le nerf du stress. Il entraîne les acidités gastriques, le dessèchement de la gorge avant un discours, l'accélération du cœur avant une entrevue importante. Enfin, le nerf facial (nerf n° VII) donne l'expression du visage, mais surtout commande la mobilité des lèvres, ultime limite de notre caisse de résonance. Bien sûr, le tout est dépendant du rôle fondamental de notre respiration et de nos muscles abdominaux (c'est le rôle du nerf spinal qui contrôle les mouvements des muscles du cou et de l'épaule, et des nerfs rachidiens qui contrôlent la respiration et la musculature).

L'instrument de la voix humaine est d'une précision impressionnante

Chanter, jouer, plaider ou faire un discours nécessitent une technique vocale adaptée. Si pour le peintre l'émotion est indispensable, la technique est nécessaire à la main qui guide le pinceau sur la toile, à son inspiration. Tout comme est nécessaire pour un comédien ou un chanteur lyrique la maîtrise de la voix chantée, de la voix parlée. Celle-ci impose de bien connaître son instrument pour le mettre au service de son monde émotionnel.

De l'affectif au virtuel

Le mythe du clone virtuel qui parle existe toujours. Mais l'émotion peut-elle survivre au clonage vocal ?

Les premières voix synthétiques : il y a déjà trois cents ans

La voix artificielle passionne les chercheurs du XVIIIe siècle, qui dotent les automates à figure humaine d'une supposée voix. À cette époque, l'art de l'horlogerie est à son apogée. La biomécanique crée les androïdes. Chaque pièce nécessite plusieurs mois de fabrication, parfois plusieurs années. Le résultat reste singulier. L'androïde s'exécute pendant à peine une à deux minutes. Le spectateur est ébloui. Au XIXe siècle, le magicien Jean Eugène Robert-Houdin est sans doute le plus doué de sa génération pour la fabrication de ces automates. Leur disparition s'amorce au début du XXe siècle alors qu'au XVIIIe siècle ils déclenchent les passions ; le baron von Kempelen montre sa première machine parlante à la tzarine Catherine II de Russie. Sa passion pour le monde des automates l'a amené à écrire un ouvrage sur le fonctionnement de la voix humaine. Il considère que l'anche, utilisée par de nombreux instruments de musique, ressemble à la glotte de l'homme (l'anche est simple ou double : simple, le morceau de roseau est posé sur un bec comme pour la clarinette ou le saxophone, double le roseau est replié sur lui-même comme pour le hautbois, ainsi le joueur appuie avec ses lèvres sur l'anche et en soufflant la fait vibrer). Sa machine peut prononcer plusieurs mots, comme papa, maman, pantomime. Il préfère lui faire dire des mots en latin, français ou italien, car l'allemand est trop difficile à reconstituer. Sa création parlante est composée d'un caisson, d'un entonnoir en caoutchouc faisant office de bouche, d'un second caoutchouc pour le nez et d'un mécanisme interne qui est un soufflet simulant les poumons. L'air est transmis par ces tuyaux jusqu'au niveau de la pseudo-bouche où le baron a placé l'anche vibrante. Le son peut être créé. Un troisième levier modifie les caisses de résonance situées dans la tête de l'androïde. Le tour est joué. L'androïde a une « voix ».

L'abbé Mical, ecclésiastique de renom, qui voulait remporter le concours de l'Académie impériale des sciences de Saint-Pétersbourg, fabrique deux têtes parlantes capables de prononcer des phrases comme « le roi donne la paix à l'Europe ». Dans cette fin du XVIIIe siècle où la connaissance prend le pas sur la religion, Lavoisier et Laplace assistent à cette manifestation scientifique et sont impressionnés par ces têtes parlantes. Mis à part nos scientifiques français, les autres trouvent que si les têtes ont des lèvres qui bougent, les androïdes mangent souvent les mots et ont une voix qui reste rauque. Jacques de Vaucanson, vers 1850, ingénieur grenoblois, ne peut parvenir à son rêve : fabriquer un androïde qui parle. Il fabrique pourtant de nombreux automates sans qu'aucun ne lui convienne.

Ces balbutiements de la voix robotique montrent la fascination de l'homme pour la voix ! On la retrouve chez de nombreux écrivains de science-fiction, dans les films actuels, dans les jeux d'ordinateur. Les androïdes fascinent encore au début de notre XXe siècle mais avec bien d'autres techniques. Le robot manifeste vocalement une émotion. Si la parole synthétique est désormais bien contrôlée, la voix robotique en est à ses balbutiements. Elle doit prendre en compte désormais le vocabulaire, la syntaxe et la mise en « émotion » de la voix, dans un monde qui se veut le plus réaliste possible.

Le golem : mythe ou réalité

Entre la mythologie et la fiction, le pas est presque franchi. Entre l'homme et l'androïde cloné, entre Adam et le Golem, les mystères s'estompent. Le robot du nom d'Héphaïstos, fils de Zeus et d'Héra, époux d'Aphrodite, est une masse inerte de métal ou d'argile. Ce terme apparaît sous la plume de l'écrivain tchèque Karel Čapek. Il signifie en tchèque : travailleur forcé. Depuis des lustres, l'homme cherche à contrôler son propre clone, à fabriquer son extension technologique manuelle comme s'il transférait son ego sur l'autre. Dans la mythologie, les dieux doués d'immortalité fabriquent des hommes, mortels, qui leur obéissent. À son tour, l'homme veut fabriquer ses pantins, il veut jouer à Dieu. Selon le chant 18 de l'*Illiade*, huit siècles avant Jésus-Christ, Héphaïstos fut le premier à créer ses robots, dont les plus connus sont les deux servantes en or qui pouvaient parler et penser et donc être considérées comme humaines. En effet, demander à un robot de parler, c'est l'humaniser, c'est vouloir le rendre intelligent. C'est donner naissance à un être presque vivant.

La Bible, dans le psaume 139-6, emploie le mot « golem » dans son sens originel, soit « embryon ». Le Golem, statue humaine, avait inscrit sur son front le mot « *Emeth* », qui signifie « Vérité ». En enlevant le *e*, cela veut dire « mort ». La légende de ce géant d'argile qui ne parle pas est reprise au XVe siècle par le grand rabbin Loew de Prague. Aujourd'hui encore, nombreux sont ceux qui visitent sa demeure. Le Golem est le serviteur de son maître. Il n'émet aucun son. L'histoire dit qu'inexorablement il grandit. Il ne maîtrise plus sa force. Sa destruction est inéluctable. Cette légende met l'accent sur la puissance du mot, sur le pouvoir de la voix par rapport à la maîtrise de la vie. Le Golem répond aux ordres. Il n'est donc qu'un esclave d'argile dont la force réside dans sa masse physique. L'abstrait, le mot, la pensée n'existent pas. Il ne peut avoir sa propre vie puisqu'il ne peut avoir son propre langage ou sa propre voix. Le Golem n'est-il pas l'ancêtre de l'automate dont l'homme veut rester maître ? N'est-il pas l'ancêtre de Pinocchio chez qui la vie est insufflée lorsque la parole lui est donnée ?

La voix synthétique : l'imperfection de notre voix pour faire parler l'émotion

Pour synthétiser au mieux la voix humaine par ordinateur, il faut en connaître les moindres formules mathématiques, en extraire le schéma mélodique. On se doit également de comprendre non seulement les fréquences, mais également les silences de l'émission vocale. Dès lors, par l'étude acoustique, on projette sur des courbes faites de pleins et de déliés la densité des traits de chaque élément fondamental de l'émission sonore. Lorsque vous faites un *a*, plusieurs fréquences s'affichent sur le spectrographe avec des niveaux de gris différents. L'ordinateur est programmé pour qu'à chaque niveau de gris corresponde une fréquence spécifique, une intensité propre, un bruit caractéristique. La synthèse vocale est représentée en trois dimensions.

Le langage parlé ou chanté n'est pas une succession de sons identiques. En effet, la lettre *a* est prononcée de façon différente pour papa et pour maman. L'ordinateur reproduit un *a* identique. Il faut donc programmer le *a* mais avec la suite de différents phonèmes.

Pavel, chef d'orchestre russe que j'ai rencontré à la fin des années 1990, commence à travailler sur la musique synthétique. Il me raconte son expérience surprenante. Suivant l'analyse acoustique mathématique, il synthétise les violons, les violoncelles, l'accordéon, les guitares, etc. Il programme la mélodie et l'enregistre. Il l'écoute avec une grande tristesse et un sentiment d'échec. Bien que la courbe du spectographe de cette musique robotisée soit superbe, elle heurte l'oreille. Pourtant, tout est parfait, sans doute beaucoup trop parfait ! Tous les *la* sont à 440 Hz précis. Tous les violons ont le même timbre. On n'a jamais entendu une telle perfection dans un orchestre, habituellement le *la* est soit deux hertz plus bas, soit plus haut en fonction du violon qui joue et du degré d'humidité du studio. La faute incombe à cet enregistrement qui est reproductible comme une formule de mathématique, comme une courbe de géométrie. Ce n'est plus de l'art, c'est une photocopie. En effet, lorsque Pavel dirige son orchestre, il n'a jamais deux fois exactement la même note ou le même timbre pour un instrument. Le génie de cet artiste est d'avoir compris et ressenti que ce monde synthétique était vide de tout affect. La perfection était l'erreur ! Il ne se décourage pas et repart à l'ouvrage. Il ajoute un paramètre « chaotique » dans son enregistrement virtuel. Il programme l'ordinateur pour permettre d'avoir une variation de plus ou moins 2 à 4 Hz par rapport à la note souhaitée. L'enregistrement devient humain, l'émotion s'en mêle. L'imperfection a permis de rendre cette musique presque naturelle.

Le doublage : de l'artiste au virtuel

La voix parlée anime un personnage de synthèse ou de dessin animé. Le doublage donne vie à ces personnages virtuels.

Les artistes du doublage sont remarquables. Ils vont prendre la voix d'un bébé, de Mickey, de Titi et Gros Minet, ou de Peter Pan. Leur partenaire est la bande-image. Quelle fabuleuse créativité vocale pour trouver le ton juste, le timbre vrai, le silence affectif qui apporte le non-dit de la personnalité du roi Lion. La voix humaine fait vibrer ses personnages qui deviennent attachants. C'est l'œuvre d'un artiste à part entière comme Luc Hamet qui a doublé le lapin espiègle Roger Rabbit et lui donne du caractère et de l'émotion par la vibration de sa voix.

Mais le personnage de synthèse peut avoir une voix de synthèse. L'étude sur la prosodie de la voix en colère, la voix souriante, la voix triste ou heureuse est à l'origine de la voix virtuelle. Elle impose de prendre en compte les mimiques et les lèvres du protagoniste. La synchronisation entre la parole et le faciès devient capitale pendant la réalisation de la bande-son. Les lèvres et la mimique du visage doivent traduire la mélodie et la sensibilité de la voix et réciproquement.

De l'affectif au virtuel, l'étape qui semblait impossible il y a quinze ans est franchie aujourd'hui. Le concepteur devient créateur d'un monde vivant virtuel. L'ordinateur apporte seul l'image et la voix du personnage. Il construit dans son langage binaire les harmoniques, la mélodie et le rythme de la voix parlée ou chantée, les imperfections, les accentuations et les silences, le faciès et le caractère du personnage. Cependant, la prosodie n'est pas la même suivant les langues utilisées, suivant l'accent de Marseille ou de Paris, suivant les mots qui véhiculent l'idée. Le nombre de paramètres à prendre en compte est hallucinant. C'est le rôle du maître du scénario.

Au XXe siècle, les applications de la voix de synthèse sont de plus en plus nombreuses. On la retrouve dans les films d'animation, dans les messages automatiques du téléphone ou sur Internet. La voix synthétique, si elle veut toucher notre affect, ne doit pas être neutre. La fréquence fondamentale ne suffit pas à dire d'une voix qu'elle est caractéristique de l'homme ou de la femme. Sa mélodie, son vocabulaire, son charme sont des éléments essentiels. La synthèse vocale de demain devra prendre en compte ces paramètres difficilement palpables.

La voix sexuée

Voix d'homme, voix de femme : la rencontre entre la génétique et les hormones.

Du nourrisson qui crie à la voix sexuée de cette femme que l'on écoute avec désir ou de cet homme qui vous charme, comment cette métamorphose se produit-elle ? Comment la révolution hormonale de l'adolescence transforme-t-elle la voix ? Comment notre cartographie génétique impose-t-elle sa marque sur l'expression verbale de notre pensée et sur le monde de nos émotions ?

Voix et hormones : deux mots qui s'entrechoquent, qui se rencontrent, qui s'harmonisent. L'un est impalpable, affectif, symphonique ; il est le reflet de l'être. L'autre est chimie, formule moléculaire, rationnelle, purement scientifique, parfaitement connue, où chaque atome a sa place définie sans aucune improvisation, réglée par une mécanique impressionnante depuis des millions d'années. Quel est le lien ?

Hormone et chromosomes : pas toujours d'accord

La voix est sexuée. Mais le sexe de la voix est-il notre sexe génétique ? Est-il dû à nos chromosomes XY, XX ou bien à nos hormones œstrogènes et progestérone pour la femme, androgènes pour l'homme ?

L'instrument de musique, le larynx, est une cible hormonale. Il est hormono-dépendant

À la puberté, il subit moult modifications. Ces modifications dépendent de notre patrimoine génétique, mais surtout de nos hormones. En effet, les castrats gardent une voix d'enfant, une voix dite féminine. Leur puissance vocale est masculine, leur timbre celui d'une femme. Ce « monstre » vocal, ambigu, qui peut nous mettre mal à l'aise, démontre si besoin est l'importance indiscutable de l'impact des hormones mâles sur nos cordes vocales, qui viennent marquer notre empreinte génétique masculine.

Que sont les hormones ? Qu'en est-il de l'influence de la testostérone, hormone maîtresse dans le timbre de la voix ? La différence entre le mâle et la femelle chez l'*Homo habilis*, dès l'apparition de cette espèce, montre une différence importante de constitution corporelle. Le mâle est deux fois plus massif que la femelle. Sa voix est différente, plus grave, tonitruante. La femelle présente, elle, des harmoniques plus aigus, moins puissants. Cette différence s'atténue dès l'apparition de l'*Homo sapiens*. La testostérone est l'hormone maître chez le petit d'homme. Elle lui donnera dès l'adolescence sa puberté masculine.

Le cerf de la vallée de Chambord

En parcourant les forêts des châteaux de la Loire près de Chambord, on entend un cerf bramer. En ce mois d'octobre, période des amours, son émission sonore n'est pas habituelle. Il se veut agressif. Il veut attirer les biches, les séduire. Mais, également, le brame du cerf intimide ses congénères et l'impose comme le mâle dominant : le voilà prêt à constituer son harem. Ce message acoustique, qu'a-t-il de particulier ? Il s'accompagne de signes associatifs précis qui signent l'empreinte du mâle. Le cerf laboure le sol avec ses bois : c'est un élément visuel. Il délimite son territoire avec des sécrétions d'urine et de sperme : c'est un élément olfactif. Le brame a une fréquence très grave, très mâle : c'est l'élément acoustique. La tonalité l'impose en tant que mâle dominant. Ce type de brame n'existe que pendant la période de rut. Lorsqu'on l'observe à travers les branchages, son cou est gonflé, ses testicules également, il y a une recrudesence importante de la sécrétion de testostérone. Cette hormone mâle renforce ses muscles laryngés, impose sa puissance sonore et son statut de chef. Ainsi, de par ses attitudes, il intimide les autres mâles et s'impose sans avoir à combattre. L'importance de la sécrétion des androgènes sur la vocalisation, sur la puissance, sur les fréquences a permis, sans aucun doute, l'apparition des caractères sexuels secondaires.

L'ADN donne naissance à ces molécules hormonales de façon précise, indiscutable. Nous serions presque amenés à dire, inamovible. Est-ce que la voix a un sexe ? Si oui, est-il hormonal ou chromosomique ? La voix change avec les années, avec les cicatrices de la vie, avec notre aspect et notre enveloppe corporelle. Elle change également avec le monde émotionnel qui nous environne. Si l'empreinte digitale peut identifier un aspect physique qui nous est propre, unique, non reproductible, l'empreinte vocale révèle notre personnalité intime, notre moi, notre sensibilité profonde. Elle trahit notre pensée, révèle notre sexualité. Essayons de retrouver le chemin de la voix sexuée. Reprenons le parcours de ce miracle de la vie, de l'embryon à l'adulte. Comment la voix imprégnée par les hormones, imposée par les chromosomes, se transforme-t-elle, se construit-elle, se crée-t-elle sa propre identité ?

Les pleurs du nourrisson n'ont pas de sexe

Le nourrisson est mâle ou femelle. Il suffit de regarder son appareil génital « tout dehors » pour les garçons, « tout dedans » pour les filles. Mais son cri est le même. En aucun cas, ses pleurs ne sont dits masculins ou féminins. Ce n'est qu'au moment de la puberté que l'on voit s'inscrire le sexe vocal.

Le larynx est hormono-dépendant et évolue avec la vie sexuelle de l'individu. Vous entendez un speaker à la radio, une personne au téléphone. En quelques dixièmes de seconde, dans la majorité des cas, vous donnez un sexe à cette voix. C'est un caractère sexuel secondaire. Elle est influencée, bien sûr, par les hormones sexuelles, mais pas seulement. Les hormones thyroïdiennes ont un rôle important dans notre registre vocal. La thyroïde, glande située à la base du cou, peut être le siège d'un goitre, c'est-à-dire une augmentation de son volume avec des nodules, ou, à l'inverse, être hyposécrétante, c'est-à-dire diminuer sa sécrétion d'hormones thyroïdiennes. Son action est indispensable pour l'évolution vocale. Elle agit « comme le soufflet sur le feu » et ce sur la majorité de nos organes ainsi que sur le timbre de notre voix. Dans une hypothyroïdie sévère, la voix est enrouée. Les cordes vocales sont légèrement œdématiées et le muscle vocal congestionné. Cette pathologie bien connue régresse dès le traitement à base d'extraits thyroïdiens. La voix se rétablit et réintègre son registre et ses harmoniques naturels. Cependant, les éléments essentiels qui modifient notre timbre vocal sont nos hormones sexuelles : les œstrogènes, la progestérone et les androgènes.

Que sont les hormones ?

D'Aristote à nos jours : rien n'a changé ou presque

Les hormones sont sécrétées par de petits amas de cellules glandulaires. Depuis près de deux siècles, les physiologistes ont compris l'importance de ces médiateurs chimiques qui transportent une information grâce à une molécule et permettent de modifier, de transformer, d'adapter l'organe que nous appelons cible, ici le larynx, qui crée notre voix. Déjà Aristote, quatre cents ans av. J.-C., a montré que la castration du rossignol mâle entraîne un changement du chant qui devient beaucoup plus aigu. Il faut attendre Léonard de Vinci, près de deux mille ans plus tard, en 1543, pour que l'on s'intéresse aux organes endocriniens qui synthétisent les hormones. Trois siècles passent. Claude Bernard, physiologiste de renom, s'intéresse dès 1865 à l'importance du rôle du foie. Cette énorme glande ne permet pas seulement de sécréter de la bile, mais synthétise des substances qui sont ensuite larguées dans notre circulation sanguine pour modifier certaines fonctions de nos organes. Brown Sequart, en 1889, va plus loin. Il affirme que « chaque cellule de l'organisme sécrète pour son propre compte des ferments spéciaux qui sont versés dans le sang et qui viennent par l'intermédiaire de ce liquide influencer toutes les autres cellules, ainsi rendues solidaires par un mécanisme autre que celui du système nerveux ». Il s'injecte en mode sous-cutané un broyat de testicule de lapin pour lutter contre les rigueurs de l'âge et essayer de récupérer un semblant de jeunesse. D'après ses écrits, il en aurait ressenti les bienfaits. Désormais il est admis que certaines glandes rejettent par leurs canaux excréteurs une substance dans notre circulation sanguine. Ce message chimique est appelé hormone. L'endocrinologie, science des hormones, était née. L'étude des glandes à sécrétions internes devient une spécialité médicale. La survie et le bon fonctionnement de notre organisme en dépendent.

L'hormone est une télécommande moléculaire sans fil

Affronter les agressions du temps sera le rôle de la glande thyroïde. Permettre d'adapter notre sexualité sera le rôle de nos hormones sexuelles. Parmi les mammifères, l'homme est celui qui a la plus grande complexité hormonale. À tel point que déstabiliser la sécrétion hormonale peut entraîner des troubles irréversibles. Supprimer certaines glandes sans donner un traitement substitutif peut entraîner la mort. Enfin, l'équilibre précaire des hormones entre elles permet la stabilité du monde du vivant. Cette action est capitale dans l'évolution de notre adolescence. Les glandes endocrines, comme l'hypophyse, l'ovaire, le testicule, la thyroïde, les glandes surrénales, pour ne citer que les principales, fabriquent l'hormone à l'intérieur d'elles-mêmes pour ensuite la déverser par un conduit excréteur dans nos vaisseaux sanguins. Dès lors, l'hormone va exciter son organe cible après avoir emprunté les autoroutes de notre corps.

Hormone vient du mot grec *hormas* qui signifie « j'excite, ou je stimule ». L'hormone va exciter l'organe récepteur spécifique, c'est-à-dire propre à une action donnée : l'adrénaline accélère le cœur, la testostérone augmente notre libido. Les hormones femelles, œstrogènes et progestérone, sont sécrétées par les ovaires seulement et seulement si la FSH et la LH, qui sont des hormones hypophysaires, ont elles-mêmes excité l'ovaire.

Enfin, œstrogènes et progestérone vont à leur tour exciter un de leurs principaux organes cibles, les organes génitaux, et provoquer les règles chez la femme, seulement si l'utérus est en place. Dans le cas où une femme aurait subi une hystérectomie, il n'existe plus d'utérus, donc plus de menstruations : l'organe visé qui se trouve en bout de chaîne a été enlevé ; les conséquences menstruelles ont définitivement disparu mais pas les conséquences des valses des hormones sexuelles sur l'organisme. Ainsi les autres organes cibles comme le vagin, les seins ou le larynx gardent leur tonicité et leur rythme hormonal. En quelque sorte, l'hormone est une télécommande sans fil, mais au lieu d'être à infrarouge, elle est moléculaire. Une quantité infinitésimale suffit pour avoir un impact significatif. Si les vitamines sont indispensables dans notre alimentation car elles n'existent pas dans notre corps, les hormones sont créées par nos propres cellules et sont également indispensables à la vie. Elles accélèrent, stabilisent ou freinent l'organe cible en question. Connaître la formule chimique de ces médiateurs nous permet aujourd'hui de les synthétiser, d'analyser précisément l'impact spécifique qu'elles ont sur notre organisme et, surtout, de mieux comprendre la structure complexe des chefs d'orchestre de nos hormones que sont l'hypothalamus et l'hypophyse et de traiter les affections hormonales.

Le larynx : un organe cible de plusieurs hormones

Le larynx, organe cible, est informé par ses récepteurs spécifiques de la venue de molécules hormonales. Ces récepteurs produisent dès lors la synthèse de protéines pour une action précise. La notion du temps est un élément essentiel dans l'action hormonale. Cette quatrième dimension joue un rôle non seulement dans l'évolution de la vie, mais dans l'évolution quotidienne.

Certaines hormones doivent être sécrétées à des moments particuliers de notre vie : pendant la vie fœtale, à la naissance, ou juste au moment de la puberté. Avant, c'est trop tôt, après, c'est trop tard.

Cette horloge impressionnante de notre organisme n'est

pas encore élucidée. Prenons l'exemple des hormones thyroïdiennes. Si elles n'agissent pas dans les toutes premières années, des anomalies physiques et intellectuelles de l'individu seront irréversibles, pouvant conduire au crétinisme. Si plus tard, de façon artificielle, on tente de pallier cette carence hormonale, les dégâts sont faits. De nos jours, des diagnostics très précoces permettent de prescrire le traitement adapté en temps voulu. Mais si l'impact hormonal nécessite un tempo particulier pour agir efficacement dans l'évolution de notre vie, ce n'est que plus probant dans le cycle menstruel de la femme et dans notre cycle journalier. Dans le cycle journalier la cortisone présente une sécrétion naturelle dans notre organisme en fin de nuit et en fin de journée. Ces différents éléments sont contrôlés par notre feed-back, qui permet d'éviter un surplus ou un manque hormonal par autorégulation.

Trois commandeurs pour diriger nos hormones

À la puberté se met en route cette formidable usine hormonale dont les commandeurs sont le cerveau, l'hypophyse et l'hypothalamus. Leurs ordres provoquent la sécrétion hormonale. Le premier commandeur intervient : notre centre neurologique et notre monde émotionnel informent sous forme d'impulsion électrique notre hypothalamus situé à la base de notre encéphale. Le second commandeur prend la relève : l'hypothalamus à son tour informe le troisième commandeur, l'hypophyse, qui sécrète des substances qui se dirigent sur les glandes concernées. La glande est informée, et c'est elle qui sécrète les hormones pour aller sur les organes cibles d'une part et d'autre part pour informer l'hypothalamus et l'hypophyse que tout va bien et que le taux de sécrétion est satisfaisant. Ce rétrocontrôle est d'une précision impressionnante et préserve notre équilibre hormonal, ni trop, ni trop peu, juste ce qu'il faut. Dans le cas d'une hypersécrétion glandulaire, le complexe hypothalamo-hypophysaire diminue la stimulation de la glande en question. Par exemple, si trop d'hormones thyroïdiennes arrivent par les vaisseaux au niveau de l'hypophyse, la TSH sécrétée par l'hypophyse et qui stimule la glande thyroïde diminue. L'excitation de la glande thyroïde diminue, elle sécrète donc moins d'hormones thyroïdiennes. Alors, l'hypophyse reçoit une nouvelle information, à savoir : il y a moins d'hormones thyroïdiennes qui lui arrivent. La conséquence est de nouveau une restimulation de la glande thyroïde et ça repart. Ce feed-back hormonal agit comme un thermostat : vous avez réglé la température à 20 °C dans votre chambre. Lorsqu'il fait 22 °C, il active le système de refroidissement, lorsqu'il fait 18 °C, il met en marche le système de réchauffement. Dans un cas comme dans l'autre, il stabilise l'atmosphère de la pièce à la température voulue. C'est un feed-back artificiel, régulateur.

Les hormones jouent le rôle de médiateur entre notre cerveau et nos différents organes, notamment notre larynx. L'hypophyse, glande pas plus grosse qu'un petit pois, gouverne notre survie ! Ce jeu subtil entre l'équilibre et le déséquilibre permet une harmonie de tous les instants. À l'adolescence, une contusion de cette glande lors d'un accident peut définitivement altérer la croissance de l'enfant. La rapidité du diagnostic permet d'éviter les conséquences de cette lésion en donnant un traitement hormonal substitutif. Ailleurs, l'hypophyse n'est pas tout à fait équilibrée. Elle aura un excès de sécrétion pour un certain type d'hormone de façon anarchique. La croissance est perturbée. La voix est altérée. Il faut également traiter ce déséquilibre pour éviter les conséquences irréversibles d'un adénome hypohysaire, par exemple.

La puberté, métamorphose de la voix : mâle ou femelle, elle a choisi

L'adolescence va nous conduire vers le chemin de nos fréquences sexuées. L'adolescent qui devient homme, svelte, athlétique, est desservi par sa voix de fausset, trop aiguë, insupportable. Pour d'autres l'harmonie magique de l'évolution de l'être a créé la vibration vocale d'un Caruso ou d'une Callas ou tout simplement d'un M. Tout-le-monde qui est bien dans sa voix comme on est bien dans sa peau.

À partir de quand ?

La puberté, passage de l'enfance à l'âge adulte, voit apparaître les caractères sexuels secondaires, la transformation physique, psychologique, propre à chaque sexe. En Occident, l'âge moyen de la puberté est de dix à treize ans, en Orient de neuf à douze ans. L'apparition des hormones sexuelles – œstrogènes et progestérone chez la fille, androgènes chez l'homme – crée et permet l'apparition de la troisième couche d'épithélium sur la corde vocale. Ainsi, les harmoniques de la voix deviennent adultes grâce à la formation de cette troisième couche d'une part, et à la finalisation du galbe musculaire strié cordal d'autre part. Chez la fille qui devient femme, les harmoniques sont plus importants dans les aigus que chez l'enfant, avec également l'apparition d'harmoniques relativement graves qui n'existaient pas chez la fillette. Chez le petit garçon, la testostérone agit sur la structure muqueuse et musculaire des cordes vocales. Elle permet la création des harmoniques graves avec la perte de certains harmoniques aigus qu'avait le petit garçon.

C'est chez l'homme que la révolution hormonale est le plus impressionnante. La forme et le revêtement des cordes vocales changent, s'épaississent, grandissent, acquièrent un certain volume, mais il en va de même de sa cage thoracique, de ses poumons, de sa stature et de son cerveau. On assiste, en Occident, à une hypertrophie du cerveau gauche par rapport au cerveau droit, alors que la femme va le plus souvent garder un équilibre entre le cerveau de la raison et le cerveau de l'émotion. Si, en ce qui concerne la voix, la puberté masculine est beaucoup plus flagrante que la puberté féminine, elle existe chez les deux sexes. Elle entraîne une transformation émotionnelle, qui le plus souvent s'harmonise avec l'apparence physique. Chez la femme, la voix sera d'une tierce plus grave que la voix de l'enfant, chez l'homme, une octave plus grave que la voix de l'enfant.

La puberté peut se tromper de chemin

La mue peut durer de un à cinq ans chez le garçon. Mais la puberté se trompe parfois de chemin. Une dysharmonie par déséquilibre entre la voix et le souffle, par perturbations pneumo-phoniques, aboutira dans certains cas à des voix qui déraillent, à la tyrolienne. La capacité pulmonaire, l'appareil cardio-vasculaire, le taux d'hémoglobine et de globules rouges sont supérieurs chez l'homme, de même que sa masse musculaire striée. Une voix de fausset, chez ce petit garçon devenu homme, qui ne trouve pas sa stabilité, doit être traitée. Elle entraîne un anachronisme entre l'âge de la voix et l'apparence physique. Ce chemin difficile de l'harmonie de la voix par rapport à son corps est l'obstacle le plus délicat de l'adolescence, car la voix impose la personnalité ! Dès lors, il semble indispensable d'aider, si besoin est, cette métamorphose. Pour cet adolescent, la rééducation vocale permet d'aller à la découverte de sa voix d'adulte qu'il ne connaît pas et d'équilibrer son souffle par rapport à son larynx, son attitude comportementale par rapport à son milieu socioculturel.

Le virage est bien négocié : mâle ou femelle, pas d'ambiguïté

Chez l'homme chanteur, on voit apparaître, dès la puberté, une voix de tête et une voix de poitrine bien définies. Ces deux techniques vocales mettent en jeu les ligaments et le muscle situés entre le cartilage thyroïde et le cartilage cricoïde particulièrement développés chez l'homme. Ils permettent la bascule du larynx, qui est spécialement efficace du fait de la calcification du cartilage thyroïde (pomme d'Adam). L'allongement important des cordes vocales de l'homme lui donne également la faculté de chanter dans ces deux registres de tête et de poitrine.

Chez la femme, la puberté présente moins de péripéties. Elle se fait tout en douceur. Le cartilage thyroïde et la membrane crico-thyroïdienne évoluent peu. La corde vocale s'allonge légèrement, s'étoffe dans son galbe. Elle reste très souple avec une muqueuse fine malgré la formation de la troisième couche dans son épithélium. Les petites cellules glandulaires lubrifient les cordes vocales et dépendent de l'action des hormones féminines (ou œstro-progestatives). L'ovaire entre dans sa période active de reproduction. Les premiers cycles apparaissent. Ils deviennent progressivement réguliers. La voix, après quelques mois, découvre de nouveaux harmoniques aigus et graves. Le rythme périodique de la sécrétion œstro-progestative rythme le cycle de la vie de l'adolescente. Ce cycle lunaire est orchestré par l'axe hypothalamo-hypophysaire grâce à l'action de la FSH et de la LH, hormones qui agissent directement sur l'ovaire pour permettre les sécrétions des œstrogènes et de la progrestérone. Rappelons que pendant le cycle menstruel, on distingue la phase folliculaire entre le premier et le quatorzième jour du cycle, où seuls les œstrogènes sont présents – il n'y a pas de progestérone –, et la phase lutéale entre le quinzième et le vingt-huitième jour du cycle où sont sécrétés la progestérone et les œstrogènes. Dans ce cas de figure, l'ovulation a eu lieu le quatorzième jour.

Cycle lunaire et cycle solaire s'aiment d'amour tendre

Que ce soit chez l'homme ou chez la femme,
les glandes sexuelles ont deux fonctions

La première permet la reproduction par la formation des spermatozoïdes chez l'homme, par la préservation des ovules chez la femme. La seconde est la synthèse des hormones sexuelles, les androgènes chez l'homme et les œstrogènes, la progestérone et un soupçon d'androgènes chez la femme.

Chez la petite fille le nombre d'ovules est prédéterminé dès la naissance. Il est dans le follicule et n'existe qu'au niveau de l'ovaire. L'ovule possède vingt-trois chromosomes, mais tous X. Le sexe de l'enfant est donc déterminé par le spermatozoïde qui lui est ou X ou Y. Chez l'homme, les testicules permettent la création des spermatozoïdes de façon régulière et presque tout au long de sa vie. L'andropause n'apparaît, pour certains, que vers quatre-vingts ans. Rappelons que 1 cm^3 de sperme contient près de 200 millions de spermatozoïdes et, pourtant, un seul suffit pour gagner la partie et féconder l'ovule ! Quelle course effrénée !

Dès l'âge de cinq mois, le fœtus femelle possède de 5 à 7 millions de follicules au sein de l'ovaire. À sa naissance, la nouveau-née en a 2 millions. À la puberté, l'adolescente présente

300 000 follicules dans chaque ovaire. Vers la quarantaine, la femme en possède 25 000. À la ménopause, il n'y en a plus que 3 000. Ils disparaissent totalement lorsque la femme atteint l'âge de cinquante-cinq ans.

Le premier cycle menstruel va naître chez l'adolescente. Cette naissance est sous la dépendance des deux hormones hypophysaires, FSH et LH, qui lancent le processus du cycle de la vie. Le cycle lunaire harmonise ses quarante prochaines années. La vie génitale active est en marche. À chaque cycle menstruel avec ovulation, après l'éclosion du follicule, une cicatrice indélébile se forme sur l'ovaire. Chaque cycle est rythmé non seulement par un impact physique, mécanique, ovarien, mais également par un impact moléculaire, hormonal et chimique sur l'individu tout entier. Au milieu du cycle, l'ovule quitte son follicule qui reste dans l'ovaire. Dès la libération de l'œuf, le follicule se transforme en corps jaune et devient une glande endocrine qui sécrète la progestérone. Cet ovule flotte entre l'ovaire et les franges de la trompe puis suit son chemin dans la trompe jusqu'à l'utérus à la rencontre du spermatozoïde. Ainsi, dans la première partie du cycle, il n'existe pas de progestérone mais seulement une sécrétion d'œstrogènes. Pendant la deuxième partie du cycle, on constate une sécrétion d'œstrogènes et de progestérone. Mais, fait capital, pour que la progestérone puisse agir, il est indispensable que les œstrogènes aient préalablement préparé le terrain et informé les récepteurs des différents organes cibles. L'existence du corps jaune se termine à la veille des règles, réduisant à néant la sécrétion de progestérone. Cette chute brutale des œstrogènes et de la progestérone provoque les règles. À moins qu'il y ait eu une fécondation, auquel cas le corps jaune persiste, et permet à l'utérus de jouer son rôle nourricier, avec la formation du placenta et le développement du fœtus. Ici encore, on retrouve le mécanisme du feedback. Les hormones n'étant plus sécrétées, le complexe hypothalamo-hypophysaire n'est plus freiné ; il peut donc relancer la sécrétion des deux hormones FSH et LH qui à leur tour vont restimuler l'ovaire pour un nouveau cycle menstruel.

Alors que l'homme renouvelle journellement ses spermatozoïdes selon un cycle solaire, la femme ovule au rythme du cycle lunaire.

Trois acteurs pour notre vie sexuée : androgènes, œstrogènes et progestérone

Nos trois acteurs ont une structure moléculaire semblable. Leur squelette est un stéroïde de dix-huit atomes de carbone tout comme le cholestérol. Chaque hormone a son rôle privilégié, son action précise. Son jeu dans notre organisme n'est possible que par l'existence de récepteurs spécifiques fixés sur les organes cibles de notre corps. L'impact de cette molécule induit une influence mâle ou femelle. Elle entraîne une modification des muqueuses, des muscles, des tissus osseux, donc de l'instrument laryngé, de notre voix, mais elle modifie également le cortex cérébral et donc influence notre cerveau. Cette influence est primordiale à la puberté et persistera tout au long de notre vie.

Voix de femme

La voix féminine n'a cessé de charmer depuis des millénaires. Déjà, dans la civilisation grecque, Apollon et Orphée s'interrogeaient sur le culte de l'athlète pour le corps et celui de la voix des sirènes pour l'émotionnel.

Les œstrogènes sont là et le timbre vocal est plus aigu

Les œstrogènes, sécrétés par les ovaires, entraînent différentes conséquences sur le larynx. Ils augmentent légèrement l'épaisseur de la muqueuse de la corde vocale, ce qui permet une plus grande amplitude vibratoire. La voix est bien timbrée. Ils diminuent la desquamation des cellules superficielles et, donc, le raclement et les mucosités laryngées. Les cellules graisseuses qui se situent sous la muqueuse de la corde vocale sont stimulées. La voix est plus souple (c'est ce que l'on nomme le stade de maturation avec une action proliférative dans le cycle menstruel).

Muqueuse génitale et muqueuse vocale : pas si différentes

Dès 1982, on a retrouvé des récepteurs des hormones œstrogéniques sur les cordes vocales tout comme sur l'utérus. Ces différentes constatations objectives ont été affirmées lors d'études comparatives entre les frottis des cordes vocales et les frottis du col de l'utérus à la même période du cycle, que nous avons faits en 1986 et 2004. Les conclusions ont été impressionnantes : l'aspect cellulaire était identique. Il existe un parfait parallélisme entre le frottis du col de l'utérus et celui de la corde vocale. Si l'intuition existait depuis des lustres, car on retrouve le même type de muqueuse et donc logiquement le même impact cyclique, la preuve scientifique objective était faite.

Les œstrogènes : pas seulement sur le larynx

Les œstrogènes agissent également sur la glande mammaire et ses canaux excréteurs, sur la croissance des seins à la puberté chez la petite fille. Leur action sur le métabolisme du calcium influe sur les structures osseuses et cartilagineuse de notre larynx. Celles-ci augmentent ou maintiennent la masse osseuse globale. Les œstrogènes accentuent la perméabilité des vaisseaux et des capillaires très nombreux au niveau des cordes vocales. De ce fait, l'oxygénation est augmentée. Ils n'ont aucune action sur les muscles striés. Ils diminuent le risque de la maladie d'Alzheimer. Ils ont une action antagoniste avec les androgènes. Enfin, pour que la deuxième hormone strictement féminine, la progestérone, puisse agir il est indispensable qu'il existe préalablement une imprégnation œstrogénique tissulaire.

La progestérone apparaît : la voix se modifie

Elle provoque un gonflement de la corde vocale

La progestérone n'existe que chez la femme et on ne la retrouve pas chez l'homme, contrairement aux œstrogènes. Comme son nom l'indique, c'est une hormone qui permet le maintien de la gestation (du latin *progestare* et *hormone*). Elle n'est sécrétée au niveau des ovaires que pendant l'activité génitale de la femme, de quinze à cinquante-cinq ans. Elle prépare la muqueuse de l'utérus pour la nidation de l'œuf. C'est son rôle essentiel.

Au niveau des cordes vocales, elle fait chuter les cellules superficielles de la muqueuse (processus de desquamation). Elle épaissit les sécrétions des glandes situées au-dessus et en dessous des cordes vocales, ce qui provoque quatre jours avant les règles un assèchement laryngé, des raclements de gorge, une voix chantée moins souple, un registre pincé. En cas de forçage pendant cette période, l'on peut voir apparaître des nodules (petites masses souples faites de la muqueuse cordale). Elle entraîne également une légère diminution du tonus musculaire des cordes vocales. La progestérone diminue voire inhibe la perméabilité des capillaires. Ce qui signifie que le liquide qui est en dehors des vaisseaux (extravasculaire) dans les tissus de la corde vocale y reste, ce qui entraîne un œdème de la corde vocale qui reste gonflée du septième jour avant les règles au premier jour des prochaines règles.

En effet, grâce aux œstrogènes, le liquide intravasculaire est tranquillement passé dans l'espace extravasculaire. Lorsque la progestérone apparaît, si l'équilibre avec les œstrogènes est satisfaisant, le liquide entre les deux espaces est bien réparti. Il n'y aura que très peu d'œdème sur les cordes vocales. En revanche, si ce n'est pas le cas, la progestérone bloque le retour du liquide extravasculaire vers les vaisseaux et l'œdème se constitue. La progestérone a tout simplement fermé la porte des capillaires qui permettent le drainage. Ce déséquilibre du rapport entre œstrogènes et progestérone entraîne, du fait du liquide piégé dans le tissu des cordes vocales, un œdème cyclique observé lors de la dernière semaine du cycle menstruel. C'est comme les jambes qui gonflent chez certaines femmes avant les règles.

La progestérone agit sur l'enveloppe des neurones

Tout le monde s'accorde à dire que la progestérone est sécrétée, comme nous venons de le voir, au niveau des ovaires. Mais le Dr Gago a montré qu'il existe une sécrétion au niveau de notre système nerveux. Son rôle à ce niveau est étonnant. Elle active la synthèse de la gaine protectrice des neurones que l'on appelle la myéline. Elle est également sécrétée à l'intérieur même de notre cerveau. La myéline, manchon qui met le nerf à l'abri de toute agression traumatique, de différences de température, permet de conserver une vitesse constante de l'influx nerveux allant du cerveau à son organe cible. Les nerfs qui ont une gaine de myéline conduisent l'influx nerveux de façon constante et plus rapide. Ian Duncan de l'université du Wisconsin, dès 1995, avait levé le voile de l'action de la progestérone au niveau de notre cerveau mais pas sa synthèse. L'impact de cette découverte a permis de mieux cerner une possibilité thérapeutique pour des maladies neurologiques ou certaines myopathies mettant en cause l'altération de la gaine de myéline et donc la conduction neurologique, comme dans la maladie de Charcot ou la sclérose en plaques. Il semblerait que la progestérone ralentisse de façon significative l'évolution de ces affections.

À la ménopause, la chute brutale de la progestérone entraîne progressivement un ralentissement de la conduction nerveuse à peine détectable. Ce ralentissement est secondaire à une démyélinisation relative des nerfs périphériques et provoque une diminution du contrôle de la voix chantée.

La voix blessée à cause des hormones

Un vendredi d'automne vers 17 heures, je reçois un coup de téléphone de l'Opéra Bastille me demandant d'examiner d'urgence la diva S. L., soprano lyrique internationale ayant une grande expérience professionnelle et une technique vocale hors du commun. Lors de sa troisième répétition, dans une œuvre de Verdi, au premier acte, le drame se produit : elle ne peut plus chanter. Sa voix vient de se blesser. À 18 h 30, je la reçois accompagnée par son imprésario : « Je suis en train de mourir, docteur. » Cette professionnelle, rompue au stress et aux pressions de l'entourage, a l'impression que la voix la lâche. Ce ne pouvait pas être le trac. Son imprésario, M. R., me raconte l'incident. En effet la diva ne veut pas parler, elle est inquiète. « Pendant la répétition, Mme S. L. se sentait fatiguée. Cela dure depuis quelques jours. Mais elle insiste pour venir répéter, pour s'habituer à l'orchestre. Tout se passe bien. Je l'accompagne à l'Opéra. Elle chante quelques minutes avec une voix normale, sans forcer. Mais lors d'une note tenue dans les aigus, elle ressent une violente douleur à droite, dans le cou. Je la vois grimacer mais elle continue de chanter sa partie. Le ténor répond. Quelques dizaines de secondes de repos forcé par le couplet du ténor lui permettent de souffler. À la reprise, sa voix devient grave, son registre aigu n'existe plus, la note *si* et son pianissimo disparaissent. Son vibrato devient impossible. Sa voix n'est plus là. » Je lui demande si elle pouvait parler. « Oui, me répond-il, mais doucement. Mais elle ne pouvait plus chanter. La répétition s'est interrompue, et nous voilà. » Inquiète, elle fond en larmes et me pose la question : « Est-ce que ma voix est blessée ? » Je l'examine.

Mais auparavant, j'aimerais vous faire part d'une réflexion que l'expérience m'a apprise. Les artistes connaissent bien leur voix. Ils savent parfaitement si l'une des cordes vocales vibre mal. Ils connaissent de façon impressionnante leur instrument laryngé. L'artiste a bien souvent raison lorsqu'il se plaint d'une gêne vocale. Ce qui signifie que si je ne décèle pas de pathologie des cordes vocales, cela ne veut pas dire qu'elle n'existe pas mais tout simplement que je ne l'ai pas élucidée. Il faut de ce fait aller plus loin, chercher l'intrus, se munir d'investigations techniques suffisantes et rester à l'écoute de la gêne.

S. L. me montre, avec son doigt pointé sur le larynx, le siège exact de la douleur qu'elle a ressentie pendant l'effort vocal. Son doigt indique la corde vocale droite. La palpation du cou de S. L. est normale. Aucune sensibilité particulière n'est retrouvée. L'examen du larynx, par vidéoendoscopie, donne la clef de l'énigme. Les cordes vocales bougent normalement, mais si la gauche est d'aspect normal, la corde droite est effectivement malade, celle où elle a ressenti un violent déchirement. J'observe un hématome de la corde vocale, poche de sang qui s'est formée sous l'épithélium. L'examen stroboscopique de son larynx nous dévoile le passé de cet accident. En effet, cette corde vocale rouge vif, gorgée de sang, vibre. Elle n'est pas inerte. Elle est souple. Mais elle ne peut plus s'allonger ou se raccourcir. Son galbe a changé. L'équilibre précaire de cet instrument exceptionnel vient d'être blessé. Que s'est-il passé ? Comment se fait-il qu'une chanteuse professionnelle dont la technique est parfaitement maîtrisée, dont l'hygiène de vie est remarquable, ait pu être victime de cet épisode regrettable ?

Pour comprendre la formation de cet hématome, il nous faut revenir dans le passé de cette soprano que la stoboscopie nous ébauche. Retrouver les indices. La diva S. L., quarante ans, ne prend pas de contraceptif. Elle est normalement réglée. Cependant, elle me signale que quatre à cinq jours avant ses règles, ses seins sont tendus, ses jambes un peu lourdes, son bassin douloureux, sa voix légèrement modifiée. Je lui demande plus précisément quelles sont les modifications de sa voix. Le récit est d'une précision exemplaire. « Je perds entre 10 et 15 % de ma puissance, pour passer au-dessus de l'orchestre je dois mieux contrôler mon appui respiratoire, m'enraciner encore plus dans la scène pour contrebalancer la faiblesse de mes cordes vocales. Mon registre est également altéré. Je perds d'un demi-ton à un ton dans les aigus, en revanche, mes graves restent remarquables. Mon contrôle vocal est également différent, pendant cette période, il est vrai que je me racle souvent la gorge et que je suis fatiguée. En fin de concert, j'ai mal au larynx. » Je lui demande de me préciser ce qu'elle signifie par contrôle : « Contrôler, c'est sentir mon timbre. À ce moment du cycle, la couleur de ma voix est un peu plus métallique, le vibrato plus délicat à tenir. Enfin, et surtout, sur certaines fréquences, il m'est difficile de faire un pianissimo. Je n'ai pratiquement pas de problème dans le forte. C'est la liaison entre les différents harmoniques qui me trouble, qui me gêne. J'ai du mal à contrôler ma pleine voix. » Je lui demande : « Actuellement, madame S. L., à quelle période de votre cycle êtes-vous et dans combien de jours pensez-vous avoir vos règles ? » C'était pour moi la question cruciale. « Dans deux ou trois jours, docteur. » Et j'ajoute : « Avez-vous eu le temps de bien chauffer votre voix avant la répétition ? » Après un temps de réflexion elle confirme mon intuition : « Non, j'étais déjà en retard et, de plus, l'air était sec, avec leur climatisation... » Le responsable de cette hémorragie de la corde vocale était pratiquement découvert.

Cette diva chante habituellement à 70 % de ses possibilités. Dans sa phase prémenstruelle, juste avant ses règles, elle chante à 90 % de ses possibilités pour garder un timbre de voix similaire. Mais, aujourd'hui, d'autres éléments sont venus perturber sa musicalité vocale. L'Opéra avait un air conditionné trop sec. Elle-même se sentait fatiguée. Elle me précise par ailleurs qu'elle avait mal dormi la veille. Elle était contrariée.

La survenue de l'hématome devient compréhensible. Cette chanteuse présente un syndrome prémenstruel vocal. J'ai pu observer, à l'aide des loupes de Sherlock Holmes que sont pour nous l'endovidéoscopie et la stroboscopie, les cordes vocales. Elles livrent leur secret pendant l'émission de vocalises. Dans ce cas précis, cet examen me permet de dévoiler non pas l'hématome de la corde vocale droite, là où le diagnostic est évident, mais d'observer, sur la corde vocale gauche, des microvarices témoins d'une fragilité veineuse. La patiente ne souffre pas. La vibration de cette corde est normale. Le danger de ces microvarices est leur fragilité. À droite, elle s'est abîmée sous la puissance de la voix. L'hématome s'est dès lors créé. En effet, quatre jours avant ses règles, les vaisseaux sont fragilisés par le contexte hormonal. L'humidification des cordes vocales est perturbée par un environnement trop sec. Seules les microvarices de la corde vocale droite ont rompu sous la sous-muqueuse. Elles ont cédé lors de la surpression entraînée par les vocalises très puissantes dans les aigus émises par cette soprano lyrique. L'hémorragie sous-muqueuse cordale s'est produite !

Rien ne permettait de prévoir un tel accident. C'est le premier de sa carrière. La raison est simple : elle a pour habitude, depuis des années, de chauffer sa voix, d'assouplir ses cordes vocales, d'oxygéner ses muscles laryngés. Pourtant, aujourd'hui, vers 14 heures, elle n'a pas eu le temps de préparer son instrument de musique laryngé, contrariée par un événement personnel. Nous sommes en période prémenstruelle, elle est fragilisée. L'accident devient explicable. Au désespoir de ses admirateurs, les représentations ont dû être annulées. Le traitement est instauré. Il est simple : repos vocal strict associé à des aérosols, des phlébotoniques, des minéraux et des anti-inflammatoires. Tout est rentré dans l'ordre en moins de deux semaines.

J'ai demandé à cette diva de prendre désormais un traitement cyclique, dix jours par mois, pendant un minimum de deux ans et d'exercer une surveillance régulière de ses cordes vocales, surtout avant ses règles. La fragilité des vaisseaux, l'impact de la progestérone en fin de cycle étaient entre autres responsables de cette blessure vocale. Cet incident devait être déjà connu des Anciens car depuis le XIXe siècle, à la Scala de Milan, il avait été admis que toute cantatrice, cinq jours avant ses règles et pendant ses règles, pouvait ne pas honorer son concert mais qu'elle percevait son cachet. À cette époque, on avait déjà compris que les cordes vocales étaient influencées par le cycle hormonal de la femme.

L'empreinte vocale précise parfois la date du cycle menstruel

La voix change pendant le cycle menstruel

Chez toutes les femmes, on constate un syndrome prémenstruel. Mais seulement un tiers d'entre elles présente un œdème plus sévère des cordes vocales et un gonflement des seins témoin de l'équilibre précaire des hormones sexuelles. La femme qui prend des contraceptifs peut parfois avoir le même type de symptomatologie.

Que se passe-t-il ? La diva S. L. nous a expliqué, sans le savoir, le syndrome prémenstruel vocal de façon remarquable, mais heureusement elle n'avait pas tous les signes ! Dans ce syndrome, la voix est perturbée. Mais s'ajoute à cela, du fait de la perte du tonus des muscles de l'œsophage, une apparition, voire une recrudescence, du reflux gastrique. Lorsque l'estomac se contracte, si le cardia, c'est-à-dire la partie entre l'œsophage et l'estomac, n'est pas parfaitement tonique, il laisse s'échapper vers le haut des mucosités acides. Ces mucosités acides viennent en arrière des cordes vocales au niveau de la gorge. Elles entraînent un assèchement du larynx. Mais, rappelez-vous, la progestérone assèche déjà les cordes vocales. De ce fait, il existe une laryngite postérieure avec un œdème de l'articulation des cordes vocales. Certes, il n'y a pas de douleur car le pharynx ou le larynx ne sont pas blessés.

Votre voix : c'est psycho, madame

Dans le syndrome vocal prémenstruel, la chanteuse se plaint de fatigue, de perte du pianissimo, d'altération de certains harmoniques aigus, d'un déficit de la puissance et d'une voix voilée. La technologie a permis d'objectiver ces altérations du larynx et de supprimer la réponse « c'est psycho, madame » systématiquement opposée devant les troubles de la voix évoqués à cette période.

Chez quelques patientes, j'ai observé également des pharyngites et des angines cycliques qui ont dû nécessiter une vaporisation au laser des amygdales afin d'éviter la prise mensuelle d'antibiotiques et d'anti-inflammatoires.

Lors de cette période prémenstruelle, la formation de l'œdème peut créer ou aggraver la formation de nodules des cordes vocales. Cela entraîne une voix enrouée six jours avant les règles et deux jours pendant. Lorsque cette dysphonie cyclique, épisodique, se répète trop souvent, s'aggrave, les nodules aussi s'aggravent. Ils sont d'abord mous et vibrent correctement. De cycle en cycle, ce simple nodule, comme un petit bouton souple au niveau du tiers moyen de la corde vocale, devient dur. L'enrouement est désormais permanent. Cette gêne nécessite toujours de la rééducation orthophonique pour permettre de rééquilibrer l'axe entre la respiration et la vibration de la corde vocale. Parfois cette rééducation faite par les horlogers de la kinésithérapie que sont les orthophonistes sera complétée par la microchirurgie des cordes vocales. Cette intervention devient indispensable dans la mesure où la voix reste altérée entre les règles et handicape sérieusement cette professionnelle de la voix. Cependant, il est plus judicieux d'opérer ces cordes vocales pathologiques à distance de la semaine précédant les règles afin de permettre la résorption naturelle par l'organisme de l'œdème des cordes vocales que nous venons de décrire et qui disparaît entre le troisième et le vingtième jour du cycle menstruel.

Ménopause : « avec hormone ou pas ? »

Question d'époque

À la ménopause, ce cycle va s'interrompre progressivement. Mais cette ménopause, qui aujourd'hui nous intéresse tous, est une préoccupation relativement récente.

La femme ménopausée, dans la civilisation grecque, quatre cents ans av. J.-C., n'existait pas. Elle était l'exception. L'espérance de vie était de vingt-trois à vingt-sept ans. Au Moyen Âge, la ménopause n'existait toujours pas. L'espérance de vie était de vingt-trois à quarante ans. Il faut attendre le XXe siècle pour que la ménopause soit prise en considération ! En effet, les petites filles nées dans les années 80 ont une espérance de vie de quatre-vingt-douze ans ! La ménopause correspond désormais à presque la moitié de la vie de la femme. À la fin du XXe siècle, la France comptait près de huit millions et demi de femmes ménopausées. L'importance de la voix, le développement de la communication verbale, la relation avec l'autre nous montrent que voix et ménopause deviennent un problème essentiel.

Mais pourquoi la voix s'altère-t-elle à cette période de la vie de la femme ?

À la préménopause, l'activité ovarienne diminue fortement. La formation du corps jaune devient épisodique. On ne reconnaît plus de cycles réguliers. Le taux de progestérone s'effondre. À la ménopause, il n'existe plus de progestérone, il n'y a plus d'ovulation. Il ne reste plus que très peu d'œstrogènes puisque l'ovaire s'atrophie. De même, la sécrétion des hormones mâles diminue également de façon considérable. Mais leur présence, sans l'équilibre des hormones féminines, peut parfois entraîner une masculinisation de la voix. Ainsi, l'ovaire devient uniquement une glande endocrine ayant perdu son rôle d'organe de reproduction. En Occident, cette période s'échelonne entre quarante-sept et cinquante-cinq ans. L'impact sur les différents organes cibles des hormones sexuelles disparaît avec les conséquences qui en découlent. Cependant, de nos jours, grâce au traitement hormonal substitutif, on a repoussé loin, bien loin, les conséquences désagréables dues à l'absence des hormones sexuelles, permettant ainsi d'éviter chez de nombreuses femmes une épreuve morale et physique difficile à accepter. Ne parlait-on pas, dans les années 50, du « retour d'âge » pour la femme préménopausée, qui semblait être le point final d'une tranche de vie ? La meilleure compréhension de notre monde endocrinien lui a permis une aisance et un confort dans la vie au quotidien. Mais ce traitement hormonal n'est pas toujours possible. Il est contre-indiqué entre autres en cas de cancer du sein ou de famille à risque, de pathologie cardio-vasculaire ou encore de troubles liés au cholestérol. Un bilan précis est donc indispensable avant toute décision chez la femme de la cinquantaine.

À la ménopause, nous l'avons vu, il n'y a plus d'ovulation, il n'y a plus de progestérone. L'ovaire, glande endocrine, ne sécrète plus grand-chose. Sa sécrétion a changé. Du fait que les œstrogènes sont moins présents, les récepteurs des hormones sexuelles donnent la part belle aux androgènes et l'organisme y devient plus réceptif. On assiste, dès lors, à un épaississement de la muqueuse de la corde vocale, à une trophicité musculaire du galbe vocal moins souple. La voix devient grave et se masculinise.

Cependant, chez la femme de la soixantaine, certaines actions indirectes des androgènes peuvent être observées, comme l'hirsutisme. Le frottis du col de l'utérus montre une atrophie de l'épithélium. Il en va de même lorsque l'on pratique un frottis des cordes vocales. Par ailleurs, la commande de notre larynx se fait par le nerf vague. Sa rapidité de réponse est accélérée par l'imprégnation œstro-progestative. Ainsi, du cerveau au larynx, du fait d'une diminution radicale de sécrétion d'œstrogènes à la ménopause et d'arrêt de sécrétion de progestérone, on assiste à un ralentissement de la conduction nerveuse.

De ce fait, la réponse vocale est légèrement plus lente, ce qui peut être gênant pour le changement rapide de fréquence dans la voix chantée. Enfin, plus tardivement, le vibrato (sept vibrations par seconde) ne peut plus être tenu. On observe l'évolution vers le trémolo (quatre vibrations par seconde).

La femme à la Modigliani et la femme à la Rubens

Nos observations chez la femme ménopausée nous ont conduits à deux types différents de catégories vocales. Il n'y avait pas toujours masculinisation de la voix. Pourquoi ? Pour simplifier, nous pouvons distinguer deux types de profil chez la femme ménopausée. La première, que nous appellerons à la Modigliani, mince avec peu de masse graisseuse, la seconde, à la Rubens, avec un certain embonpoint.

La synthèse des œstrogènes se fait à trois niveaux : au niveau de l'ovaire quand il est fonctionel, au niveau cérébral (hypothalamus, amygdale et hippocampe), et, enfin, au niveau des cellules graisseuses. Ce sont elles qui nous intéressent ici. Elles sont particulièrement actives pendant la ménopause. Depuis 1977, nous savons que chez l'homme et chez la femme les androgènes peuvent être transformés en œstrogènes dans les cellules graisseuses. La relation entre l'obésité et l'augmentation de la sécrétion d'œstrones (dérivés des œstrogènes) est également relative à l'âge. Elle est plus importante chez la femme ménopausée. Cela est le fait d'un gène particulier de notre ADN (cytochrome 19 associée à P450 aromatase), qui permet cette transformation d'androgène en œstrogène dans nos cellules adipeuses. De ce fait, la femme à la Rubens a moins besoin de traitement hormonal substitutif puisque ses graisses vont transformer les androgènes qu'elle possède en œstrones.

La femme à la Modigliani, mince, nécessitera souvent un traitement hormonal substitutif, prescrit bien sûr en dehors de toute contre-indication. On a remarqué que chez les ténors obèses, le taux d'œstrogènes est plus élevé et que le taux de testostérone est légèrement plus bas que chez le baryton ou la basse. En effet ces chanteurs minces, longilignes, que sont les basses profondes au profil anguleux, présentent un taux d'androgènes supérieur. Ils n'ont aucune masse graisseuse qui peut contribuer à une possibilité de métabolisme transformant la testostérone en œstrogène.

Avec l'âge, la masse maigre (masse musculaire) diminue ; la masse grasse augmente ; il y a une nouvelle répartition des cellules dans notre organisme. Les corticoïdes favorisent l'augmentation de la masse grasse. C'est dire qu'ils doivent être manipulés avec une grande précaution chez la femme ménopausée. Je pense qu'un traitement hormonal substitutif bien adapté associé à des vitamines et des minéraux apporte un confort remarquable chez la majorité des femmes professionnelles de la voix si leur organisme le supporte, ce qui est loin d'être toujours le cas. Ces différentes thérapeutiques ont bien été démontrées par les travaux de David Elia et Henri Rozenbaum dès 1985. J'ai noté qu'ils évitent une masculinisation vocale importante avec l'âge chez la femme et la conservation d'une belle voix en est prolongée de façon significative. Certaines sopranos m'ont impressionné en gardant leur voix jusqu'à soixante-cinq ans avec la même tessiture.

Hormones mâles : les graves s'emparent de votre voix

Les androgènes, hormones mâles par excellence, sont sécrétés chez la femme mais à des doses très faibles : d'une part la glande surrénale située juste au-dessus des reins, d'autre part par l'ovaire lui-même au niveau d'une région spécifique appelée la thèque interne. Ainsi, le sexe féminin nécessite un certain taux de sécrétion de testotérone pour permettre une libido efficace et une voix avec certaines harmoniques graves qui la différencient de la voix de l'enfant. Mais ce taux doit être inférieur à 150 µg/dl sinon on observe une action masculinisante et l'apparition de poil ou hirsutisme. Cette action est souvent irréversible. Elle est aggravée par la prise de cortisone.

Athlètes femmes des pays de l'Est

Dans les années 80 j'ai été amené à examiner des athlètes femmes des pays de l'Est. Ces patientes étaient préparées pour battre des records, mais à quel prix ! L'entraînement intensif était l'une des raisons de ces records, mais pas la seule. Elles ont subi, pour certaines, l'injection d'hormones androgéniques qui ont ainsi permis une meilleure performance sportive. Ces femmes imposantes, c'est le moins qu'on puisse dire, se présentent avec une voix d'homme, ayant pratiquement perdu leurs harmoniques aigus. L'observation de leurs cordes vocales est surprenante pour un larynx de femme. On note une hypertrophie musculaire des cordes vocales, une muqueuse épaissie, l'aspect blanc nacré de la muqueuse a fait place à un épithélium pâle et non brillant. Par ailleurs, on observe une acné et un hirsutisme mais pas de pomme d'Adam. Le cartilage thyroïde n'a pas subi de transformation. Ces athlètes n'avaient pas eu leurs règles depuis des mois. Vu l'importance de la musculature laryngée, aucun traitement médical ne peut améliorer cette voix. Il est nécessaire de pratiquer une plastie laryngée par micro-chirurgie des cordes vocales pour permettre une récupération de la voix féminine.

Voix d'homme

L'homme et ses hormones

Les androgènes sécrétés par les testicules ont une action directe sur la voix. Certes au niveau osseux mais également sur le plan cérébral. Ils entraînent une agressivité plus importante. Ce n'est pas un hasard si le cri lors du combat est un élément souvent indispensable à l'expression mâle, que ce soit chez l'animal ou chez l'homme. Ils augmentent le volume sanguin dans l'organisme et permettent une meilleure oxygénation et une meilleure performance musculaire. Il est à noter que la cortisone peut avoir un effet androgénique et un impact euphorisant. C'est la raison pour laquelle certains professionnels de la voix peuvent en abuser afin d'être au mieux de leurs performances vocales. Cela est dangereux. En effet, il existe un effet rebond. C'est-à-dire qu'après arrêt de la cortisone on constate une chute impressionnante du tonus musculaire, une impression de lassitude, voire de minidépression.

La prise d'androgènes laisse des traces indélébiles chez la

femme. C'est pourquoi il est indispensable pour toute professionnelle de la voix de s'assurer qu'il n'y a aucun dérivé androgénique anabolisant dans ses médications. Par ailleurs, les prises de progestérone et de certaines molécules dérivées peuvent comporter ces éléments.

Le paradoxe de la voix âgée

Chez la femme

Plus tard, ce nouvel équilibre hormonal de la femme où il n'existe plus d'œstrogènes, où il ne persiste qu'une légère sécrétion de testostérone car l'ovaire est totalement atrophié, ne suffit plus à conserver une tonicité et une puissance du muscle vocal. Quelle en est la conséquence ? Les deux cordes vocales s'atrophient progressivement. La muqueuse qui les recouvre diminue d'épaisseur, se déshydrate.

Dans un premier temps, la voix a son registre pincé avec une perte des harmoniques aigus, une baisse de la puissance vocale et une fatigabilité. Mais un effet paradoxal s'amorce. C'est ce que l'on pourrait appeler le paradoxe de la voix du sujet âgé. Dans la mesure où la corde vocale a diminué son galbe et devient plus fine, la voix qui au départ était plus grave devient plus aiguë, plus fluette et parfois perçante. Ce sont ces voix haut perchées que l'on perçoit chez l'homme ou la femme octogénaire. L'injection de substance dans la corde vocale peut redonner un galbe cordal satisfaisant et permettre de conserver un timbre et une endurance vocale convenables.

Chez l'homme

L'homme, après l'âge de soixante-dix ans, à l'andropause, peut présenter les mêmes caractéristiques vocales. Pourtant, le complexe vocal se comporte comme un athlète à part entière. À la différence des traitements hormonaux comme chez la femme associés à une hygiène diététique spécifique, l'entraînement vocal est indispensable. On aura rarement recours à un traitement hormonal androgénique qui peut être dangereux si la prostate est altérée. Chez l'homme, l'entraînement vocal est le meilleur garant de la conservation d'une voix dite jeune. J'en veux pour preuve l'exemple de ce professeur de français au lycée Henri-IV et conférencier à la Sorbonne qui avait l'habitude de parler plus de quatre heures par jour. Je le connaissais depuis plus de dix ans. À l'arrêt de son activité professorale, il se mit à écrire ses Mémoires sans prononcer un mot ou presque pendant près de six mois. Il avait un larynx d'athlète. Pourtant, lorsque je l'ai revu un an plus tard, une atrophie impressionnante de ses cordes vocales s'était installée. Il n'avait que soixante-cinq ans et pourtant sa voix était vieille. Un traitement adéquat mais surtout une rééducation vocale intensive lui ont permis de récupérer la quasi-totalité de son organe vocal. Je lui ai conseillé de continuer son activité de conférencier au minimum deux à trois heures par semaine. La voix ne prend de l'âge que par l'isolement de l'être. L'entraîner, communiquer avec l'autre stimule notre voix et conserve son timbre.

La voix vieillit-elle ?

L'âge de notre état civil n'est pas toujours traduit par l'âge vocal. La voix prend-elle des rides ?

Notre voix vieillit comme notre corps. Le vieillissement est une évolution biologique naturelle. Il est la conséquence du stress, de l'âge, de la maturité, mais également de l'état de nos tissus, de nos vaisseaux, de notre cerveau. Différentes théories ont tenté d'expliquer ce vieillissement, notamment la théorie des radicaux libres. Ces radicaux libres fragilisent nos protéines et nos membranes cellulaires. Cette fragilisation entraîne la dégradation cellulaire. D'autres théories reposent sur notre complexe génétique, notre empreinte humaine. Certains gènes découverts récemment sont considérés comme ceux de la fin de la vie. Ils programment notre mort cellulaire, dite apoptose cellulaire.

L'ADN peut-il disparaître ?

Est-ce que la vie est éternelle ? Est-ce que les chances des créatures vivantes de notre planète sont les mêmes ? Particule du cosmos, arrivé sur notre planète par les comètes, l'ADN n'a fait que se reproduire, évoluer, être l'objet de mutations multiples. C'est le même que nous retrouvons dans le génome de l'amibe, du dinosaure, du grand singe ou de l'homme. Alors, l'ADN n'est pas loin de l'immortalité.

En revanche, ce qui meurt c'est la forme charnelle que prend l'ADN, son enveloppe. La vie d'un insecte est très courte, quelques heures, quelques jours. Pourtant, rappelez-vous que le gène de l'œil de la mouche est le même que celui de l'œil de la souris. Si leur gène est similaire, la durée de leur vie est bien différente. La souris elle, vit plusieurs semaines, la tortue, deux siècles, certains arbres deux mille ans, et l'homme a une espérance de vie de quatre-vingt-huit à quatre-vingt-douze ans. Actuellement, à l'aube du IIIe millénaire, près de 4 milliards et demi d'années après la naissance de la planète bleue, l'héritage génétique de l'*Homo sapiens*, à la suite d'études chromosomiques, a démontré une possibilité de survie de cent vingt à cent cinquante ans.

Les causes de vieillissement sont les accidents de la vie. L'infection, le diabète, le stress. Certains de ces accidents sont en quelque sorte voulus, comme l'alcool, le tabac, la pollution. Tous contribuent à notre vieillissement corporel. En 1980, 9 % de la population avait plus de soixante-cinq ans. En 2000, près de 15 % ont plus de soixante-cinq ans. En 2030, on prévoit que près de 25 % auront plus de soixante-cinq ans.

La voix change avec les années : pourquoi ?

Les os du larynx se modifient

Les changements de notre voix avec l'âge ont des raisons multiples. Le premier de ces changements est d'aspect mécanique et anatomique : les cartilages thyroïde, cricoïde et aryténoïde se durcissent progressivement, perdent leur souplesse, s'ossifient, se calcifient. La partie antérieure du cartilage aryténoïde, lieu où s'insèrent la corde vocale, et le cartilage épiglottique ne s'ossifient pas mais perdent leur élasticité. Quant aux articulations des cordes vocales, elles sont comme les autres, elles présentent des signes d'inflammation et d'arthrose. On observe également une arthrose de l'articulation crico-thyroïdienne, qui entraîne une difficulté de la voix de tête, une diminution de l'agilité, de la rapidité des cordes vocales dans l'exercice de la gamme. Une dégénérescence par déshydratation et perte de fibres de collagène entraîne une altération de la souplesse articulaire.

La dent et la voix vieillissante

Notre instrument vocal, le larynx, n'est pas seul en cause. Ce qui est souvent négligé et pourtant essentiel dans le vieillissement vocal est l'articulé bucco-dentaire. La perte des dents entraîne un affaissement de la lèvre supérieure et inférieure avec un pincement labial. La mâchoire a une structure particulière. Sa forme est semblable à un fer à cheval avec un angle précis entre la partie horizontale et les deux parties verticales. Elle s'articule à droite et à gauche avec la base du crâne. Cette formation osseuse est très puissante. En cas de perte de dents, elle se décalcifie. L'angle fermé, presque à angle droit, entre la partie horizontale et la partie verticale, chez l'adulte, s'ouvre chez le sujet âgé édenté. Avec l'âge, la perte dentaire provoque non seulement une décalcification de la mâchoire qui s'érode, mais son angle entre la partie montante et la partie horizontale s'élargit et s'amincit et le profil du visage change, on a l'impression d'un écrasement de la mandibule sur le crâne, le nez vient rencontrer la lèvre supérieure.

Paradoxalement, cette perte dentaire entraîne une moins bonne ouverture buccale. L'articulation temporo-mandibulaire ou articulation de la mâchoire devient moins souple. La voix change. Les consonnes n'ont plus la même résonance. C'est dire l'importance de conserver au maximum une dentition efficace voire, si nécessaire, de recourir aux implants dentaires pour permettre aux lèvres de reposer sur une surface satisfaisante et d'éviter la dégénérescence osseuse de la mandibule. Cela montre le paysage dentaire de notre voix.

Muscles et neurones doivent garder l'entraînement

En ce qui concerne les muscles, les ligaments, le problème est plus simple. Les muscles de la corde vocale et de nos caisses de résonance sont constitués de muscles striés dont les myofibrilles avec l'âge, mais surtout avec le manque d'exercice musculaire, dégénèrent en fibres graisseuses. Nous connaissons des chanteurs exceptionnels qui ont soixante-quinze ans, mais nous connaissons également des enseignants qui, la retraite venue, diminuent fortement leur activité phonatoire : l'atrophie musculaire s'installe. Les propriétés biomécaniques internes de la corde vocale ne sont plus stimulées. La machinerie enzymatique de l'ATP, molécule qui fabrique l'énergie, la myosine, élément unitaire de notre muscle et les mitochondries ne sont plus sollicitées. Dès lors, le vieillissement musculaire est inexorable. La jonction neuromusculaire est, de la même façon, stimulée par la fonction vocale. Si elle ne l'est plus, les sites des synapses décroissent puis disparaissent, l'activité musculaire s'amoindrit. Les nerfs eux-mêmes voient leur gaine de myéline décroître, ce qui entraîne une diminution de la rapidité du message transmis entre le cerveau et le muscle : il y a un ralentissement dans l'élocution de ces patients. L'énergie apportée à ce complexe musculaire et ligamentaire de notre appareil vocal est soumise aux artères, aux capillaires laryngés. Ainsi, comme dans tout notre corps, la baisse de l'activité musculaire et sportive diminue la souplesse des vaisseaux et accélère l'apparition d'une athérosclérose. Elle entraîne une faiblesse d'oxygénation et donc une faiblesse musculaire : le cercle vicieux est enclenché. C'est la raison pour laquelle la reprise du sport chez les personnes âgées est indispensable. Elle doit être très progressive et régulière. Le patient doit s'armer de patience pour récupérer « la forme ». Mais l'organisme humain est exceptionnel. Il la récupère pratiquement toujours.

Qu'en est-il de l'instrument vibratoire lui-même ?

Avec l'âge, les puissances du premier et du deuxième formant diminuent chez le chanteur. Même si le tonus musculaire général est moins ferme, ce professionnel de la voix saura s'adapter et conserver sa dynamique vocale. Il saura éviter qu'un vibrato devienne un trémolo.

À soixante-dix ans, on observe une atrophie des cordes vocales et de l'épithélium chez près de 72 % des patients qui n'ont pas gardé une activité vocale alors qu'elle est de 0 %

avant la cinquantaine. Il y a une perte des fibres élastiques, des fibres collagènes, des trames appelées protéoglycans. La lamina propria, élément indispensable sous l'épithélium de la corde vocale, devient rigide et peu souple. Le déclenchement de la vibration est plus dificile. Ce cortège d'altérations aggravé par le manque de lubrification de l'épithélium nécessite souvent la prise de substituts vitaminés, de minéraux associés à l'activité vocale elle-même.

L'énergie de la voix est indissociable de notre fonction respiratoire pulmonaire. Elle faiblit progressivement avec l'âge. L'efficacité pulmonaire diminue dans la population non sportive de près de 40 % entre trente et quatre-vingts ans. C'est considérable. La capacité pulmonaire se trouve perturbée par une atrophie des muscles péribronchiques, par la réduction des alvéoles pulmonaires, la baisse de leur élasticité. La cage thoracique perd sa souplesse et donc son ampliation. La raideur des vertèbres dorsales perturbe notre élasticité thoracique. L'entretien physique est l'antidote.

À côté de ces éléments mécaniques, la diminution des hormones sexuelles joue un rôle majeur. Par ailleurs on a observé avec l'âge une baisse fréquente de la sécrétion des hormones thyroïdiennes qui sont génératrices de l'énergie musculaire et de l'hydratation de notre organisme. Cette hypothyroïdie nécessite souvent un traitement adapté qui relance l'énergie du patient devenu apathique.

Noircissons le tableau : si vous ne vous occupez pas de vous, votre registre vocal devient pincé, votre puissance diminue, votre timbre perd de sa couleur, il est métallique. Vous pouvez éviter cette évolution avec une hygiène de vie régulière et constante, avec la prise d'antiradicaux libres, de vitamine C et E, la prise de minéraux comme le magnésium, et les oligoéléments et enfin la conservation d'une activité sportive et intellectuelle. En revanche sur l'audition, la marche du temps est parfois inexorable. Or l'écoute, le feed-back audio-phonatoire est essentiel pour la qualité de la voix. Tout professionnel de la voix doit subir un test auditif régulièrement pour dépister une hypoacousie. Si nécessaire, il ne faudra pas hésiter à corriger un déficit par une prothèse auditive. De nos jours, les prothèses sont parfaitement bien tolérées et rétablissent, dans la majorité des cas, l'équilibre entre la voix et l'audition de ces professionnels. Cette aide auditive conserve la communication avec le monde extérieur, évite l'isolement, stimule la boucle audio-phonatoire et permet le contrôle précis de la voix parlée et de la voix chantée.

La presbyphonie

Il y a trente ans, on connaissait peu la presbyphonie ou vieillissement de la voix que l'on observe à partir de quatre-vingts ans. Un nouvel aspect de la médecine est apparu lors de ces dernières années. Le temps faisant son œuvre, la corde vocale perd de sa souplesse. L'atrophie cordale s'installe. Il existe une diminution de notre hydratation, une déperdition des fibres de collagène et des fibres élastiques. Les fibres restantes sont plus épaisses, la structure laminaire de ce tissu est donc moins souple. De ce fait, lorsque vous serrez vos cordes vocales, elles sont arquées, le contact ne se fait plus correctement. Elles laissent passer du souffle. Si vous parlez longtemps, le souffle vous manque.

Rajeunir sa voix

L'atrophie des cordes vocales peut être corrigée par la rééducation vocale, et plus rarement par la phono-chirurgie (chirurgie de la voix). Cette phono-chirurgie consiste à injecter un produit qui regalbe ce muscle maigre de la corde vocale et ainsi rétablit le volume cordal. La puissance et la tonalité redeviennent satisfaisantes. Ce patient dysphonique présentant une voix soufflée récupère une voix dynamique. Cette intervention ne sera pratiquée qu'en cas d'échec d'un traitement médical et orthophonique. Le résultat de ce « lifting de la voix » est souvent très satisfaisant.

Prendre en compte l'activité physique de son corps, l'hydratation, la lubrification des cordes vocales, son hygiène dentaire, son activité musculaire, son apport diététique avec la prise de vitamines et de minéraux, parfois un traitement hormonal adapté et souvent un traitement antireflux associé est la clef d'une jeunesse vocale conservée. La prise en charge de notre santé vocale peut permettre sans aucun doute de garder une tessiture et un timbre de voix efficaces.

La voix ne prend pratiquement pas de rides

M. Michel Roux a une voix bien à lui. Ce comédien est aussi à l'aise sur les planches que comme doublure d'artistes américains. L'altération temps, il ne connaît pas. Il a marqué par sa doublure des films et certaines séries télévisées de Tony Curtis. Trente ans après on le reconnaît. Son talent est remarquable. Sa mémoire est exceptionnelle, il joue avec les silences. Il sait s'interrompre par un rire ou une onomatopée. Il en va de même pour Robert Hossein, dont le timbre vocal a gardé depuis *Angélique, marquise des anges*, film qui a marqué son époque, son charme et sa sensualité. On connaît ses colères, sa passion. Il vous transporte dans son monde. Il dynamise ses acteurs avec sa voix inimitable. Une caractéristique de sa corde vocale lui donne la séduction qu'on lui connaît. Elle est la cicatrice de sa vie. Sa voix ne vieillit pas. Sa puissance intellectuelle et créatrice non plus. Mémoriser un rôle de deux heures est pour lui un jeu d'enfant. La gestuelle de la voix, articulée par les exercices particuliers qu'il faisait déjà à l'école de théâtre il y a près de cinquante ans, n'a pas pris une ride. Ces comédiens, ces acteurs ont gardé la personnalité de leur voix. Elle est reconnaissable dès la première réplique. Entraîner sa voix, garder la vivacité de sa mémoire, c'est le propre de ces comédiens d'exception.

Les blessures de la voix

La voix se blesse, la réparer c'est panser la plaie de nos mélancolies.

La voix n'est pas malade par hasard

« Il m'a laissé sans voix », « Il m'a coupé le souffle », « Je l'ai en travers de la gorge »... les expressions populaires ne manquent pas.

Notre voix traduit nos émotions. Pas seulement nos émotions du moment présent, mais également les émotions que nous avons vécues dans notre plus tendre enfance. Cette harmonie exceptionnelle de nos cordes vocales permettant de créer le mot, la phrase, le langage, commandée par notre cerveau, se constitue au fil du temps et des cicatrices de la vie. Les deux cordes vocales, qui forment le son, peuvent être traumatisées, abîmées, blessées, heurtées, choquées dans le quotidien. Cela peut sembler réducteur de placer la voix au niveau de ces deux petits muscles que sont les cordes vocales, et pourtant ! La pathologie que nous observons sur cette mécanique du larynx est étonnante. Ne fait pas un accident de la voix qui veut, tout comme ne fait pas un ulcère à l'estomac ou un infarctus du myocarde qui veut. Un profil particulier de la personnalité de chacun s'inscrit dans le chemin des cicatrices vocales. Lorsque vous criez, et cela arrive dès les premiers jours de notre vie, vous ne faites pas d'hématomes de la corde vocale. Alors que chez l'adulte, il est possible. Certains fument un paquet par jour, mais tous les fumeurs n'ont pas un œdème des cordes vocales. En cas de reflux gastrique, beaucoup d'entre nous se raclent la gorge, mais peu développent un granulome cordal.

Parler normalement sans pousser sur la voix, avec une bonne technique, évite des lésions du larynx. Le forçage vocal peut conduire à la formation de callosités que l'on appelle au tout début des nodules. Ces petites excroissances sont situées sur la ligne de force mécanique de la vibration qui est, comme sur toute corde qui vibre, en son milieu. Particularité fréquente chez les professionnels de la voix, les nodules donnent un certain charme, une voix un peu enrouée, sensuelle. Le plus souvent, ces nodules vibrent bien, sont en harmonie avec le reste de la corde vocale, et sont partie intégrante de l'âme vocale de l'artiste. Il n'est pas question de les opérer. Opère-t-on systématiquement un grain de beauté sur le visage ?

Lors d'abus phonatoires, l'orthophonie sera nécessaire pour éviter que ces nodules deviennent durs, véritables grains de riz. En effet, à ce stade l'intervention devient nécessaire.

Le kyste est théoriquement indépendant de toute agression extérieure et fréquemment d'origine embryologique. Mais pourtant il ne se manifeste qu'à certains moments de la vie. Il se met à grossir. Cette masse est une petite poche liquidienne. La rééducation vocale n'a que peu d'effet si ce n'est de le stabiliser. C'est comme si vous disiez à un kinésithérapeute de masser un lipome qui est un kyste graisseux sous la peau. Cela ne pourra pas faire grand-chose. Ce kyste, qui dormait là depuis des années, gêne. Il crée une dysphonie, il perturbe la vibration, il handicape l'activité professionnelle, alors l'intervention par microchirurgie laser ou instrumentale classique sera nécessaire.

Le reflux gastrique

La muqueuse du larynx peut être agressée par le reflux gastrique. Comment le reflux peut-il perturber notre voix ? L'œsophage, situé en arrière du larynx, laisse fréquemment passer quelques régurgitations acides qui viennent lécher par l'arrière les cordes vocales. Elles sont desséchées comme si vous mettiez de l'acide sur vos mains quelques heures par jour. La lubrification des cordes vocales est indispensable. Le fait qu'elles soient asséchées par le reflux crée une dysphonie. Le patient peut ne pas ressentir cette brûlure.

Pourquoi ? Prenons un exemple : vous mettez vos mains dans de l'eau de Javel. Si vous avez une égratignure, vous sursautez, ça vous pique. En revanche, si vous n'avez pas de blessure, que vous lavez du linge à mains nues pendant une heure, la peau se dessèche et desquame. Mais vous n'aurez aucune douleur. Dans la gorge, c'est identique. Si vous n'avez pas de blessure ou d'éraflure, l'acide chlorhydrique de votre estomac ne va pas vous faire mal, il va tout simplement dessécher le larynx et permettre secondairement l'apparition de pathologies. Il est aussi fréquent chez l'enfant que chez l'adulte.

L'enfant n'est pas un petit adulte

Cette pathologie du reflux est particulièrement sévère chez l'enfant. Une voix d'enfant, un larynx d'enfant, ce n'est pas un petit larynx d'adulte. Les structures sont différentes, les besoins aussi. L'environnement cérébral est différent. La voix est donc différente. Non seulement la forme, la taille, la densité, la muqueuse du larynx sont une épure du larynx d'adulte – par exemple, l'angle du cartilage thyroïde est de 130° chez le tout-petit, de 120 ° chez l'homme, de 110° chez la femme – mais également la qualité de sa muqueuse vocale et son imprégnation hormonale. L'œsophage et l'estomac forment à leur jonction un angle qu'on appelle l'angle de Hiss. Cette jonction évite au liquide qui se trouve dans l'estomac de remonter dans l'œsophage grâce au muscle lisse, véritable sphincter de cette jonction appelée le cardia. Lorsqu'il y a trop d'acidité dans l'estomac, il se contracte de plus en plus violemment. Ces mouvements de contraction gastrique exacerbent le sphincter gastro-œsophagien. Ils le sollicitent. Quand l'hyperacidité gastrique continue, on observe du liquide qui remonte dans l'œsophage et vient agresser la gorge. Cela entraîne un raclement, une toux, une pathologie propre à ce reflux, parfois des spasmes laryngés. En effet, cette partie de la gorge n'est pas faite pour recevoir un liquide acide. Sa muqueuse n'est pas préparée pour avoir un pH inférieur à 5,2, autrement dit un liquide agressif. C'est comme si vous avaliez une gorgée d'eau de Javel : si l'estomac est blindé pour ce type d'agression, puisque c'est l'acide gastrique qui permet de digérer les aliments, de les dissocier, de les préparer et, bien évidemment, de les aseptiser, la gorge ne l'est pas, et est brûlée.

Le reflux gastro-œsophagien peut provoquer des lésions de l'œsophage telle une œsophagite. L'enfant se plaint d'une douleur en arrière des poumons, qui peut donner le change à une douleur cardiaque transfixiante. Il a des douleurs d'estomac, des nausées fréquentes, une voix voilée. Le gastro-entérologue prend la relève et conduira le traitement. Mais, le plus souvent, il n'y a aucune douleur. Le liquide acide arrive jusqu'au larynx. C'est le reflux pharyngo-laryngé. L'œsophage n'est pas brûlé par l'acide gastrique mais desséché. On constate une hyperacidité gastrique sans ulcère ou gastrite. On observe également une augmentation de la motilité de l'estomac. Le premier signe qui oriente vers le reflux pharyngo-laryngé est tout d'abord la toux sèche qui s'accompagne bientôt d'une fatigue vocale et d'un enrouement chronique.

Chez l'adulte

Au niveau laryngé, on observe une cascade de problèmes qui s'échelonnent dans le temps. D'abord, une inflammation et un œdème en arrière des cordes vocales avec une pathologie comme la laryngite kératosique qui présente des plaques de corne sur les cordes vocales. Ensuite ce sont des nodules durs et inflammatoires. Puis l'œdème des cordes vocales apparaît. Cet œdème s'étend à tout le larynx. L'acidité continue son agression, des granulomes, masses de chair ressemblant à un polype, se forment. Enfin, et c'est l'un des stades les plus invalidants chez les professionnels de la voix, on constate un ralentissement de fermeture des cordes vocales dû à une inflammation de leurs articulations. Cette altération ultime entraîne une voix fatigable et soufflée en moins de quinze minutes. Elle est entrecoupée d'une petite toux sèche, parfaitement reconnaissable au téléphone. Lorsque vous parlez, vous vous mettez à tousser. Rarement on observe des spasmes laryngés, exceptionnellement, la survenue de cancers secondaires à une irritation très agressive du suc gastrique sur le larynx.

La hernie hiatale et la voix

Alors que s'est-il passé pour provoquer cette cascade de désagréments ? Le cardia est lâche, il n'arrive pas à se fermer complètement, c'est une hernie hiatale, souvent au tout début. Cette déhiscence du cardia permet au liquide gastrique de remonter dans la gorge et de créer en quelques mois cette succession d'agressions pharyngo-laryngées et parfois une toux asthmatiforme.

Il y a souvent des éructations ou des « rototos » incontrôlés comme disent les mamans, une haleine désagréable, une inflammation chronique des amygdales ou amygdalite. Si vous faites le « poirier » ou l'équilibre sur les mains, ou plus souvent je suppose quand vous vous penchez en avant pour lacer vos chaussures, prendre un sac, vous avez, comme on dit simplement, l'estomac dans la gorge.

Entre ces deux extrêmes, la verticalité et la tête en bas, il y a la position couchée. La gravitation ne fait pas son travail. Lorsque vous êtes debout, le liquide qui est dans l'estomac, de par son propre poids, y reste. En position allongée, s'il existe un relâchement du cardia, pendant la nuit, vous allez toussoter. Le liquide acide dessèche le fond de la gorge, crée un œdème réactionnel de la luette, une hyperréaction de la muqueuse nasale par des sécrétions inhabituelles coulant dans la gorge et aggrave le ronflement. Le matin, la voix est sèche, difficile, et on doit se racler la gorge pour se libérer de mucosités épaisses et gênantes pour parler.

Chez le bébé

Il reste en position couchée ou semi-couchée dix-sept heures par jour, le reflux est fréquent, presque normal. Mais du fait de certains laitages qui sollicitent plus que d'autres l'acidité gastrique, ces nourrissons sont sujets à des régurgitations importantes, à des petites toux chroniques, à des inflammations des végétations, à des otites séreuses. Le traitement antireflux évite souvent les bronchiolites avec toux asthmatiforme et la rhinopharyngite. On observe rarement des spasmes laryngés. Cependant il faudra laisser le nourrisson dormir en position demi-assise en cas de reflux important. Les vapeurs acides de l'estomac arrivent dans la sphère de la gorge, parviennent jusqu'au niveau du nez par voie interne et entraînent une irritation comme si ce nourrisson respirait du formol.

Examiner la voix

Regarder l'instrument laryngé, avec un miroir depuis 1854 ou par l'exploration dynamique vocale depuis 1981, est la clef du diagnostic des blessures de la voix.

L'introduction d'un vidéofibroscope dans la fosse nasale jusqu'au toit du larynx permet de « voir parler » ou de « voir chanter ». Nous ne reviendrons pas sur le descriptif que nous avons déjà établi précédemment. Cependant, précisons que cette analyse clinique du larynx nécessite parfois d'associer l'imagerie radiologique par un scanner en trois dimensions pour mieux percevoir les structures internes du conduit vocal.

Munis de ces techniques d'observation objective, répétitive et reproductible, l'analyse de la chrono-cinétique laryngée permet de décrypter le mystère de la pathologie vocale. Elle prend en compte l'observation objective, la posture, mais également le monde émotionnel de la voix du patient.

Le trac et la voix

Le trac destructeur

Il déclenche une voix singulière : blanche pour certains, grisante pour d'autres. Ce trac qui disparaît dès le début de votre discours, de votre plaidoirie, de votre conférence, ou tout simplement lors de votre rencontre avec quelqu'un qui vous impressionne, prend parfois des formes difficiles chez certains patients et artistes.

D'aucuns sont pris de vomissements, de tachycardie. D'autres ont la gorge sèche, trop sèche pour pouvoir dire un mot. La prise de bêtabloquants peut, parfois, être nécessaire pour éviter cette crise d'angoisse qui s'empare de l'artiste avant le spectacle. J'ai d'ailleurs connu cela chez des amis et collègues lorsque nous avons passé l'internat. Ce n'est donc pas uniquement le propre de l'artiste. Plusieurs causes peuvent être à l'origine de ce trac : les causes morales ou les causes physiques comme le signalaient déjà, dans les années 30, les Drs Alexis Wicart et Jean Tarneaud.

Le trac est dans la salle

Les causes morales sont multiples. Ce peut être un problème de superstition. Un sifflet malencontreux, lors d'une représentation précédente. Un conflit au niveau de la troupe, ou un problème personnel tout simplement. Il ne faut pas sous-estimer l'atmosphère « magnétique » de la salle. En effet, pour peu que, dans l'assistance, il y ait deux ou trois personnes que vous n'aimez pas, de façon épidermique, votre timbre de voix va changer jusqu'au moment où vous aurez décidé qu'elles n'existent pas. À l'inverse, des amis qui vont dégager des « ondes positives » vont galvaniser votre performance, et vous permettre de vous surpasser. C'est la raison pour laquelle je conseille souvent aux professionnels de la voix d'avoir au moins un de leurs amis dans la salle lors de leur conférence ou pour la première représentation et de le regarder régulièrement. Le transfert émotionnel aide à amplifier leur performance.

Le monde de la raison est totalement inefficace face au stress et au trac. Seul un autocontrôle puissant permettra, parfois, de diminuer leur impact.

Le trac a mal

Les causes physiques sont nombreuses et, en revanche, fréquentes dans le déclenchement du stress avant la performance. Les exemples ne manquent pas.

Une crise d'asthme, secondaire à l'anxiété, à la présence d'allergènes dans le théâtre. Ces crises d'asthme perturbent de façon significative l'émission vocale. L'utilisation d'un spray est indispensable une demi-heure avant la performance. À certains de mes patients, je demande de le faire systématiquement afin d'éviter la réaction en chaîne qui déclenche l'asthme. On peut être amené à associer spray laryngé et nasal pour éviter une rhinite allergique réactionnelle. Pourtant il faut redouter l'accoutumance et la prévenir.

Un souffle court, un syndrome prémenstruel, une gastroentérite, une crampe intestinale, des céphalées sont autant d'éléments perturbateurs dans le syndrome prémonitoire du stress. Un traitement adéquat est indispensable.

Il s'agit très rarement d'un défaut de mémoire. Il peut être secondaire à la fatigue, au surmenage, au manque de sommeil récupérateur, à une contrariété.

Au Zénith, lors d'une soirée où plusieurs chanteurs se produisaient, la panique était à son comble ! Les deux principaux intervenants n'entendaient plus rien ! Une autre avait la sensation que ses oreilles étaient bloquées, comme en avion. On avait presque l'impression que sur ce plateau existait une épidémie de surdité ! La solution était pourtant simple. Le premier avait simplement un bouchon de cérumen. Après l'avoir retiré, il entendait de nouveau sa voix et pouvait faire les balances avec l'orchestre. Son trac avait disparu. Cette obstruction de l'oreille l'avait amplifié de façon considérable. Les deux autres étaient légèrement enrhumés avec un catarrhe tubaire ou plus simplement une obstruction partielle de la trompe d'Eustache. Cette gêne était aggravée par les fumigènes de la scène qu'ils avaient employés pendant la répétition. Il était 17 heures, le spectacle commençait à 20 h 30. Un traitement par aérosols et anti-inflammatoire a suffi. Là encore, le diagnostic étant fait, la présence médicale rassurante, le trac n'existait plus. Le concert se déroula sans anicroche.

Parfois, le trac a son origine au niveau des cordes vocales, la peur de ne pouvoir émettre la fréquence désirée, la peur de casser sa voix. Cela survient surtout chez les chanteurs ayant déjà eu des problèmes de voix comme la diva S. L. Celle ou celui qui a connu un hématome cordal sait qu'il est à la merci d'une récidive, d'un couac sur les aigus, d'une difficulté sur le pianissimo. Chez un autre, ce sera la disparition d'un legato, d'un son lié des aigus aux graves sans parasite. Le vibrato est possible, le pianissimo difficile, le forte ne pose pas de problème. Il s'agit souvent ici de nodule des cordes vocales. Pour un troisième, la gêne est différente. Le forte est difficile mais le pianissimo, le vibrato et les sons liés sont possibles. Souvent, on observe un œdème cordal réactionnel à la suite d'une laryngite virale.

Le plus souvent, c'est une fatigabilité de la voix : après dix jours de répétitions, il est difficile d'émettre les aigus surtout en ce qui concerne les voyelles dites fermées comme le *é*, le *i*, le *ou*. L'expression phonatoire est serrée, comme étouffée. Il y a une surtension pour compenser la fatigue vocale. D'autres muscles se mettent en marche. De mauvaises habitudes risquent d'être prises. On constate une inflammation de l'articulation des cordes vocales et une tension musculaire crico-thyroïdienne (entre le cartilage thyroïde et le cartilage cricoïde). L'artiste essaie de compenser un défaut par un défaut. C'est la raison pour laquelle je demande souvent un repos vocal relatif de la voix chantée et un repos important de la voix parlée pendant trois jours avant la première afin d'éviter ce type d'incident.

Le couac vocal peut être secondaire à des mucosités épaisses situées entre les cordes vocales du fait de la climatisation des théâtres. Un traitement adéquat, des aérosols spécifiques évitent ce dérapage vocal. On est parfois également amené à pratiquer, en préventif, une cautérisation des cornets pour assécher ce nez qui sécrète trop de mucosités du fait de l'environnement poussiéreux des théâtres.

Le stress, le trac sont des éléments essentiels dont doit tenir compte le professionnel de la voix. Il est nécessaire de rechercher une des causes physiques ou morales possibles pour permettre de le traiter en amont et le prévenir. En respirant bien on obtient une meilleure concentration. Avoir son corps qui se relâche ne signifie en aucun cas baisser sa vigilance, se laisser distraire, mais bien au contraire puiser en soi sa force intérieure.

Ce chemin de communication avec nous-même, par quelques vocalises bouche fermée, permet d'emmagasiner une énergie intérieure qui, en quelques instants, devra exprimer avec une technique maîtrisée, une émotion présente. L'équilibre, la verticalité du corps permettent au mieux l'efficacité du comédien ou du chanteur.

La force du mental nécessite parfois des représentations imagées de notre corps, de notre voix. Certains, en effet, m'ont dit considérer leur voix comme une entité en soi. Ils en parlent à la troisième personne : « ma voix va bien » ; « aujourd'hui, elle n'était pas là » ; « il faut que je la ménage » ; « elle m'a trahi » ; « je ne peux plus compter sur elle ». L'interprète ne doit pas être un répétiteur. Il doit récréer l'œuvre, la faire vivre et nous transmettre sa beauté. Le stress, l'anxiété peuvent dessécher la bouche, la langue, le pharynx. Ce sont des choses bien connues des professionnels, mais dès les premiers applaudissements, l'humidification se normalise.

Le professionnel de la voix, avant sa performance, doit s'isoler quinze minutes et, dans tous les cas de figure, c'est sa confiance qui viendra à bout des inévitables épisodes de trac.

Attention à l'accident après comme avant la performance

Le restaurant casse la voix

Pour éviter les blessures de la voix après la conférence, le spectacle, ou la plaidoirie, il faudra s'abstenir d'aller dans un restaurant bruyant. En s'attablant au restaurant, qui est encore vide, on commence à parler à son interlocuteur avec une voix peu puissante. Au fur et à mesure que le restaurant se remplit, l'intensité augmente, la voix se fatigue. Elle avait déjà été sollicitée. On risque la blessure. En effet, pour que votre interlocuteur puisse vous comprendre, il faut que votre voix soit 5 dB au-dessus du bruit parasite qui vous entoure. C'est ainsi que l'on peut observer de véritables hématomes de la corde vocale chez les professionnels de la voix ayant « arrosé » leur succès. C'est comme si vous veniez de courir un marathon, que vous vous reposiez pendant dix à vingt minutes. Puis on vous demande de recourir un cent mètres. Inévitablement, vous allez provoquer une rupture musculaire dans votre mollet. Il en va de même au niveau des cordes vocales.

Indigestion et pollution

Dans un tout autre registre, la voix peut être gênée de façon indirecte. La constipation, la mauvaise digestion diminuent parfois la performance vocale. Ici, ce sera l'énergie vibratoire qui sera altérée. En effet, l'ampliation thoracique, la respiration abdominale ne peuvent être complètes. L'hygiène alimentaire est un atout indispensable pour une performance vocale optimale.

La respiration pulmonaire peut être gênée par des toux asthmatiformes. Cela est de plus en plus fréquent depuis une dizaine d'années. En effet, depuis près de dix ans, le degré de pollution et d'allergènes a augmenté de façon considérable L'énergie vocale est affaiblie par des trachéites récidivantes Un traitement adapté est indispensable pour prévenir ces pathologies. Les broncho-inhalateurs appropriés sont prescrits par le pneumologue et l'ORL. Cependant, dans plus de 20 % des cas, ces pathologies de toux chronique s'associent à un reflux gastrique.

L'environnement et la voix

L'homme est un mammifère résistant. Son état de santé est tributaire du climat et du temps qu'il fait. Il doit garder une température entre 36,4 °C et 37,2 °C. La peau qui recouvre notre corps régule cette chaleur intérieure. Mais nous sommes fragiles par températures élevées et par températures basses. Notre enveloppe cutanée nous protège par transpiration s'il fait trop chaud, par vasoconstriction s'il fait trop froid. L'air que nous respirons sera, de même, réchauffé ou refroidi. Il va rencontrer non seulement les fosses nasales, mais les cordes vocales et la muqueuse. Le changement brutal de température est néfaste. En plein été, il fait chaud dehors, vous entrez dans un bureau climatisé, votre voix s'altère. L'équilibre de l'humidification des cordes vocales n'a pas eu le temps de s'adapter. Dans un autre domaine, les infections respiratoires, telles qu'une grippe ou une bronchite, doivent également être prises au sérieux quel que soit l'âge. La prise de vaccin saisonnier est indispensable.

Lorsqu'il fait froid, que nous marchons dans la rue, si nous parlons, nous exposons notre instrument vocal aux rigueurs du climat, à cet air froid qui assèche nos voies respiratoires. Il faut donc éviter de parler dans le froid avant une performance vocale, cela fragilise notre voix. De même, protéger sa gorge par un foulard est une sage précaution. Notre rythme respiratoire, notre voix doivent s'acclimater en fonction des villes ou des pays où nous nous trouvons. Vous ne pouvez pas faire un footing de même distance si vous êtes à Paris ou à Mexico. Les équipes des jeux Olympiques de Mexico s'étaient rendues sur place quelques semaines avant les compétitions pour pouvoir s'adapter à l'environnement climatique. Il en est de même pour les chanteurs d'opéra.

Dans les salles de concert, dans les salles de classe, dans les bureaux, un équilibre de la température et de l'hygrométrie et une climatisation adéquate sont des paramètres qui protègent au mieux notre stabilité vocale. Hélas, et trop souvent, la climatisation est trop forte. Dans les salles de théâtre, la ventilation « remue » les poussières environnantes. L'allergène provoque un nez qui coule. Un œdème des fosses nasales s'installe, le nez est obstrué. Cette allergie aura deux conséquences. La première, c'est une gêne respiratoire et donc une gêne d'humidification des cordes vocales avec des sécrétions de glaires, des mouchages intempestifs et des raclements. La seconde, beaucoup plus sournoise, est un déséquilibre de notre muqueuse nasale et pharyngée qui reste gonflée. C'est la rhinite allergique, qui peut créer une congestion vasculaire. L'utilisation des vasoconstricteurs, parfois indispensables, doit être parcimonieuse pour éviter la dépendance. Ils permettent en un clin d'œil de respirer convenablement. Mais systématiquement, ces gouttes nasales, qui « débouchent » le nez, doivent être relayées par une thérapie antiallergique et, si nécessaire, microchirurgicale au niveau des fosses nasales pour décongestionner les cornets. Ces « Destop » du nez sont des thérapies où l'accoutumance peut être dramatique.

Éternuement et accident de la voix

Les crises d'éternuements sont un ennemi. En effet, chaque éternuement provoque une pression élevée sur les cordes vocales. Quand vous éternuez, les cordes vocales claquent l'une contre l'autre : vous entendez d'ailleurs le bruit : « atchoum ». Le *a*, c'est l'inspiration, le *tch* c'est le claquage des cordes vocales qui viennent frapper violemment l'une contre l'autre, le *oum* c'est la fin de l'expiration. Ce traumatisme des cordes vocales peut entraîner un hématome cordal.

Max, sexagénaire, basse profonde de l'Opéra de Paris avec une voix superbe, se produisait régulièrement dans une œuvre qu'il affectionne, *Don Giovanni.* Il fait souvent des crises d'éternuements en arrivant au Châtelet mais sans conséquence. Il se protégeait de façon naturelle par des lavages de nez à l'eau de mer et la prise, au coucher, de comprimés antihistaminiques aux changements de saison. En effet, tous les traitements antihistaminiques dessèchent la sphère pharyngolaryngée pendant un minimum de huit heures. Il faut donc prendre ce médicament neuf heures avant de se produire vocalement. Ce médicament ne traite pas l'allergie, mais sa conséquence. Il supprime deux de ses symptômes les plus gênants : l'œdème et l'écoulement nasal.

Max se voit proposer un rôle de comédien dans un théâtre parisien. C'est un rôle pour lequel il doit jouer entre la voix chantée et la voix parlée. Dans ce théâtre ancien, très ancien, d'autres acteurs inattendus sont présents : les poussières et les acariens. Ils y règnent presque en maîtres malgré les efforts déployés pour en venir à bout. Un soir de printemps, la représentation se passe bien, mais, au troisième acte, Max est pris d'une salve d'éternuements impressionnants à tel point que la « salle en rit ». En vrai professionnel, il reprend la réplique, mais le timbre de voix n'est plus aussi clair. Cette voix grave et chaude qu'on lui connaît, qui porte sans problème jusqu'au fond de la salle, vient de perdre sa puissance. Seule sa technique de chanteur lyrique permet à Max de terminer sa représentation en conservant l'illusion d'une projection vocale efficace. Je le vois dès le lendemain. La rhinite allergique est là, mais on observe un léger hématome de la corde vocale droite. Elle vibre de façon moins importante. Elle est alourdie et elle a perdu sa couleur rosée pour devenir plus foncée. Max est stupéfait. Son regard trahit une certaine inquiétude. Il fronce les sourcils et avant même qu'il ait le temps de me demander ce que va être son avenir vocal, je le rassure. En effet, c'est un simple capillaire qui s'est rompu sous la muqueuse de la corde vocale. Mais pourra-t-il jouer le surlendemain ? Nous sommes dimanche matin. Il est de relâche le dimanche et le lundi. C'est une chance, car il n'a pas besoin d'annuler de représentation. En effet, le repos vocal installé pour dimanche, lundi et mardi toute la journée, un traitement pour décongestionner sa corde vocale permettent à Max de retrouver sa voix. Le contrôle de son larynx, en fin d'après-midi le mardi, vient confirmer sa guérison.

L'hématome de la voix

Quelques mois plus tard, lors d'une consultation, Max est toujours perturbé par son incident au théâtre. Il me pose une question à propos de cet hématome cordal : « Comment se fait-il, puisque la corde vocale est un muscle, comme le muscle du biceps ou du mollet, que je n'aie pas ressenti de douleur ? L'hématome est dû à un claquage du muscle vocal ? » En effet, lors d'un effort sportif, lorsqu'un claquage musculaire survient, un hématome intramusculaire apparaît, et on ressent toujours une douleur vive. Ici on est dans un autre cas de figure. Lorsque Max éternue violemment, lorsqu'une chanteuse présente également, à la suite d'un voyage en avion, un hématome de la corde vocale, que s'est-il passé ? Dans un cas comme dans l'autre, une fragilité des vaisseaux des cordes vocales entraîne la rupture vasculaire. Il y a une hémorragie sous la muqueuse. Le muscle n'est pas touché. Aucune fibre musculaire de la corde vocale n'est blessée. Il n'y a donc pas de raison d'avoir une douleur musculaire puisqu'il n'y a pas de claquage.

Un entraîneur sportif hurle au bord de la piscine pour stimuler ses nageurs, l'atmosphère chlorée de l'enceinte dessèche ses cordes vocales. La puissance qu'il développe pour pouvoir se faire entendre de ses athlètes provoque l'accident : une cassure de voix brutale. Lorsqu'il me consulte la douleur est vive, unilatérale, au niveau de la pomme d'Adam, parfaitement décrite et bien localisée par cet entraîneur. En revanche l'aspect est différent. Quant j'examine son larynx, la corde vocale présente un hématome avec l'aspect d'une masse violacée, globuleuse, et une suffusion hémorragique qui prend toute la corde vocale et pas seulement sa surface. Elle ne vibre pas, alors que celle de Max vibrait. Il y a un claquage musculaire. L'entraîneur est désemparé car celle-ci est cassée, voilée, presque inaudible. La toux est douloureuse. Il y a une déchirure musculaire cordale. Le traitement impose la prise de cortisone pour éviter la formation d'un hématone enkysté et une rigidité secondaire. Un repos vocal est indispensable pendant près de dix jours. La voix peut mettre plusieurs semaines à redevenir normale.

On peut également, c'est plus rare, constater ce type d'incident lors d'un combat de boxe, dans les arts martiaux, ou lors d'un choc violent du larynx sur la ceinture de sécurité.

Opérer des cordes vocales au laser

Mathieu a subi de nombreuses interventions sur ses cordes vocales. Je le connais depuis près de vingt ans. Il vient d'avoir trente et un ans. Dès l'âge de onze ans, il présente une maladie rare mais récidivante : la papillomatose laryngée due au *human papilloma virus* ou HPV. Cette maladie n'est pas contagieuse ni transmissible. Des petites verrues sont disséminées sur les cordes vocales. Dans l'état actuel de nos connaissances, l'un des traitements les plus adaptés est la microchirurgie au laser dans l'attente d'un vaccin antiviral. Mathieu présente une voix enrouée, qui s'éclaircit après chaque intervention. Il a subi en vingt ans de nombreuses interventions. Le challenge, ici, consiste à enlever le papillome – le papillome et rien d'autre. On ne doit pas toucher à la musculation des cordes vocales. L'examen par vidéofibroscopie montre des petites framboises disséminées sur ses cordes vocales. La précision de l'image détermine la situation exacte de l'infection virale et prépare à la stratégie thérapeutique. Cette imagerie endoscopique, pratiquée en consultation, est remarquable pour l'appréciation préchirurgicale de la lésion et pour déterminer l'indication chirurgicale. En effet, dans la mesure où les rechutes sont fréquentes et où les interventions sont répétées dans un délai court, l'opération ne sera indiquée que si l'espace vibratoire est envahi. Dans le cas contraire, on peut se permettre d'attendre avant d'opérer. L'imagerie laryngée par vidéofibroscopie est donc capitale. Avant ce type d'exploration, on opérait dès qu'un papillome réapparaissait sans se soucier de l'aspect fonctionnel de la voix qui était difficile à objectiver. Les photographies prises lors de chaque consultation permettent de comparer objectivement des lésions entre chaque examen et d'évaluer le potentiel évolutif de ces papillomes. Ce jour de septembre 2003 les lésions sont nombreuses et le gênent pour parler. L'intervention est décidée.

Elle se pratique sous anesthésie générale. Un petit tube est introduit entre les cordes vocales pour lui permettre de respirer pendant l'opération. On place le laryngoscope, qui arrive jusqu'aux cordes vocales, au niveau de sa bouche. Tout est mis en place : le microscope couplé au laser dans l'axe du laryngoscope, la petite compresse verte placée sous les cordes vocales pour protéger la trachée du rayon laser. Mon assistant m'aide pour mieux positionner le larynx par rapport au laser. L'anesthésiste ventile le patient et surveille les écrans avec les constantes cardio-vasculaires et respiratoires. L'intervention peut commencer. Une micropince saisit le papillome. Le rayon laser le « décolle » et le découpe de sa base. Aucun saignement n'apparaît. La précision de la coupe sur cette masse de 8 mm est de 120 microns. Le laser va permettre de faire une ablation des papillomes en effleurant le ligament de la corde vocale sans le blesser et sans aucun saignement. Le muscle vocal n'est pas touché.

Comment fonctionne le laser CO_2 ?

Le soleil est une lumière multidirectionnelle, ses longueurs d'onde sont légion. Le laser est une lumière unidirectionnelle, chaque laser a une seule longueur d'onde. Elle dépend de sa couleur. Le rayon laser peut parfois être dans une longueur d'onde non visible pour l'homme. C'est le cas du laser CO_2. Ce rayon focalisé, unidirectionnel, fiable, d'une puissance déterminée, coagule et coupe en même temps. La cicatrisation est rapide. C'est un outil chirurgical remarquable. Mais ce n'est qu'un outil ! Il évite tout saignement, toute blessure cordale inadéquate. La précision de la coupe respecte l'organe noble qu'est le ligament vocal. L'avenir pour Mathieu n'est pas la microchirurgie mais le traitement médical antiviral que les recherches françaises, belges et américaines développent actuellement. Une substance, la Cidofovir, injectée dans le lit du papillome, espace les récidives. Nous ne pouvons parler que de rémission actuellement et non de guérison. Lorsque le vaccin sera découvert, Mathieu sera guéri. Préserver la voix est l'élément essentiel dans ce type de microchirurgie du larynx. En effet, vouloir enlever une lésion à tout prix au risque de perturber la vibration, si ce n'est pas un cancer, est dommageable pour la voix. La voix de Mathieu, malgré ses multiples interventions, est restée satisfaisante, bien timbrée et claire.

J'ai été opérée de la thyroïde, ma voix s'est cassée et j'étouffe

Nicolina a été opérée d'un nodule de la thyroïde il y a près de deux ans. Au réveil de l'intervention, elle a présenté des difficultés respiratoires : « Je ne pouvais plus respirer, je ne pouvais plus parler, j'avais l'impression d'étouffer. » Dans l'urgence, une trachéotomie a été pratiquée (un trou dans la trachée pour lui permettre de respirer). Mais que s'était-il passé ?

Son mari est réanimateur-anesthésiste et avait assisté à l'intervention. J'avais donc tous les détails de l'acte chirurgical. La glande thyroïde était enlevée en totalité. Au réveil de l'intervention cette patiente de trente-six ans ne pouvait plus ouvrir ses cordes vocales spontanément, ce qui a imposé la trachéotomie. La commande nerveuse n'existait plus. Quatre semaines plus tard, je l'examine, les cordes vocales bougent très légèrement mais insuffisamment pour ouvrir la glotte et laisser l'air passer correctement. La respiration est faible et bruyante. On ne peut pas retirer la trachéotomie. L'intervention par microchirurgie laser va consister à ouvrir en arrière l'espace glottique pour lui permettre de mieux respirer. En effet, d'une façon un peu réductrice, on parle avec les deux tiers antérieurs des cordes vocales et on respire avec le tiers postérieur (plus on est en arrière, plus les cordes vocales en V s'écartent puisque l'avant est un point fixe). J'ai opéré Nicolina en pratiquant une ablation d'une partie de l'aryténoïde gauche et du tiers postérieur de la corde vocale. La trachéotomie a été retirée mais la voix est restée voilée. Nicolina peut désormais avoir une vie normale ou presque en attendant la mise au point de greffe nerveuse sur son larynx, dont les prémices ont été expérimentés par Harvey Tucker dans les années 80 et Jean-Paul Marie au début des années 2000.

J'ai été opéré de multiples fractures à la suite d'un accident, au réveil de mon anesthésie, ma voix était éteinte

Bernard, à la suite d'une chute, présente de multiples fractures. Cet homme d'une quarantaine d'années est opéré en urgence. L'intervention dure plusieurs heures. Au réveil, il ne peut pas parler correctement. La voix est faible, soufflée, fatigable. L'examen de ses cordes vocales montre une immobilité de la corde vocale gauche. La corde vocale est fixée à distance de la ligne médiane. Malgré la rééducation phoniatrique de six mois, la voix reste altérée. Pour qu'il puisse parler, il faut que les cordes vocales se touchent, ce qui n'est pas le cas. Le but de la chirurgie va consister à rapprocher le plus possible la corde vocale gauche de la ligne médiane pour que la corde vocale droite qui est mobile puisse la rejoindre pendant la phonation. En effet, pour l'instant, elle ne peut pas l'atteindre, la corde vocale gauche est trop loin. Pour cette intervention que l'on nomme médialisation cordale, on injecte un produit dans la corde vocale gauche pour la médialiser.

Je l'opère en injectant dans un premier temps du collagène. Le résultat est très encourageant, la voix est plaisante. Le collagène se résorbe en quelques mois, « mangé par son organisme », ce qui est habituel dans près d'un tiers des cas. La voix redevient faible. On décide d'une seconde tentative en positionnant alors une substance inerte qui ne se résorbe pas dans la corde vocale. Le résultat est satisfaisant. Pourtant cette corde vocale restera toujours immobile. Elle ne peut ni s'allonger, ni se raccourcir. Seule la corde vocale opposée peut exécuter cette gestuelle. La voix petit à petit s'améliore, mais si la voix parlée est correcte, la voix chantée est limitée par la longueur de la corde vocale immobile. Ce que permet cette chirurgie endoscopique laryngée c'est d'éviter la fatigabilité vocale et de donner une voix parlée très satisfaisante, mais également d'éviter d'avaler de travers, de faire des fausses routes. D'autres techniques sont également possibles, par chirurgie ouverte du cou et mise en place d'une prothèse. Il existe plusieurs techniques, car aucune d'entre elles n'a encore donné un résultat assez satisfaisant pour détrôner les autres. Bernard a récupéré une voix sociale. Il n'est plus fatigué dans ses discours, son timbre est de nouveau reconnaissable par ses proches.

Changer de sexe vocal

Certains transsexuels consultent pour changer leur voix. La rééducation vocale donne d'excellents résultats. L'apprentissage du placement du larynx, de l'utilisation du souffle et du comportement vocal suffit dans la très grande majorité des cas à adapter la voix à la nouvelle personnalité. La chirurgie est la dernière étape. Aucune hormone mâle ne doit être dans l'organisme sous peine d'un échec chirurgical. C'est l'ultime transformation. Ces hommes devenus femmes ont un larynx masculin. La hauteur de la voix dépend surtout de l'épaisseur et de la densité de la corde vocale qui désormais ne sont plus influencées par les androgènes. Plusieurs techniques sont possibles pour permettre une voix plus aiguë. Certaines se font par voie chirurgicale externe. La technique d'Isshiki, de Kyoto, ouvre le larynx sur sa partie médiane et étire les cordes vocales en avant, ce qui les rend plus fines. Une autre technique consiste à fermer la membrane crico-thyroïdienne, c'est-à-dire le muscle qui existe entre le cartilage cricoïde et thyroïde, pour permettre la bascule du larynx et ainsi créer une voix de fausset. Une microchirurgie laser par voie buccale permet de diminuer la masse de la corde vocale et, donc, sa densité. En enlevant une partie du muscle vocal d'un côté, puis six mois plus tard de l'autre côté si nécessaire, on affine le galbe musculaire cordal. Ces différentes techniques permettent de monter le registre vocal de quatre à cinq notes. Quelles que soient les techniques précitées, aucune ne peut encore se prévaloir de résultats exceptionnels.

Le cerveau peut être responsable des troubles du langage

Les troubles de la voix ne sont pas toujours secondaires à des lésions des cordes vocales, mais parfois à des lésions neurologiques dont certaines conséquences peuvent être traitées par phonochirurgie. Rappelez-vous l'histoire de Paul qui avait peur de décrocher le téléphone car il présentait des spasmes laryngés en parlant.

La voix est hachée

Dans la dysphonie spasmodique, la voix est hachée, tremblante. Les ma...la...des pppar...lent cccom...mme ccceula. On distingue deux types de dysphonie spasmodique : en adduction ou serrage et en abduction ou ouverture.

La dysphonie spasmodique en adduction (les cordes vocales s'hypercontractent en fermeture), c'est comme si vous parliez la gorge fermée. Vous serrez trop vos cordes vocales.

Elles ne peuvent pratiquement pas vibrer. Cela produit un tremblement laryngé. L'observation au fibroscope de ces voix parlées montre un bégaiement des cordes vocales avec des mouvements anarchiques, une constriction du pharynx, de la langue, des lèvres, une tête qui dodeline, et là il faut lever cette hypercontraction en créant une pseudo-paralysie.

La dysphonie en abduction (cordes vocales arquées et en semi-ouverture) présente une voix soufflée et toujours hachée. La fibroscopie du larynx montre des mouvements de tétanie des cordes vocales, qui tremblent sans commande apparente. Mais, dans tous les cas, l'influence émotionnelle aggrave de façon considérable ces dysphonies spasmodiques. Et la rééducation vocale est un appoint essentiel.

Outre la rééducation vocale, de nos jours le traitement adopté pour cette maladie est l'injection de toxine botulinique répétée tous les quatre mois. Cette injection paralyse partiellement la corde vocale. Elle empêche le spasme. Elle régularise la cadence vocale, le flot de paroles. Elle permet une voix audible, sociable, presque normale. La paralysie qu'elle entraîne est certes temporaire, mais efficace. Elle agit entre la jonction du muscle et du nerf. Elle empêche la commande nerveuse.

Une autre technique par microchirurgie consiste à enlever une partie du muscle vocal, associée à une laséro-coagulation sur les ramifications terminales du nerf de la corde vocale. Le but à atteindre est le même. On diminue la mobilité de la corde vocale, diminuant ainsi sa tension musculaire, mais la durée de rémission est beaucoup plus longue.

Monsieur Parkinson

Les troubles de la voix dans la maladie de Parkinson sont complexes. Elle associe un tremblement, une voix soufflée, une difficulté de démarrage de la phrase. Le traitement de cette voix parkinsonienne est le traitement de la maladie elle-même. Cette dysphonie est définie comme une dysphonie hypokinétique. Elle est secondaire à une lésion des noyaux gris centraux du cerveau. Ces troubles de la voix chez ces patients entraînent une voix monocorde, uniforme, faible. L'intelligibilité du langage reste altérée. Si la résonance nous semble normale, on observe une imprécision de la musicalité de la voix, des consonnes. Après un débit accéléré de mots, un silence brutal s'installe. Parfois, de façon involontaire, le patient répète des syllabes. Pourtant, l'intellect n'est pas altéré. Les cordes vocales ont un mouvement symétrique. Mais elles sont légèrement atrophiées. C'est la raison pour laquelle certains ont proposé, si la maladie de Parkinson est bien équilibrée, une injection de collagène, d'hydroxylapatite ou de silicone pour récupérer le galbe vocal. Cela reste très discutable et affaire de cas particuliers.

Les muscles se fatiguent

Maladie souvent méconnue, on observe dans la myasthénie ou ses dérivés une baisse de la puissance musculaire des cordes vocales, une fatigabilité de la voix parlée et un pincement du registre de la voie chantée. Il s'agit d'une lésion de la jonction neuromusculaire. Cette lésion est en rapport avec une baisse de la quantité disponible de neurotransmetteur acétylcholine, élément indispensable pour connecter la synapse et le muscle lui-même. Il en découle une parésie de la corde vocale. L'adduction (la fermeture) devient incomplète, donc on observe une dysphonie. Parfois, l'abduction (ouverture) est également perturbée. Les cordes vocales n'arrivent plus à s'ouvrir correctement. On observe des difficultés respiratoires. La myasthénie s'associe à une paupière qui tombe, à un voile du palais relativement paresseux, à une voix légèrement nasillarde. La voix peut être l'objet de tremblements. Le traitement est médical. Le psychologue, l'orthophoniste et le médecin sont une équipe indispensable pour appréhender cette pathologie complexe.

Traiter l'instrument laryngé est nécessaire mais il ne représente souvent que la surface de la blessure vocale. La science n'est rien sans l'approche de l'écoute, du vécu et de la personnalité du patient.

Votre voix :
un instrument vulnérable à protéger

Votre voix voyage avec vous, prenez-en soin.
Protéger-la car personne ne le fera à votre place.

Comprendre son instrument de musique, le larynx, permet d'éviter les forçages intempestifs pouvant entraîner des altérations irréversibles.

Ce que nous allons relater maintenant intéresse tous les professionnels de la voix et plus particulièrement le chanteur, l'acteur, l'avocat, le politique, l'enseignant, la secrétaire, l'hôtesse, ou encore les professeurs d'éducation physique. Prendre en compte l'aspect anatomique de notre instrument n'est que le haut de l'iceberg. En effet, l'aspect psychologique joue un rôle tout aussi déterminant dans notre émission vocale.

Il est rare de voir des hypochondriaques de la voix, mais cela existe ! « Toujours soigné, jamais guéri. »

Ces hypochondriaques rendent responsables de l'intonation de leur voix un enrouement épisodique, un raclement excessif, un microbe qui se serait mis sur leurs cordes vocales. S'il y a parfois un fond de vérité, l'allergie le plus souvent est responsable de ce type de gêne. Des poumons aux sinus, des cordes vocales aux lèvres, la moindre altération peut modifier notre timbre vocal, sa couleur, ses fréquences et sa puissance.

Ma voix se dérobe

Ce mardi après-midi de février 2003, Me M., avocat réputé du barreau, me consulte. Son « Bonjour docteur » révèle déjà une dysphonie sévère. « Que se passe-t-il mon cher maître ? » La réponse est éloquente : « Ma voix se dérobe, je ne peux plus plaider. Je suis angoissé car au lieu de me concentrer sur ce que je vais dire, je me préoccupe de ma voix. Je me demande si elle ne va pas me trahir à chaque instant. » Me M., cinquante-neuf ans, fumeur, continue son récit : « Il y a quatre mois, j'ai présenté une toux asthmatiforme. Je toussais presque jusqu'à suffoquer. On m'a prescrit moult fois des sprays à la cortisone, un traitement pour mon nez car j'avais une rhinite allergique. Malgré cela, ma voix a continué de s'altérer. Ce qui était épisodique est devenu permanent. Actuellement elle déraille surtout en fin de journée. Ma toux s'aggrave la nuit. Je ne peux pratiquement plus plaider. Depuis près d'un mois, j'ai dû repousser mes plaidoiries. Comme vous le comprenez, quand je fais attention à ma voix, je ne me préoccupe plus du message qu'elle doit porter. Ma voix m'échappe. Je ne suis plus convaincant. Ce n'est pas moi qui parle. C'est l'ombre de moi-même. Ma voix ne suit pas mes pensées, donc ma pensée s'éteint. Laissez-moi vous expliquer : ma pensée me tue ; elle va tellement vite, elle ne permet pas à ma voix de l'exprimer, elle me consume. »

Dans cette « plaidoirie » tragique, on entendait toute la détresse de Me M., comme un pianiste qui perdrait l'agilité de ses doigts. Devant cette voix cassée, enrouée, parfois inaudible, interrompue par des accès de toux, qu'allais-je trouver ?

« Avant cet épisode, aviez-vous déjà eu des infections de la gorge ? » La réponse fut « Non », de façon indiscutable. « Vous connaissez-vous des allergies ? Avez-vous été asthmatique ? Prenez-vous des médicaments ? » (Car certains médicaments donnent une toux asthmatiforme.) La réponse fut encore négative. La seule chose dont il se plaint, outre cette voix cassée, c'est quelques glaires qui tombent en arrière de sa gorge et qu'il est obligé de ravaler. Je n'avais rien décelé de particulièrement significatif lors de cet entretien. Les indices étaient pauvres.

Avant de l'examiner, je continue mon enquête. « Maintenant que vous m'y faites penser, docteur, effectivement, j'ai l'impression qu'entre les repas j'ai des régurgitations, des éructations, quelques picotements, mais sans plus. On m'a donné de la cortisone, des antibiotiques, des anti-inflammatoires, rien n'y a fait. » Les orientations diagnostiques étaient toujours maigres. Je l'examine, ma surprise est grande : le larynx est inflammatoire, rouge, parsemé de petits points blancs, comme enneigé. Les cordes vocales, l'épiglotte, les amygdales, le voile du palais, l'arrière de la langue ressemblent à ce que l'on voit chez le bébé et qu'on appelle le muguet. Ces points blancs disséminés sont des champignons. De plus, il présente un gonflement important en arrière du larynx. C'est une mycose, mais pas seulement.

En effet, pourquoi cette mycose s'est-elle installée et depuis si longtemps ? Pourquoi cette sensation de picotement depuis deux mois ? Deux éléments sont responsables de cette dysphonie sévère. Le premier, qui a d'ailleurs fait le lit du second, est le reflux gastrique. Le second est le champignon qui est installé dans sa gorge, très vraisemblablement secondaire au traitement agressif de cortisone et d'antibiotiques qu'il a subi depuis plusieurs semaines.

L'hypothèse est sans doute que le reflux gastrique a commencé à le gêner. Ces mucosités qui remontent de l'estomac se déversent dans la trachée et le font tousser. Cette toux, à son tour, en entretien le reflux par sa contraction abdominale, qui à son tour entretient la toux, etc., etc. La cascade continue : quelques semaines plus tard, on lui prescrit des sprays à la cortisone, sans préalablement protéger sa muqueuse du reflux acide. Dès lors, la flore de la gorge est déséquilibrée par l'acide gastrique et le spray à la cortisone. La mycose peut s'installer. La mécanique de la toux entraîne un choc des deux cordes vocales comme si vous tapiez dans vos mains. Lorsque ce phénomène se produit vingt fois par jour, voire plus, il n'est pas étonnant que l'instrument laryngé souffre. Les indices étant trouvés, la stratégie thérapeutique peut se mettre en place : d'une part, traiter la mycose, d'autre part, le reflux gastrique et enfin la toux, avec interdiction de tout spray à la cortisone. Le tout associé à une diète alimentaire. Dix jours plus tard : « Docteur, ma voix vient de se libérer comme si elle avait été prisonnière de la maladie. Ma pensée vient de retrouver le chemin que je lui connais. Je peux plaider sans m'occuper de la façon dont je plaide, mais uniquement de la façon dont je dois convaincre. »

Le cas de Me M. est passionnant. Il nous montre l'intrication entre voix et personnalité, entre pensée et expression. Blesser la voix c'est endommager l'affect. Le reflux gastrique doit être traité chez ces professionnels de la voix et surtout doit être dépisté avant de déclencher d'autres affections qui masqueront la première.

L'hygiène alimentaire est indispensable pour la santé vocale. Fruits, légumes, pâtes, poissons sont des aliments essentiels. Pendant les performances, l'expérience montre que les laitages, les plats en sauce, les fromages créent ou épaississent des mucosités qui viennent altérer les cordes vocales. Deux heures avant une plaidoirie, le repas doit être peu copieux, à base d'éléments simples : sucres à élimination lente comme les pâtes, certains fruits contenant de la vitamine C et des fruits secs. Éviter le cassoulet et la bière. Le thé ou le café, à dose modérée, génèrent peu de gêne selon mon expérience. Je demande à Me M. de mettre des bretelles. En effet sa ceinture est trop serrée et favorise le reflux. Je lui précise de boire fréquemment, ce qui ne signifie pas engloutir un demi-litre d'eau en vingt secondes, car alors se crée une dilatation gastrique violente, mais prendre un verre d'eau plusieurs fois et donc boire souvent. Il est bon d'ajouter des boissons énergétiques bien connues sur le marché, à raison d'un demi-verre associé à un demi-verre d'eau.

Mais là ne s'arrête pas l'hygiène alimentaire. Il faut souligner l'importance pour un bon transit abdominal des légumes verts, des brocolis. En effet, toute constipation opiniâtre ou toute diarrhée excessive perturbe le diaphragme et donc le contrôle respiratoire. L'art vocal est un ensemble bien complexe mais pourtant simple à protéger.

Athlètes de la voix

Les professionnels de la voix sont des athlètes à part entière. Chanteurs, comédiens, tribuns de toute nature, ils doivent associer leur activité vocale à une activité sportive. Ils se doivent d'améliorer et de maintenir une musculation respiratoire abdominale, thoracique et un équilibre psychique essentiels.

Protéger sa voix c'est en premier lieu protéger sa respiration : l'énergie de la voix c'est l'air expiré. L'inspiration est principalement nasale. Le nez a un rôle de filtre, d'humidificateur, et de réchauffement de l'air inspiré.

Dans la technique de la voix parlée, de la voix chantée, la phrase, la prosodie, la mélodie exigent souvent des inspirations courtes, cordes vocales bien écartées, suivies d'expirations contrôlées et lentes, les cordes vocales étant en contact vibratoire. La lubrification est essentielle. Les cordes vocales peuvent se dessécher rapidement par ces allers-retours incessants de l'air qui entraînent une déshydratation relative. Ainsi, l'usage d'humidificateurs se multiplie dans certaines loges de nos chanteurs ou comédiens, au domicile de l'avocat, du conférencier, ou de l'enseignant. Ces mêmes professionnels, en cas de performance importante, doivent avoir une alimentation saine afin d'éviter le surcroît de travail que l'arbre respiratoire doit accomplir pour permettre d'oxygéner les organes digestifs fortement sollicités à la suite de repas copieux. Enfin, il est bien connu chez les professionnels de la voix qu'une maison humide avec des moisissures, ou trop chauffée et trop « sèche », perturbe la voix.

Savoir s'habiller

La tenue vestimentaire a également son importance. Il faut laisser respirer les poumons, surtout ne jamais porter un pantalon serré, ni de corset comme l'imposent ces rôles difficiles dans les œuvres des XVIIIe et XIXe siècles. Au niveau de la cage thoracique, les côtes inférieures ou côtes flottantes, comme leur nom l'indique, sont mobiles dans leur partie antérieure et ne sont pas comme les autres ancrées sur le sternum en avant, mais seulement en arrière sur la colonne vertébrale dorsale. Ce sont elles qui ont un rôle prédominant dans l'expansion respiratoire à l'inspiration. Regardez les grands ténors qui se préparent à émettre le contre *ut* ! Ils augmentent de façon impressionnante cette région de leur corps. Il ne faut en aucun cas gêner leur amplitude entre l'inspiration et l'expiration. La symbiose des respirations thoracique et abdominale doit être respectée.

À propos des bretelles, deux remarques : pour certains professionnels de la voix bien portants, leur usage permet une libération complète de la respiration diaphragmatique et abdominale, mais le pantalon doit être large ! Par ailleurs, elles ont le mérite de rappeler à notre professionnel, par la pression qu'elles exercent sur les clavicules, de ne pas soulever ses épaules pendant la performance vocale.

Voix, tabac et personnalité

Une fine pellicule de mucus au niveau des fosses nasales, de ce que l'on appelle les cornets, constitue une couverture protectrice. Elle va piéger la poussière, les microparticules de pollution, stopper les germes, humidifier, réchauffer ou refroidir l'air que nous respirons. L'écoulement de glaires à l'arrière de la gorge postérieure entraîne un raclement particulièrement important, sur un terrain allergique. Ces mucosités postérieures abondantes sont avalées. Les conséquences de cette déglutition de glaires sont multiples : les glaires, arrivant dans notre estomac, provoquent des contractions gastriques et une hyperacidité réactionnelle qui, à son tour, altère la partie postérieure de notre larynx. La nuisance causée par cet écoulement postérieur n'est donc pas seulement due aux raclements mais également au reflux gastrique qu'ils entraînent.

Nos lèvres et notre bouche doivent rester humides. Des lèvres sèches ne permettent pas une activité vocale convenable. C'est le rôle qui incombe à nos glandes salivaires, les parotides situées de part et d'autre de nos joues et les glandes sous-maxillaires situées de part et d'autre de notre mâchoire. Quand nous mangeons se déclenche le réflexe de Pavlov (le fait de porter l'aliment à la bouche fait sécréter nos glandes salivaires et humidifie l'espace bucco-pharyngé). Cette salive prédigère les aliments. Elle est également un élément indispensable à la lubrification de la cavité buccale. Lorsque la bouche est sèche, mastiquer du chewing-gum peut être d'une aide précieuse car cela stimule les glandes salivaires et augmente leur sécrétion. Cependant, une exception : il ne faut pas mâcher de chewing-gum à la nicotine sous prétexte d'arrêter de fumer. Il assèche les glandes salivaires, irrite la base de la langue et dessèche les cordes vocales.

Muriel

Muriel, à peine la cinquantaine, élégante, une voix grave, est gênée par la raucité de sa voix. Depuis quelques mois, elle n'ose même plus se servir du téléphone. Les aigus n'existent plus, en quelques minutes la voix parlée devient difficilement compréhensible. Ses conversations téléphoniques ne peuvent durer que cinq à six minutes, ce qui est pour ainsi dire dérisoire ! Le fait qu'on lui dise « Bonjour monsieur » ne la dérange pas. Tousser fréquemment dans la journée, parfois la nuit, ne l'inquiète pas non plus. C'est la voix qui la perturbe. Muriel fume près de quarante cigarettes par jour, des Gitanes s'il vous plaît ! et ce depuis l'âge de vingt ans !

Ces troubles de la voix ont agressé sa personnalité. La peur d'un cancer commence à la préoccuper. Sa voix est cassée, rocailleuse et irrégulière. L'exploration de son larynx montre un gonflement important de sa corde vocale gauche qui est boudinée, sans lésion apparente de tumeur maligne. La vibration n'existe pratiquement plus. La corde vocale droite est légèrement œdématiée. Une telle personnalité, qui certes ne supporterait pas un timbre très aigu, ne s'harmonise plus avec cette voix. L'intervention est nécessaire. Ici, le problème n'est pas le cancer, mais la communication avec les autres.

Opérer Muriel, enlever les deux œdèmes des cordes vocales, c'est changer sa voix. Lui donner une voix de soprano, quelle horreur ! me dit-elle. En effet, c'était toucher à sa personnalité profonde. Cette femme, artiste peintre, ne le supporterait pas. Il fallait donc que je l'opère en conservant son identité vocale et en éliminant la raucité de sa voix. Restaurer sa voix de ses trente ans était le challenge que nous nous étions fixé sans pour autant enlever les harmoniques graves.

On sait que le galbe musculaire et la qualité de la muqueuse de la corde vocale participent au timbre. L'œdème de l'épithélium donne une tonalité grave et souvent une sensualité vocale particulière. L'intervention doit permettre d'enlever suffisamment d'œdème mais pas trop, pour conserver des fréquences vocales à la Lauren Bacall. Après avoir expliqué cette approche technique à Muriel, la chirurgie est programmée. L'opération a lieu sous anesthésie générale. La microchirurgie laser au niveau du larynx peut commencer. Les yeux rivés sur le microscope, j'observe ses cordes vocales. Mon assistant me permet de mieux les visualiser en appuyant, au niveau du cou, sur le larynx de la patiente. Il peut suivre l'intervention. Sur la corde gauche, le gonflement a un aspect irrégulier, polypoïde. Le laser d'une précision de 120 microns permet d'enlever cette lésion en conservant une partie de l'œdème. Sur la corde vocale droite, l'œdème est minime, opérer ce côté serait monter son registre vocal de quatre tons. Il n'est donc pas question d'y toucher. Dans sa chambre, elle émet les premiers sons de sa nouvelle voix, bien que je lui aie demandé de ne pas parler pendant huit jours. Elle est étonnée de s'entendre ainsi. J'insiste pour qu'elle garde un repos vocal jusqu'à notre prochaine rencontre dans une semaine.

Dès la fin de la troisième semaine, sa voix s'équilibre, devient claire, le timbre a gardé ses harmoniques graves et sa sensualité sans la raucité et les grésillements. Les blessures de cette voix ont été provoquées par l'usure du temps et par la cigarette. Les cordes vocales, lors du contrôle à la sixième semaine, ont un aspect satisfaisant. La voix est claire, cependant Muriel me signale qu'en fin de journée la voix se fatigue. Effectivement, les cordes vocales semblent sèches. Je lui demande si elle continue de fumer sous le manteau. La réponse ne se fait pas attendre, c'est un non formel n'admettant pas la réplique. « Mais, m'avoue-t-elle, je mâche entre dix et quinze chewing-gums à la nicotine par jour. » Certes, le goudron, élément cancérigène, n'existe plus. Mais la « nicotine chewing-gum » gêne la souplesse vocale, dessèche la bouche, perturbe la sécrétion salivaire, provoque une altération de la lubrification des cordes vocales. Dans le cas de Muriel le patch est plus efficace et permettra d'éviter cet assèchement cordal. Au troisième mois, il n'y a pas de reprise de la cigarette. La cicatrice post-opératoire de ses cordes vocales n'est plus visible, la voix a désormais récupéré le timbre de ses trente ans.

Voix et cigarette

Une vraie drogue

M. L. B., écrivain ayant déjà écrit de nombreux ouvrages, se présente avec une voix cassée. « Ce n'est pas d'hier que ma voix est enrouée, mais depuis plus d'un an, en décembre 87, j'ai commencé à ressentir quelques troubles vocaux. » On était en janvier 1989 : « J'ai trop de travail, je n'ai pas eu le temps d'aller chez le médecin. » L'examen montre une petite masse blanchâtre, en relief, évoquant un petit cancer situé sur le milieu de la corde vocale droite. Mais par ailleurs, le larynx est mobile, ce qui est un élément très favorable et signifie que la tumeur n'a pas envahi l'articulation des cordes vocales, ni la partie antérieure du larynx, ni les ganglions. Devant cette tumeur bien localisée, le taux de guérison est de plus de 98 % après une microchirurgie, sous anesthésie générale, au laser CO_2 par voie buccale, sans aucune incision de la peau dont nous avons déjà parlé. Pendant l'intervention, l'anatomo-pathologiste me précise que le prélèvement est cancéreux mais que je suis en zone saine. Le cancer est retiré en totalité.

Quelques jours après avoir opéré M. L. B., je lui précise qu'il s'agit d'une lésion cancéreuse retirée en totalité et que les chances de guérison sont importantes. Je demande l'impossible à cet écrivain qui fume soixante cigarettes par jour : arrêter de fumer ! Le choc terrible pour l'organisme de passer de soixante cigarettes à zéro demande une volonté qui force l'admiration. Ce qui fut dit fut fait. Il s'arrêta de fumer. Lors de la consultation de contrôle du dix-huitième mois, M. L. B. entre dans mon cabinet avec une voix bien timbrée. Tout semblait pour le mieux dans le meilleur des mondes. Et pourtant !

Il s'assoit dans le fauteuil, face à moi, après avoir posé son chapeau et son manteau. Il me regarde avec une angoisse bouleversante et de sa voix grave il me dit : « Docteur, je vais bien, ma voix est belle, je ne fume plus, mais il n'y a que cela qui va bien. » J'avoue que je n'ai pas très bien compris. Le cancer était en rémission totale, les cordes vocales vibraient parfaitement bien. C'est alors qu'il me demande une feuille blanche. Il la place sur le bureau en face de moi. Il prend son stylo à plume. Il s'accoude, sa main gauche sur le front, sa main droite prête à l'écriture. Quelques minutes passent. Il reste silencieux, la main est immobile, il n'écrit pas un seul mot, la pointe du stylo reste figée sur la feuille pendant deux minutes. C'est long deux minutes, sans parler, sans bouger, presque sans respirer ! À ce moment-là, une larme coule sur sa joue gauche, tombe sur la feuille, l'imprègne. Il me regarde, enlève ses lunettes, les pose et me dit : « C'est comme ça depuis un an et demi. Les muses m'ont quitté. Je ne peux plus écrire. Sans la cigarette, mon imagination n'existe plus. »

Quelle dure réalité ! Ce manque qu'il accusait comme assassin de son imaginaire était terrible. Cet homme, cet artiste de l'écriture, ce n'est pas une corde vocale, c'est un homme tout entier. Le tabac était sa drogue. Elle semblait indispensable à sa créativité d'écrivain. Je lui conseille de fumer la pipe, modérément, de façon à garder une gestuelle, mais également une imprégnation tabagique modeste. Depuis, je le vois régulièrement deux à trois fois par an. L'homme a retrouvé ses muses, son larynx se porte bien, sa dynamique créatrice est de nouveau là. À l'époque, les substituts nicotiniques ne valaient pas ceux d'aujourd'hui.

Les dangers du tabac : goudron et nicotine

Le goudron ou benzopyrène est la substance carcinogène. Elle se dépose au niveau de la muqueuse des cordes vocales mais également au niveau de l'épithélium pulmonaire. Elle est responsable de plus de 97 % des cancers du larynx. Au tout début, il s'agit d'une simple plaque blanche, qui provoque une voix cassée de façon épisodique. M. L. B. a laissé le goudron tracer tranquillement son chemin dévastateur. Il a provoqué d'abord une laryngite associée à un reflux gastrique. La cigarette a affaibli les défenses immunitaires de la muqueuse laryngée et a permis l'installation de la laryngite et secondairement du cancer.

La nicotine a une action bien différente et plus subtile. C'est un travail de longue haleine. L'acide nicotinique agit au niveau vasculaire. Il provoque voire aggrave l'athérosclérose.

Le tabac est une drogue. Les effets de son accoutumance nous ont été démontrés chez M. L. B. La nicotine agit au niveau cérébral et plus précisément au niveau de l'hypothalamus. Elle peut être excitatrice, elle crée souvent une dépendance. En effet, notre propre organisme sécrète de l'acide nicotinique. Il agit également sur le centre régulateur de notre métabolisme basal. Elle peut être frénatrice de la prise de masse graisseuse et de poids. Lorsque l'on ne fume plus, l'acide nicotinique n'agit plus sur l'hypothalamus. Il n'a plus d'action frénatrice. Il y a donc possibilité de prise d'embonpoint. C'est la raison pour laquelle beaucoup de « gros » fumeurs qui s'arrêtent brutalement, sans prise de substitutifs nicotiniques, prennent du poids : 5 à 10 kg en quelques mois.

Fumer cordes vocales ouvertes ou fermées

Les professionnels de la voix qui fument pendant leur activité phonatoire sont plus sujets à des lésions laryngées qu'un patient qui reste devant son ordinateur sans parler. Lorsque vous parlez, vous expirez, vos cordes vocales se rapprochent. Elles vibrent, elles se touchent, elles entraînent un contact de la muqueuse des cordes vocales droite et gauche. De ce fait, la nicotine et le goudron s'infiltrent dans la muqueuse de la corde vocale qui vibre. Des microtraumatismes s'exercent petit à petit au niveau de l'épithélium. Dès lors, les lésions vont prendre racine. Lorsque vous expirez sans parler, les cordes vocales sont ouvertes, presque effacées de l'espace glottique, tout comme en inspiration. Elles ne vont pas créer d'obstacle au flux d'air. L'impact nicotine et goudron existe, mais il est moins important au niveau des cordes vocales puisqu'elles sont écartées.

Quant à l'alcool, en forte quantité, il crée des lésions vasculaires, des perturbations hépatiques, veineuses et gastriques. Il aggrave l'action de la cigarette, il augmente d'un facteur 3 les complications connues du tabac.

« Allô, bonjour monsieur. – Non, c'est madame. »

Le tabac n'a pas seulement un impact cancérigène, il peut également créer un œdème des cordes vocales. Lorsque cet œdème des cordes vocales se constitue, c'est de la gélatine, de la glu, qui se positionne sous la muqueuse des cordes vocales entre le muscle et la surface. Cette coulée gélatineuse alourdit l'organe vibratoire. Cet œdème est habituellement bilatéral, siégeant sur les deux cordes vocales. Mais comment est-il créé ? Dans près de 99 % des cas, il survient chez le fumeur, le plus souvent chez la femme qui fume plus de 15 cigarettes par jour. Il semblerait que l'inhalation de la fumée de cigarette provoque, par la nicotine et le goudron, une double agression, vasculaire pour la première, kératosique pour le second. La kératose n'est ni plus ni moins qu'une petite couche de corne qui se forme sur la muqueuse du fait de l'irritation chronique tabagique associée au surmenage vocal et fréquemment au reflux gastrique. Cet œdème polypoïde des cordes vocales donne une voix grave et masculine chez la femme. Cela n'est pas toujours dérangeant. Une intervention s'impose seulement en cas de suspicion de cancer ou de rupture dans l'harmonie de la personnalité.

Ce n'est pas toujours la faute de la cigarette

Mais la cigarette n'est pas seule responsable des altérations de notre larynx. La pollution, des substances allergènes, en perturbant nos cavités nasales, peuvent entraîner des inflammations des cordes vocales. Il en va de même des milieux ambiants particulièrement secs. La protection de l'humidification pharyngo-laryngée ne doit pas seulement se pratiquer dans l'environnement professionnel mais également dans la vie de tous les jours. Dans une voiture à air conditionné, le degré d'humidification de l'air est trop faible. Si vous parlez pendant votre parcours, vous fatiguez votre voix. En effet, vous devez pousser la puissance de votre vocalise au-dessus du bruit du moteur dans un environnement asséché par la climatisation. Il en va de même si vous prenez l'avion ou le TGV. Lors d'un voyage relativement long, il sera de bon conseil de boire souvent et de parler peu, d'éviter les alcools et la prise d'aspirine. L'alcool provoque une dilatation vasculaire, l'aspirine une fluidification du sang et, de ce fait, ils fragilisent les cordes vocales. Lorsque l'air est déshydraté, les microvaisseaux situés sur les cordes vocales sont moins résistants. Pour peu que vous éternuiez violemment, que vous toussiez, ou bien que vous soyez amené à vous emporter lors d'une discussion, cette fragilité vasculaire ne résistera pas. L'aspirine pourra provoquer de microhématomes de la corde vocale.

À sa descente d'avion, Mme C. B., chanteuse d'une trentaine d'années, arrive de l'étranger après un voyage de huit heures. Sa voix est enrouée. Je la reçois quelques heures après son arrivée à Paris, dans l'après-midi. « Ma voix est enrouée, mais docteur, il est vrai que je n'ai pas arrêté de parler dans l'avion. J'ai bu deux verres de champagne. En quelques heures, j'ai senti ma voix partir. »

Que s'est-il passé ? Dans l'avion, le degré d'humidification de l'air est de 3 % alors qu'à Paris, il est de 40 %. Le bruit des moteurs est entre 60 et 70 dB, alors que dans l'entourage habituel il est de 15 dB. Le fait de boire du champagne entraîne une vasoconstriction des capillaires du larynx et dessèche les cordes vocales. Le vol dure huit heures. Ces éléments favorisent à eux seuls une altération de la vibration des cordes vocales. Pour se faire entendre, il faut parler au-dessus du bruit de l'avion dans une atmosphère desséchée. Mais ce n'est pas tout ! Mme C. B. se trouvait dans sa période prémenstruelle. Pendant cette période, nous l'avons vu, il existe une fragilité des capillaires et fréquemment un œdème des cordes vocales. Pour comble, elle avait eu la veille des maux de tête qui l'avaient conduite à prendre de l'aspirine. À sa descente d'avion, à Roissy, elle est interviewée. La voix rauque ne l'inquiète pas tout de suite. Mais quelques heures plus tard, la voix reste altérée. L'angoisse monte. L'exploration dynamique vocale par stroboscopie montre un léger hématome de la corde vocale droite sans danger mais qui nécessite un repos vocal de dix jours.

Cette anecdote révélatrice montre l'importance des conséquences des blessures de la voix dues à notre environnement. Ainsi, chez les professionnelles de la voix, pour éviter ce type d'incident, le silence vocal est de rigueur pendant tout le vol surtout en période prémenstruelle.

Dans un autre registre, Mme A. G. se présente pour une fatigabilité vocale excessive et l'apparition fréquente d'une véritable cassure de la voix. Dans l'enfance, elle faisait quelques crises d'asthme. On a changé sa moquette il y a quelques mois, date où a commencé sa dysphonie. Cette femme de trente-neuf ans ne semble pas du tout psychologiquement dépendante de sa voix cassée. L'examen de son larynx montre un gonflement des cordes vocales associé à une inflammation. Par ailleurs, au niveau de ses fosses nasales on note de petites excroissances, des petits polypes allergiques. Pour parler, du fait de ce gonflement des cordes vocales, mais également de la gêne respiratoire nasale, Mme A. G., institutrice d'école maternelle, doit pousser sur sa voix. En quelques semaines, ce malmenage vocal entraîne l'apparition de tout petits nodules. Il faut traiter le problème en amont et non pas en aval. Le coupable est l'allergène. Il a provoqué cette réaction en chaîne : respiration nasale altérée, polypose nasale, trachéite asthmatiforme avec une toux traumatisante pour les cordes vocales, nodosités sur les cordes vocales. Le bilan allergique démontre sa réaction aux allergènes acariens et aux poussières. Les acariens sont de petits éléments vivants mangeurs de nos cellules de peaux mortes et qui peuvent entraîner des réactions allergiques. Une désensibilisation associée a permis en quelques mois de venir à bout de cette dysphonie allergique.

Qu'est-ce que l'allergie ? Pourquoi notre larynx est-il particulièrement réactif aux éléments dits allergènes ? Il s'agit d'une hyperréaction de l'organisme qui amplifie considérablement la réponse à l'agression d'une molécule extérieure qui peut être la poussière, les acariens, les pollens, les poils d'animaux, etc. Ce phénomène réactionnel est une réponse immunitaire due à des cellules appelées macrophages, qui au lieu de se contenter de neutraliser cette molécule en font toute une histoire. Elles ameutent tout le monde. Elles créent un œdème, une réaction inflammatoire disproportionnée, comme la crise d'asthme, par exemple, ou les crises d'éternuements.

Autour des cordes vocales

Cependant, la perturbation vocale a de multiples causes. Une otite séreuse, une inflammation de l'oreille moyenne entraînent une gêne vocale : le feed-back voix-oreille ne fonctionne plus correctement. Un traitement adéquat est indispensable non pas pour le larynx, mais pour l'écoute.

Chanter ou parler trop longtemps, trop fort, surentraîner sa voix sont également néfastes. Comme si aux jeux Olympiques, l'athlète courait cent mètres en 10 secondes, une heure avant la compétition. Il épuise ses ressources énergétiques et mentales.

L'institutrice d'école maternelle

Lorsque l'on parle, que l'on chante, que l'on rit ou l'on crie, on ne doit jamais avoir mal à la voix. Elle peut être plus faible, mais l'alerte est donnée si on ressent une douleur. Ce peut être un muscle où quelques fibres se déchirent, ce peut être une tension du larynx, ou tout simplement une fatigue générale. On peut crier. Encore faut-il savoir comment crier.

D'abord se reconnaître le droit à la fatigue est une force. Il ne faut pas vouloir systématiquement combler cette fatigue par des médicaments. Parfois, cependant, les répétitions exigent un rythme soutenu. La contrariété joue sur votre vibration vocale. C'est là que le professionnalisme s'impose, que l'expérience vous protège, en vous isolant du monde extérieur lors de vos répétitions et vous arrêter au bon moment. Comme le dit le proverbe : « Le mieux est l'ennemi du bien. »

En début de carrière de voix chantée, de voix parlée, il faut se méfier des mauvaises habitudes, des techniques vocales inappropriées. Le professeur de chant, en harmonie avec vous, est la clef principale de la conservation d'une voix, de la prévention de l'accident des cordes vocales. Les répétitions sont indispensables : des exercices précis qui permettent d'acquérir la technique.

Il est habituel que les chanteurs professionnels s'exercent entre une heure trente et trois heures par jour. Ainsi, ils conservent la souplesse musculaire, mais également l'entraînement acoustique. Un conseil, cependant : il ne faut pas chanter fort d'emblée. Il ne faut pas étirer un muscle sans préalablement l'avoir échauffé avec des sons bouche fermée par exemple. Il pourrait en résulter des minidéchirements musculaires vous faisant perdre le haut de votre registre vocal. Il va de soi qu'en aucun cas il ne faut pratiquer le chant ou répéter une pièce de théâtre de six à huit heures par jour, comme je le vois faire trop souvent. Il n'est alors pas étonnant qu'on assiste à la formation d'un nodule ou d'un hématome de la corde vocale. Est-ce que vous verriez un marathonien courir huit heures tous les jours ? Même pour le Tour de France, les cyclistes ne roulent jamais plus de sept heures, ce qui est déjà un exploit.

L'instituteur ou l'institutrice doit apprendre à placer sa voix. Ce sont eux aussi des marathoniens de la voix. Ils devraient suivre une à deux fois par an 6 à 8 cours d'orthophonie.

Vous hurlez comme supporter sportif lors d'un match de tennis ou de football, vous criez avec vos enfants dans la rue, sans avoir échauffé votre voix : si un hématome apparaît et n'est pas traité, la pathologie évolue. Cette petite poche de sang se collecte pour former un polype rougeâtre, angiomateux. La voix devient de plus en plus enrouée, mais pas suffisamment pour inquiéter ce supporter ou cette mère de famille. Le polype augmente avec les années, modifie la voix, crée l'enrouement et la fatigue vocale.

« Ma voix se casse dans l'après-midi. Elle a du mal à se dérouiller le matin. » Mme E. S. est institutrice à l'école maternelle. Elle a trente-quatre ans. Elle ne fume pas, mais les petits lui demandent beaucoup : chanter, parler, imiter les animaux. Le surmenage vocal est inévitable. En fin de trimestre, elle a des difficultés à assurer la classe. Il y a près d'un an, sa voix s'est fortement enrouée en fin de journée, lors d'une séance de chant avec les enfants, mais sans conséquence particulière sur la voix parlée. Le lendemain, à la reprise des cours, elle ressent une douleur à gauche, au niveau du larynx. Elle ne peut plus chanter. Sa voix parlée devient légèrement éraillée. « J'étais fatiguée, ma gêne persistait, mais ma voix restait compréhensible. »

Le temps passe. La douleur disparaît, mais la voix s'altère de plus en plus. Sa gêne est double : la fatigabilité de sa voix et la perte complète de son registre aigu qui ne lui permettent plus de chanter depuis quelques mois. Lors de l'examen, on observe une altération de la corde vocale gauche qui présente des microvarices avec un polype hémorragique appendu sur le bord, empêchant celle-ci de venir au contact de la corde vocale droite de façon efficace. La vibration est altérée. Ce malmenage vocal, qui dure depuis un an, a entraîné la formation du polype. Plus Mme E. S. parle, plus elle pousse sur la voix pour pouvoir parler, plus le polype s'aggrave. Cela s'explique ainsi : l'hématome constitué il y a un an lorsque sa voix s'est enrouée pendant le chant n'a pas été traité. De ce fait, la poche de sang de l'hématome s'est collectée à cause du traumatisme vibratoire constant et sans aucun repos vocal. Le liquide hémorragique a formé un polype au niveau de la partie la plus sollicitée pendant la vibration, c'est-à-dire le tiers moyen de la corde vocale. Ainsi le coupable est l'hématome. Sa manifestation est le polype.

Rappelons que la santé de la voix, son efficacité et ses caractéristiques dépendent de trois aspects. Dans toutes les pathologies, toutes les altérations, tous les incidents ou accidents de la voix on retrouve au moins l'un de ces trois éléments : fermeture, vibration, lubrification des cordes vocales.

Prenez cet exemple : ouvrez vos doigts, écartez index et majeur. Ce sont vos cordes vocales. Vous les resserrez, ils se touchent. C'est à ce moment-là que le son va être émis, lors de la fermeture des cordes vocales. Cette fermeture entraîne et permet par frottement la vibration. La lubrification, c'est-à-dire l'hydratation des cordes vocales, est indispensable pour éviter l'échauffement et rendre possible le contact d'une corde sur l'autre, par exemple quatre cent quarante fois par seconde pour la note *la*, soit, pendant 10 s, 4 400 vibrations. Frottez vos mains ne serait-ce que dix fois en 2 s, elles vont brûler si elles ne sont pas lubrifiées.

Revenons à vos deux doigts, index et majeur, mettez entre eux un crayon : ils ne se touchent plus, tout comme les cordes vocales qui auraient un obstacle entre elles. Le paroxysme est la paralysie de la corde vocale où le contact n'existe plus. Il n'y a pas de voix puisqu'il n'y a pas de contact : c'est le premier mot clé.

Si elles se touchent mais que la vibration est perturbée, la voix est éraillée. C'est ce qui se passe dans le cas du polype angiomateux de Mme E. S. Il en est de même pour un nodule dur, un granulome, ou un œdème important, une masse cordale. Parfois il s'agit d'une inflammation, une laryngite par exemple. Ce peut être également le cas lors d'une fatigue musculaire du larynx. Cette fatigabilité musculaire des cordes vocales altère la vibration : c'est le deuxième mot clef.

Serrez vos doigts et mettez dessus de l'eau de Javel. La peau devient moins souple, plus rêche. La vibration est altérée. La voix est rauque. Il y a perte de la lubrification. L'échauffement des cordes vocales va être un facteur aggravant dans la pathologie de ce larynx. Le reflux du suc gastrique au niveau des cordes vocales perturbe la lubrification : c'est le troisième mot clef.

Mme E. S. présente actuellement un polype bien défini, qui nécessite l'intervention pour pouvoir récupérer sa voix d'antan. Cette intervention ne suffira pas. Elle a pris de mauvaises habitudes vocales. Il faut rééquilibrer la gestuelle pneumophonique entre la voix et la respiration. Cette institutrice pousse sur sa voix depuis plusieurs mois. L'orthophonie est indispensable avant et après l'intervention pour retrouver le mouvement vocal harmonieux indispensable à sa carrière. Pour comprendre le rôle de la symétrie des cordes vocales lors de la phonation, imaginez que vous tendez les deux bras, bien droit, bien solidement. Sur le bras droit, je vous mets un poids de 1,5 kg. Il fléchit légèrement vers le bas. Vous allez donc rétablir grâce à votre musculation adéquate la symétrie pour garder les deux bras au même niveau. Lorsque j'enlève ce poids, votre bras droit va monter puisque la tension musculaire qui lui était demandée reste en mémoire quelques instants. Et ce n'est que secondairement qu'il rétablit le même niveau par rapport au bras gauche. Il en va de même pour le larynx, où le polype fait office de poids sur la corde vocale. Après l'avoir opéré, il faudra rétablir ce nouvel équilibre laryngé.

L'hygiène dentaire

L'articulé dentaire peut être également responsable de troubles de la voix.

L'articulation de la mâchoire est unique dans le corps humain, nous l'avons vu précédemment. Rappelons qu'il s'agit d'une double articulation avec notre crâne. En effet, c'est un véritable arc qui présente deux articulations associées, droite et gauche, et parfaitement mobiles dans un mouvement vertical de haut en bas. Une masse musculaire impressionnante permet sa mobilité. Cet ensemble nous donne la possibilité de parler, de créer nos voyelles, de chanter, de manger, d'avaler, de bâiller. Un grain de sable dans ce phénomène parfaitement orchestré peut suffire à déclencher des effets secondaires graves. Bien sûr, l'habillage dentaire est partie prenante dans ce complexe. Ainsi, une occlusion dentaire mal adaptée peut entraîner une asymétrie des articulations de la mandibule, mais également un retentissement sur la musculation cervicale. La voix s'altère progressivement s'il existe une malocclusion dentaire. On a trop souvent négligé l'importance de l'hygiène bucco-dentaire. Il faut insister sur la préservation de cet ensemble complexe, élément indispensable à l'édifice de notre voix. La dentition a sa place dans notre expression vocale. Dès les premières années, le tout-petit se dote des dents de lait permettant ses premiers mots. Il va pouvoir se nourrir d'aliments solides et perfectionner son émission vocale. Cette barrière de dentine entre le monde extérieur et notre monde pharyngé met en place l'architecture bucco-pharyngée interne pour une expression dédiée aux autres. Les dents apparaissent vers l'âge de six mois. Pour certains, elles disparaissent vers soixante-dix ans. L'avance technologique et chirurgicale dans le domaine dentaire montre de nos jours une évolution incontestable pour favoriser la conservation, grâce aux prothèses et implants dentaires permettant une voix tonique et satisfaisante.

Voix et posture

Le bossu de la voix

M. S. R., comédien et chanteur, a une voix soufflée depuis plusieurs mois. Il habite au Sri Lanka et ne peut plus exercer son métier. À la suite d'une grippe, avec une toux et une surinfection bronchique, sa voix s'est dégradée. « Ce n'est pas la première fois que j'ai une bronchite, mais, habituellement, je peux continuer à jouer et à chanter. Cette fois-ci, ma voix s'est éteinte en une dizaine de jours. On veut m'opérer, on m'a dit que ma corde vocale droite est paralysée. Qu'en pensez-vous ? »

Lors de l'examen, j'observe une immobilité de la corde vocale droite. Notez bien que je n'ai pas dit paralysie, mais impossibilité de bouger son larynx du côté droit : la différence est importante. Le muscle vocal a une tonicité satisfaisante avec un galbe musculaire identique à droite et à gauche. Il n'y a donc pas de paralysie. En effet, lorsque le nerf est atteint, la corde vocale est amincie, atrophiée. La vibration de la muqueuse vocale est harmonieuse et respectée, mais seulement sur une fréquence médium. Les notes aiguës sont impossibles, les notes graves délicates. En effet, la corde vocale droite ne bougeant pas, la gauche rattrape la droite pour favoriser le contact et permettre une vibration aléatoire. Grâce à l'optique grossissante associée à une vidéo, le diagnostic devient évident : une inflammation importante de l'articulation de la corde vocale droite. C'est une arthrose ! Cette inflammation chronique crico-aryténoïdienne droite a fait suite à une inflammation aiguë entraînant un blocage de la mobilité de la corde vocale.

Mais cela ne me satisfait pas. Il n'est pas logique qu'une

telle arthrose se produise sans cause déclenchante. Je m'informe plus avant et je lui pose la question : « Que faites-vous exactement comme métier ? Comment exercez-vous vos comédies, vos chansons sur scène. Quelle est votre attitude scénique ? » En effet la posture de M. S. R. est bizarre. Sa tête est légèrement penchée du côté gauche. Cette attitude indique une position cervicale vicieuse. Sa réponse me donne les indices suffisants pour comprendre sa pathologie, inhabituelle au demeurant. Il me précise : « Je suis comédien et chanteur de marionnettes. Je tiens toujours mon bras droit verticalement vers le haut pour faire bouger avec ma main la marionnette. Je suis debout. Ma main est emmitouflée dans un chiffon qui est l'équivalent d'une bouche qui parle. » Cette extension importante l'oblige pour parler, puisque la main gauche est le long du corps et qu'il ne s'en sert pas, à pencher la tête du côté gauche pour mieux étendre son bras droit. Les muscles cervicaux droits sont en hyperextension. Mais cette attitude, il l'a depuis plus de quinze ans. Comment se fait-il qu'il y a trois mois seulement soit apparue une arthrose invalidante de la corde vocale droite ? C'est ce qui m'a conduit à lui poser la question : « Avez-vous changé la mise en scène des marionnettes ? » « Ah ! me dit-il, j'ai oublié de vous dire que le rideau qui cache ma main a été relevé de 7 cm environ pour des raisons techniques, trois semaines avant que ma voix ne se casse. »

Le coupable était démasqué. L'hyperextension était à son maximum au niveau du membre supérieur droit. Cette hyperextension avait entraîné un déséquilibre des muscles pectoraux, un déséquilibre des muscles laryngés, une hypercontracture de l'articulation crico-aryténoïdienne, qui de ce fait était coincée par les muscles et les cartilages du cou. L'épisode grippal, la toux n'avaient été que des facteurs aggravants. Le diagnostic était donc une immobilité de la corde vocale droite secondaire à une arthrose de l'articulation par malposition du cou pendant la phonation ! Le traitement n'était pas chirurgical mais médical par une infiltration de cortisone dans l'articulation associée à des massages cervicaux et un traitement anti-inflammatoire. Tout est rentré dans l'ordre en quelques semaines. La corde vocale droite a retrouvé sa mobilité et les marionnettes leur voix. M. S. R. n'a plus le droit d'être « bossu » en parlant. Prendre conscience de la nécessité d'une bonne posture pour la santé vocale est indispensable.

Malposition de la tête, voix cassée

Professeur de chant et pianiste, Mme C. G. donne huit heures de cours par jour. Elle exerce son métier depuis près de quarante ans. Elle a ses habitudes. L'élève est à sa droite. Les gammes se succèdent, elle accompagne les vocalises du jeune chanteur, non seulement au piano mais avec sa propre voix. Depuis quelque temps, la voix se fatigue. Elle doit faire une pause de près de 20 minutes entre chaque cours, masser son cou, relaxer ses vertèbres cervicales. « Ma voix parlée est correcte, mais je n'arrive plus à chanter plus de 20 à 30 minutes. Ma voix se fatigue. »

Lorsque je l'examine, son larynx est normal, ses cordes vocales symétriques. « Madame, je ne vois pas grand-chose. Vos cordes vocales sont blanches et nacrées. La vibration est harmonieuse, aucune inflammation n'est visible. » C'est alors que je lui demande de chanter en mimant la position qu'elle a pendant ses cours. Le résultat est étonnant. J'étudie le larynx pendant cet exercice : elle a la tête tournée à 90°, les cordes vocales sont asymétriques. La corde vocale droite semble plus musclée que la gauche et l'articulation de la corde vocale droite se gonfle en quelques minutes, comme si la torsion du cou gênait cette mobilité articulaire. La tête est tournée par rapport au thorax, légèrement fléchie, faisant face à l'élève virtuel. Elle mime l'accompagnement avec ses deux mains comme s'il existait un piano. Elle me précise que, pour mieux convaincre l'élève, elle se rapproche de lui. Ce faisant, le piano ne pouvant changer de place, les bras deviennent de plus en plus tendus dans la position opposée et en tension par rapport à la tête.

Que se passe-t-il ? L'ampliation thoracique, la respiration pulmonaire deviennent « compressées ». Le corps n'a plus de position physiologique normale. L'angulation du cou par rapport au thorax entraîne une malposition des muscles de la colonne cervicale. La fatigabilité vocale est ici purement mécanique. En aucun cas la technique de ce professeur de chant n'est mise en cause. On aurait pu penser que la ménopause était en partie responsable : ce n'est pas le cas. Le traitement se résume à un conseil de bon sens que vous avez déjà deviné : changer la position du piano ou la position de l'élève. Désormais l'élève se tient en face de Mme C. G. La kinésithérapie cervicale et vertébrale a permis de rétablir cette malposition posturale.

Tendre le cou en avant comme une tortue

Un juge anglais présente une fatigue vocale excessive depuis près d'un an. La soixantaine, M. W. R. perd pratiquement sa voix après 10 minutes de parole. Par ailleurs, il se plaint d'une légère surdité. Son explication est très théâtrale. Assis sur le fauteuil d'examen, il se redresse et me mime un jugement. Il me semble assister à une plaidoirie. Il me raconte son dernier verdict rendu la semaine passée. Il penche tout son corps en avant, le menton pointe vers le haut, sa tête se tourne légèrement vers la gauche. Il me précise que c'est l'attitude qu'il a lorsqu'il écoute l'avocat de la défense. Son cou est tendu comme le cou d'une tortue qui sortirait de sa carapace. Son dos présente une tension musculaire maximale, arc-bouté sur le siège. En effet, il est obligé de se projeter en avant du fait du déficit auditif de son oreille gauche pour mieux percevoir ce qui se dit dans l'assistance. Il « tend l'oreille ». Cette tension anormale des muscles situés entre le menton et la trachée entraîne une fatigabilité musculaire excessive. Cette distorsion dynamique altère le mouvement symétrique des cordes vocales comme le montre l'examen de son larynx. Le juge W. R. a besoin d'une kinésithérapie adaptée pour ses vertèbres cervicales, d'un massage des muscles du cou, d'un traitement anti-inflammatoire de quelques semaines, et enfin de la mise en place d'une prothèse auditive au niveau de son oreille gauche.

Le maintien d'une bonne posture évite les malpositions du larynx. Parler dans des positions de contorsionniste peut altérer une voix tout autant qu'un polype et, pourtant, la cause est extérieure à l'instrument de musique laryngé. L'exercice au quotidien d'une gymnastique respiratoire et de stretching est un atout de plus dans la santé vocale de ce juge anglais.

Voix, raclements et mauvaise haleine

Membre de la Comédie-Française, ce comédien, non fumeur, se plaint de mauvaise haleine épisodique, de raclements chroniques et de coupures dans la voix plus fréquents aux changements de saison. L'examen innocente l'instrument laryngé. Les cordes vocales sont normales. Mais on observe, au niveau des amygdales, des petites cryptes, de petits trous, qui donnent un aspect d'éponge. Dans ces cavités, des dépôts de substances blanchâtres stagnent. Ils ressemblent à des grumeaux de lait : c'est ce qu'on appelle l'amygdalite caséeuse. Par ailleurs, lors de la fibroscopie nasale, on a la surprise d'observer également des végétations inflammatoires. Les troubles de la voix n'étaient pas en relation avec l'instrument lui-même, mais avec son environnement, comme si la caisse de résonance du violon était humide alors que les cordes étaient parfaites. Il fallait, outre un traitement médical de désinfection local au niveau nasal et des amygdales, pratiquer un geste simple microchirurgical sous anesthésie locale, par ablation des végétations et vaporisation au laser de la surface des amygdales pour les rendre lisses et éviter ainsi la formation de caséum.

Cettte anecdote est intéressante à plusieurs titres. Les cordes vocales sont normales, pourtant le patient se plaignait d'une voix fatiguée. Sa gêne avait une cause indirecte. Regarder les cordes vocales ne suffit donc pas. Il faut rechercher, si nécessaire, l'amygdalite, l'inflammation des végétations ou un reflux gastrique. Par ailleurs, enlever la totalité des amygdales eût été dramatique chez ce comédien. C'était modifier l'harmonie de sa caisse de résonance vocale. Cependant, signalons tout de même que l'ablation totale des amygdales peut parfois être nécessaire chez les professionnels de la voix qui présentent une hypertrophie amygdalienne importante compliquée d'infections fréquentes.

Voix et grossesse

Une chanteuse, entre le deuxième et le septième mois de sa grossesse, peut chanter remarquablement bien. Les cordes vocales sont galbées et parfaitement lubrifiées. La qualité de la vibration se voit améliorée. L'augmentation des hormones dites de grossesse apporte une chaleur particulière à ses harmoniques. La voix est plus ronde, la puissance est conservée. Il semblerait donc que la grossesse apporte une rondeur vocale. Le support respiratoire se voit diminué dès le septième mois, ce qui est tout à fait normal. Le reflux gastrique est la seule gêne qui impose un traitement.

Coup de froid sur la voix : c'est tout et pas grand-chose

Le cas le plus fréquent est celui du coup de froid se traduisant par une voix enrouée. La voix est cassée, la fièvre modérée, la gorge brûle.

L'examen clinique commence comme à l'habitude par les oreilles. En effet, le patient présente ici une otite séreuse (inflammation de l'oreille moyenne avec du liquide piégé derrière le tympan, indolore). Cette otite séreuse donne l'impression d'une écoute déformée, assourdie. Il s'entend mal. Il a donc des difficultés à équilibrer sa voix. On observe ses fosses nasales pour permettre de dépister une éventuelle déviation de la cloison nasale qui gênerait la respiration de façon chronique. On s'assure qu'il n'y a pas de sinusite, qu'il n'y a pas d'écoulement purulent en arrière du nez. On vérifie l'aspect des amygdales. Les cordes vocales sont enflammées et rouges : leur aspect signe l'infection pouvant être bactérienne ou virale, voire les deux. La toux aggrave l'inflammation des cordes vocales et peut entraîner l'apparition d'un reflux passager. Chez les professionnels de la voix, pour éviter qu'une surinfection bactérienne vienne aggraver l'affection virale, il faut associer au paracétamol la prise d'antibiotiques. La prise d'inhalations (eucalyptus, soufre), de gargarismes (eau avec du sel marin) – ces deux remèdes existent depuis Aristote et Socrate –, de sirop antitussif, d'huiles essentielles, de vitamine C, et parfois de vasoconstricteurs au niveau nasal, permet une récupération plus rapide de l'état général et de l'instrument laryngé.

Voix perturbée et larynx normal

Certains enfants éprouvent des difficultés à placer leur voix. Si, chez le garçon, la fréquence grave a des difficultés à devenir naturelle, il s'agit le plus souvent d'un déséquilibre pneumophonatoire. L'adolescent parlera alors avec une voix de *falsetto.* Il semble qu'une trop forte puissance pulmonaire par rapport aux muscles du larynx soit partiellement responsable. Mais on ne peut dissocier cela du contexte émotionnel. On est souvent amené à dire qu'un tel garçon ne veut pas prendre ses responsabilités d'adulte et qu'il veut rester dans les jupes de sa mère. C'est être trop réducteur. L'aspect psychologique, certes, est fondamental. Mais il est associé, souvent, par une perturbation mécanique laryngée. L'orthophonie vient très souvent à bout de cette altération pneumophonatoire. Il est intéressant d'observer que certains garçons de seize ans qui semblent ne pas avoir mué dans leur langue maternelle ont une voix grave dans une langue étrangère. Ici, la barrière psycho-affective est évidente.

On retrouve cette même barrière dans l'aphonie psychogène où, brutalement, l'individu, souvent la femme, décide de ne plus parler de façon totalement subconsciente : il chuchote. Mais cette inconsciente supercherie est rapidement démasquée par le médecin qui lui demande de tousser. Lorsqu'il s'exécute la toux est bruyante, grave, naturelle : en effet, la toux est réflexe, donc incontrôlable, et la voix dès lors ne peut être couverte.

Protéger sa voix ne relève pas seulement du domaine de la mécanique vocale mais aussi de la connaissance intime de soi et l'utilisation des langues étrangères qui nous servent d'écran peut être parfois un excellent bouclier psychologique. En effet, on a toujours l'excuse de prétendre qu'on a employé un mot à la place d'un autre...

La santé de la voix

Votre voix et les médicaments

Une posologie adaptée

Chaque personne a une réponse différente par rapport à la prise et à la dose de médicament absorbée, que le traitement soit allopathique, homéopathique ou à base de vitamines, de minéraux, d'huiles essentielles.

L'aspirine par exemple, prise à la dose de 0,5 g, peut suffire à dissiper vos maux de tête. Pour l'un de vos amis, 1 g sera nécessaire. Si l'effet est différent suivant l'individu, la dose efficace dépend également de l'heure d'ingestion dans la journée, autrement dit de la « chronobiologie ». Nos livres scientifiques nous précisent une moyenne et en aucun cas une bible de dosage invariable. De nombreux facteurs jouent sur l'efficacité des traitements : l'âge, le poids, le degré de fatigue, le stress, la période du cycle hormonal chez la femme. L'âge est le premier facteur évident. L'homme de la trentaine verra un métabolisme, une digestion et une absorption médicamenteuse plus rapides et plus efficaces que l'homme de la soixantaine. Votre stature, le rapport entre votre masse maigre et votre masse grasse, ou plus simplement entre votre éventuelle obésité et votre masse musculaire, influencent la diffusion dans votre organisme des molécules de la gélule que vous allez absorber.

Si vous êtes obèse, certains médicaments seront plus particulièrement « piégés » par les cellules graisseuses. Dans ce cas de figure, les doses de chaque médicament devront être augmentées pour une efficacité optimale sur le larynx, par exemple. Un patient ayant une surcharge pondérale ingère 2 g de la substance X : si 1,5 g sont piégés dans les cellules graisseuses, 0,5 g seulement arrive au niveau de la partie malade. Dans le cas d'un patient maigre, sur 2 g de la substance X, 0,5 g seulement sera piégé dans les cellules graisseuses et 1,5 g arrivera sur les cordes vocales. Nous pouvons donc constater que, pour une même dose absorbée, nous obtenons une efficacité différente. Toute prescription se doit donc de tenir compte de ces facteurs pour être active et éviter les surdosages. Ces molécules restées dans la masse graisseuse, que deviennent-elles ? Elles seront soit détruites par les cellules en question, soit relarguées plus tardivement dans la circulation sanguine, ce qui n'est pas sans conséquence. En effet, ce relargage moléculaire entraîne un deuxième pic actif de ce médicament dans l'organisme vingt-quatre à quarante-huit heures plus tard.

La fonction rénale doit être efficace. Elle facilite l'élimination via nos urines de l'excédent de la prise médicamenteuse. C'est elle aussi qui nous débarrasse des produits dégradés de ces médicaments au niveau du foie.

L'effet seuil d'un médicament : « Ce médicament m'a guéri mais il m'a rendu malade. »

Les considérations que nous venons de prendre en compte nécessitent de préciser, afin d'éviter tout contresens, qu'une dose efficace, appelée dose seuil, est indispensable pour pouvoir traiter l'affection. Si on est en dessous de la dose seuil, on n'a pas traité le patient, on lui a apporté un médicament dont les seuls « avantages » sont les effets nocifs. Nous appelons cela les effets secondaires, comme diarrhées, allergie, intolérance : donc aucun intérêt !

Par ailleurs, si on se situe au-dessus de l'effet seuil, mais trop au-dessus, le surdosage peut également avoir des effets secondaires : on a guéri le patient, mais il est rendu malade par cette gélule. Les effets produits sont parfois pires que l'affection elle-même. Comme le disent souvent les personnages âgées : « Docteur, ce médicament m'a guéri, mais il m'a rendu malade. »

La subtilité, consiste à ajuster, à être entre l'effet seuil et l'effet de tolérance. C'est là qu'une bonne connaissance du patient, de son environnement, de sa maladie et l'expérience permettent d'ajuster au mieux en fonction de chacun la dose adéquate, ce que connaît remarquablement bien le médecin de campagne, qui exerce l'un des plus beaux métiers du monde.

Comment certaines médications agissent-elles sur notre voix et quels sont leurs effets secondaires ?

Toute médication aura sur le conduit vocal un impact pouvant l'améliorer mais également le pénaliser.

Un exemple bien connu est la prise d'aspirine qui, même faiblement dosée, peut créer une fluidification du sang très importante et une fragilité capillaire ; elle sera donc déconseillée chez la femme professionnelle de la voix avant la menstruation, pour éviter un saignement trop abondant qui entraînerait une fatigue excessive.

L'allergie et l'asthme nécessitent des traitements spécifiques, dont certains assèchent nos cordes vocales. Les plus connus sont les antihistaminiques. Ces molécules inhibent les récepteurs d'histamines, ils diminuent cette action d'œdème et d'écoulement. Mais ils ont les inconvénients de leurs avantages. Ils assèchent les caisses de résonance et le larynx avec parfois une légère somnolence (c'est un effet anticholinergique). Ils doivent donc être pris au maximum huit heures avant la performance vocale pour éviter un assèchement des cordes vocales ou le soir au coucher. Ils doivent être associés à une hydratation plus importante qu'à l'habitude : 2 à 3 l d'eau par jour.

Les inhalateurs de cortisone sont une autre famille de médicaments particulièrement efficaces dans l'asthme et certaines rhinites allergiques. Ils ont l'avantage d'avoir un impact direct, au contact de la muqueuse respiratoire. Quelques microgrammes peuvent passer dans la circulation, mais avec les récentes molécules mises sur le marché, cet impact systémique ou circulatoire a été réduit au minimum.

Cependant, trois précautions sont essentielles. La première : après l'inhalation de corticostéroïdes, le patient doit systématiquement se rincer la bouche pour éviter une complication sévère : la mycose bucco-pharyngée (ou champignon). La seconde est plus sournoise : il s'agit de l'impact possible sur le muscle vocal. On constate après quelques mois, voire quelques années, la diminution de la puissance musculaire des cordes vocales. Le muscle cordal s'atrophie légèrement. L'agilité des cordes vocales diminue. La vélocité de la réponse, notamment sur des sons piqués, sur des staccatos, est plus lente. Pour pallier ce genre d'effet secondaire, que j'ai observé chez près de 10 % d'asthmatiques, il faut prescrire des traitements adjuvants pour conserver une musculation efficace et satisfaisante à base de polyvitamines. La troisième précaution est d'éviter l'apparition ou l'aggravation du reflux gastrique. La répétitivité de ces inhalations, entraînant *ipso facto* dans la minute qui suit un phénomène de déglutition, irrite l'œsophage et le cardia (partie haute de l'estomac) et déclenche la mise en place d'un reflux, qu'il faudra dès lors traiter ou prévenir en buvant systématiquement un verre d'eau après la prise de ces inhalations. Le reflux gastrique devra être soigné.

L'inhalation de corticoïdes associés aux broncho-dilatateurs est une thérapeutique bien connue chez l'asthmatique. Elle lui permet un confort de vie nettement amélioré. Nombreux sont les chanteurs et comédiens à devoir, trente à quarante minutes avant le spectacle, pratiquer des inhalations de corticostéroïdes et de broncho-dilatateurs ou de sympathico-mimétiques pour être au mieux de leur forme respiratoire.

Quelle est la place de la cortisone, rejetée par certains, appréciée par d'autres ?

C'est l'agent anti-inflammatoire le plus percutant. C'est le médicament de prédilection des crises d'allergie aiguës. Elle réduit l'œdème réactionnel secondaire à l'allergie. Elle diminue l'inflammation secondaire à l'infection. Elle rétablit la structure musculaire lorsque le problème est dû à une déchirure en évitant une réaction cicatricielle inflammatoire néfaste et fibreuse. Cette médication délicate reste une arme plus que satisfaisante pour pallier certaines maladies de la gorge et des poumons, cependant elle doit être prescrite de façon prudente chez les professionnels de la voix.

Considérée par certains comme un véritable dopant avant le spectacle, elle est à proscrire dans cette indication pour le maintien d'une bonne santé du corps et des cordes vocales, quand on connaît l'effet à long terme de la cortisone prise pendant des années (insomnie, gastrite, faiblesse et atrophie musculaire, parfois apparition d'œdème ; plus rarement réaction diabétique ou décalcification pouvant conduire à la fracture osseuse).

Cependant, lorsque vous avez une infection importante, une inflammation aiguë, l'efficacité des corticostéroïdes est spectaculaire. Leur prise doit être de courte durée, trois à quatre jours, sans nécessité d'une baisse progressive. Par ailleurs, pour éviter toute prise de poids, il convient d'observer un régime strict sans sel et sans alcool pendant toute la durée du traitement ainsi que pendant les deux jours qui suivent : la cortisone peut être piégée dans les cellules graisseuses et relarguée plus tardivement. Certains patients présentent des mycoses après la prise de cortisone, surtout si elle est associée aux antibiotiques et qu'il existe un reflux. Ceux-là devront systématiquement prendre un traitement antimycosique associé.

Mais, rappelez-vous, il faut être au-dessus de l'effet seuil. En prendre trop peu ne sert à rien et ne va conduire qu'aux effets secondaires. C'est la raison pour laquelle seul le médecin peut juger de l'opportunité de prescrire cette molécule et adapter la dose efficace propre à chacun. L'automédication est à proscrire.

Le reflux gastrique ou le reflux pharyngo-laryngé : maladie des années 2000

Actuellement, près de la moitié des patients qui présentent une laryngite associée à une toux chronique ont un reflux pharyngo-laryngé. Les traitements, mis à part l'hygiène de vie importante, sont relativement simples.

Le reflux est la conséquence d'une remontée de liquide de l'estomac vers l'œsophage se manifestant par quelques brûlures. Dans ce cas de figure c'est un reflux gastro-œsophagien. Mais, souvent, ce liquide remonte jusqu'au niveau du pharynx. C'est alors un reflux pharyngo-laryngé. L'acidité de ce suc gastrique, même minime, provoque une laryngite associée à une toux chronique avec sécheresse des cordes vocales. L'acide gastrique n'est pas assez abondant pour être douloureux mais suffisant pour rendre les cordes vocales « rugueuses ».

Les conseils hygiéno-diététiques sont simples et font appel à la mécanique gastro-œsophagienne. Il faut surélever la tête de lit, dormir avec deux coussins : cela permet d'éviter la position couchée à plat, qui augmente le risque du reflux. Il faut éviter de dormir le ventre « plein », c'est-à-dire immédiatement après un repas. Le mieux est d'attendre entre une heure et demie et deux heures. Si vous avez un certain embonpoint, ne comprimez pas l'estomac en portant une ceinture trop serrée. La surcharge pondérale comprime naturellement, par sa masse abdominale, l'estomac et accentue le reflux. Quant à l'alimentation, il faut limiter l'alcool, la bière, les boissons gazeuses, le thé, certains aliments gras, les repas trop copieux. Le tabac est un agent agressif pour notre œsophage. Enfin, le stress, facteur aggravant, est bien difficile à surmonter dans notre civilisation actuelle.

En somme, une alimentation saine, un équilibre pondéral satisfaisant, une pratique sportive correcte viennent souvent à bout d'un reflux sans qu'on ait besoin de donner un traitement allopathique ou de « médicaliser » le patient.

En cas de traitement, quatre familles de médicaments sont efficaces. Ils agissent sur l'hyperacidité gastrique et sur le péristaltisme excessif de l'estomac et de l'œsophage. Ce sont les inhibiteurs de la pompe à protons qui agissent directement à l'intérieur de la cellule, de l'estomac. Ils diminuent l'acidité à la source. Ils traitent remarquablement l'ulcère et l'œsophagite qui, de nos jours, ne sont pratiquement plus opérés. La deuxième famille sont les anti-H2. Ils agissent sur la molécule acide elle-même, au moment où cette molécule sort de la cellule gastrique. Leur inconvénient : ils peuvent entraîner une sécheresse des cordes vocales. La troisième famille est constituée par les agents antipéristaltiques. Ils permettent de calmer la contraction gastrique et œsophagienne et, de façon mécanique, de diminuer le reflux lui-même. La quatrième famille comprend les pansements gastriques. Ce sont des gels, des sirops ou des pastilles antiacides.

Si l'on soupçonne l'existence d'un ulcère gastrique ou d'une œsophagite, la recherche d'un germe hélicobacter par le spécialiste gastro-entérologue sera indispensable et il pratiquera une fibroscopie gastrique.

Les traitements hormonaux

Nous ne reviendrons pas sur l'importance du cycle hormonal de la femme ni sur l'impact des androgènes. Les hormones sexuelles, notamment les androgènes, sont à proscrire chez la femme. Ils peuvent entraîner une virilisation définitive après injection de testostérone. La prise de pilule contraceptive, si celle-ci contient de la progestérone, devra tenir compte d'une molécule sans effet androgénique. Il en est de même pour le traitement hormonal substitutif à la ménopause. Et à moins de rechercher l'hypothyroïdie, beaucoup de femmes ménopausées méconnaissent cette déficience. Elles présentent une fatigue excessive, une légère prise d'embonpoint, un timbre de voix plus sourd. Le traitement hormonal est thyroïdien et adapté à chaque patiente par l'endocrinologue en fonction des signes cliniques et biologiques.

Les médicaments « antitrac »

Les bêtabloquants sont parfois utilisés par nos professionnels de la voix très anxieux. Ils permettent de lever le stress extrême. Chez ces artistes soumis à une pression du public importante, ils augmentent la sécrétion salivaire car la gorge est sèche, et diminuent l'anxiété, la boule dans l'estomac, la respiration rapide, la tachycardie, le cœur qui bat la chamade, et évitent la voix blanche des premières secondes appréhendée par plus d'un artiste lors de la première. Mais attention aux effets indésirables : ils peuvent aggraver une crise d'asthme, ralentir le rythme cardiaque, ou « trop décontracter » l'artiste que l'état de stress galvanise.

Les relaxants, les psychotropes agissent sur notre système nerveux central et peuvent entraîner une diminution de la vigilance, un dessèchement pharyngo-laryngé et une baisse de la performance vocale.

Au quotidien

• L'aspirine augmente la fluidification du sang. Elle peut favoriser l'hémorragie subépithéliale des cordes vocales. Elle crée des gastrites chez les patients prédisposés. Il faudra lui préférer, en cas de douleurs ou de fièvre légère, le paracétamol.
• Les antibiotiques n'altèrent pas la voix. En revanche, ils peuvent entraîner une surinfection mycosique.
• Les traitements contre l'hypertention artérielle sont souvent gênants chez les professionnels de la voix. Ils dessèchent le conduit vocal, ils épaississent les mucosités et, pour certains, provoquent une toux sèche.
• Les traitements contre la toux doivent être administrés prudemment. Certains, à base de codéine, dessèchent l'arbre respiratoire et peuvent provoquer une constipation. On leur préférera des sirops fluidifiants.
• Les pilules pour dormir, prises avec précaution, sont parfois indispensables pour permettre un sommeil récupérateur. Un professionnel de la voix qui dort mal ne peut s'exprimer dans son art de façon complète et efficace. Ces pilules ne doivent pas renfermer d'antihistaminiques ou de neuroleptiques afin d'éviter toute sécheresse pharyngée excessive.
• Les sprays sont discutables. Lorsqu'ils présentent un anesthésique local, je pense qu'ils doivent être proscrits. En effet, ils endorment la douleur qui est un élément capital pour que le professionnel connaisse ses limites. Ils font ainsi plus de mal que de bien. L'instituteur, le chanteur ou le comédien, manipulant ce spray de façon répétée, anesthésiant la douleur, dégradent les

muscles laryngés qui nécessiteront ensuite un traitement de la complication à long terme. La douleur est un signal naturel indispensable pour éviter la blessure vocale irréversible.

• Les sprays à base de cortisone, que ce soit au niveau nasal, laryngé ou trachéal, s'ils peuvent entraîner une sécheresse, ont une efficacité quasi immédiate.

• Le nez est bouché : les vasoconstricteurs sont intéressants. Ils dégagent la respiration nasale pour rétablir un flux aérien naso-pharyngé satisfaisant. Cependant, ils doivent être pris pour une courte durée car ils traitent les conséquences et non la maladie, et peuvent provoquer une accoutumance.

Voix et médicaments imposent une extrême rigueur.

Les vitamines

Du jus de foie dans les yeux pour voir mieux !

Le béribéri (déficit en vitamine B1) a été décrit dès 2600 av. J.-C. en Chine. Plus proche de nous, le scorbut (déficit en vitamine C) est décrit dans les papyrus d'Eber, en 1150 av. J.-C. En Égypte, du temps des pharaons, on conseillait aux sujets qui avaient des troubles de la vue, surtout au crépuscule, de mettre du jus de foie frais dans les yeux : curieuse coutume, pourtant cela améliorait la vue ! Les cellules hépatiques sont, nous le savons aujourd'hui, « le garde-manger de nos vitamines » et gorgé de vitamine A.

Les marins et les vitamines

En 1497, Vasco de Gama embarque d'un port du Portugal pour atteindre l'Inde via le cap de Bonne-Espérance. Cent soixante marins sont à bord. Pendant la traversée, certains se fatiguent vite, n'ont plus de force, sont dépressifs. Ils ne peuvent pas manger car leurs gencives sont douloureuses. Le tableau s'aggrave. Les muscles ne répondent plus. Ils n'ont plus de mollets. Les biceps deviennent maigres. Les semaines passent et les marins présentent progressivement des bleus sur tout le corps, toussent et sont la proie de diarrhées. Seulement soixante survivants réchappent de ce terrible voyage et arrivent en Inde. Ce tableau dramatique, Vasco de Gama ne se l'explique pas. Est-ce que l'équipage était fragile ? Est-ce qu'il n'était pas assez préparé pour cette aventure ?

Jacques Cartier, en 1530, arrive sur le Saint-Laurent au Québec. Ce navigateur français a également subi de nombreuses pertes. La majorité de son équipage meurt pendant la traversée. D'autres sont atteints, faibles, mais guérissables. Les Indiens de cette région de l'Amérique regardent ces envahisseurs débarquer. Ils prennent pitié d'eux. Les rescapés sont moribonds. Ils ont les gencives gonflées avec des ulcérations sur les bras et les jambes, des hématomes épars. Certains saignent du nez. Les Indiens leur donnent à manger des feuilles d'arbuste. Les marins guérissent en quelques semaines.

Ce n'est que deux siècles plus tard, au XVIIIe siècle, que James Lind, médecin écossais, lève le mystère. Il évoque la possibilité d'une alimentation inadaptée pour ces traversées vers les nouveaux mondes.

Il est aidé en cela par le journal de bord de ces explorateurs dont les marins souffraient de scorbut. En 1753, il publie le premier ouvrage sur le déficit en vitamine C. Il a l'idée de traiter douze marins qui présentaient des signes de cette maladie par un simple régime alimentaire. À deux d'entre eux, il fait boire du cidre, à deux autres, de l'acide sulfurique, à deux autres encore, des jus d'orange, de citron et des décoctions d'aiguilles de pin et aux autres un peu d'eau de mer ou du vinaigre. À votre avis, qui a survécu ? Bien sûr, les deux seuls qui avaient pris les jus d'orange et de citron qui comportaient de la vitamine C. Ils ont totalement récupéré. Les prémices de l'impact des vitamines voient le jour. Cette découverte amène dès lors tous les capitaines de bateau à inclure des aliments frais, et notamment des agrumes, dans les rations des équipages. Depuis, on peut penser que le scorbut ne réapparaîtra pas.

Pourtant, au XIXe siècle, certains nourrissons présentent la maladie. C'était tout simplement dû au processus de conservation du lait par chauffage récemment découvert. Cette pasteurisation laissait intacts les glucides, les lipides et les protides, mais avait détruit la vitamine C.

La vitamine C, ou acide L ascorbique, doit son nom à la maladie qu'elle prévient, le scorbut. Cette vitamine est sensible à la forte chaleur et à la lumière. C'est une substance cristalline, blanche, soluble dans l'eau. Elle joue un rôle indispensable au niveau du collagène (fibres intervenant dans la cicatrisation et la souplesse des muqueuses de la peau et notamment la souplesse des cordes vocales), de l'histamine (molécule intervenant dans l'allergie), dans les défenses immunitaires de l'organisme bien connues de tout un chacun lorsqu'il s'agit d'un virus. La vitamine C a également un rôle au niveau de nombreuses molécules pour la régénération de nos cellules, des glandes surrénales, et la captation du fer. Elle solidifie le « ciment » qui existe entre les cellules et empêche notamment de petits hématomes de se former par renforcement de la paroi des capillaires. Par le même processus, elle garde la trophicité des tissus dentaires et osseux. Elle accélère la cicatrisation. Elle présente une propriété antioxydante sur le vieillissement cellulaire et la prévention d'inflammations chroniques de l'arbre respiratoire. Son action s'associe souvent à celle de la vitamine D et de la vitamine E. Son impact est multifactoriel : la vitamine C a une action contre la fatigue, elle permet une meilleure récupération cérébrale, vasculaire, osseuse et musculaire. On la trouve pratiquement dans tous les fruits, mais surtout oranges, pamplemousses et kiwis ainsi que dans certains légumes comme le chou ou le brocoli. Il semble surprenant – et pourtant cela existe – que nous observions aujourd'hui encore des carences en vitamine C. Cela a été noté dans des groupes de populations qui ne se nourrissent que d'aliments cuits, avec peu de fruits ou de légumes frais. Ils présentent alors une fatigue, une hémorragie gingivale, une peau fragile. Ainsi, la prise de vitamine C va permettre des performances intellectuelles, physiques et vocales remarquables. Son excès peut entraîner une hyperexcitation, parfois un cœur qui bat la chamade, et plus rarement des troubles intestinaux.

Mais qu'est-ce qu'une vitamine ?

« Vitamine », nom donné par C. Funk, en 1911, à des éléments nutritifs indispensables à la vie de l'homme. Ce concept révolutionnaire voit la remise de quinze prix Nobel entre 1910 et 1950. La première vitamine isolée fut la vitamine C, par Reichstein en 1933.

Ce sont des substances organiques à base d'acides aminés présentes dans nos végétaux, nos légumes, nos fruits, et que l'homme ne peut synthétiser. Pendant des siècles, de nombreux êtres humains ont souffert de carences alimentaires et vitaminées. Cependant, le comportement alimentaire de beaucoup d'entre nous, l'agression par la pollution, l'abus d'alcool, l'intoxication nicotinique et goudronnique par le tabac, la consommation importante de produits prédigérés, non frais, la diminution des aliments naturels, des fibres, des fruits, semblent aujourd'hui augmenter la possibilité d'un déséquilibre diététique de notre organisme avec un retour en arrière de notre équilibre alimentaire, aussi incroyable que cela paraisse.

Les vitamines souvent méprisées dans les prescriptions et pourtant si indispensables

Les vitamines, molécules indispensables à la vie cellulaire, au métabolisme de notre corps, sont des micro-nutriments que nous ne pouvons synthétiser. Si elles participent à notre énergie, en aucun cas elles ne font grossir, ce que semblent oublier beaucoup de gens qui veulent maigrir.

Elles sont indispensables à notre équilibre immunitaire et n'ont aucun impact négatif. Il est très dommage que ce versant thérapeutique soit considéré par certains comme accessoire dans la mesure où il ne traite pas le symptôme aigu. C'est méconnaître l'élément essentiel du maintien de notre santé : la prévention !

À l'ère où le déséquilibre médical s'oriente vers des thérapies agressives dans l'urgence, malheureusement nécessaires et indispensables, il me semble tout aussi indispensable d'équilibrer notre organisme par une alimentation adéquate évitant toute fatigue générale, toute fatigabilité vocale, toute infection ou inflammation. En effet, les complexes vitaminés sont nécessaires à la formidable usine énergétique cellulaire de notre organisme, à nos enzymes et, également, à la lutte contre le vieillissement prématuré dû aux radicaux libres. De l'équilibre alimentaire dépend la prévention de nombreux accidents de la voix.

Il nous faut souligner encore une fois l'importance de la dégradation de la voix par le tabac et l'alcool. Le tabac, plus spécifiquement la cigarette, a deux impacts : le goudron, cancérigène, et la nicotine provoquant une dégradation de la muqueuse et des vaisseaux. L'alcool entraîne un épaississement et un œdème du larynx.

L'élongation de la corde vocale avec son hématome, la laryngite avec son infection bactérienne ou virale due à une baisse de l'immunité, la fatigabilité excessive avec crampes dues à un manque de magnésium, de calcium, de vitamine C, dépendent de notre comportement alimentaire et de notre échauffement musculaire. Ainsi, une alimentation déséquilibrée, par exemple riche en graisse saturée, fera grossir, sans permettre de mettre en place les sentinelles de défense immunitaire, les gardiens de la santé musculaire et cérébrale.

Les vitamines : éléments essentiels à la vie

Les vitamines, éléments essentiels à la vie, n'apportent aucune calorie, tout comme l'eau que vous buvez, et pourtant sans elles le corps n'est plus. La quantité nécessaire pour chacune d'entre elles peut sembler infime. Mais 1,2 % de notre ADN diffère de celui du singe, et cette différence suffit à nous faire parler. La voix humaine est complexe. Elle associe le cerveau, l'instrument de musique qu'est le larynx, les caisses de résonance, la musculation striée de tout le corps et le rythme respiratoire.

Rappelez-vous, si l'on peut parler, c'est que l'on entend. Mais également, c'est grâce à ce que nous possédons dans notre cerveau, à l'évolution de toute l'humanité.

Nous avons trois cerveaux superposés : l'un d'entre eux consomme beaucoup de vitamines :

— le cerveau reptilien, dit encéphale, qui régule les éléments essentiels de notre vie : respiration, rythme cardiaque ;

— le cerveau limbique ou rhinencéphale, qui n'existe que chez les mammifères, est principalement voué à l'odorat, à l'émotion, à l'affectif, à la séduction, à la sexualité. Il réceptionne les informations de notre hémisphère droit ;

— puis notre « troisième cerveau » que l'on appelle le néocortex. Lui est formé de deux hémisphères avec les circonvolutions les plus importantes de tous les primates. L'hémisphère gauche est celui de la raison, de la logique, mais surtout du langage, et du solfège. Rappelons que c'est là que se situent l'aire de Broca et l'aire de Wernicke. L'hémisphère droit est celui de l'émotion, de l'harmonie, de la mélodie musicale, de l'art, et de l'affectif. C'est dans ce troisième cerveau que la consommation de vitamines est la plus importante, de même que la consommation énergétique, par rapport au cerveau reptilien et au cerveau limbique. Notre patrimoine neuronal est pratiquement défini dès la naissance. Il ne se renouvellera pas. Pis encore, si l'on peut dire, régulièrement, nous allons perdre des neurones, surtout si les connexions neuronales ne sont pas stimulées et utilisées de façon régulière. Les besoins du cerveau en oxygène sont considérables ! Près de 20 % de la consommation globale de notre organisme, alors qu'il ne représente que 1 500 g pour une personne de 70 kg, soit 2 % de son poids.

Ainsi, 20 % d'oxygène sont nécessaires pour 2 % de notre corps. Vitamines, sels minéraux et certains lipides sont des constituants incontournables pour notre activité cérébrale. Nous en voyons déjà la fragilité. Chez le professionnel de la voix, la mémoire des mots, la musicalité du parler, du chanter, imposent une santé mentale et physique remarquable. Cette mémoire siège surtout au niveau du cerveau limbique, particulièrement développé chez l'artiste. Pour être en pleine possession de l'art vocal, la récupération musculaire et mentale est indispensable. Le sommeil paradoxal, avec ses rêves, est la pierre angulaire de la santé de l'être qui, associée à une hygiène diététique, permet aux professionnels de la voix d'être en pleine possession de leurs moyens. Sans être pessimiste, rappelons que l'alcoolisme maternel en France est à l'origine de près de 10 % des retards mentaux de l'enfant, que l'intoxication tabagique est à l'origine de nombreux accouchements prématurés et d'une immunité déficiente chez de nombreux enfants.

L'hygiène vocale impose un fonctionnement cérébral adéquat. Le groupe des vitamines B est un des éléments indispensables au développement et au maintien de notre mémoire. On les retrouve dans les céréales. Les huiles végétales renforcent la membrane des cellules surtout au niveau cérébral par des acides gras insaturés. L'expérience a montré que des populations qui se nourrissent essentiellement de poisson souffrent moins que les autres du vieillissement cérébral.

Pour mieux comprendre l'hygiène alimentaire, voyons le rôle de chaque vitamine. Les vitamines s'imposent pour permettre la croissance, l'équilibre, l'évolution et la protection de notre corps. Manger beaucoup nous pénalise, manger équilibré nous fortifie et nous maintient.

Tous nos aliments ne contiennent pas une quantité de vitamines suffisante. On connaît 13 vitamines : A, D, E, K, C et B1, B2, B3, B5, B6, B8, B9, B12. Leur structure moléculaire est très hétérogène. Absorbées lors de notre alimentation, elles sont digérées après avoir été libérées en partie par notre estomac et nos sucs gastriques. Le voyage d'une vitamine est différent suivant sa nature. Elle entre dans notre corps à partir de l'intestin grêle. Ainsi, il faut également que notre appareil digestif puisse isoler la vitamine de l'aliment ingéré. Il faut que nos enzymes puissent extraire la vitamine C de l'orange, la vitamine A de la carotte. Ces vitamines doivent être transportées à l'intérieur de notre corps vers nos cellules.

À partir d'un certain âge, notre impressionnante structure digestive, avec l'estomac, le duodénum, l'intestin grêle et le côlon, n'a plus de capacité suffisante pour les extraire, les enzymes ne sont plus aussi efficaces pour mener à bien cette tâche. Alors, comment faire ? Il faut tout simplement donner un complément vitaminé régulièrement sous forme de comprimés de vitamines à l'état pur « prêtes à l'emploi ». Dans notre société, le tabac et la pollution qui entraînent la formation de ce qu'on appelle des radicaux libres augmentent considérablement le besoin en vitamines dites protectrices, comme les vitamines A, C, E et le bêta-carotène. Le stress et la consommation d'alcool vont également créer une demande accrue de notre organisme de vitamines du groupe B. Mais aussi, ne l'oublions pas, de certains minéraux comme le calcium, le fer, le zinc et l'iode. En tenant compte de ces données simples, la prise de médicaments allopathiques tels que les anti-inflammatoires, les antibiotiques, les antihistaminiques et les traitements antireflux serait considérablement diminuée et l'équilibre hygiéno-diététique serait respecté.

On distingue deux groupes de vitamines : d'une part les vitamines hydrosolubles que l'on peut diluer dans de l'eau, qui vont donc très rapidement passer dans l'organisme comme la vitamine C et la vitamine B et, d'autre part, les vitamines liposolubles qui sont solubles dans les graisses. Elles peuvent s'accumuler à l'intérieur de la cellule et donc, créer parfois, si elles sont en quantité trop importante, une hypervitaminose. Ce sont les vitamines A, D, E et K.

S'il existe un minimum indispensable d'apport vitaminé journalier, il n'en est pas moins vrai qu'une variabilité individuelle est importante selon l'activité de chacun. L'apport polyvitaminé assure l'harmonie nécessaire des éléments indispensables à la vie.

La vitamine A. C'est la vitamine qui permet « le rajeunissement » des cellules de la peau, mais surtout, pour ce qui nous intéresse ici, des muqueuses, et donc de la muqueuse vocale. C'est également la vitamine de la croissance et de la vue. Elle augmente les pigments visuels de la rétine et donc la vision nocturne, et participe à leur formation. Elle permet l'augmentation significative de la résistance à l'infection aux allergènes. Elle est nécessaire à la lubrification des muqueuses. La vitamine A favorise la synthèse des hormones sexuelles, la souplesse des cartilages et notamment celui du larynx. Cet effet multifactoriel agit sur notre arbre respiratoire d'une part et sur la rapidité de l'influx nerveux d'autre part. Comment agit-elle sur le nerf et sur sa conduction accélérée ? Tout simplement en améliorant la couche protectrice qui recouvre le nerf, la gaine de myéline. Cette couche isole la conduction de l'influx nerveux et évite tout phénomène parasite externe.

La vitamine A ou rétinol est découverte en 1913, lorsque des scientifiques constatent des perturbations insolites sur la croissance des rats. Si la nourriture est simplement lipidique, avec de la graisse de porc, ces animaux ne grandissent pas. Si l'alimentation est constituée de beurre, la croissance reprend. Plus tard, on isole le rétinol et l'on découvre qu'il existe également dans le jaune d'œuf et l'huile de foie de morue. La vitamine A, de couleur jaunâtre, est souvent masquée par la chlorophylle de couleur verte. Elle est associée au carotène. En association avec la vitamine C, elle a un rôle sur la prévention du vieillissement et la possibilité de résistance de plusieurs cellules à certains phénomènes dégénératifs. Elle entre dans notre organisme par voie digestive puis se diffuse par les circuits veineux par lesquels elle parvient au niveau du foie, où elle est stockée. La réserve hépatique va régulièrement distribuer dans notre corps cette molécule et permettre une adaptation à une sécheresse éventuelle des muqueuses ou de la peau.

Les fromages, le beurre, le jaune d'œuf, le poisson gras, le foie de veau sont riches en vitamine A. On la retrouve également dans de nombreuses plantes, comme les épinards ou les patates douces, la laitue, le chou. Les fruits colorés en sont pourvus, les mangues, les papayes, les tomates et bien sûr la carotte. Au niveau des céréales, seul le maïs contient du bêta-carotène. La cuisson altère peu la vitamine A. Mais le séchage au soleil des feuilles vertes diminue la concentration en bêta-carotène. Lors de l'absorption intestinale, pour 6 mg de bêta-carotène, un seul milligramme de rétinol sera efficace. En effet notre organisme peut, à partir du bêta-carotène, fabriquer de la vitamine A. Le bêta-carotène est appelé provitamine A. Cette provitamine A ne présente pas de risque de suralimentation. Et, donc, nous ne constatons pas d'hypervitaminose avec le bêta-carotène. Il possède une action antioxydante et anticancer plus performante que la vitamine A elle-même. Il piège les radicaux libres surtout au niveau des muqueuses et de la peau. L'homme a besoin d'un apport de bêta-carotène journalier de 10 à 20 mg. La vitamine A, consommée par excès, peut être toxique, entraîner des maux de tête, des vomissements, voire, à l'extrême, une chute de cheveux. Elle est déconseillée chez la femme enceinte. Si elle vient à manquer, l'œil est sec, la peau perd sa souplesse. De nos jours, une supplémentation semble indispensable pour permettre une action antioxydante significative, car l'apport naturel quotidien n'est pas suffisant. Dès la cinquantaine, une dose de 20 mg par jour peut être conseillée.

La vitamine D. Elle est indispensable au nouveau-né. Sir Edward Mellamby, en 1919, démontre son action chez les petits chiots. Il prouve que le déficit en vitamine D est à l'origine du rachitisme. Il permet ainsi, par l'absorption de l'huile de foie de morue, riche en vitamine D, d'éviter le rachitisme fréquent à l'époque. Elle favorise la croissance des os, aide à la pénétration du calcium et du posphore dans le corps et à la fixation du calcium au niveau des os et des dents. C'est la vitamine antirachitisme. Le manque de vitamine D, hélas fréquent dans le tiers monde, provoque un rachitisme impressionnant avec des os fragiles et une croissance altérée. Elle a également un rôle chez les patients présentant des peaux sèches, du psoriasis. On la retrouve dans le jaune d'œuf, les poissons, le foie. Elle n'existe pas dans les céréales, les légumes ou les fruits. Sa synthèse est facilitée par les ultraviolets du soleil. C'est ainsi que pour les gens du Sud, le soleil pourra avoir une action suffisante pour éviter un déficit en vitamine D. Les enfants ont besoin pour leur croissance de 400 UI par jour. Ce qui équivaut à une cuillère à café d'huile de foie de morue. Cependant, pour les enfants exposés au soleil, la dose peut être moindre. Un surdosage peut entraîner un taux de calcium trop important dans le sang.

La vitamine E. Elle est la vitamine antioxydante par excellence. Elle piège les radicaux libres. Elle est détruite par les fritures ou la lumière excessive. Elle prolonge la période de vie des globules rouges et la conservation du fer et, donc, favorise l'oxygénation de notre corps. Il semble qu'elle permette une trophicité cutanée avec un effet antivieillissement sur la muqueuse. Son action antioxydante protège l'axe respiratoire. Elle agit plus particulièrement en synergie avec la vitamine C, le bêta-carotène et la vitamine A. Le fumeur a besoin d'un apport vitaminé bien plus important que la normale pour avoir une action antioxydante. La vitamine E est surtout présente dans les huiles d'arachide, de soja, d'olive, mais surtout dans l'huile de germe de blé. Sa consommation quotidienne pour une protection satisfaisante est de 200 mg. On est amené quelquefois à prescrire 400 mg par jour pour permettre d'augmenter le « bon » cholestérol et « diminuer » le mauvais.

Les complexes de vitamines B

La vitamine B1 a une action au niveau des glucides et augmente la réserve énergétique de chaque cellule. On la retrouve dans la levure de bière, aliment qui en présente la plus haute concentration, mais également dans les céréales complètes et les légumes secs.

La carence en vitamine B1 est grave. Elle provoque le béribéri, mais également des troubles neurologiques de type polynévrite (difficulté à commander les nerfs par déficit de la gaine de myéline, par exemple les pieds dérapent en marchant) et des troubles cardiaques. Le béribéri est une affection fréquente en Asie et en Orient, due à la consommation d'un certain riz. À un moindre degré, cette carence entraîne fatigue, irritabilité et lassitude.

La vitamine B2. Elle travaille en synergie avec la vitamine B1. Son action est énergétique également. Les produits laitiers, les viandes, les œufs, les légumes verts, la levure de bière en contiennent. Son déficit est exceptionnel.

La vitamine B3 ou vitamine PP ou acide nicotinique ou niacine. Elle intervient dans la synthèse des hormones de croissance. En synergie avec la vitamine C, elle tonifie l'arbre respiratoire. Très répandue dans notre alimentation, elle joue également un rôle de protection de la paroi vasculaire. Sa carence peut provoquer la pellagre avec des troubles de la peau, rougeurs, démangeaisons, insomnies, confusion. Cela reste très rare dans nos régions. Elle est présente dans de nombreux aliments : le foie, les viandes maigres, les légumes secs ainsi que la levure de bière.

La vitamine B4 ou adénine est une vitamine énergétique.

La vitamine B5. Elle participe à la cicatrisation des cellules, aux neuromédiateurs moléculaires, à la synthèse de lipides et de certaines hormones. Elle agit au niveau des cheveux et des ongles mais également au niveau des cellules avec cils vibratoires de l'arbre respiratoire. Cela permet l'élimination rapide de glaires. Elle est présente dans de nombreux aliments.

La vitamine B6 ou pyridoxine. Vitamine énergétique de notre corps, antistress, elle est un stimulant cérébral. Elle intervient surtout dans la transmission nerveuse et la stimulation du désir. Elle est présente dans la levure de bière, les légumes secs, le foie.

La vitamine B8 ou biotine. Vitamine qui a un rôle dans le métabolisme des protides, des glucides, des lipides et des acides aminés. Indispensable à la croissance, elle agit en synergie avec la vitamine B5 et le zinc dans la prévention de la chute des cheveux. Elle est retrouvée dans de nombreux aliments.

La vitamine B9. Sa carence entraîne une anémie, une fatigue, des troubles intestinaux.

La vitamine B12. Son insuffisance peut entraîner des troubles de la mémoire, une fatigue, une anémie. On ne la retrouve pratiquement que dans la nourriture animale, foie, volailles, poissons, œufs et produits laitiers. Elle est stockée au niveau du foie. 4 mg peuvent suffire à couvrir nos besoins pendant plusieurs années.

La vitamine F. Il s'agit de l'acide linoléique. Il regroupe les acides gras essentiels et diminue le risque d'artériosclérose. On la retrouve dans le miel, les amandes et l'huile d'onagre. Cette vitamine a un rôle comme protecteur cardiaque.

La vitamine K. Indispensable à la coagulation sanguine ; on la trouve dans les brocolis, soit 100 mg pour 100 g.

Les vitamines ont trois impacts physiologiques. Un impact enzymatique par action comme coenzyme, un impact sur la membrane cellulaire elle-même ou sur la mitochondrie et un impact sur la fonction hormonale. Un minimum vital journalier est indispensable. Ce minimum dépend de l'âge, de l'activité physique, de l'activité intellectuelle. Après cette description précise, simplifiée mais exhaustive, il nous paraît nécessaire d'insister sur la prise des vitamines A, C, D, E, B5 et B6 chez les professionnels de la voix qui ont besoin d'une dynamique et d'une vivacité cérébrale, physique et vocale de tous les instants.

Les minéraux

L'apport de minéraux est essentiel pour notre voix et notre corps. Le fer, le magnésium, le calcium en sont les principaux éléments, associés au phosphore, sodium, zinc et manganèse.

Le fer

Le fer est un élément essentiel de l'hémoglobine situé dans le sang, de la myoglobine située dans les muscles, et des cytochromes, hémoprotéines intracellulaires dont le rôle est indispensable pour la respiration cellulaire qui capte l'oxygène. Le fer contribue au transport de l'oxygène dans notre corps. Notre organisme en contient entre 3 et 4 g. Cette faible quantité est pourtant vitale. Notre prise journalière doit être de 20 à 30 mg dans la mesure où ce que nous absorbons n'est pas complètement intégré dans l'organisme. Car si nous n'avons pas besoin de plus de 5 mg par jour pour nourrir intrinsèquement notre corps, nos besoins augmentent lors de l'activité physique ou d'une fatigue importante. Pourquoi ?

L'activité physique augmente notre masse musculaire. En cas de blessure musculaire (hématome de la corde vocale), sa réparation nécessite un apport de protides. Les régimes hyperprotidiques nécessitent un apport plus important de fer. Chez le sportif, le niveau de fer doit être satisfaisant pour permettre un effort respiratoire et musculaire compétitif et repousser les limites de la fatigabilité due à l'anoxie ou à l'hypoxie (baisse d'oxygénation de nos tissus musculaires). Pour pouvoir chanter ou parler de façon professionnelle, on met en jeu quatre cents muscles. C'est une activité athlétique à part entière.

Chez la femme, la survenue de la menstruation peut provoquer une perte d'hémoglobine importante et nécessiter de façon cyclique un traitement au fer. La femme qui allaite a également un besoin supérieur en fer. Notre organisme perd 1 mg de fer par jour, par la sueur, l'intestin, les cheveux et les cellules mortes. Ce minéral est présent dans de nombreux aliments. La viande, le poisson, les œufs, les légumes secs. Mais la légende de Popeye le marin n'est pas tout à fait exacte : les épinards renferment peu de fer, contrairement aux lentilles qui en ont la plus forte concentration. Notre intestin capte le fer. Mais il faudra se méfier d'un repas qui s'accompagne de thé ou de vin à forte concentration de tanin, qui diminuent son passage intestinal. Sa carence provoque une fatigue importante, une anémie, une baisse de la concentration et un aspect pâle du visage. Cet état de chose apparaît plus fréquemment avec l'âge.

Le magnésium

M. Kuch, éleveur de bétail dans l'Ohio en 1944, voit mourir ses veaux de maladie. Il émet l'hypothèse qu'il s'agit d'une hygiène défectueuse de son étable. Il construit une nouvelle étable et la peint. Les veaux lèchent les murs et ne meurent plus. Kuch découvre que cette peinture est constituée de carbonate de magnésium. Les travaux sur ce minéral, indispensable à notre organisme, trouvent là leur point de départ.

Notre corps en contient environ 25 g, soit près de huit fois plus que de fer. Il est situé essentiellement dans nos cellules. 50 % au niveau de notre squelette osseux, 25 % dans nos muscles striés et un peu moins de 25 % au niveau du cœur, du foie, des reins, du tube digestif. Seulement 200 mg vont servir au tissu hormonal et circuler dans le plasma. Son apport est fondamental. Son absorption est augmentée par la vitamine D et un régime riche en protéines. Elle est diminuée par l'alcool ou la consommation de graisse saturée. Son rôle est essentiel dans la participation active à la formation de l'ATP et à la protection de notre ADN. Le magnésium intervient dans plus de trois cents réactions enzymatiques neuromusculaires et hormonales. Quotidiennement, l'adulte a besoin d'un minimum de 75 mg, les personnes âgées de 420 mg, le nourrisson de 50 mg.

La femme enceinte ou la femme qui allaite a besoin de 480 mg de magnésium par jour. En 1998, une étude sur 5 500 personnes a montré que près de 75 % avaient un apport magnésique insuffisant en Europe. Cette hypomagnésémie aggrave le syndrome prémenstruel avec sa migraine et ses douleurs. L'activité sportive favorise son absorption, galvanise son action. Le magnésium permet, entre autres, l'utilisation de notre réserve énergétique qu'est le glycogène. Ce même glycogène est utilisé et nécessaire pour un exercice physique de longue durée. Ainsi, après un effort de deux à trois heures, Ohla a démontré la chute du magnésium plasmatique. Un traitement préventif, deux à trois semaines avant l'effort, permet de pallier ce problème et d'optimiser la performance de l'individu. L'apport régulier de magnésium est indispensable à l'équilibre musculaire et respiratoire de l'individu. Cependant, un excès peut entraîner des troubles intestinaux, une insuffisance entraîne une fatigabilité, une irritabilité mais, surtout, peut provoquer des crampes, une tétanie témoin d'une hyperréactivité de la jonction neuromusculaire.

On le trouve dans de nombreux aliments naturels. Le cacao en poudre, le chocolat noir, les graines telles que les noix de cajou, les amandes ou les noix, le soja, les germes de blé. Sa teneur est modérée dans les poissons ou les huîtres. Le taux maximal a été dosé dans les algues marines, soit 2,5 g pour 100 g alors que pour le chocolat il est de 200 à 400 mg. L'eau de Vittel, Hépar et celle de Badoit sont les eaux qui en contiennent à haute concentration.

Le calcium

Le calcium a de multiples implications. Non seulement le tissu osseux, la sécrétion hormonale, mais aussi la bonne performance de nos neurones dépendent de lui. Le calcium est le constituant principal des os et des dents. Par ailleurs, son action est indispensable au niveau cardiaque, au niveau de la coagulation sanguine, de l'excitabilité neuromusculaire, de la rapidité de réponse entre l'ordre donné au cerveau et la gestuelle musculaire qui en découle. Pour que son action soit optimale, il est indispensable qu'existe un équilibre entre lui et le phosphore : c'est l'équilibre phosphocalcique dont le rapport en quantité doit être compris entre 0,5 et 2. Le calcium représente 1,5 % de notre poids, dont 98 % sont dans les os. Notre besoin journaliser se situe entre 600 mg et 1 000 mg. Son absorption se fait dans la partie haute de l'intestin grêle. Elle nécessite un certain degré d'acidité. Par ailleurs, les hormones telles que la parathormone, les hormones sexuelles ou la vitamine D ont un rôle déterminant dans son absorption. À l'inverse, la prise de cortisone peut bloquer la fixation du calcium sur les os. Le calcium est un élément dynamique, fonctionnel, qui varie avec notre activité. Un simple exemple, la sueur : un exercice physique de plus de deux heures peut entraîner jusqu'à 30 % de perte de notre calcium comme nous l'a si bien démontré Consolazio il y a près de quarante ans. L'apport du calcium est indispensable pour tout sportif et notamment chez les professionnels de la voix qui transpirent beaucoup.

Le calcium est particulièrement actif lors de la croissance, entre seize et vingt-cinq ans. Il permet d'augmenter la taille de notre squelette mais également la rapidité de notre influx nerveux. Son action est souvent couplée à la vitamine D. Notre apport alimentaire en regorge. L'eau que nous consommons, le lait, les fromages en sont la source principale. Une remarque : le lait de vache en contient 1 200 mg par litre alors que le lait maternel n'en contient que 300 mg. Sa carence provoque un rachitisme chez l'enfant ; chez l'adulte il entraîne une fatigue associée à des crampes et, plus tardivement, une déminéralisation du squelette (ostéoporose). L'effort physique ralentit considérablement l'ostéoporose. De nos jours, il est intéressant d'observer que chez la plupart des femmes de soixante-dix ans ayant une activité sportive régulière, un supplément surveillé de prise de calcium et un traitement hormonal substitutif éliminent pratiquement les signes d'ostéoporose.

Le phosphore

Nous possédons près de 700 g de phosphore dans notre corps, soit 600 g au niveau du squelette et 100 g au niveau de différentes molécules protéines, lipides, ou ADN et ARN. Nos besoins, habituellement de près de 1 g par jour, augmentent de façon importante avec l'effort. Il est absorbé au niveau de la partie basse de l'intestin grêle. Il agit sur les molécules énergétiques telles que l'ATP et ses dérivés. Présent au niveau du squelette, du système nerveux, il est indispensable au niveau des échanges de la cellule et de notre équilibre acido-basique. Le rapport entre calcium et phosphore doit être compris dans une certaine fourchette. Ce qui signifie que si l'apport de calcium augmente, l'absorption du phosphore diminue et réciproquement.

Le potassium

Le potassium a, comme le calcium et le phosphore, une interaction avec le sodium. Son rôle est multiple. Mais il est surtout important dans l'équilibre des liquides intra- et extra-cellulaires et dans le bon fonctionnement cellulaire. Notre demande journalière ne dépasse pas 50 mg.

Le sodium

Le sodium est indispensable à la vie. Il stabilise et régule les échanges cellulaires. Il module notre réserve liquidienne. Son rôle est multiple, non seulement dans l'échange cellulaire, mais également dans l'excitabilité et la contraction des myofibrilles. Notre besoin journalier est de près de 10 g. Six minutes après l'avoir absorbé, notre corps l'a assimilé. Il diminue notre transpiration, il permet de « garder » l'eau. Le revers de la médaille est la rétention d'eau : si vous avez une alimentation trop salée, vous augmentez votre masse hydrique, les volumes circulants et vous êtes candidat à une hypertension artérielle.

L'iode

Notre corps contient entre 20 et 50 mg d'iode principalement logés dans la glande thyroïde. Ce minéral est indispensable à la synthèse de nos hormones thyroïdiennes. Chez l'enfant, elle est un élément majeur de la croissance physique et mentale. L'iode est absorbée dans notre intestin et, ensuite, piégée par notre glande thyroïde. Le trop-plein est éliminé par nos urines. Une carence en iode provoque une augmentation de la glande thyroïde, un goitre, et immédiatement un impact sur la voix parlée et la voix chantée. L'action du goitre est double. D'une part, par la compression de la glande elle-même sur notre larynx et, d'autre part, par la distribution d'oxygène au niveau des muscles des cordes vocales. L'artère thyroïdienne, dont l'une des branches est l'artère laryngée, nourrit la corde vocale. Lorsque la thyroïde est augmentée, elle appelle plus de sang vers elle et « délaisse » l'artère laryngée, celle qui nourrit la musculation cordale. C'est ce que l'on appelle un « vol sanguin ». La carence en iode diminue nos capacités mentales et notre résistance physique par son impact sur la glande thyroïde. Les poissons de mer, les algues, les plantes cultivées près des océans en sont riches. Il est rare que nous ayons besoin d'en prendre en complément.

Autres minéraux

Le fluor préserve votre dentition, conserve le squelette. Il est bien connu qu'il protège des caries. On le retrouve surtout dans l'eau et dans les poissons. Cependant, dans l'enfance et vers la cinquantaine, 1 mg de fluor par jour permettra de conserver au mieux une santé dentaine et vocale satisfaisante. Le *cuivre* est un des éléments de synthèse pour l'hémoglobine. Le *soufre*, lui, agit sur notre respiration tissulaire. Il augmente nos éléments de défense contre l'agression infectieuse.

Le *zinc,* essentiel dans beaucoup de réactions enzymatiques, est indispensable à l'organisme. On le trouve dans les poissons, les fruits de mer, les viandes, mais aussi dans les œufs. Notre besoin journalier est d'environ 15 mg. Quant aux oligoéléments, des études sont en cours pour déterminer leur efficacité.

Les antioxydants et les radicaux libres : prévenir le vieillissement de la cellule

Les antioxydants et certaines vitamines permettent de ralentir le processus d'oxydation de notre corps et son vieillissement. Coupez une tranche de pomme, laissez-la à l'air libre, en quelques minutes, elle devient marron. Prenez la même tranche de pomme, frottez-là avec du jus de citron, elle mettra plusieurs heures pour atteindre la même couleur. Ainsi, la vitamine C a ralenti le phénomène d'oxydation, a permis une meilleure résistance et donc une meilleure performance.

Les antioxydants sont des médicaments qui agissent sur les radicaux libres. En effet, ces radicaux libres ont des conséquences néfastes. Leur impact dramatique est la perte de la perméabilité de la membrane cellulaire et donc de sa possibilité d'échanges, c'est-à-dire sa capacité de se nourrir et de se libérer des toxines. Ce processus accéléré de vieillissement de la cellule aboutit à sa destruction. Pour éviter cela, les antioxydants vont piéger l'électron dit célibataire instable qui est à l'origine de cette réaction en chaîne.

Comment se forment ces radicaux libres ? Au niveau des mitochondries, une paire d'électrons de la molécule d'oxygène peut se dissocier secondairement à un apport énergétique important. Cette dissociation crée un électron célibataire qui, s'il n'est pas neutralisé, provoque une réaction de dénaturation sur la membrane cellulaire. Les radicaux libres sont des molécules produites par notre organisme lorsque notre corps est agressé. Cette perturbation peut être la pollution, une exposition solaire excessive, un changement brutal de température et du taux d'humidité, le tabac, l'alcool, ou encore la « pollution affective ». La réaction est un vieillissement excessif des tissus, une fatigue inhabituelle. Ces radicaux libèrent l'électron célibataire qui devient toxique. Ce simple électron déstabilise les structures de notre corps. Le tissu le plus vulnérable est le tissu conjonctif. C'est lui qui forme la souplesse de la peau et de la muqueuse. Il est constitué de collagène, d'élastine, d'acide hyaluronique et de protéoglycans qui vont permettre de préserver la tonicité de nos tissus et assurer l'élasticité de nos cordes vocales.

C'est alors qu'entre en jeu l'action des vitamines antioxydantes ou anti-radicaux libres. Sans ce blocage de l'électron célibataire par une thérapie adaptée, la cellule perd sa perméabilité, meurt, et on observe un vieillissement prématuré de l'individu. Ainsi, l'élimination des radicaux libres est un processus indispensable pour la survie de nos cellules et les oligoéléments aident à les neutraliser.

Donnons quelques exemples de troubles de notre organisme secondaires à l'augmentation des radicaux libres : crampes, stress, insomnie. Ailleurs, ce seront des douleurs rhumatismales, ou des microvarices, ailleurs encore un syndrome prémenstruel agressif ou une fragilité aux infections. Dépister d'une façon biologique l'existence des radicaux libres est, dans l'état actuel de nos connaissances, toujours très difficile. Seuls des signes cliniques indirects nous permettent d'évoquer leurs effets néfastes. L'adjonction de polyvitamines, notamment la vitamine E, la vitamine A, la vitamine B, la vitamine C, permet d'éviter ce type de réaction en chaîne et de mort cellulaire précoce.

Lors des jeux Olympiques en Australie, une étude a été pratiquée sur 12 athlètes en course de fond et en ski de fond. Pendant près d'un mois, on a prescrit quotidiennement, sur 6 d'entre eux, 1 000 UI de vitamine E et 1 g de vitamine C. Les 6 autres ont eu un placebo. L'étude était faite en double aveugle, personne ne sachant qui prenait quoi. Un dosage d'enzyme a montré au niveau des analyses de sang qu'il y avait une diminution de l'oxydation de 25 % lorsqu'il y avait une prise vitaminée. Par ailleurs, les performances étaient également améliorées sur le plan de la résistance. Ces résultats démontrent, bien évidemment, l'intérêt de la prise de vitamines antioxydantes, mais également de l'association de l'entraînement physique musculaire et cardio-vasculaire permettant une amélioration de la performance.

Il est intéressant de noter que dans notre organisme, à chaque minute de votre vie, près de 10 millions de cellules se reproduisent. Autrement dit, le temps que vous lisiez cette page fait vous avez déjà près de 25 millions de cellules nouvelles dans votre corps.

Les sucres, les lipides et les protéines : énergie de la voix

Lors de la performance vocale, pour la contraction de nos muscles et pour notre contrôle respiratoire, nous faisons appel à l'énergie que fournit l'ATP musculaire. Cette énergie nous est apportée par trois filières. Elles sont fonction de l'exercice, de l'intensité et de la durée de la performance vocale, qui sont intimement liés à l'activité de l'artiste, du conférencier, de l'enseignant, de l'avocat ou du politique.

• La filière dite anaérobie alactique est mise en jeu d'emblée pour quelques secondes. Dans ce cas, il n'y a pas de production d'acide lactique, qui est un asphyxiant pour la cellule.

• La deuxième filière anaérobie lactique est mise en jeu après 40 secondes d'activité physique. Ici, le muscle utilise son glycogène et formera de l'acide lactique qui devra ensuite être éliminé. C'est le cas lorsque l'on maintient une note chantée pendant plus de 30 secondes.

• La troisième filière, dite aérobie, se met en action dans des efforts de plus de 2 à 4 minutes. Dès lors, une re-synthèse de l'ATP est nécessaire et possible par nos réserves de glycogène et de lipides. Cela se produit lors d'une plaidoirie, d'une conférence, d'une tirade ou d'un concert.

Les glucides. Ils constituent un substrat énergétique permettant une activité sportive immédiate très efficace. Ils vont jouer un rôle pour remplacer le glycogène musculaire, véritable carburant de notre activité physique. Chez les chanteurs de variétés par exemple, dont la dépense énergétique sur scène est une véritable prouesse, l'apport glucidique nécessaire se situe entre 5 et 10 g par kilo. Mais, paradoxalement, cet apport est indispensable avant et après l'effort physique afin d'éviter le collaps musculaire : « la déchirure du repos », l'élongation du ligament vocal après le concert. Si on est amené à parler fortement après un concert ou une conférence, on tire de nouveau sur le muscle vocal qui ne supporte plus ce nouvel effort musculaire et qui « claque ».

Il est raisonnable de prendre une boisson énergétique après le spectacle ou après un débat vocal important. Cet apport nutritionnel liquidien est particulièrement nécessaire en cas de transpiration pendant l'effort. Les glucides sont composés de carbone, d'hydrogène et d'oxygène (dans les proportions de 6, 12, 6). Lorsqu'ils sont consumés, ils libèrent du gaz carbonique et de l'eau. C'est à partir des glucides que se forme notre glycogène. Il est notre réserve énergétique immédiate.

Les lipides. Ils sont une réserve énergétique nécessaire pour une activité de longue durée, en cas de répétition d'une prouesse vocale journalière ou nocturne non-stop pendant quelques semaines. Les lipides comme les glucides sont constitués de carbone, d'hydrogène et d'oxygène. On entend par lipides toutes les graisses comestibles de notre alimentation. Dans notre organisme, nous avons deux groupes de lipides. Le premier est lié à notre structure corporelle. Il est partie intégrante de notre silhouette. Le second constitue notre réserve énergétique, qui, elle, sera sollicitée dans l'effort.

Dans les graisses que nous mangeons, nous distinguons deux groupes : des acides gras saturés venant des animaux ou graisses animales, et des acides gras polyinsaturés et insaturés venant des végétaux et de certains poissons. Cette distinction est importante. Les graisses saturées favorisent l'athérome, « encrassent » nos vaisseaux et surtout nos coronaires. Alors que les acides gras polyinsaturés jouent un rôle protecteur de ces mêmes vaisseaux. Les plus connus de cette famille sont l'acide arachidonique et les omega-3. Les lipides, pour une même quantité d'absorption, apportent le double de calories que les glucides et les protéines. C'est-à-dire 9 kcal par gramme alors que les glucides n'apportent que 4 kcal par gramme. Ainsi, lorsque vous mangez, le volume est divisé par deux pour la même quantité énergétique absorbée. Votre ration alimentaire est plus petite et votre capacité sportive reste identique. Dans son alimentation journalière, un chanteur de variétés qui se produit tous les soirs sur scène, qui danse et qui transpire, dont la dépense énergétique est très importante, a besoin d'une prise quotidienne de lipides et de glucides pour conserver sa forme.

Les protéines. Si elles ne constituent pas un substrat énergétique significatif, elles permettent de conserver la structure musculaire et protéinique de notre corps. L'apport des acides aminés est le véritable squelette de notre profil corporel. L'homme ne peut pas synthétiser de nombreux acides aminés, éléments fondamentaux de la protéine. Il devra les trouver dans sa nourriture. Il n'a pas les enzymes suffisants pour construire ce complexe (acides aminés, atomes de la protéine). Lorsque vous avalez des protéines, elles sont digérées par votre estomac et les sécrétions de votre pancréas. Elles sont ensuite absorbées par votre intestin.

Les aliments qui en contiennent sont nombreux : les œufs, le lait, le riz, certaines céréales, les légumineuses (haricots, pois secs, arachides) et bien sûr les viandes et les poissons. Nos besoins varient avec l'âge : 2,50 g par kilo et par jour chez un nourrisson, alors que 1 g par kilo et par jour suffit habituellement chez l'adulte. Ces besoins sont augmentés lors de l'effort physique, lors du stress, lors de la performance vocale, mais également lors d'une infection ou d'un choc psychologique. L'apport de protéines maintient notre masse musculaire, permet son développement et sa meilleure adaptabilité à l'effort, à l'exercice désiré. Par ailleurs, cet apport protéiné permet la réparation rapide et efficace de microlésions des fibres musculaires dues à quelques « hyperperformances vocales » bien connues dans les voix de tête que seuls un entraînement et une alimentation convenables permettront d'éviter. Comme les précédents, glucides et lipides, les protéines contiennent du carbone, de l'oxygène et de l'hydrogène mais, en plus, de l'azote et du soufre. L'atome d'azote, spécifique aux protéines, est l'élément majeur pour permettre une cicatrisation rapide et une musculation adaptée. Les protéines jouent un rôle prédominant dans la croissance de l'adolescent, dans le développement du corps de l'adulte et dans l'équilibre hormonal. Mais, surtout, elles vont permettre le turn-over régulier de nos cellules et ainsi la reconstitution tous les deux à trois mois de la majorité des cellules de notre organisme, excepté les neurones. Leur rôle n'est pas énergétique, mais structurel. Parfois elles peuvent être appelées à la rescousse si les besoins sont essentiels. Les protéines sont indispensables lors d'une activité physique soutenue.

Les protéines animales consommées par l'homme viennent des plantes. Les animaux consomment les plantes qui, elles, viennent de la photo-synthèse dont l'élément indispensable est le soleil. Nous ne sommes pas loin de nos origines...

Le sel et l'eau

L'élément indispensable, n'est-ce pas notre hydratation et ce que nous appelons nos électrolytes, à savoir le sel ?

Notre corps est fait de près de 85 % d'eau. Tout effort physique nous déshydrate, toute activité vocale importante également. Mais, fait essentiel, la soif n'est pas toujours là pour nous renseigner sur notre déshydratation. Ce n'est pas un critère fiable de la perte de l'eau et des électrolytes. La sécheresse du larynx, la difficulté parfois à avoir une grande inspiration, la disparition de certaines fréquences vibratoires dans les aigus, la perte du vibrato, enfin la voix blanche sont des signes majeurs de manque d'hydratation.

La contraction musculaire provoque une oxydation cellulaire dont 75 % de l'énergie chimique sont transformés en chaleur, 25 % seulement sont transforés en énergie mécanique. Cette chaleur produite par nos muscles est récupérée à la périphérie par la circulation, ce qui nous fait transpirer. La sueur peut être importante, et la déshydratation parfois excessive. La perte hydrique est alors bien évidemment accrue et l'électrolyte essentiel éliminé ici est le sodium. C'est la raison pour laquelle mettre dans un litre d'eau une à deux cuillères à café de sel va favoriser la conservation du patrimoine liquidien et éviter une déshydratation rapide. Il faudra souvent y adjoindre, et c'est ce que je propose à tous les professionnels de la voix, un mélange adéquat avec une boisson énergétique. Il est nécessaire de s'hydrater toutes les vingt minutes au minimum par la prise d'un verre d'eau, en prenant soin de s'humecter les lèvres. Si l'exercice vocal dépasse une heure et demie, un minimum de 1 litre d'eau sera indispensable pour équilibrer l'organisme mais jamais en une seule fois. La prise devra être fractionnée pendant la performance vocale.

En effet chanter ou parler c'est expirer et donc éliminer encore plus d'eau du fait de cette respiration contrôlée et très sollicitée. Essayez de parler en courant, vous serez rapidement épuisé !

Dans cette même optique, l'alimentation avant l'effort doit être légère pour éviter une activité gastrique et une digestion longue, grande consommatrice d'énergie. Alors, la couverture de votre corps sur le plan musculaire, mais également sur le plan cérébral, impose un apport vitaminé, minéral, hydrique, glucidique, lipidique et protéiné dans des proportions adéquates propres à chacun ainsi que les omega-3 : c'est un menu à la carte.

La seule règle qui semble universelle est la prise régulière d'antioxydant, une hydratation importante avant, pendant et surtout après l'exercice, et l'entraînement musculaire associé à celui de la mémoire de la gestuelle vocale pour être au mieux de la performance. Les traitements par oligoéléments ou homéopathiques s'avèrent intéressants bien qu'aucune étude randomisée n'ait été faite. L'oscillococcinum, les oligosols de cuivre peuvent aider dans l'amélioration d'une laryngite virale. En cas d'abus vocal, de fatigabilité et d'inflammation laryngée sans élément infectieux, l'arnica 7CH et les gouttes du Bolchoï sont des remèdes usités des chanteurs et des conférenciers. L'effet est significatif de quatre à six heures après la prise. À cela, il faudra systématiquement associer une toilette nasale à l'eau de mer.

Caruso faisait particulièrement attention à sa santé vocale. C'était sans doute le secret de sa longévité. Il avait coutume de rincer son nez avec un mélange de glycérides et de bicarbonate de soude. Il s'en servait également comme gargarisme. Il y associait préalablement des instillations nasales par un mélange d'eau bouillie tiédie, de menthol et de vaseline.

D'autres chanteurs, acteurs ou comédiens bien connus vous diront qu'ils prennent un verre de bordeaux avant d'entrer en scène, mais aucun d'entre eux ne pourrait se permettre de prendre un verre de champagne ou de vin blanc, qui dessèchent les cordes vocales de manière dramatique et aggravent considérablement le reflux gastrique. Certains chanteurs lyriques et comédiens de longue date ont l'habitude de garder une écharpe et, en cas de fatigue vocale, de placer une compresse chaude sur la gorge tous les soirs, après leur performance.

Les professionnels de la voix, quelles que soient leurs spécificités, ont non seulement besoin d'un équilibre alimentaire et sportif harmonieux, mais aussi d'une dextérité psychologique et mentale qui résiste aux intempéries de l'agression physique et affective.

Hippocrate le disait : « Ton alimentation est ta première médecine. »

L'hygiène de la voix au quotidien

Nous avons une horloge interne qui rythme notre mode de vie, notre activité, notre sommeil. Il faut savoir la respecter.

Bien utiliser sa voix exige du professionnel une attention et une concentration importantes. Dans ce monde où le stress est roi, les phases de relaxation sont indispensables.

L'exercice du corps au quotidien

L'exercice le plus simple consiste, lorsque vous marchez, à avoir le corps rectiligne, une position correcte, la tête droite, dégagée des épaules, à adopter une démarche ferme, en respirant avec amplitude. Ces simples conseils permettent une production vocale optimale. La pratique régulière, au minimum une heure trois fois par semaine, d'une activité physique respiratoire (natation, musculation abdominale, vélo, footing, tennis) doit être adaptée au rythme de chacun. La natation stimule tous les muscles de notre corps. Elle n'est pas contrainte à la gravité. Dans cet espace d'apesanteur qu'est l'eau, les articulations cervicales, dorsales et lombaires se relâchent. Pendant l'activité sportive elle-même, surtout le crawl ou le dos crawlé, les muscles s'allongent de façon souple. La brasse permet de développer ses muscles pectoraux et la cage thoracique supérieure et a le grand mérite d'imposer un rythme respiratoire et le contrôle parfait de son expiration tout comme dans le chant.

La natation associée aux arts martiaux permet un équilibre du corps satisfaisant. Dans les arts martiaux, la respiration abdominale et notamment le « chi » est indissociable de la concentration du sportif. Gestes parfaitement maîtrisés, respiration contrôlée, concentration impressionnante sont les règles des arts martiaux. Ils permettent un développement harmonieux des muscles thoraciques et abdominaux. Pour travailler de tels muscles, il suffit de suivre des règles simples. L'aérobic, avec un coach adéquat, est également un sport approprié aux professionnels de la voix, ce qui n'est pas le cas de tous les sports. Certaines activités nécessitent des précautions particulières : le jogging fait respirer par la bouche, ce qui entraîne un assèchement des cordes vocales au bout de quelques centaines de mètres. Il ne faut donc pas parler pendant la course à pied, une laryngite réactionnelle secondaire risquerait d'en être la conséquence. Il est souhaitable de se munir d'une bouteille d'eau afin de prendre régulièrement quelques gorgées toutes les cinq minutes pendant le jogging et également pendant la pratique du cyclisme. Le vent de face assèche la gorge et également le nez. D'autres activités physiques sont déconseillées : celles qui font appel au larynx comme sphincter musculaire imposant la poussée abdominale violente, à savoir l'haltérophilie. La prise de la charge hypertrophie les bandes ventriculaires et peut endommager les cordes vocales.

Conseils pratiques

La sangle abdominale du professionnel de la voix est la force intrinsèque sur laquelle s'appuie le souffle. L'entretenir est souhaitable. De façon journalière, vous devez consacrer vingt minutes d'activité sportive à vos abdominaux. Allongé sur le sol, pointes des pieds bloquées sous un meuble, jambes fléchies, le buste est remonté en trois séries de vingt. Le deuxième mouvement consiste à garder les jambes levées, droites, immobiles, à 90° par rapport au sol : le buste vient les rejoindre en trois séries de vingt. Le troisième mouvement consiste à pédaler, le buste restant allongé ; alternativement, par torsion, on approche le coude du genou opposé, toujours en trois séries de vingt. Pour terminer le labeur, procéder à deux séries de vingt : buste allongé au sol, bras tendus en arrière, mains saisissant le pied de votre lit (par exemple), remonter les jambes droites du sol à la perpendiculaire, en gardant, et cela est capital pour éviter les douleurs lombaires, le contact permanent des vertèbres lombaires avec le tapis. Le rythme respiratoire que je vous conseille consiste en deux phases pour l'expiration et une phase inspiratoire lors du relâchement abdominal. En natation, le rythme respiratoire en crawl est de une fois sur trois, alors qu'en brasse vous respirez à chaque temps. Tous les sports vont apporter un équilibre au professionnel. Nous n'avons cité que ceux qui semblent le plus adaptés. Mais, bien sûr, que ce soit l'escrime, le tennis, le football, la marche soutenue ou le golf... ils apportent chacun une résistance du corps, une concentration de l'esprit et une élimination des toxines indispensables pour l'équilibre de notre organisme.

Le sommeil : pierre angulaire de l'athlète de la voix et de la mémoire

Le cycle du sommeil doit être respecté. Il est indispensable. Chacun possède sa propre horloge biologique interne, sa chronobiologie, et doit dormir à son rythme.

Le sommeil lent est la phase récupératrice. Le pouls et la respiration sont réguliers, les muscles relâchés. Pendant cette étape le sommeil est récupérateur. Rappelons que la synthèse des protéines, la sécrétion des hormones de notre hypothalamo-hypophyse augmente au petit matin. Ce sommeil lent représente en moyenne 80 % de notre sommeil global.

Le sommeil paradoxal représente donc 20 %. Il apparaît dans la deuxième partie de la nuit. C'est le temps du rêve, des mouvements bizarres, d'un pouls qui peut s'accélérer. Il traduit une activité cérébrale notable où les ondes de l'électroencéphalogramme sont rapides, alors que, dans le sommeil lent, elles sont lentes. Ce sommeil paradoxal est indispensable à l'équilibre de l'être et tout particulièrement à la maturation du cerveau de l'enfant. Chez l'adulte, il permettra une meilleure mémorisation des informations acquises la veille. Si le sommeil lent existe chez tous les animaux, le sommeil paradoxal est propre aux oiseaux et aux mammifères. Le sommeil paradoxal et le sommeil lent se succèdent pendant la nuit. Ces deux phases alternent trois à quatre fois sur une période de cinq à neuf heures suivant les sujets. Lorsque vous n'avez pas ou peu dormi pendant quelques jours, il y a une accumulation de la fatigue, une perturbation de la mémoire, une faiblesse de l'activité vocale. Dès lors, on entre dans un cercle vicieux. La fatigue entraîne le forçage vocal et, pour mieux convaincre l'autre, dans la mesure où on n'est pas en possession de tous ses moyens, on monte la voix dans les aigus, on s'égosille, on crée un étirement de la musculation laryngée. C'est le premier pas vers la formation de nodules ou de glotte ovalaire (distension des cordes vocales qui ne peuvent plus se joindre correctement). À ce volet musculaire de la voix, il faut ajouter le volet mental de la mémoire chez les professionnels.

La fatigue cérébrale va également jouer sur le psychisme. On observe un ralentissement du débit de la voix. L'artiste, l'instituteur, l'avocat ou le journaliste cherchent plus longtemps leurs mots. Cette affection, démoralisante, n'est pas irréversible. Elle est angoissante. La cause est le surmenage, une négligence de la forme physique, un déséquilibre de l'apport alimentaire. Elle est totalement corrigée en quelques jours par le repos, le sommeil retrouvé, et une meilleure hygiène alimentaire. Souvent, mes patients s'en plaignent. L'angoisse du lendemain les empêche de dormir. Ils utilisent mal leur voix. Le cercle vicieux est enclenché. Dans ce cas précis, les somnifères peuvent être nécessaires de manière temporaire. Et c'est là que l'activité sportive et l'hygiène du corps prennent une autre dimension. Outre l'oxygénation des muscles et de notre cerveau que ces exercices physiques permettent, un autre aspect me paraît essentiel : l'élimination des toxines, la création des endorphines par notre organisme pendant l'activité sportive et la récupération d'un cycle de sommeil journalier équilibré.

La pollution des autres, l'agression émotionnelle

Le stress, qui n'est pas quantifiable, entraîne pourtant la sécrétion de certaines toxines, qui viennent déclencher des manifestations particulières propres à chacun : « Ça me fait mal au ventre », et ce sont des douleurs gastriques ; « Ça m'a coupé le souffle », et ce sont des toux asthmatiformes ; « Ça m'a cassé la voix », et ce sont les laryngites. Lors de l'activité sportive, notre corps augmente de façon considérable son métabolisme. Il élimine les éléments nocifs. Mais, surtout, il permet la création d'une hormone excitatrice sécrétée au niveau de l'hypothalamus et appelée endorphine. Celle-ci, bien connue des coureurs de fond, galvanise notre performance, qu'elle soit immunitaire, intellectuelle, physique ou vocale. Finalement, si l'on peut dire, un organisme intoxiqué par la pollution des autres, voire sa propre pollution, se régénère complètement si l'équilibre physique et mental est récupéré.

On a le droit d'être fatigué

Si l'homme du XXIe siècle doit particulièrement tenir compte de son corps, c'est que ce mammifère que nous sommes n'a pas été conçu pour rester sans activité physique toute une journée. En effet, encore au siècle dernier, il fallait marcher d'un endroit à un autre, travailler aux champs, chercher les éléments de sa survie. L'organisme brûlait ses réserves de sucres, de graisses, éliminait ses toxines rapidement, notamment par la sueur. Il se fatiguait, ce qui était bon pour lui.

La fatigue est un signal que nous lance notre corps et qui nous impose un repos. Ce repos récupérateur est associé immédiatement à une hydratation et à une diététique alimentaire appropriées. En effet, on a le droit d'être fatigué et on se doit de récupérer l'équilibre de notre corps, sinon notre activité vocale en pâtit. C'est ainsi qu'il ne faut pas toujours vouloir médicaliser la fatigue vocale, parfois associée à un simple surmenage.

Entraîner et maintenir sa voix : vigilance de tous les instants

Il ne faut pas trop vous éloigner de votre poids d'équilibre

Deux kilos sont un écart raisonnable à ne pas dépasser pour conserver votre timbre vocal. Dans tous les cas, votre profil diététique impose une réserve de protéines pour conserver une masse musculaire efficace. Après avoir analysé vos propres habitudes alimentaires, il vous faudra éventuellement, en tant que professionnel de la voix, rééquilibrer ou compléter votre diététique. C'est bien connu : il faut manger équilibré. Mais qu'est-ce que ça veut dire pour le chanteur, l'enseignant ou le conférencier ?

Hygiène alimentaire

Avant toute conférence, il est déconseillé de prendre des produits laitiers qui peuvent épaissir les mucosités, de céder à un déjeuner copieux qui va alourdir votre état général, provoquer un reflux, entraîner une fatigabilité due à la digestion de ce repas. Il convient de privilégier les sucres lents, comme les pâtes, le riz, mais également les légumes secs ; d'assurer un apport protéinique indispensable pour permettre, si besoin est, de corriger, de cicatriser des microblessures des myofibrilles constituant les muscles des cordes vocales. Les protéines animales restent des plus efficaces : viande ou poisson. L'apport d'antioxydant semble nécessaire. Nous l'avons vu, ce sont les vitamines A, B, C et E. L'adjonction de minéraux, fer, magnésium, calcium, permet une meilleure performance. Mais, fait essentiel, c'est la permanence de cette hygiène alimentaire qui à moyen terme va donner un résultat excellent sur votre voix, tout comme l'entraînement de la voix sans excès et de façon quotidienne.

En pratique, vous devez consommer au minimum trois repas par jour. Pourtant, en cas d'effort vocal qui va durer aux environs de quatre-vingt-dix minutes sur une scène et occasionner une importante transpiration, il est conseillé de prendre une collation à base de sucres lents et de fruits deux heures avant la performance vocale et, une demi-heure avant la performance, de prendre des sucres à élimination rapide comme le miel.

En dehors des périodes d'activité vocale, les produits laitiers restent indispensables. Par exemple, au petit déjeuner, on doit régénérer les réserves énergétiques qui ont diminué pendant la nuit par la prise de lait, yaourt, céréales, jus de fruits naturels. Il ne faudra pas hésiter en cas de « petit creux de 11 heures » à prendre une collation (un fruit par exemple).

Si le dîner peut être parfois copieux, il est indispensable qu'il soit pris à distance du coucher. Le déjeuner doit être léger : poisson, ou grillade, légumes verts, pâtes, pommes de terre, fibres et un fruit. La prise de café ou d'alcool est déconseillée s'il existe un reflux gastrique.

Si vous êtes pressé, si vous n'avez pas le temps de prendre un déjeuner, le sandwich équilibré peut faire l'affaire, dans lequel seront associés poisson ou viande, œuf et salade. La variété alimentaire et la légèreté des repas permettent un équilibre physique souvent remarquable, surtout si on y associe, en fonction de l'âge, la prise d'oligoéléments, d'omega-3 (1 à 2 g par jour d'EPA avec ou sans DHA), de minéraux et de vitamines.

En cas de « coup de pompe », votre voix s'en ressent. Il est alors nécessaire de prendre des barres énergétiques et des sucres à élimination rapide avec une bonne hydratation.

Chanter, c'est d'abord s'échauffer

La musculation du corps tout entier permet de développer une puissance respiratoire efficace. L'échauffement des cordes vocales évite l'élongation cordale. L'entraînement doit être régulier. L'échauffement au niveau des muscles cervicaux et laryngés est nécessaire. En aucun cas il ne faudra d'emblée vouloir faire une gamme *forte* en voulant aller chercher les suraigus. L'échauffement se fait progressivement, en une dizaine de minutes, avec des vocalises « bouche fermée », puis l'émission de voyelles. Il sera suivi d'un étirement par bâillements, par flexions et extensions des muscles cervicaux. Des plages de récupération de dix à vingt secondes sont conseillées. Cependant, on se doit de rester concentré. Répéter le même exercice vocal reste très utile. Cela permet de mémoriser le geste vocal, le mouvement des cordes vocales sur certaines fréquences et d'adapter la forme des caisses de résonance. Pour éviter la lassitude, la variabilité s'impose.

En sport, il existe deux types d'exercices : la musculation passive (par exemple, jambes tendues au-dessus du sol sans bouger) et la musculation active (le pédalage). Il en va de même pour les exercices vocaux.

Travailler de façon statique sa musculation pharyngo-laryngée et sa musculation respiratoire se fait par l'émission de sons bouche fermée, « mmmm », sur différentes fréquences. Ce faisant, aucun forçage n'est possible, ni aucun assèchement des cordes vocales. Dans un second temps, on fait jouer la musculation active par émission de voyelles, support de la voix chantée, parlée et de la prosodie. On passe des graves aux aigus, puis inversement. On met en jeu des muscles agonistes et antagonistes en faisant des glottages ou des « ke-ke-ke-ke-ke ». Les muscles abdominaux et thoraciques contrôlent la puissance de la voix, c'est-à-dire le souffle. Ils permettent une excellente stabilité avec une protection de l'organe vocal. Le travail des muscles abdominaux se fait sur l'ensemble de la sangle abdominale. Ne cherchez pas à regarder vos muscles « en tablette de chocolat », surtout s'il existe une petite pellicule de graisse entre la peau et ces muscles. Ce qui est important, c'est de ressentir leur efficacité. Au début, un entraîneur sportif vous aidera à harmoniser votre musculation tout comme le professeur de chant vous apprendra à poser la voix, à la projeter, à la contrôler mais également à savoir crier. En effet on peut crier, encore faut-il savoir comment crier.

Récupérer sa forme vocale

Travailler son environnement musculaire permet une évolution, rapide au début, puis plus lente au fur et à mesure des cours de chant. Entraîner sa voix, c'est se dépasser légèrement à chaque cours pour parvenir à une progression dans sa tessiture et une meilleure résistance vocale.

Enfin, la phase de récupération à la suite de la performance est indispensable. Détendre ses muscles pharyngo-laryngés, ses muscles abdominaux, avoir une respiration régulière, se retrouver dans le calme pendant quelques minutes permettront d'éliminer l'acide lactique accumulé pendant l'effort physique et les toxines accumulées pendant l'effort émotionnel.

Cette phase de récupération est souvent négligée. Elle est pourtant l'élément régénérateur qui va permettre la qualité de la prochaine performance vocale. Il est intéressant de pratiquer pendant quelques minutes des sons bouche fermée après la performance, pour mieux détendre et relaxer les muscles laryngés. C'est l'équivalent d'un stretching à la suite d'une activité sportive.

En cas de douleur ou de forçage musculaire laryngé pouvant aller jusqu'à l'hématome musculaire, pendant ou après l'effort phonatoire, le repos immédiat est indispensable, accompagné d'un traitement adéquat. En cas de pseudo-crampes, ce qui est relativement rare, une douleur se manifeste sur certaines fréquences ou encore une note ne peut être tenue. Il faut stopper les vocalises, voire le concert, et consulter. Le manque d'hydratation conduit à des pseudo-crampes laryngées. Le muscle desséché n'a plus de souplesse ni de pouvoir de récupération. Il perd les qualités de contractilité indispensables dans la gamme du chanteur. Boire souvent.

Quant à la courbature que nous connaissons tous, quelle que soit l'activité sportive, chez les professionnels de la voix, elle se manifeste par une voix « blanche » et légèrement douloureuse. Elle est tout simplement due à un défaut d'élimination de l'acide lactique (filière aérobie) et peut provoquer des microlésions musculaires si l'on pousse sur sa voix. Si c'est un chanteur, un comédien ou un conférencier, il doit moduler sa voix et prendre une boisson énergétique. Par ailleurs, il est conseillé de mettre dans son bureau, sa loge ou sa salle de conférences un humidificateur afin d'éviter les environnements trop secs. Prévenir les courbatures, c'est le but d'un bon entraînement physique, éviter les trous de mémoire, c'est le résultat d'un exercice cérébral quotidien.

Huile de foie de morue

L'huile de foie de morue permet une meilleure résistance physique et une meilleure concentration cérébrale. Grâce à Claude Gudin nous savons pourquoi. La morue, poisson vivant en eaux froides, emmagasine des acides gras polyinsaturés à chaîne très longue. Ces lipides sont bénéfiques pour notre organisme. La morue se nourrit elle-même de tout-petits poissons qui, à leur tour, se nourrissent de microalgues. Ces microalgues forment ces acides gras à longue chaîne (à plus de 15 atomes de carbone). Ce sont des acides gras végétaux. À la différence des plantes terrestres qui, elles, fabriquent des acides gras à courte chaîne (moins de 15 atomes de carbone) moins efficaces pour notre santé. Dans notre alimentation, les acides gras animaux sont déconseillés car saturés, donc oxydables. L'huile de foie de morue a des acides gras polyinsaturés et joue un rôle essentiel au niveau de notre système nerveux et de notre concentration cérébrale. Il est conseillé d'en prendre une dose tous les jours pendant un mois et ce tous les six mois. Comme quoi les conseils de nos grands-mères sont toujours efficaces !

La voix et la chronobiologie

L'individu est sensible et réagit différemment en fonction de l'espace-temps, en fonction du jour qui s'écoule : c'est ce que nous appelons la chronobiologie. En effet, certains professionnels de la voix préfèrent chanter, enseigner ou jouer en fin de journée. L'une des raisons est sans aucun doute le cycle des hormones de notre corps durant la journée, notamment celui de la cortisone. La cortisone a deux pics de sécrétion dans notre organisme : au petit matin, et en fin de journée vers 17 heures. Au petit matin, les hormones thyroïdiennes jouent également leur rôle. Et c'est à cette même période que le tonus vocal est au mieux de sa forme. Sur le plan anecdotique, rappelons que ce taux de cortisone sécrétée le matin chez certains rend tout à fait inefficace la grasse matinée, et qu'avant un concert une sieste réparatrice après le déjeuner peut permettre d'être parfaitement opérationnel le soir dans la mesure où le cortisol sécrété vers 17 heures-17 h 30 augmente le tonus musculaire. Ce rythme journalier de notre sécrétion hormonale peut parfois être corrigé par la mélatonine pour ceux qui voyagent fréquemment et sont soumis aux décalages horaires. La mélatonine est une hormone que nous sécrétons par la glande pinéale située au centre et à la base de notre cerveau. Elle permet la régulation de notre état de veille et de sommeil. Elle est dépendante de l'alternance entre la lumière et l'obscurité. Durant la journée, l'imprégnation hydrique change également. Le matin, nous sommes plus « gonflés » que le soir. Notre voix est un demi-ton plus grave le matin que le soir.

Prendre soin de sa voix : la motivation

Maîtres de la communication, athlètes de l'expression vocale, institutrices, cantatrices, avocats, diplomates ou conférenciers ont en commun le même instrument de travail. Cet instrument n'est pas à l'abri du monde extérieur, des intempéries, de l'allergie, de la pollution, de l'hygrométrie. Il est intimement lié à notre monde intérieur, à nos émotions. Pour conserver cet instrument de musique irremplaçable qu'est le larynx, des règles simples de santé vocale sont indispensables. Notre cerveau doit être convenablement oxygéné et nourri pour donner le meilleur de nos pensées aux autres, mais également à nous-mêmes. L'énergie de notre voix, c'est l'air expiré. Elle impose un arbre respiratoire satisfaisant. La création de notre voix, c'est la vibration et la tension des cordes vocales. Ce sont des muscles striés recouverts d'une muqueuse. Ces muscles nécessitent sept fois plus d'énergie que nos biceps. Nos caisses de résonance sont également constituées de muscles striés qui imposent une ressource énergétique importante. Ainsi, ce complexe multifactoriel (oxygène, énergie, au service de notre musculation et de nos articulations) nécessite pour perdurer que les professionnels du spectacle aient un comportement d'athlète.

Mais existe-t-il vraiment des besoins spécifiques ? La

réponse est incontestablement : oui. Chaque professionnel de la voix adaptera ces conseils en fonction de sa discipline et de sa personnalité.

Il ne faut jamais trop tirer sur l'élastique !

Comment ces muscles fonctionnent-ils ? Comment, plus spécifiquement, nos cordes vocales se comportent-elles ? La contraction musculaire est possible grâce à la structure même des fibres qui la génèrent. Ces fibres glissent par l'intermédiaire de myofilaments (actine et myosine). Elles s'allongent, se raccourcissent à la demande. La force mécanique est produite. Pendant l'effort vocal, la corde vocale allongée crée les sons aigus, raccourcit les sons graves. Cette gestuelle musculaire est possible grâce à l'ATP. Il s'agit d'une transformation de l'énergie chimique de l'ATP en énergie mécanique et thermique de la contraction musculaire (l'ATP est transformé en ADP lors de cette réaction). Rapidement, dans la mesure où l'ATP n'est pas infini dans notre muscle, il doit se régénérer pour permettre à la contraction musculaire de poursuivre son action. Il y a une consommation de glucides. Si l'exercice dure plus d'une minute, la réserve interne ne suffit plus. L'action anaérobie est dépassée. C'est ainsi que l'exercice musculaire durant quelques minutes va nécessiter l'action aérobie, c'est-à-dire la mise en place de l'oxygène pour régénérer l'ATP et permettre de continuer à parler ou à chanter pendant plusieurs heures avec la même efficacité. L'énergie de la filière aérobie en présence de l'oxygène cellulaire est puisée dans notre usine chimique intracellulaire par oxydation du glucose et des lipides, dont la pièce angulaire est la mitochondrie : c'est la chaîne respiratoire. Les protéines sont rarement sollicitées.

Forcer sur un muscle qui n'a pas suffisamment de réserve énergétique et qui n'est pas hydraté de façon convenable va entraîner une perte de glissement des fibres musculaires et donc un claquage vocal. En effet, faire un son aigu ou grave c'est contracter la corde vocale. Cet exercice pratiqué des centaines de fois peut entraîner des traumatismes. Des micro-hématomes ou hémorragies peuvent se constituer. La réparation se fait en quelques jours avec parfois des séquelles. Ces séquelles sont la perte de la souplesse du glissement des fibres musculaires par une cicatrice rigide. Ailleurs, lorsque l'on étire trop le muscle vocal, dans les suraigus par exemple, ou dans le cri, le glissement des fibres dépasse les limites acceptables de la longueur que le muscle vocal peut supporter. Il y a élongation de la corde vocale. Elle devient atonique, incurvée. C'est ce que l'on appelle communément une voix soufflée avec une glotte ovalaire.

Intégrer la mécanique de la hauteur de la voix, c'est mieux comprendre l'importance de l'échauffement musculaire vocal avant l'exploit tout en sachant que chacun possède ses propres limites.

Gérer l'accident vocal

M. H. Y., vingt-quatre ans, chanteur professionnel en tout début de carrière, me consulte pour savoir comment gérer sa voix, comment éviter l'accident vocal ! Il veut savoir comment protéger son larynx.

L'examen de ses cordes vocales commence paradoxalement par sa stature. Observer son maintien est la clef de la projection vocale. La façon qu'a M. H. Y. de se tenir debout, de respirer, d'être solide sur ses jambes indique déjà la puissance de sa voix. Qu'il soit chanteur de variétés ou d'opéra, qu'il soit comédien de théâtre ou acteur de cinéma, enseignant ou avocat, les règles sont les mêmes. Son instrument de travail c'est le larynx. Chanter devant un microphone sera différent de déclamer sans cette aide acoustique. La sensibilité du micro transmet non seulement le registre vocal de façon correcte, mais le timbre, le *pianissimo* ou le *forte*. L'existence, de nos jours, de matériel acoustique d'exception permet d'éviter de forcer sur sa voix. Un enregistrement bien fait dépend d'un chanteur qui sait parfaitement contrôler sa voix, mais également de l'amplification donnée par l'instrumentation permettant l'enregistrement. Cette amplification est à double tranchant. Elle favorise la beauté, elle exacerbe la médiocrité. L'intensité ou la puissance devient un phénomène relatif par rapport aux autres sons, aux autres instruments de musique, aux autres voix.

Le problème est différent pour le comédien ou le chanteur lyrique qui travaillent sans micro. Ici, la voix parlée et sa prosodie, la voix chantée imposent une technique vocale rigoureuse.

H. Y. me demande : « Existe-t-il un don vocal ? » Un ensemble de paramètres, objectifs et subjectifs, peuvent effectivement laisser ouverte la possibilité du don de la voix ou plus précisément de la stimulation des harmoniques dès l'enfance, permettant d'être doué ou non. L'éducation musicale, l'instruction vocale sont nécessaires pour rendre possibles le développement et l'entretien d'un tel don.

Avoir un don, c'est bien. Mais c'est le travail et la passion qui construisent une carrière. Si le don est nécessaire, le travail et l'exercice vocal sont indispensables pour la longévité d'une carrière.

Un chanteur est esclave du registre que mère nature lui a imposé. Ténor ou basse profonde, soprane lyrique ou alto ont des conformations laryngées différentes. Il ne faut pas vouloir se battre contre les marées. La nature permet de créer l'harmonie. Nous n'essayons que de l'améliorer. Ainsi, le tempérament de l'artiste au vrai sens du terme est déterminant dans sa carrière. Sa conviction et sa passion seront au service de son art vocal. Sa motivation est la source de sa création.

Prendre soin de sa voix est indispensable ; le stradivarius vocal n'est performant que si l'artiste le protège.

La voix en scène

Tous les hommes sont des comédiens sauf certains acteurs.

Sacha Guitry

Les mots qui s'envolent par notre voix ne nous appartiennent plus

L'homme est un être vivant doué de la parole selon la définition des Grecs. Parole et raison, science et âme sont la traduction essentielle du logos qui définit l'homme. Sans la dimension spirituelle, l'artiste de la voix ne serait qu'une mécanique, un robot. La mélodie de notre âme est également la symphonie secrète du cosmos.

Du cri à la voix maîtrisée sur scène, lors d'une conférence ou lors d'une plaidoirie, l'*Homo vocalis* passe par de nombreuses étapes. Chaque enfant retrace sa propre évolution du son, du cri, du langage, de la voix. On est d'abord nourrisson, c'est-à-dire qu'on se nourrit. On est végétatif. On crie, certes, mais la voix n'est pas encore là. Puis, on devient enfant. *Infans* signifie qu'on ne parle pas. On vocalise, on gémit, on grogne, on commence à parler. La voix parlée est l'aboutissement de cette évolution primaire qui a créé la pensée. La pensée se sert à son tour des mots pour produire sa propre parole. La voix est message vers l'autre, mais également vers soi-même. Locuteur et interlocuteur suivent un code, grammaire et syntaxe, mot et silence, rythme et prosodie.

Le mot est notre prisonnier tant qu'il n'a pas été prononcé. Nous devenons son prisonnier lorsqu'il a été dit.

La maîtrise du langage, du texte et de l'articulé laryngé, c'est le cerveau gauche. Elle nécessite également l'intervention de l'émotionnel, de l'imaginaire, des harmoniques : c'est le cerveau droit. En fonction de la langue maternelle, l'équilibre entre notre hémisphère droit et notre hémisphère gauche sera différent.

La voix peut s'altérer. L'autiste, le comateux ou celui qui souffre de la perte de la voix après un choc affectif (aphonie psychogène) ne peuvent plus communiquer oralement. La communication avec soi-même est cachée. Depuis quelques années, l'expression vocale est l'objet d'un engouement particulier. La pratique du karaoké est une expression du moi chantée, libératrice et expressive. Il peut être considéré par certains comme une thérapie, un apaisement, une échappatoire de notre vie stressante ou encore une véritable jouissance, un défoulement. Éteindre sa voix est souvent la traduction d'une pollution intellectuelle, d'un choc affectif, d'une atteinte à notre personnalité.

Pourtant, se taire, rester silencieux, s'enfermer dans son mutisme, n'est-ce pas une façon de montrer l'éclat de notre voix ? Selon Talleyrand, ministre de Napoléon, « le langage a été donné aux hommes pour cacher leur pensée ». Pourtant, si certains ne peuvent parler parce qu'ils ont trop de choses à dire, la voix est un moyen exceptionnel de délivrance, comme l'a démontré Sigmund Freud. La psychanalyse est la caricature de la voix en scène. Elle expose la face cachée de notre cerveau émotionnel si bien protégé par notre cerveau cartésien. Faire parler l'autre, c'est lui apprendre à s'écouter, c'est lui montrer la liberté que procure sa propre voix.

Le langage associe les phonèmes, exprime notre personnalité. La parole, bien que dissociée du chant, présente une musicalité, une intonation, une intensité diverses en fonction de l'émotion exprimée. Elle traduit notre pays d'origine, notre région, voire notre village. On connaît bien les accents de Marseille, de Lille ou de Saint-Malo.

Cette mélodie de la voix en « scène » varie selon le langage en fréquence, en intensité, en durée, en rythme.

Le rythme et l'intonation sonore, notamment chez les oiseaux chanteurs, sont en soi un langage. Chez l'homme, elle conditionne l'interprétation, par exemple : « la, la, la ! », « la, la, la ? » ne signifient pas la même chose. L'intelligibilité de la voix n'est pas seulement dans la signification du mot, mais également dans la prosodie (mélodie de la voix parlée). Le vocal est sexué : féminin, masculin après la puberté, il est angélique chez l'enfant. La voix en scène, votre voix parlée suivant la langue que vous employez, va jouer sur près de deux octaves en russe, d'une octave et demie en anglais, on reste à peine dans l'octave en français.

La voix se construit dans notre cathédrale intérieure

La voix vient naître au niveau du souffle pulmonaire, qui est l'énergie créatrice. La trachée conduit les particules d'air vers les deux cordes vocales qui sont l'organe à la source du timbre. Elles transforment l'air en force vibrante. Cette onde vierge vient s'habiller dans les caisses de résonance du pharynx aux fosses nasales, de la langue jusqu'aux lèvres. La mélodie de la voix parlée est créée. Elle peut être modulée et analysée par notre cerveau. Est-ce la voix humaine ? On n'en est plus très loin. L'édifice vocal est en place, le chaos va lui donner vie.

La voix impose l'existence du bruit, de ce son apériodique, irrégulier et imprévisible. Il est constitué de notre souffle lui-même qui se heurte aux éléments de notre espace interne entre les cordes vocales et les lèvres. C'est le chaos organisé de la toile de fond de notre timbre vocal. Ce timbre se métamorphose en verbe. Le bruit est le paysage où vont s'inscrire les scènes et les personnages de notre voix. Ce même bruit donne la clarté ou le brouillard de l'expression vocale. Trop important, il dénature. Trop pur ou pratiquement inexistant, il robotise. La beauté se situe dans un juste milieu. C'est un chaos harmonieux sonore qui donne le plaisir de l'écoute.

Chaque artiste vocal, chaque chanteur ou comédien, conférencier ou avocat a une résonance spécifique qu'il développe et exploite, mais l'harmonie de la voix nécessite aussi la dissonance. Les caisses de résonance de l'homme n'ont que des lignes courbes, galbées, délicates, comme si elles voulaient modeler la voix sans la blesser. L'instrument de musique qui se rapproche le plus de la voix reste le violon. Il a une forme presque charnelle, troublante. Man Ray, ce photographe d'exception, l'a immortalisée dans le violon d'Ingres, où le dos d'une femme figure l'instrument. La tessiture du violon est proche de la voix féminine. Vibrato, legato ou piccato, le violoniste fait de même que l'artiste lyrique. L'alchimie des tessitures vocales voit le jour dans notre mécanique intérieure.

L'oreille est le chef d'orchestre de notre voix parlée. Elle régule sa puissance, sa fréquence, sa musicalité. Elle influe sur le cerveau gauche pour l'intensité et la justesse de l'émission vocale. Elle régente le cerveau droit pour la sincérité et les harmoniques, la passion, le cri, le discours, la fougue. Quelle puissance, et pourtant quelle fragilité si elle est mal préparée !

La technique du parler

Avant d'utiliser son instrument laryngé, il faut le préparer, le mettre en place, l'harmoniser, positionner ses vertèbres cervicales par quelques rotations, vérifier ses appuis et son maintien. Tout cela se fait en quelques dizaines de secondes, comme avant de démarrer sa voiture on attache sa ceinture de sécurité... Ensuite on peut laisser chanter ou parler.

Apprendre à poser sa voix parlée est aussi important pour le professionnel de la voix qu'apprendre à chanter pour le chanteur. Certes, c'est naturel si l'on parle à des amis. Ça l'est beaucoup moins dans une salle de conférences, dans un tribunal ou dans une classe six heures par jour. La voix parlée exige une assise et un maintien du cou, du buste, du ventre, et une verticalité efficace dans l'émission vocale. Pour s'épanouir, parler nécessite une décontraction, une facilité d'expression et une souplesse respiratoire et physique. Le rôle de l'orthophoniste est important. Il devrait être le premier entraînement de l'institutrice ou de l'avocat, car il est aussi important que les connaissances livresques. On ne pourrait envisager d'être professeur d'éducation physique sans apprendre la pédagogie mais également la gestuelle de son corps aux agrès, au tapis ou à la course. Je considère qu'il en va de même des professionnels de la voix. La gestuelle du larynx doit être encadrée et entraînée pour éviter les voix blessées. Le « vocaliste » tendu, crispé, qui se tient les épaules relevées, la tête en avant, le dos rond, ne pourra pas longtemps garder son auditoire. Sa voix s'enroue, perd sa couleur, ses harmoniques et devient éraillée. Un chanteur ou un acteur raide comme un balai n'ira pas très loin non plus. La voix est au service des mots et de leur intelligibilité d'écoute. Le débutant va crier dans la gorge pour se faire entendre du fond de la salle.

Mais la voix est un fluide qui passe dans le conduit phonatoire comme l'eau dans le lit de la rivière. Elle s'écoule. Elle ne force pas le chemin, elle le parcourt. L'équilibre mécanique est important, mais tout autant que celui du corps et de la pensée.

La maîtrise de la voix dépend de l'expérience et de la technique, qui doit être simple. Elle doit permettre au « vocaliste » de se servir de son instrument sans contrainte : comme il veut, quand il veut, mais en connaissant ses limites. Il adaptera son jeu à sa voix si elle vient à se fatiguer. Pour cela, il doit connaître son texte. La technique n'est qu'un moyen de jouer son rôle. La véracité de l'interprétation dépend de la force, de l'équilibre et de la facilité apparente de l'artiste. En aucun cas la tension musculaire laryngée et corporelle ne doit exister. Elle dessert. Parfois l'inspiration profonde est salvatrice.

La voix se danse avec le corps, elle vibre avec lui, elle ne fait que métamorphoser le souffle en voix. Gérard Philipe et Michel Simon dans *La beauté du diable* montrent le respect de chaque technique de voix, ô combien différente en apparence. Le respect de son timbre, de sa mélodie, permet au professeur de technique de la voix d'enrichir l'élève dans la connaissance de son instrument tout en gardant son identité. Le professeur doit s'adapter à l'élève en corrigeant ses défauts, pas forcément en les dénonçant mais toujours en respectant sa personnalité. Il faut prendre garde de ne pas corriger un défaut par un défaut. Par exemple si votre hanche est basculée en bas et à gauche, il ne faut pas vous demander de fléchir le genou droit, mais il suffira de mettre une talonnette sous votre pied gauche. L'analyse de la position du corps pendant la respiration permet de juger de la stabilité de la verticalité entre l'inspiration et l'expiration. Si les règles sont les mêmes depuis des siècles, la mode change : d'Arletty à Simone Signoret, de Delphine Seyrig à Isabelle Adjani, la voix est plus ou moins claire, plus ou moins grave ou soufflée. Ce qui n'a pas changé, c'est que le public doit comprendre le « vocaliste ».

Le cri déchire le silence

Le comédien ou le chanteur, l'avocat ou le conférencier lance sa voix. Lorsqu'il prétend chuchoter, il doit être entendu au fond du théâtre, du tribunal ou de la salle. Lorsqu'il crie, il doit pouvoir crier sans se blesser. Il doit nous donner, chaque fois, l'impression que son cri déchire le silence. La technique est garante de la conservation de son instrument.

On ne s'entend pas tel que l'on parle. La preuve en est : bouchez votre oreille gauche et lisez une phrase à voix haute. Bouchez l'autre oreille et lisez la même phrase. Vous ne vous entendrez pas de la même façon. Le feed-back ne sera pas le même. Ainsi, la stéréophonie permet de régler votre émission vocale actuelle. C'est dire l'importance de l'écoute, du récepteur. Mais le lieu de l'émission vocale a également son importance.

La voix est émise. Elle rencontre à l'extérieur de nous-mêmes un monde aérien, vibratoire. Le bruit existe dans ce monde externe, hors de notre corps. Par exemple, dans une salle de concert, il y a ce que l'on connaît bien, un bruit appelé « bruit de fond ». Il est de 12 dB environ. C'est la « respiration de la salle » qui résonne sur les murs. Il est bien différent que l'on répète devant une salle vide. L'avocat plaide dans un tribunal comble : la portée de sa voix et des harmoniques est perçue différemment par l'auditoire et par l'orateur lui-même. Le comédien, l'acteur, sait jouer de sa voix comme de son corps, de sa présence vibratoire comme de sa présence physique. Son énergie c'est le pubic. Pour exister, ces artistes doivent avoir un public. En effet, il n'y a pas de comédie sans public.

Le trou de mémoire

La mélodie musicale ne s'oublie pas, elle n'a pas de trou de mémoire. Elle est notre cerveau droit. La voix parlée est le reflet de notre moi avec ses faiblesses et ses qualités, ses oublis et ses repères. Elle a forgé l'éducation de notre pensée et l'empreinte de notre culture.

La mémoire est un des facteurs essentiels pour « la voix en scène ». Si habituellement, dans les cours de théâtre, seule la technique vocale est enseignée, il est souvent regrettable que l'on ne fasse pas également de la technique de mémorisation du texte une matière obligatoire. En effet, cette mémoire s'exerce, s'entretient, se perfectionne. Pour preuve, les comédiens ont une pièce qu'ils répètent souvent entre eux pour entraîner leur mémoire : *La baie de Naples.*

Mémoriser un texte peut s'effectuer selon différentes techniques : apprendre une première phrase, puis apprendre la deuxième en répétant la première, puis la troisième en répétant la première et la seconde... Cela permet une suite logique de mémorisation du texte. On pense souvent que répéter et reprendre des heures durant un texte identique permet une meilleure acquisition du rôle. En fait, il n'en est rien. Il a été démontré que la concentration est excellente si elle est de durée moyenne et de quarante-cinq minutes de répétition sur un même texte. En effet apprendre un texte et l'interpréter sera moins efficace si l'on travaille trois heures sur le même texte que si l'on travaille sur trois textes succcessivement avec pour chacun quarante-cinq minutes deux fois par jour. La prosodie sert également de support et plus particulièrement si le texte appris est en vers. La caricature de la prosodie avait été reprise dans un sketch comique qui a fait rire plusieurs générations à propos de la table de multiplication : « deux fois deux quatre, la-la-la-la ».

Mais, pour se rappeler un texte, il est indispensable d'avoir envie d'apprendre. La motivation est le stimulus essentiel de notre mémoire. Pourtant, on peut tous être victimes de « trous » de mémoire. Curieuse expression. Comme si nous avions un trou noir dans notre espace cérébral. Ce trou de mémoire intervient le plus souvent lorsque le texte est appris en plusieurs fois : vingt minutes aujourd'hui, une heure demain... L'entraînement n'a pas eu le temps de mettre en place les circuits de mémorisation du texte de façon efficace. En revanche, insister, se contraindre, se discipliner dans l'apprentissage et la capacité mnésique sont indispensables. Dès lors le texte devient un souvenir naturel et il ne reste plus qu'à l'interpréter et non pas à le répéter. Mais trou de mémoire et capacité mnésique font appel à des localisations et des circuits cérébraux spécifiques : je me rappelle où sont mes lunettes de façon presque réflexe, je dois me rappeler qu'à une heure précise, j'ai un rendez-vous. Dans ce schéma, la mémoire est double : mémoire de l'heure et mémoire de ce que je dois faire à cette heure-ci. Il y a donc plusieurs schémas mnésiques. Certes, le retour auditif de sa propre voix permet à certains une meilleure mémorisation du texte. Pour d'autres, le retour visuel de la lecture facilite l'apprentissage d'une poésie : on répète le mot soleil qui se trouve en haut et à gauche de la page 7. La mémoire doit être continuellement entraînée. Si elle est plus alerte chez l'adulte que chez le sujet âgé, n'est-ce pas parce qu'on commence à moins la stimuler après soixante-dix ans ?

Plusieurs niveaux de mémoire

Il est intéressant de noter que la répétition de mots, notamment pour le comédien, active de nombreuses aires cérébrales (cervelet droit, insula, aire frontale) vers la première mémorisation verbale. Après cette mémorisation, lors de la répétition, seule se met en fonction une partie de l'insula antérieure. Il y a « économie neuronale ». Le langage est répétitif.

Au niveau cérébral, que se passe-t-il ? Comment sont organisées ces différentes mémoires ? Quels sont les circuits complexes que notre cerveau va choisir dans ses milliards de connexions pour privilégier la voix chantée, la voix en scène, le souvenir de la chanson écoutée il y a vingt ans et qui nous donne ce sentiment de nostalgie ?

Nous savons que, chaque jour après notre naissance, nous perdons des milliers de neurones. Ce n'est pas grave. On en possède près de 100 milliards. Donc, à quatre-vingts ans, nous pourrons toujours apprendre *Le bourgeois gentilhomme.* L'homme est le maître dans ce domaine. Le retour auditif dans notre mémoire est capital. Sans la mémorisation, le langage n'existe pas. La voix en scène du comédien ou de l'acteur, de l'avocat ou de l'instituteur, n'existe pas. La voix impose un entraînement mnésique de tous les instants. Le nombre des neurones est une chose. Mais le plus incroyable c'est le nombre de connexions qu'un neurone va développer. L'ordinateur est loin, bien loin de pouvoir recréer cet environnement. Plus encore, une chose qu'il n'aura jamais, c'est le plaisir. Cette charge affective est non mesurable mais tellement fondamentale chez l'artiste ! Plus la mémoire est stimulée, sollicitée, impliquée, plus vous allez en garder de nouvelles connexions neuronales pour permettre l'intégration d'un texte, d'une chanson, d'un itinéraire : la création crée la création.

Avec les années, nous demandons de plus en plus à notre cerveau d'emmagasiner, de garder, de conserver des souvenirs. Ces souvenirs peuvent être récents, c'est ce qu'on appelle la mémoire antérograde. Située au centre du cerveau, elle se loge dans l'hippocampe. C'est là que se stockent les tout premiers souvenirs avant de rejoindre le cortex (surface de notre cerveau), où s'imprime le souvenir à long terme. Il s'incruste en laissant une marque indélébile que nous pourrons aller rechercher des dizaines d'années plus tard. La plus grave maladie dans ce domaine est la maladie d'Alzheimer qui est liée à des lésions de cette région. Elle entraîne une amnésie antérograde : un événement récent que l'on ne peut fixer.

À côté de cela, il existe une mémoire des faits anciens, qui se situe au niveau du cortex. Lorsque nous faisons un accident vasculaire cérébral qui vient toucher cette région, outre les problèmes moteurs, nous observons une amnésie rétrograde (l'oubli d'un événement ancien).

On possède cinq systèmes différents de mémoire

La mémoire n'est donc pas dans une seule région de notre cerveau. Elle fait appel à des systèmes complexes situés dans les trois parties de celui-ci : le cervelet, qui harmonise nos souvenirs, le cerveau limbique qui contrôle nos émotions et le néocortex qui permet l'installation mécanique de cette mémoire, que ce soit la parole, la gestuelle ou l'image. Les neurones sont les câbles qui vont connecter ces régions.

• La mémoire immédiate (zone de l'hippocampe) : je prends un café, cinq minutes après je me le rappelle. Elle permet de fixer entre 5 et 9 informations.

• La mémoire procédurale (zone du cervelet et noyaux gris centraux) : elle est responsable de notre mode automatique : conduire sa voiture, nager, faire de la bicyclette. Ce souvenir restera inscrit même chez les amnésiques. Il ne s'altère pratiquement pas. Ce type de mémoire interagit également sur la mémorisation d'un texte. Elle est dépendante d'une façon importante de l'entraînement de la mémoire (le cortex pariétal et le gyrus fusiforme).

• La mémoire de travail (zone du cortex préfrontal) : elle régit notre comportement, nous permet d'effectuer plusieurs choses à la fois. Sa mémorisation n'excède pas quelques minutes, voire quelques heures. Par rapport à la mémoire immédiate qui, elle, ne nous demande pas une récupération consciente du souvenir, la mémoire du travail l'exige. Nous allons la chercher, nous décidons de nous en souvenir. Par exemple : je cherche un numéro de téléphone. Je prends le Bottin, je me rapelle le nom que je trouve. Puis je me remémore le numéro. Je retourne à mon téléphone, je le compose. Quelques minutes plus tard si je n'ai pas décidé de le retenir, il est oublié. Cette cascade peut être altérée par un élément externe qui vous distrait, il faut alors tout recommencer. Cette mémoire peut être employée pour la première mémorisation d'un texte. Au niveau de l'aire de Broca, les phonèmes retenus seront répétés mentalement. C'est une mémoire auditive, stockée par l'intermédiaire du langage articulé. Elle est très utilisée par les orateurs. Si ce stockage est à très court terme, il est situé au niveau du gyrus supramarginal.

• La mémoire épisodique (hippocampe et région frontale) : c'est une mémoire à long terme. Elle nous permet de nous souvenir de notre enfance, d'événements liés à notre famille, à notre entourage, qui ont eu lieu il y a plusieurs années. Je me rappelle mon premier vélo rouge à quatre roues.

• La mémoire sémantique est particulière. Elle se localise surtout dans le cortex du cerveau gauche (principalement dans le cortex frontal et la région néocorticale postérieure de l'hémisphère). Tout comme la mémoire de travail, c'est une mémoire explicite. Je me rappelle par des moyens dits mnémotechniques les différentes insertions musculaires de la corde vocale : c'est ma mémoire sémantique. Elle demande une récupération consciente des souvenirs, mais des souvenirs à long terme, des souvenirs appris, des souvenirs imposés, des gestuelles verbales de la voix chantée, de la voix parlée. Elle est l'une des pierres de fondation de notre personnalité émotionnelle.

Aussi incroyable que cela paraisse, l'impression du mot qui manque, qu'on a sur le « bout de la langue », a une région anatomique précise : l'amorçage perceptif se situe dans le gyrus lingual droit. Le trou de mémoire, pas toujours évitable, peut être raréfié par un apprentissage de texte plus concis et non pas en plusieurs moments dans la journée ou sur plusieurs jours. Avoir un mot au bout de la langue est souvent le fait d'un blocage momentané où un mot écran empêche l'accès. Ce mot du « bout de la langue » est souvent un nom qui par lui-même ne contient rien. Il n'a pas de signification propre. Il n'évoque rien. Il est asémantique. Le circuit de mémoire dont il fait partie est « trop bien caché ». Il faut laisser tomber ! Et c'est la mémoire automatique, par un autre circuit, qui, quelques minutes plus tard, vous permettra de retrouver ce mot perdu au fin fond de votre cerveau. Le plaisir de la voix chantée, de la voix parlée, de la voix en scène, le plaisir d'exercer non pas un métier mais une passion facilite remarquablement la capacité mnésique de notre cerveau.

La mémoire n'est pas un système d'ordinateur mais elle est faite de nuances émotionnelles

Ces différentes mémoires s'enchevêtrent, se relayent, se complètent. Différents circuits neuronaux avec leurs interconnexions permettent cette magie. Mais tout comme dans la voix chantée, dans la voix en scène, dans la voix qui interprète du Shakespeare ou du Molière, ou défend un accusé en cour d'assises grâce aux lignes de force du dossier que l'avocat mémorise, les connexions synaptiques ne sont pas des connexions d'ordinateur. Ce n'est pas un système binaire : oui-non. Ce n'est pas un système tout blanc ou tout noir. Ces synapses sont des liaisons de transmission entre deux neurones. L'information est conduite par le neurone grâce à un signal électrique. Des substances chimiques font passer l'information du neurone A au neurone B. Cette quantité de substance dépend de l'information exacte que l'on veut faire passer. Elle traduit un niveau émotionnel. La quantité et la qualité de l'information seront différentes en fonction du volume de ce message chimique délivré lors de la connexion. N'est-ce pas là l'un des éléments uniques de notre monde émotionnel ? N'est-ce pas pour cela que l'homme est un créateur perpétuel et que jamais il ne répète des gestes strictement identiques comme peut le faire un robot ? Ainsi, cette fameuse phrase de Shakespeare « Être ou ne pas être... » sera répétée des milliers de fois par le même comédien, mais toujours différemment. Il n'a plus besoin de penser à la technique, de penser à la mémoire du texte. Il est dans la sincérité de son discours. L'art de l'artiste est d'être non pas répétiteur mais interprète. Sa mémoire est son instrument cérébral, son larynx son instrument sonore, sa voix, le reflet de son émotion.

La capacité de mémoire ne vieillit pas ou très peu lorsqu'elle est entraînée. Les comédiens apprennent sans difficulté de nouveaux textes.

L'anecdote suivante corrobore le fait que cette qualité de la mémoire existe chez tout un chacun. Des sujets, entre soixante-trois et quatre-vingt-onze ans, ont été réunis pour apprendre l'allemand, à raison d'une heure de cours par semaine. Après trois mois, ils ont passé des épreuves que les élèves mettent habituellement trois ans à préparer. Leurs connexions cérébrales avaient construit tous les circuits pour cette mémorisation rapide. Pourtant, l'échelle du temps est différente. Dans l'espace-temps, remarquons que, pour un garçon de dix ans, un an c'est un dixième de sa vie, alors que ce n'est qu'un cinquantième de la vie d'un homme de cinquante ans. Le temps passe plus vite à cet âge-là. Même l'émotion fait partie de la théorie de la relativité.

Les amis de la mémoire sont parfois nos ennemis

J'ai souvent été sollicité pour prescrire des médicaments miracles pour la mémoire, que ce soit à des instituteurs, des conférenciers, des chanteurs, ou des comédiens. Certains peuvent aider mais l'exercice de mémorisation est la seule thérapie efficace à long terme. L'entraînement est essentiel. L'alchimie du verbe et de la mémoire impose une hygiène de vie, une alimentation riche en fruits et en antioxydants, une activité sportive régulière et, surtout, un sommeil récupérateur. En effet, notre chef d'orchestre, le cerveau, doit éliminer ses propres toxines et se ressourcer pendant le sommeil. Que dire de ce comédien qui, un jour, m'a signalé : « Docteur, je ne peux plus travailler, je ne peux plus me rappeler mes textes depuis que vous m'avez demandé d'arrêter de fumer. » L'arrêt du tabac était pourtant indispensable, ce comédien présentait une voix rauque avec une lésion sur une corde vocale. Après avoir enlevé cette lésion par microchirurgie au laser, tout était rentré dans l'ordre. Il avait pu reprendre son métier neuf semaines plus tard avec une voix parfaitement timbrée, mais l'interprétation était médiocre, car la mémoire était défaillante. Que s'est-il passé ? Le stress de l'intervention était derrière lui. Le comédien était guéri « anatomiquement », mais il était dépendant du tabac, il était perturbé. Il semble que l'intoxication nicotinique était un élément qui l'aidait dans sa capacité mnésique. En effet, si l'on sait que la cigarette, par son goudron, peut entraîner des lésions malignes, de par la nicotine, des lésions vasculaires, il n'en est pas moins vrai que cette même nicotine est un stimulant qui agit au niveau de l'hypothalamus et de l'hypophyse. Elle permet d'amplifier les sécrétions hormonales de la vigilance. Après consultation, le cardiologue a pu prescrire à ce patient un patch à base de nicotine. Ce patch l'a beaucoup aidé. Il a permis à l'acide nicotinique de pénétrer directement dans les capillaires et d'activer ainsi la région hypothalamo-hypophysaire. La capacité mnésique était retrouvée. Des doses dégressives de patch lui ont ensuite permis, en trois mois, de se libérer de cette accoutumance.

Le cerveau a une capacité de mémorisation inégale suivant les individus. Tout le monde n'est pas un athlète capable d'aller aux jeux Olympiques. Chacun peut s'entraîner, parvenir à des performances satisfaisantes, mais pas toujours à être le vainqueur. Pour la mémoire, il en va de même. Certains professionnels de la voix ont des compétences hors du commun dans leur capacité mnésique, d'autre moins, et pourtant ils sont d'excellents artistes. Cette inégalité de la mémoire est particulièrement observée chez les joueurs d'échecs. Si l'entraînement est indispensable, l'aptitude et le don sont un complément irremplaçable. Les périodes de suractivité mnésique nécessitent des plages de repos pour permettre à l'organisme de ressourcer son énergie interne.

Le stress côté mémoire

Le stress influe sur nos émotions, mais également sur l'acquisition du souvenir. Nous savons que l'impression d'être « sous pression » entraîne la sécrétion de trois types d'hormones : les endorphines, la cortisone (les hormones corticoïdes), et l'adrénaline (les catécholamines dont elle fait partie avec la noradrénaline ou la dopamine).

Trop d'adrénaline entraîne l'accélération du pouls mais surtout le blocage, le trou noir, le mot introuvable, la panique. Notre connexion synaptique nous empêche de récupérer le mot, la phrase nécessaire pendant l'interprétation. Certains, gênés régulièrement par cette panique, peuvent avoir recours à des bêtabloquants.

La cortisone que nous sécrétons est stimulante et énergétique. Les endorphines, sécrétées pendant certains stress et également pendant l'activité sportive, sont un véritable dopant. Elles accélèrent notre activité et notre capacité mnésique. Elles galvanisent notre interprétation. Elles annihilent la timidité et font disparaître le bégaiement de ce merveilleux acteur Roger Blin.

La voix est un silence contrôlé

Ce silence intérieur est le fil entre le vide et la vibration, entre le yin et le yang. Le silence se nourrit de nos harmoniques et réciproquement. Que ce soit à la Comédie-Française ou devant une caméra de cinéma ou de télévision, si l'intonation ou la musicalité de la voix ne changent pas, la façon de s'en servir est différente. Le professionnel de la voix est celui qui saura se faire comprendre, non seulement par la sonorité des mots mais par le silence entre les mots. Comme le disait Lacan : « Le cri n'est pas d'abord appel, mais il fait surgir le silence. »

Improviser une plaidoirie pour défendre son client nécessite l'acquisition mnésique du dossier pour se servir des éléments forts. L'avocat en jouera avec son éloquence, élément puissant de son talent. Son timbre va convaincre l'autre dans la mesure où le mot qu'il a mémorisé n'est qu'un instrument de sa verve pour faire passer l'information. Mais, plus encore, le silence, par son non-dit, est également un dialogue. Pendant la plaidoirie, pendant une conférence, lors de la tirade de Hamlet, le silence entre les mots donne un rythme, une émotion, et impose un silence pour les autres et aux autres. En effet, il permet à l'autre de faire silence à l'intérieur de lui-même, de ne devenir que le récepteur et de laisser ainsi sa mémoire immédiate libre de toute interconnexion avec ses autres mémoires. Il peut dès lors imprimer en toute liberté la nouvelle information qu'il vient d'entendre.

Si Roger Blin bégayait toujours en dehors de la scène, ce n'était plus le cas dans *Hamlet*. Louis Jouvet avait totalement contrôlé son bégaiement. Né le 24 décembre 1887, en Bretagne, pharmacien de première classe, il bégayait dans son enfance. Il parvint à contrôler son bégaiement lorsqu'il jouait Molière, Pagnol ou Jules Romains dans son interprétation inégalable du Dr Knock – « Ça vous chatouille ou ça vous gratouille ? » Ultérieurement, il imposa ce contrôle dans sa vie de tous les jours. « J'ai dit bizarre... comme c'est... bbizarre. » Cette prosodie, empreinte vocale de Louis Jouvet, lui donnait son charme et sa personnalité. Il avait su dompter sa voix parlée, le texte devenait le véhicule de son émotion.

Le secret de l'artiste, la force de la voix en scène se réalisent dans cette capacité pour l'homme de l'art d'interpréter le verbe avec le non-dit et de jouer entre le silence et l'harmonie.

Le tribunal : la voix est une arme offensive et défensive

Vous entrez dans la chambre de cour d'assises. L'accusé, assis, est isolé dans le box. Le procès commence. Tout est oralité. La voix est l'arme de défense et d'attaque. Elle peut trahir l'innocent dont la voix est désagréable ou innocenter le coupable à la voix séductrice.

L'huissier fait entrer le président et les deux magistrats en annonçant à haute voix : « la cour ». Dans ce protocole impressionnant, tout le monde se lève. Le président entre en robe rouge accompagné de ses deux assesseurs. L'avocat général et l'avocat de la défense sont présents. Les jurés sont tirés au sort et prennent place s'ils ne sont pas récusés par la défense ou l'accusation.

Le procès commence. Le président demande à l'accusé de se lever et de décliner son identité, sa profession, sa date de naissance et son domicile avant les faits. C'est le moment le plus important du procès. Les jurés prennent connaissance de l'accusé par sa voix. Elle retentit dans le tribunal, apporte l'émotion. L'accusé vient de prendre vie, il vient de se nommer. Il existe. Une autre voix se dresse dans cette salle : celle du greffier qui lit l'acte d'accusation. Tout ce qui n'est pas lu par le greffier est abordé par les voix des témoins.

Ils se succèdent tour à tour à la barre. Aucun document, sinon les éventuelles photos, n'existe. Tout n'est que voix, intonation et rythme entre le silence et le bruit. Comme le notait André Gide en 1912 dans *Souvenir de cour d'assises*, « les jurés sont collés au siège par la puissance de l'oralité des plaidoiries ». L'avocat général se dresse à son tour dans sa robe rouge. Il impose le respect. Sa voix devient l'arme d'attaque. Le président, l'avocat de la défense, l'accusé, ainsi que les jurés, l'écoutent dans un silence absolu. La voix prend son rôle de véhicule instructif et émotionnel. La voix est son arme. Il sait l'utiliser. Le verbe se veut séducteur, autoritaire et nécessairement accusateur. Mais si le temps de la plaidoirie est trop long, il peut fatiguer la voix. Si elle n'est pas bien placée, elle s'affaiblit. Sa puissance de persuasion s'effrite. Pour convaincre, il doit garder un timbre vocal bien placé. Il doit conclure avec force, vigueur et conviction pour annoncer ses conclusions avec un effet de tribun. Personne n'a interrompu le réquisitoire, il demande à haute voix une peine exemplaire dans un silence impressionnant.

L'avocat de la défense se lève à son tour dans sa robe noire. La joute oratoire commence. Le choc du réquisitoire est tel que tous sont impatients de connaître les premiers mots de l'avocat ou devrais-je dire le timbre percutant de sa voix. Va-t-il convaincre ? Sera-t-il écouté ? Pour l'instant, nous ne sommes pas encore au stade de l'argument. Il doit accrocher son auditoire. Fait impressionnant : c'est le silence qui suit les premiers mots qui confirme si la voix est juste, si la puissance est là, pas trop forte ni trop douce. Trop forte, elle nuit à la compréhension du texte et l'auditeur décroche. Trop douce, l'auditeur n'est plus captivé, il part ailleurs dans ses pensées. La plaidoirie est mots, rythme et silence. L'émotionnel est aussi important que l'argumentaire. La conclusion tombe. Le président demande à l'accusé s'il a quelque chose à dire. Sa voix, son timbre seront les derniers éléments vibratoires que les jurés vont entendre avant le verdict.

Les jurés délibèrent après avoir écouté *les voix*. L'intime conviction est la phase finale décisionnelle de chacun d'entre eux. Les arguments objectifs ou subjectifs sont amalgamés dans le moi profond. Le timbre de voix du président d'abord, de l'accusé ensuite puis des témoins et des avocats va jouer un rôle prépondérant dans leur décision finale.

L'intime conviction, c'est se parler à soi-même. C'est la voix intérieure faisant abstraction de l'autre et pourtant soumise à la charge affective des harmoniques des voix perçues pendant le procès où l'oralité des débats est reine.

La voix de l'avocat est son arme, sa passion sa flèche, sa conviction la cible. Il s'adresse au collectif en faisant appel à sa raison, certes, mais surtout à son émotion dont le poids est décuplé dans le monde protocolaire de la cour d'assises. L'avocat est maître de la vibration affective du discours, il est le tribun par excellence.

À la dimension vocale s'ajoute, dans ce rituel de la justice, la mise en scène du tribunal. Le président, les magistrats et le procureur ou l'avocat général sont au-dessus des autres personnes du tribunal. Ils les regardent d'en haut. L'avocat de la défense, les jurés et l'accusé les regardent vers le haut. Les voix des uns et des autres ne sont qu'amplifiées dans ce monde où la sentence afflige ou réjouit, où la voix humaine est le véhicule décisionnel, où le collectif juge l'individuel.

La puissance de la voix du politique

Le discours politique s'adresse aux foules dans les meetings et, par le petit écran, à chacun d'entre nous. La télévision est un amplificateur émotionnel impressionnant. Elle touche à des millions de gens, la salle à quelques milliers seulement. Elle laisse passer le sincère, exécute le tricheur. Le regard, le mouvement de sourcil, la gestuelle des épaules, de la main ou du visage ne trompent pas pendant l'envolée verbale. Séduire ne suffit pas, il faut être porteur d'un véhicule verbal cohérent et d'une attitude en harmonie avec soi-même. Le souffle expiratoire pendant le discours est porteur. Il nécessite un rythme et une technique vocale que le politique doit parfaitement connaître. Cette maîtrise du langage projeté lui permet de ne plus penser à la voix mais à son message, à sa puissance de persuasion, à l'improvisation du moment qui font le génie de ces tribuns de la place publique. Pourtant, ne dit-on pas souvent, après la prestation d'un homme politique, qu'il bouge bien, qu'il parle bien ou que sa cravate est bien choisie ? Le contenu du discours semble secondaire. Est-ce un problème de sincérité du verbe, de société trop noyée par les voix, et qui fait que nous n'en écoutons plus aucune ?

On est submergé par de multiples voix. Le paradoxe est que, dans ce monde du verbe, l'apparence physique devienne primordiale, qu'on évolue dans le monde du mime. On écoute les silences. Mais le journaliste du vingt heures, trop souvent, doit faire l'information en trente secondes. Le silence n'existe plus entre les mots et donc la compréhension n'est plus. Ce sont de véritables clips politiques et non pas une information politique. On retrouve la même chose en radio. On fait des gestes aux orateurs, derrière le micro, pour accélérer le discours. Dès lors, il est dénaturé. Le temps n'est plus dans l'écoute sereine mais dans la communication médiatique et frénétique du message. Le superficiel a pris le pas sur le sincère. Le paraître peut vous tromper, pas le verbe. Il faut retrouver la vibration intérieure de l'être, avoir le courage de sa vérité pour la communiquer aux autres afin que la voix soit écoutée par l'autre, qu'elle trouve sa voie. L'adolescent pourra alors s'identifier à ces héros du discours. L'asphyxie médiatique menace notre onde sonore. Trop d'informations, c'est ne retenir aucune d'entre elles.

La voix devient un bruit ambiant

La voix existe-t-elle encore ? On entend des voix dans des réunions, dans la rue, dans les restaurants, on ne les écoute plus ; plus grave : on devient indifférent à ces bruits environnants.

Dans un autre registre, lorsque l'enfant fait ses devoirs, il entend de la musique avec son baladeur, la télévision qui est un bruit visuel fonctionne. Il n'écoute plus rien. Il ne communique pas, ces voix sont un bruit de fond et en aucun cas un message verbal ou harmonique. Il est dans la génération du « zapping ». L'isolement n'en est que plus fort.

Cette pollution vocale devient-elle destructrice ? Peut-être pas, mais elle entraîne l'indifférence au dialogue. Le paradoxe est qu'au XXIe siècle, malgré les téléphones et les trois cents chaînes de télévision, notre espace vocal individuel se rétrécit. L'espace vocal du collectif est pourtant surdimensionné. Le silence est-il mort ? Réapprendre à écouter les pas d'un enfant dans la rue, le bruissement du vent dans les rues de Paris, c'est déjà rééduquer notre perception affective de la vibration. Le déferlement verbal qui nous agresse est un isolement de soi. Le discours avec l'autre nourrit notre pensée, l'écoute à sens unique atrophie notre relationnel. Si Beethoven était sourd, il écoutait pourtant la musique dans son imaginaire. Certains entendent mais ils n'écoutent rien.

Au restaurant, un couple dîne. De nos jours, il est fréquent de n'observer aucune discussion si ce n'est pour faire la commande au garçon ou pour répondre à son téléphone portable bien en évidence sur la table. Ailleurs ils vont s'installer devant l'écran géant, pour ne surtout pas parler. La voix moyen de communication fait place au mime. Les mots sont avalés, à peine prononcés. L'apprentissage du verbe est pourtant indispensable dans la construction de notre pensée, dans la logistique de notre avenir. Le théâtre, seul spectacle populaire, était source de discussion. Sa remise à la mode de nos jours, dans les salles de spectacles et les maisons de la culture, est une initiative remarquable dans la rééducation de la voix et de la communication avec l'autre et qui vous permet de ne pas « zapper » l'autre !

Le corps instrument du parler

Équilibre instable entre le néant et l'harmonie

La voix est un corps-instrument impalpable toujours présent. L'alliance magique entre le corps et l'âme est son alchimie. La voix est immanence par son émotion et transcendance par la métamorphose de l'énergie du souffle en vibration. Les voix sont aussi différentes que les grains de sable dans l'océan. Six milliards d'*Homo vocalis* ont chacun leur propre voix, leurs propres vibrations. La technique vocale doit apprivoiser la vibration pour mieux l'adapter à son moi profond. La voix est une arme. Elle agresse, elle séduit, elle déstabilise, elle impose. Elle est offensive et défensive. Elle est également extase dans la prière ou l'incantation, espérance ou sacrifice dans certains rituels comme le vaudou.

Les vibrations sont un équilibre instable entre le silence et le bruit. Ainsi la voix est message de communication des hommes entre eux et avec eux-mêmes. Grâce à elle, l'homme s'apaise dans le souvenir des mélodies de sa mère, se stimule lors de l'épreuve et se persuade lors d'une décision. Si, de nos jours, certaines voix veulent imiter les instruments, pendant des millénaires l'instrument a imité la voix.

La voix du comédien : de l'individuel au collectif

Cette voix nous séduit. L'artiste est le marginal de notre civilisation. Il dérange et pourtant il passionne. Il est dans les extrêmes, de la tristesse à la joie exubérante, entre la vie et le suicide : la fracture n'est jamais très loin. Sa voix est son émotion. Il faut la respecter. Siffler le comédien c'est bafouer son moi intime, c'est insulter sa passion. Lors de l'interprétation d'une œuvre, sa mécanique vocale n'existe plus, elle est partie intégrante de lui comme lorsqu'il marche sur scène. Sa sincérité artistique est l'harmonie entre son affect et l'enveloppe habillée du rôle qu'il interprète. Le comédien donne vie au texte de Corneille, de Victor Hugo ou de Samuel Beckett couché sur le papier. Il fait vibrer leurs mots et ressuscite le personnage qui dort depuis des années. Le respect de l'œuvre, son rythme vocal, sa romance sont inscrits comme un décor bien dessiné par l'auteur. La lumière, l'éclairage du personnage, c'est l'artiste qui l'apporte, tout comme Henri Alcan qui donne la magie des clairs-obscurs dans le film de Jean Cocteau *La Belle et la Bête*. La voix du comédien est la vague vibratoire qui transfère son émotion au collectif. Le falsificateur est vite démasqué et souvent puni par le retour de la vague déferlante qui blesse souvent le moi de l'artiste qui n'a pas joué vrai. À l'inverse, l'artiste ne doit pas aller trop loin et s'approprier l'œuvre. On ne lui pardonnerait pas de la dénaturer.

Pour parvenir à la sincérité de l'interprétation, il faut connaître le rôle par cœur. Mais si répéter est nécessaire, trop répéter est néfaste. L'habitude détruit la spontanéité. Le relief vocal s'estompe. La voix devient un désert affectif. L'acteur doit jouer à chaque fois comme si c'était la première.

La voix séduit

L'Italie, pays du bel canto, porte la musique dans sa langue. Un Italien qui parle, ce sont des voyelles qui chantent. L'opéra ne fait que rendre hommage à la voix. L'artiste se découvre à chaque interprétation. Une création originale prend forme. Il est vrai, il est sincère, il nous emporte. Le chant occidental est construit par les gammes que notre oreille connaît bien. La musique et le parler hindis voyagent dans d'autres harmoniques. En Inde l'improvisation est reine. Les fréquences que nous écoutons peuvent heurter notre oreille. Leurs consonance et dissonance déstabilisent. Elles sont dans le huitième de ton ou quart de ton, que nous ne manipulons pas. En Europe, je suis dans l'ordre établi, je suis en sécurité, dans le rationnel occidental. En Asie, je suis dans le chaos des harmoniques, dans le gouffre de l'émotionnel. Pourtant son langage, sa musique ont leurs propres mots, leurs vibratos, leurs rythmes et leurs ornements. C'est en percevant ces harmoniques que j'ai compris l'importance des harmoniques bizarres qui me choquent mais qui sont indispensables au relief de la voix parlée. La gamme majeure est une vague souple ou la consonance est la règle. La dissonance est l'accord mineur. Du second le premier prend sa réelle valeur. De la différence naît la richesse de notre culture. Ce mélange a enrichi notre mélodie de la voix chantée et de la voie parlée. La tristesse vibre en tierce mineure, la joie en tierce majeure. Cette approche est le secret de la vibration émotionnelle. Elle fuit l'ennui, la monoculture, la voix monofréquentielle. Cette voix séduisante caresse, rassure. La mélancolie saupoudrée d'accords majeurs sur un fond mineur charme. Un léger voile accentue la dissonance. L'alliance de ces assonances rythmée par le silence dans un registre grave donne la voix de charme de notre époque. Heureusement, on ne peut pas la synthétiser.

La voix se doit de séduire. Elle est sexuée, elle est le Cupidon de l'âme. Cyrano lance sa voix et Roxane succombe, touchée irréversiblement au plus profond de son être vibratoire. La voix peut être esthétique ou charmeuse. Elle est envoûtante. Elle porte l'émotion et le fantasme, elle s'inscrit dans le paysage de notre vibration intérieure.

La voix chantée

Une force mystérieuse me pousse vers un but que j'ignore. Tant que je ne l'aurai pas atteint, je serai invulnérable. Le jour où je ne lui serai plus nécessaire, un souffle suffira pour me renverser.

Napoléon

De la Malibran à la Callas, elles avaient l'éclat de la vie dans la voix.

La voix chantée fait appel à deux essences distinctes de l'individu : l'émotion et la raison. Le chanteur les stimule. Il est voix lorsqu'il chante. Mais chanter ne suffit pas. Il faut aussi charmer l'oreille, interpréter chaque concert comme une nouvelle création, exprimer la passion, l'émotion et le non-dit de l'œuvre. Pour parvenir à ce résultat difficile, pour entraîner l'autre dans l'harmonie chantée, pour le faire accéder au rêve, et le faire vibrer au plus profond de lui, l'artiste doit être pourvu non seulement de ce quelque chose d'indéfinissable qui est le souffle de la création affective, mais également d'une technique vocale adaptée. L'oto-rhino-laryngologiste ou le phoniatre sont les luthiers qui ajustent l'instrument laryngé. Le « stradivarius » vocal est là, il est unique chez chaque artiste. Le professeur de chant guide les variations nécessaires de l'archet impalpable qui caresse les cordes.

Qu'est-ce qu'une grande voix ?

L'art lyrique est une alchimie entre la voix et les instruments de l'orchestre. Elle impose des concessions de part et d'autre avec une remise en question perpétuelle entre l'instrument de musique, la voix et son public. Mais, de par ses contraintes, l'opéra a imposé différents registres vocaux ou tessitures. Depuis près de quatre siècles, qu'appelle-t-on finalement une grande voix, une diva, un ténor d'exception ?

Les chanteurs ont leurs propres difficultés d'expression mais leur mérite est de prendre en compte non seulement l'œuvre mais également la personnalité du chef d'orchestre. En effet, il est à la fois celui qui conduit l'harmonie des instruments du violon au piano, des cuivres aux contrebasses, et la précision de l'instrument vocal du chanteur. Les aficionados savourent ce spectacle tant par le regard que par l'écoute. L'opéra éblouit, séduit, fascine. Une grande voix sera celle que l'on écoutera en ayant oublié la technique, celle qui vous fera vibrer non seulement par son étendue, sa puissance, son timbre mais par ses nuances et ses silences. La performance du ténor ou de la soprane est attendue par le spectateur. Il guette le chanteur dans l'exploit, la technique est indispensable pour permettre le contre-*ut*. Ce n'est donc qu'à titre schématique que, dans ce contexte, a été décidée une classification des voix qui n'est qu'une référence. La tessiture ne signifie pas que la voix est limitée, mais qu'elle est confortable dans le registre.

Le chanteur est à l'aise plusieurs heures, sans effort, dans sa tessiture. Cela ne veut pas dire qu'il ne peut pas chanter plus aigu ou plus grave, mais que le *passagio* devient naturel chez le ténor et plus délicat pour la basse profonde. Certaines basses sont capables de monter aussi haut qu'un ténor mais cela n'est pas naturel. La voix se fatigue. Tout comme un nageur de papillon qui peut sans problème faire un deux cents mètres brasse, mais qui sera bien plus performant dans sa spécialité. Il existe des exceptions. Pouvoir le faire ne signifie pas qu'il faille le faire. Et c'est au cours des études de chant lyrique ou de variété que la technique affine la voix. Chaque catégorie vocale entre en harmonie avec d'autres et tisse une symbiose musicale avec l'orchestre. La voix se définit par rapport à son registre, sa puissance et son timbre. Elle fait vibrer le spectateur, joue avec la gamme. Elle est tantôt claire, tantôt sombre, tantôt forte, tantôt piano. Le registre vocal nous permet de classer les chanteurs.

Registre des voix

Chez la femme

On distingue les soprani, considérées comme la voix la plus haute, terme également employé pour le garçon dont la hauteur se situe du *do* 3 à *do* 5 (258-1 034 Hz). Les cordes vocales sont habituellement longues de 16 à 18 mm. La soprano colorature est la voix la plus aiguë des soprani. Un exemple en est donné par l'air de *Lakmé* dans l'opéra de Delibes où Mady Mesplé a laissé une empreinte exceptionnelle en 1953. Elle excelle dans les vocalises, les trilles et les ornements. La soprano lyrique, ou mezzo-soprano, est une voix plus puissante. Le but n'est pas d'atteindre le suraigu. Son timbre est étoffé avec un mordant particulier. Le volume est ample. Le répertoire est riche comme celui de Katia Ricciarelli, soprano italienne, merveilleuse Mimi dans *La bohème* ou Marguerite dans *Faust*. La soprano dramatique, timbre bien connu dans les opéras wagnériens, mais également dans l'opéra italien – rôle de Violetta dans *La Traviata*. Le médium est très étoffé, puissant, avec des aigus vigoureux. Le timbre est sombre, toujours velouté, d'une grande richesse dans les harmoniques.

L'alto est une voix grave qui se positionne entre le *la* 2 et le *la* 4 (217-870 Hz). Ses cordes vocales ont une longueur entre 16 et 20 mm. Cette voix est pleine de charme et se met en valeur dans des rôles wagnériens ou dans le bel canto.

Enfin, la contre-alto, registre le plus grave dans la voix féminine, est la tessiture vocale qui a le plus souvent recours à la voix de poitrine, ce qui n'est pas le cas des soprani. On la retrouve dans les opéras de Rossini. L'étendue de la contre-alto est du *sol* 2 au *sol* 4 (193-775 Hz). La longueur des cordes vocales s'échelonne de 18 à 22 mm.

Chez l'homme

On distingue le ténor, du *do* 2 au *do* 4 (128-520 Hz), dont les cordes vocales sont longues de 20 à 22 mm. La voix est aiguë et puissante, le timbre est chaleureux et charmeur. Il existe une distinction plus précise pour les puristes : le ténor dramatique dont la force et la vigueur vont de pair avec l'importance des nuances dans la tessiture de son timbre. Ces rôles sont légion, de Mozart à Wagner, de Rossini à Verdi. Les maîtres en ce domaine, ténors d'opéra, ténors lyriques ou ténors dramatiques sont entre autres Enrico Caruso, Luciano Pavarotti ou Roberto Alagna. Le haut-contre (ou pour certains contre-ténor – *counter tenor* – qui nous vient de la terminologie anglo-saxonne) utilise sa voix de tête avec des résonances spécifiques lui permettant, notamment dans les opéras de Gluck ou de Lulli, une voix extrêmement aiguë. C'est un phénomène à part. Chanteur privilégié du baroque, quelquefois assimilé à la tessiture du castrat, avec lequel il n'a pourtant rien à voir, il a des cordes vocales dessinées comme une véritable épure anatomique. C'est un larynx d'enfant mais avec la musculature d'un athlète. Ses cordes vocales sont longues (25 mm), très minces (entre 3 et 4 mm). Sa variation entre la voix aiguë et la voix grave est impressionnante : 27 mm environ dans les aigus et 10 mm dans les graves.

Le baryton, du *la* 1 au *sol* 3 (100-390 Hz), a des cordes vocales de 22 à 24 mm. Le baryton excelle dans les rôles de Don Juan dans l'opéra de Mozart, de Figaro dans *Le barbier de Séville* de Rossini ou encore de Germont dans *La Traviata.* On l'a distingué du baryton Verdi avec par exemple la voix de Ruggiero Raimondi dans Don Giovanni ou Don Carlo. La basse se situe du *do* 1 au *mi* 3 (65-325 Hz) avec une longueur des cordes vocales de 22 à 26 mm. C'est une voix volumineuse qui enveloppe le spectateur. Le timbre est puissant et ferme. Elle s'impose dès qu'on l'écoute. C'est celle de Sarastro dans *La flûte enchantée.*

Puissance des voix

La voix de grand opéra percute votre tympan avec une puissance de 120 dB comme celle de Roberto Alagna. La voix d'opéra a une puissance de 110 dB. La voix d'opéra-comique a une puissance de 100 dB. La voix d'opérette a une puissance de 90 dB. La voix de salon ou du chanteur amateur a une puissance de 80 dB. La voix parlée de tout un chacun a une puissance inférieure à 70 dB. Nous verrons ultérieurement que la puissance de la voix dépend également de la résonance acoustique de la salle.

Timbre des voix

La classification des timbres est très subjective. On peut distinguer la couleur, sombre ou claire, voire blanche. Son volume fait appel à des résonances qui sont riches ou pauvres. Le mordant du timbre renvoie à une voix lisse et fluide ou au contraire rugueuse et âpre. Enfin l'épaisseur de la voix se définit comme fragile ou consistante, lourde ou légère.

De la Malibran à la science

C'est en 1854 que la laryngologie, la science du larynx, prend naissance avec Manuel García. Admiré pour son talent, il l'était également pour sa curiosité de l'instrument vocal. Ce professeur de chant est le frère de la Malibran, soprano d'exception, et de Pauline Viardot, tragédienne lyrique. À New York, le 29 novembre 1825, lorsque le père de Manuel se produit dans *Le barbier de Séville* de Rossini, Manuel García est lui-même Figaro. Sa sœur, la Malibran, à l'époque Maria Félicia, prend le rôle de Rosina. Le succès est total. Le 23 mars 1826, Maria Félicia épouse le banquier Eugène Malibran et devient *la* Malibran.

Maria Malibran, née en 1808, quitte la scène en 1836, à l'âge de vingt-huit ans. Manuel García père lui avait donné ses premières leçons de chant et de musique. On a dit d'elle qu'elle pouvait chanter en pleurant.

En effet, elle est en perpétuel combat avec elle-même pour perfectionner son organe vocal. Dans cette croisade du chant lyrique, elle parvient à dominer sa technique vocale. Elle est mezzo. Sa voix a un registre étonnant du *sol* 2 au contre-*mi* 5. Elle pratique les langues étrangères avec une grande facilité grâce à son père qui l'a fait souvent voyager. Son répertoire, elle peut le chanter en espagnol, en anglais, en français, en italien ou en allemand. En janvier 1828, à l'Opéra de Paris, elle remporte un triomphe en interprétant un répertoire de Rossini qu'elle avait travaillé avec son père à New York. On ne dit pas d'elle qu'elle a une bonne technique, mais qu'elle fait rêver. Dans les années 1830, elle partage sa carrière entre Paris, Londres et Bruxelles. À Naples, elle chante pour la première fois un ouvrage de Bellini, *I Capuletti ed i Montecchi.* Puis, tout comme l'avait fait le castrat Farinelli, elle se produit à la Fenice de Venise le 2 avril 1835 dans *Le barbier de Séville.* Cette représentation lui valut un tel succès qu'un théâtre près du Rialto fut nommé théâtre Malibran. Si d'autres sopranos essaient de rivaliser avec elle, comme Giuditta Pasta, la première diva romantique, la compétition semble inexistante.

Au début de l'automne 1836, la Malibran monte à cheval pour une promenade en campagne. Elle est enceinte de quelques semaines. Ce matin-là, le drame arrive. Le cheval s'emballe et provoque sa chute. Son pied reste coincé dans l'étrier. Elle est traînée sur plusieurs centaines de mètres. Elle s'évanouit quelques minutes, puis revient à elle. Mais le spectacle continue. Elle doit chanter à Bruxelles puis à Aix-la-Chapelle dans les jours qui suivent. Rien n'est plus important. Elle honore ces représentations. De retour à Manchester en septembre, à l'issue du concert, elle tombe inconsciente. Elle meurt le 23 septembre à l'âge de vingt-huit ans. Soprano au charisme impressionnant, elle avait détrôné les castrats. D'autres divas lui succéderont sans pourtant la surpasser, que ce soit Jenny Lind, surnommée le Rossignol suédois, ou Henriette Sontag. Seule Maria Callas, diva de notre époque, a pu relever le défi. La Malibran, adulée par ses admirateurs, laisse un grand vide. Alfred de Musset écrit : « Elle exerce sur nous, à distance, son charme, son empire, sa fascination. » Lamartine lui dédie ce quatrain :

« Beauté, génie, amour fut son nom de femme
Écrit dans son regard, dans son cœur, dans sa voix,
Sous trois formes au ciel appartenait cette âme
Pleurez, Terre ! et vous, Cieux, accueillez-la trois fois. »

Forcer sa voix c'est la perdre

Pauline Viardot perd sa voix

La seconde sœur de Manuel García, Pauline Viardot, commençait sa carrière alors que sa sœur aînée venait de la terminer. Henri Malherbe, critique de l'époque, vient souvent la questionner afin, écrit-il, de continuer à approcher l'esprit de la Malibran. Pauline Viardot, élève de Liszt, est appréciée pour sa voix chantée, aimée pour ses talents de pianiste. Contralto, de l'*ut* grave du ténor (*ut* 2) au *fa* 5, son registre vocal est également remarquable. Née le 18 juillet 1821, Pauline García, qui deviendra plus tard Pauline Viardot, chante comme sa sœur en plusieurs langues et fait de nombreux voyages. Théophile Gautier, le 14 octobre 1839, écrira sur elle que c'est « une étoile de première grandeur. Elle possède l'un des instruments les plus magnifiques qu'il soit donné d'entendre ». Amie de Chopin, elle aimait le pianiste. En 1853, elle se produit à Moscou, puis à Saint-Pétersbourg. Elle y retrouvera Tourguéniev avec qui elle se lie pour revenir à Paris en 1856.

La voix de Pauline Viardot va subir les affres des maîtres de la musique. Berlioz dirige les opéras *Fidelio* de Beethoven et *Alceste* de Gluck. Cependant, le registre vocal est trop haut perché pour Pauline Viardot. Elle demande à Berlioz de le transposer. Il refuse. Malgré une tessiture de voix non adaptée à Alceste, elle décide de faire face, elle veut absolument interpréter cette œuvre. Elle force sur son instrument laryngé. Elle va au-delà de ses limites vocales, de la tolérance laryngée, de sa souplesse, de sa musculation. Le résultat ne se fait pas attendre. Quand le rideau tombe, le public applaudit à tout rompre. Il ne se doute de rien. Mais elle sait que quelque chose vient de se passer, elle a mal à la voix. Si l'œuvre est un succès, c'est le dernier de Pauline Viardot. Elle vient de casser sa voix. Sa carrière de chanteuse prend fin. Dès lors, sa voix blessée lui impose de se retirer de la scène. En 1863, elle quitte Paris et s'installe à Baden-Baden. Ultérieurement, elle crée des oratorios, des opérettes avec ses amis Jules Massenet et Gabriel Fauré. Elle crée une école de chant. Elle meurt en 1910.

La sincérité de l'artiste est sa vulnérabilité

La technique doit permettre aux professionnels de la voix, chanteurs ou pas, d'éviter l'accident de Pauline Viardot. Si blesser sa voix peut être irréversible, la protéger est la garantie d'une longue carrière. La voix est le capital de l'artiste. Le chanteur chante de tout son corps. Il vibre de la pointe de ses pieds à la pointe de ses cheveux. Son larynx, instrument à cordes et à vent, n'est que le transformateur d'une énergie aérienne en énergie vibratoire. Comme chez tout athlète, dès le départ, l'ensemble des structures nécessaires pour permettre la performance vocale se conditionne en harmonie. Mais ici plus qu'ailleurs, le chanteur, l'acteur ou le comédien ne doit jamais aller aux limites extrêmes de sa voix. La générosité et la sincérité de ces artistes sont leur vulnérabilité et leur qualité. Ils veulent offrir toutes leurs émotions. Pourtant ils doivent savoir être égoïstes et conserver une réserve de puissance de 30 %, sinon l'usure, la fragilité physique et psychique vont inéluctablement entraîner un accident vocal.

Chanter, c'est harmoniser la science et l'émotion

Le chant est une gestuelle

La technique est indispensable pour faire chanter le violon. Les doigts de la main gauche se positionnent sur les cordes. La main droite guide l'archet et le fait glisser afin de créer la vibration qui va nous charmer par sa mélodie. Elle est sous l'emprise de l'affect de l'artiste. Le virtuose pourra pratiquer quinze notes différentes en une seconde, positionner son index au millimètre près, mémoriser tous les mouvements corporels pendant un apprentissage souvent long et difficile. Ensuite, il laissera place uniquement à l'interprétation. Cette coordination de la main droite et de la main gauche est orchestrée par son cerveau. Ces mêmes circuits existent chez le chanteur pour manipuler son instrument de musique interne : le conduit vocal.

Apprendre à chanter, c'est apprendre à son corps à être un instrument de musique qui parle, qui résonne, qui se contrôle. L'harmonie du verbe, de la mélodie, du geste n'est que l'aboutissement de la difficile école de la voix chantée. Elle fait appel à la fois au rationnel et à l'affect de l'être. Le cerveau droit est émotion. Il perçoit les harmoniques, les formes, l'environnement. Le cerveau gauche déchiffre le rationnel, le solfège et permet l'apprentissage des mots et la mécanique gestuelle laryngée. Les deux sont intimement liés. Par ailleurs, le cervelet est sollicité dans l'équilibre des harmoniques.

Entraîner sa voix, c'est la conserver

Le cervelet joue un rôle primordial dans notre équilibre sur la Terre. Il est sous la dépendance de la gravité terrestre et nous permet de savoir où est le haut, où est le bas, si l'on penche à gauche ou si l'on penche à droite. Après un voyage dans l'espace, de quelques semaines, passé en apesanteur, le sens de l'équilibre n'est plus le même. On observe chez les astronautes une diminution et une régression des circuits cérébraux du cervelet. Ainsi, le cervelet n'ayant pas été stimulé dans sa fonction d'équilibre par la gravité terrestre, il n'a plus excité les circuits neuronaux concernés. Il a supprimé en partie les connexions prévues à cet usage. L'astronaute de retour sur Terre ne marche pas droit, il titube, il a perdu le sens de l'équilibre. Il doit se réadapter et restimuler ses circuits nerveux.

Par analogie, si le chanteur arrête de pratiquer son art quelques semaines, il perd une partie de sa technique. À l'inverse, plus il chante, plus les connexions neuronales vont se former par milliers et créer des carrefours complexes dans l'élaboration et l'amélioration de la voix chantée. Cet apprentissage commence dès l'enfance.

L'homme, bien loin de l'intelligence artificielle, possède le plaisir de la création artistique. Le chanteur a besoin de la précision du sculpteur pour être juste, de la coordination de l'acrobate pour adapter l'instrument vocal, de l'équilibre du danseur pour juger la projection de sa voix, sans oublier l'oreille musicale pour moduler son émission sonore.

Nodule du chanteur et technique mal adaptée

Une technique de chant mal adaptée peut entraîner la formation de nodules des cordes vocales. Des professeurs de chant remarquables, dont Mady Mesplé et Yva Barthélemy que je connais depuis 1982, m'ont aidé à mieux comprendre l'art du chant. La technique d'un professeur de chant expérimenté peut rééquilibrer la voix de certains soprani et effacer la cicatrice nodulaire des cordes vocales secondaires à une technique qui aurait été incomprise ou inadaptée. Une voix bien placée va de pair avec un professeur de chant qui s'adapte à l'élève et non pas un élève qui s'adapte au professeur.

Ce bien précieux qu'est notre voix doit être régenté. Le professeur de chant ou l'orthophoniste ne peut pas tout faire. Dans la mesure où notre larynx est toujours là, toujours prêt, il faut le préserver, éviter de le solliciter de façon inadéquate, par exemple, de chanter *a capella* pour des amis, dans un environnement bruyant, après un concert ou une conférence. Il faut également éviter de rire à gorge déployée avec force, de façon ostentatoire et bruyante, ce qui peut parfois traumatiser les cordes vocales. De même, mais cela n'est pas toujours possible, lorsque l'institutrice rentre à la maison, elle devra faire de son mieux pour ne pas crier après ses propres enfants.

La position du corps

La verticalité de notre corps bipède a contribué depuis des millions d'années à l'émission de notre voix. Ainsi, pour chanter, déclamer ou plaider, il est nécessaire d'harmoniser la technique, le geste et le mental pour avoir un impact vocal optimal.

L'élève apprend différentes techniques, mais il doit tout d'abord assimiler que la voix est un transfert d'énergie du souffle en vibration. La technique, la mémoire de la musique et du verbe, nous l'avons vu, sont nécessaires chez l'apprenti chanteur tout comme chez le comédien.

Être artiste, ce n'est pas un métier, c'est une passion. On n'est pas artiste de 9 heures à 17 heures. On l'est dès les premiers jours de notre vie et pour toute une vie. Pour le professionnel de la voix, le chemin commence par l'écoute de l'autre, par la sincérité. Le talent, le vrai talent, n'est que le travail d'un don qui est propre à chacun. Ce travail, cette volonté de se dépasser soi-même, parfois de souffrir, souvent de s'étonner, sont les ingrédients indispensables de la vie des professionnels de la voix. L'école du chant lyrique, l'école du théâtre, du comédien, de l'instituteur, de l'avocat, est l'école de la vie. La voix spontanée, la voix action-réaction peut être douce, dure, inégale ou tremblante. La voix lorsque l'on va déclamer, enseigner, chanter, doit être contrôlée. Elle devient le véhicule du texte. Elle se débarrasse des parasites qui peuvent provoquer une intonation mal placée, une intensité irrégulière ou une hésitation (sauf si cela est voulu). Apprendre à l'élève à devenir un professionnel de la voix, qu'il soit enseignant, avocat ou artiste, c'est lui apprendre une posture dorso-lombaire et cervicale particulière avec une attitude vocale du corps. Il doit se regarder chanter devant un miroir, se corriger, visualiser son propre instrument de musique dont l'élément essentiel est le larynx et, également, son apparence physique, son maintien, sa gestuelle.

Un petit exercice debout

L'indice est simple : c'est la position des pieds. Premier cas de figure, vous êtes debout, les jambes serrées, vous vous tenez légèrement en avant, les talons décollent, comme pour persuader le spectateur. Le menton est en avant, l'équilibre du corps est difficile à garder. Le discours est dès lors rarement fort et convaincant. La stature est instable. Vous devez avoir des racines fortes dans le sol pour pouvoir chanter une mélodie, qu'elle soit lyrique ou populaire. Il en va de même pour la voix parlée.

Deuxième cas de figure, les jambes sont légèrement écartées mais la pointe des pieds est relevée : le poids du corps est sur les talons. On constate également une instabilité posturale.

Troisième cas de figure : le chanteur est solidement ancré au sol. « Il est bien dans ses baskets. » Sa voûte plantaire prend une excellente assise sur le sol. Les jambes ne sont pas serrées. Elles ne sont pas sur la même ligne non plus. La chose semble facile. Le discours est stable et puissant. L'aria est forte et parvient au dernier rang de l'opéra. Il suffit d'être enraciné dans le sol, avec une paire de chaussures adéquate et confortable, pour que le reste du corps sente, au niveau de sa sangle abdomino-pelvienne, le centre de gravité de la voix et qu'il la projette où bon lui semble !

Le centre de gravité de la voix

Cette stabilité est au paroxysme chez le ventriloque. En effet, sur une balance particulière qui permet de peser jambe droite, jambe gauche, si le ventriloque prend sa poupée avec sa main droite, son corps est déséquilibré de quelques kilos sur la jambe droite. La pratique de son art a entraîné une pathologie qu'il doit rectifier régulièrement. Il est habituel dès lors qu'un chiropracteur rééquilibre le centre de gravité de sa voix. Il existe donc bien un centre de gravité vocale. Cette stabilité peut d'ailleurs être dans le mouvement. Il est nécessaire d'apprendre à se déplacer sur scène. Le point fort de stabilité se situe sous l'ombilic. Il est bien connu dans les arts martiaux.

La stabilité de l'élève, le contrôle de ses mouvements, des muscles de la face, des sourcils, des paupières (il s'observera dans une glace), la maîtrise de son souffle, le rythme de sa voix respectant les silences sont les pierres angulaires de l'apprentissage.

Le mur, le miroir et le chanteur

L'élève chanteur s'entraîne souvent chez lui devant son piano. Si son piano droit est face au mur, ce qu'il va entendre n'est pas ce qu'il souhaite dans la mesure où la résonance de la pièce n'est pas celle qu'il connaît chez son professeur de chant ; en effet, il chante contre un mur. Ce n'est pas la peine qu'il s'égosille pour retrouver ce feed-back sonore puisque les ingrédients ne sont pas les mêmes. Un simple détail peut corriger l'élève : il lui suffit, si je peux dire, de déplacer le piano !

Un enfant soprane est une basse, un alto est un ténor

Apprendre dès le premier souffle de la vie

L'émotionnel artistique dépend de l'éducation et de l'apprentissage de la voix chantée du petit d'homme. Dès la plus tendre enfance, la voix chantée prend naissance à partir de l'oreille musicale. Écouter sa mère fredonner au bord du berceau, être enveloppé dans un bain musical développent l'acuité vocale du chant. La mère est le professeur de chant « originel ». Petit à petit, le nourrisson construit sa fonction mécanique pharyngo-laryngée ; il stimule les différentes projections cérébrales propres à l'art musical.

À partir de quand l'enfant peut-il être dans une chorale ?

Nous savons que le fondamental de la voix parlée est la base de nos harmoniques et se situe aux environs de 180 Hz chez l'homme, de 220 Hz chez la femme et de 300 à 450 Hz chez l'enfant. La voix chantée d'une soprano varie entre 260 et 1 300 Hz, celle du ténor entre 120 et 520 Hz et celle de la basse entre 65 et 325 Hz. Un enfant ne chante pratiquement que dans le registre vocal de la voix de tête. Il est physiologiquement incapable d'émettre les sons graves du registre de la voix de poitrine, soit une octave en dessous de la voix de tête. Ainsi l'enfant et la femme ont sensiblement le même registre. La révolution vocale est la puberté.

Pour le tout jeune choriste, un apprentissage s'impose. Il doit avoir des notions de solfège, donc savoir lire un minimum. Il peut entrer dans une chorale dès l'âge de sept ans. Certains vont s'individualiser en quelques mois et s'orienter vers une carrière de soliste. Lorsque l'enfant découvre sa voix chantée, il est surprenant de l'entendre dire : « C'est moi qui fais tout ce bruit ? » Le soliste, dans une chorale, est l'individuel qui se met au service du collectif. Il fait partie intégrante de son groupe. Il résonne avec lui. Il donne le *la*. Son orchestre vocal le supporte. Choisir un soliste c'est choisir une voix, mais surtout une personnalité forte qui souvent, par mimétisme, veut imiter le professeur de chant.

Le très jeune soprano découvre son registre vocal. Vers huit-neuf ans, il découvre sa pleine voix d'enfant, son timbre. On voit apparaître une certaine facette de sa personnalité, un mélange entre la sûreté de soi et la sensibilité. Cette sensibilité reste, je pense, l'un des éléments essentiels de la voix chantée de l'enfant. L'aspect affectif est indispensable à une carrière de soliste.

Par ailleurs, la voix de l'enfant peut être soprano ou alto. L'enfant alto est la voix de ténor à l'octave. Elle se rapproche de la voix de la femme, elle est une octave plus haut que la voix de l'homme. Ainsi, l'alto et le ténor peuvent chanter dans un même registre. C'est ce qui fait la beauté de certains requiems qui harmonisent les chœurs d'enfants et les voix d'adultes, les sopranos et altos aux ténors et contre-ténors. Ce charme où la palette musicale mélange les graves et les aigus nous séduit et on retrouve ici la puissance et la beauté de l'impact que pouvaient avoir les voix de castrat qui enveloppaient le registre de soprano de l'enfant et de ténor et basse de l'adulte.

Francis Bardot, chef de chœur d'enfants de l'Opéra de Paris jusqu'en 1999, donnant des concerts de par le monde, me précisait que les enfants de sa chorale, mais également d'autres chorales, qu'elles soient françaises ou anglo-saxonnes, italiennes ou allemandes, changent de tessiture après la puberté dans la majorité des cas chez les garçons. Les sopranos deviennent non pas des ténors mais des basses à l'âge adulte et les enfants altos non pas des basses mais des ténors. Ce chef de chœur m'a permis une étude passionnante. J'ai suivi ces enfants sur près de vingt ans, j'ai vu évoluer ces voix devenant adultes de l'âge de sept ans à l'âge de vingt-cinq-trente ans. À la puberté, ces jeunes enfants chanteurs changent de registre et sont confrontés à la métamorphose vocale de la mue. Certes, comme toute chose chez l'homme, cette règle n'a de valeur que d'orientation et en aucun cas n'est formelle. Cependant, nous avons pu observer que près de 95 % des garçons suivaient cette corrélation dans l'évolution de la voix chantée de l'enfant à l'adulte.

Enrico Caruso était alto dans les chœurs de l'église pendant son enfance avant de devenir l'un des plus grands ténors du début du XXe siècle. Chaliapine était soprano avant la puberté. Il est devenu une des plus belles voix graves que nous connaissons. C'était une basse pour certains, un baryton pour d'autres, mais son registre était étonnant.

Pourquoi l'enfant soprano ne devient-il pas un ténor ?

Alors, on peut se poser la question : pourquoi un enfant soprano ne devient-il pas un ténor ? Pourquoi l'enfant alto ne devient-il pas une basse ou une basse profonde ? Très fréquemment, l'enfant soprano est relativement longiligne. Ses cordes vocales fines donnent des harmoniques aigus au niveau de la caisse de résonance. Alors que l'enfant alto est plus fort, plus rond. Il présente des cordes vocales plus épaisses. De ce fait, son timbre de voix est plus grave. Lorsque la mue survient, le longiligne devient encore plus longiligne. Il agrandit de façon plus importante l'espace résonateur pharyngo-laryngé. Il présente, comme nous l'avons déjà vu, un larynx de basse. Alors que l'enfant alto garde cet espace physique rond, si l'on peut dire, et habituellement voit son larynx rester puissant avec des cordes vocales moins longues que la basse chantante et, surtout, une caisse de résonance plus concise, plus forte et plus courte. Il s'oriente naturellement vers la voix de ténor.

Remarquez que nous n'avons pratiquement pas parlé de la petite fille. En effet, chez elle, c'est plus simple. La mue se fait dans son registre chanté.

Chez l'enfant, jusqu'à la puberté, qu'il soit fille ou garçon, les techniques vont être identiques. Il utilisera la voix de poitrine plus rarement que la voix de tête.

Un larynx achevé pour une voix bien placée

La technique vocale du chanteur d'opéra nécessite un corps presque achevé, mature, structuré, avec une approche sérieuse, volontaire et approfondie. C'est la raison pour laquelle il est conseillé d'entreprendre des études de haut niveau dès l'âge de dix-huit ans pour l'homme, dix-sept ans pour la femme. Beaucoup de professionnels de la voix, comédiens ou acteurs, ont un registre d'environ deux octaves. Le chanteur, lui, qui entraîne sa voix, tout comme l'institutrice qui fait chanter les enfants, voit son registre vocal couvrir rapidement trois octaves.

Chez la femme, la corde vocale fait environ 18 mm de long avec un diamètre de 4 mm ; chez l'homme, 20 à 23 mm et 5 mm de large. Dans la tessiture féminine, s'il existe certaines prédispositions, il est délicat de vouloir calquer l'aspect anatomique sur la tessiture. J'ai vu des sopranos colorատures devenir de superbes sopranos lyriques après dix ans de carrière. En revanche, j'ai rarement vu des altos devenir des sopranos. Il est fréquent d'observer chez la soprano colorature des cordes vocales plus petites avec un larynx dans sa globalité plus compact que chez l'alto. Chez l'homme, il est plus simple de donner une idée de sa tessiture à partir d'une simple observation de son larynx. Nous l'avons vu. Mais vouloir jouer l'apprenti sorcier anatomique est une hérésie. Si l'on peut donner une orientation, en aucun cas on ne peut affirmer la tessiture. La technique vocale, le vécu de la voix chantée de l'artiste sont plus importants que la mécanique musculaire que nous observons.

Techniques de la voix chantée : menu à la carte

Vocaliser et souffler pour connaître et contrôler sa voix chantée en cinq exercices

La technique vocale s'appuie entre autres sur l'attaque des sons avec un coup de glotte parfaitement contrôlé par rapport à la puissance que l'on veut donner. La possibilité d'émettre le *i* ou le *a* sur 15 secondes, à la même fréquence, à la même puissance, démontre un contrôle indispensable de l'émission vocale. Cette voyelle maintenue, non parasitée dans un timbre décidé à l'avance, sera ensuite répétée avec un vibrato en forte, puis en pianissimo. Cet exercice sera pratiqué sur *a e i o ou*. Tout d'abord sur une note, ensuite sur la gamme.

L'exercice vocal

L'exercice de la vocalisation du chanteur a été remarquablement décrit par Manuel García il y a près d'un siècle et demi et repris par de nombreux professeurs de chant. Nous ne retiendrons que les cinq principaux types d'exercices.

• Le premier type est la vocalisation portée (portato) ou soutenue : tout comme l'archer qui glisse sur la corde du violon de façon régulière, l'air expiré glisse sur la vibration des cordes vocales, sans à-coup, de façon continue.

• Le deuxième est la vocalisation liée (legato) : les sons sont passés de l'un à l'autre, sans aucune interruption vocale tout comme si notre instrument était un trombone à coulisse qui enchaîne les différentes tonalités. Cet exercice témoigne de l'agilité laryngée et plus particulièrement de la maîtrise expiratoire. Il faudra s'hydrater correctement avant cet exercice, qui sollicite particulièrement la lubrification des cordes vocales et leur élasticité.

• Le troisième est la vocalisation marquée ou individualisée : chaque son est distinct, appuyé, mais pourtant n'est pas détaché des autres. On augmente sa puissance expiratoire, donc l'intensité du son, puis on la diminue. Le rôle des muscles abdominaux est ici capital. Le contrôle que l'on connaît dans l'expiration de l'effort lors de certains gestes dans les arts martiaux, ou les exercices respiratoires du tai-chi, sont d'une aide précieuse pour comprendre l'essence même de cet exercice vocal et respiratoire. La vibration pendant cette vocalisation marquée n'est jamais interrompue.

• Le quatrième est la vocalisation piquée ou hachée (staccato) : les sons sont attaqués par des coups de glotte, qui les détachent les uns des autres. C'est une technique qui permet la succession de sons rapides, isolés et répétés. L'exercice consiste également à gérer sa puissance, à contrôler sa projection, à maîtriser sa vitesse d'élocution. Il présente quatre temps : la note émise ira du pianissimo au forte, puis du forte au pianissimo, puis seulement pianissimo et enfin seulement forte. Ces exercices seront faits sur une seule note, puis sur la gamme.

• Le cinquième est l'exercice du vibrato tenu. Cette technique consiste à maintenir pendant dix secondes, en médium et piano sur chaque note de la gamme, un vibrato. Cet exercice apporte la maîtrise du soutien abdominal.

Du chant médiéval au rock'n'roll

Le passagio *: voix de tête et voix de poitrine*

Depuis des siècles, on a distingué la voix de tête et la voix de poitrine. En 1602, on distingue trois types de chant : le chant d'église, le chant de chambre et le chant de théâtre. À cette époque, Giulio Caccini précise qu'« il ne faut pas pulvériser la compréhension du mot ». L'importance du *passagio* s'impose en 1562 par le professeur de chant Giovanni Camillo Maffei à Naples. Il en décrit déjà les règles : une ouverture de bouche complète, une position du larynx en bas, un contrôle du souffle, du diaphragme et de la ceinture musculaire abdominale. La même technique est employée encore aujourd'hui. Mais les maîtres qui ont su parfaitement tirer profit du *passagio* sont les castrats dont la conformation physiologique leur permettait de chanter sur trois octaves au minimum.

La distinction entre la voix de poitrine et la voix de tête est bien connue avant même la naissance de l'opéra. L'opéra, à la fin du XVIe et au début du XVIIe, voit apparaître la voix des solistes accompagnée par les chœurs. La mélodie reste importante mais comprendre le texte devient indispensable. Le soliste devient la vedette aux dépens du chant à plusieurs voix encore appelé Madrigal polyphonique. À l'époque, et d'ailleurs encore de nos jours pour certains, l'improvisation dans la voix chantée a souvent apporté la touche personnelle de chaque chanteur. Le chanteur se permet des ornements particuliers grâce à une technique parfaitement contrôlée. Les ornements sont un ensemble de notes qui s'ajoutent à la mélodie principale sans en modifier la ligne mélodique. Habituellement, le chanteur pratiquera ces ornements sur un son lié, legato, des graves aux aigus, des aigus aux graves. Le trille est le battement rapide de deux notes rapprochées.

La voix de poitrine est riche en harmoniques. Son registre comprend environ trois octaves à partir de l'*ut* grave du violoncelle. Le chanteur précise qu'il a l'impression que les vibrations traversent son corps tout entier et principalement son thorax et ses caisses de résonance. Cette voix de poitrine peut aller des graves pour les basses profondes (*do* 1) aux aigus (*mi* 3). Cette technique nécessite une capacité respiratoire importante. L'expiration est puissante. Les muscles de la voix sont contractés, que ce soient les muscles du cou ou du larynx. La sangle abdominale est tonique. Avec cette approche mécanique permettant le registre de poitrine, le chanteur est limité, il ne peut dépasser le *mi* 3. Il passera en voix de tête pour atteindre des notes plus aiguës.

La voix de tête lui permet un registre du *fa* 2 au *sol* 3. Pour le haute-contre elle peut aller jusqu'au *do* 5. Voix de poitrine, voix de tête, entre les deux certains ont voulu créer un espace de transition avec la voix mixte. Plus naturelle, plus douce, elle ne s'exerce jamais en force. Elle se situe entre *do* 2 et *do* 4.

Chez la femme, bien que plus rarement, la voix de poitrine utilisée pendant la voix parlée permet lors de la voix chantée de descendre au *ré* 2 et de monter jusqu'au *fa* 3. Elle est habituellement utilisée pour deux à trois notes. La voix de tête, elle n'en a pas besoin, elle l'a naturellement. C'est sans doute la raison pour laquelle on est surpris parfois par la voix parlée de certaines chanteuses connues, utilisant leur voix de poitrine qui n'est pas toujours agréable, alors que leurs voix chantée est superbe.

La majorité de nos chanteurs de variétés se situent dans la voix mixte. En effet, elle donne un léger voile, une sensualité où le chanteur n'est pas à la recherche d'une voix aiguë parfaite. Mais ce n'est pas nouveau, les troubadours faisaient de même. Déjà, au début du XVIIe siècle, Adriano Banchiari conseille de chanter d'une voix modérée, même dans les aigus, afin de permettre une compréhension de la parole chantée. Cela revenait à proposer la technique de la voix mixte.

Le vibrato oui, le tremolo non

Le vibrato

Mais qu'est-ce que le vibrato ? Utilisé par le chateur lyrique ou de variétés, il entraîne un rythme à la voix chantée qui semble onduler entre 5 et 7 fois par seconde. En revanche, la voix chevrotante ou tremolo ondule entre 3 et 5 fois par seconde dans la voix parlée ou la voix chantée. C'est parfois la voix des personnes âgées. Le tremolo ne doit jamais être employé en voix chantée, c'est le signe d'un manque de technique et de maturité alors que le vibrato est un amplificateur vibratoire. Il permet d'augmenter non seulement la perception et la puissance de la mélodie, mais l'affect de celle-ci. Il enrichit les harmoniques. Le vibrato permet une amplitude de fréquence qui n'excède pas un demi-ton. En effet, cette amplitude n'est perceptible par l'oreille que si elle est supérieure à un quart de ton. En revanche, si l'amplitude excède trois quarts de ton, la voix tremble.

Tout comme le doigt du violoniste qui pince la corde et qui lui imprime un mouvement périodique également 5 à 7 fois par seconde pendant que l'archet glisse sur l'une des quatre cordes du violon, le vibrato de la voix est directement sous la dépendance de la commande cérébrale. Il entraîne une vague de vibrations 7 fois par seconde dans une harmonie parfaite en coordonnant non seulement le souffle expiratoire de l'instrument vocal comme l'archet, mais également le mouvement périodique de l'appareil pharyngo-laryngé. Le vibrato accentue la force des harmoniques créés au niveau du larynx. Il augmente l'intensité vocale de façon considérable. Il va permettre d'entendre le chanteur au fin fond de la salle de concert. L'oreille perçoit parfaitement ce train d'ondes régulier qui accompagne la mélodie.

Observer la cathédrale vocale

Lorsque l'on observe l'intérieur du larynx, pendant le vibrato, lorsque l'on regarde la voix par un système de vidéostroboscopie à 2 000 images à la seconde, le spectacle de la cathédrale vocale est époustouflant. Tout d'abord, pendant la voie plate, l'émission d'un *la* 3 entraîne les cordes vocales sur 440 vibrations par seconde. Le vibrato se met en piste. Son rythme régulier parfaitement contrôlé vibre 7 fois par seconde sur tout l'édifice vocale, avec en son sein les cordes vocales, permettant à la fréquence émise par ces mêmes cordes vocales d'être un demi-ton en dessous, un demi-ton au-dessus de 440 Hz tous les septièmes de seconde.

Chanter et comprendre les paroles : pas toujours facile

Outre le registre, l'intensité sonore de la voix chantée est également un élément indispensable. La voix porte *a capella* et doit franchir la fosse d'orchestre. Cette portée de voix dépend bien évidemment de la technique, de la caisse de résonance, des harmoniques et des formants, mais également de la conformation de l'individu lui-même. Cette puissance vocale ne doit en aucun cas compromettre la compréhension du texte véhiculé par la mélodie. La voyelle reste le lien incontournable de la voix chantée. C'est la raison pour laquelle l'opéra italien est si apprécié. La diction, l'élocution, le rythme permettent non pas d'écouter chanter, mais d'écouter la musique parler. Cet ensemble – puissance, harmoniques, chaleur vocale – donne le timbre propre à chaque artiste et permet la beauté et le rêve de la voix chantée. Un bémol à cette remarque : la compréhension de la voix chantée dans les aigus est beaucoup plus difficile que celle pratiquée dans le médium ou dans le grave. C'est la raison pour laquelle les phonèmes à consonance nasale sont rarement employés dans les fréquences aiguës et le bel canto en a fait une règle presque formelle. L'artiste doit avoir une diction, un articulé particulièrement précis pour qu'on puisse le comprendre. Si cela est évident pour le comédien de théâtre et le chanteur lyrique, ça l'est, hélas, beaucoup moins pour certains chanteurs de variétés qui, je l'avoue, pour certains d'entre eux, devraient prendre des cours de diction avant de se prétendre professionnels de la voix. Cela n'enlève rien à leur sincérité artistique.

Depuis près de cinquante ans la technique acoustique n'a cessé de s'améliorer. Les ingénieurs du son font des miracles. Ils permettent grâce à leurs instruments de mettre en relief la voix de l'artiste avec les qualités et les défauts qui en font le charme. Le microphone permet d'écouter cette voix située à 100 m de vous. Point n'est besoin d'avoir le coffre de Caruso ou de la

Callas qui eux chantaient *a capella.* Pourtant, si en quelques mois on peut créer ce que l'on appelle une vedette, ces interprètes de l'art vocal devront souvent prendre des cours de chant pour consolider leur carrière. Rares sont les jeunes chanteurs qui ont suffisamment de bagage technique. Ils s'aventurent dans nos comédies musicales modernes en faisant fi de la rigueur qu'impose la voix chantée. C'est ainsi que si chanter est naturel lors d'une fête, avec des amis, en faire sa profession implique un véritable apprentissage.

La voix du chanteur nécessite une prédisposition indéniable. Elle impose aussi un travail régulier et une hygiène de vie indispensable. Le don devient art. La voix du chanteur de variétés ou du chanteur lyrique dépend de sa hauteur, de son timbre, de son intensité, du pianissimo et du fortissimo. Elle doit respecter la musique, son tempo, son rythme. Elle doit apporter l'empreinte du chanteur par les harmoniques, l'exécution et la justesse de l'articulation des mots. C'est la voyelle qui véhicule la mélodie, c'est la consonne qui lui donnera son rythme, et le silence son relief.

Apprendre : de la salle de classe à Broadway

Il faut connaître les règles

Le chanteur lyrique ne s'aventurera pas sans un enseignement et une pratique de longue haleine pour interpréter une aria ou un solo de *La Traviata*, de *Carmen* ou de *La flûte enchantée.* Les artistes lyriques et musiciens, qui se produisent sur la scène de l'Opéra, traduisent une expérience de plusieurs années d'apprentissage des grandes école de musique. Il y a beaucoup d'appelés et peu d'élus. L'artiste chanteur, en plus de cette longue traversée scolaire et solitaire de l'apprentissage du chant, doit avoir de la persévérance. À chaque concert, le chanteur d'opéra ou celui des comédies musicales fait un marathon sous son costume de scène où il transpire. Il est entouré d'autres artistes à qui il donne la réplique. Acteur et tragédien musical, il joue non seulement avec sa voix mais avec son corps tout entier. Mais contrairement aux chanteurs des comédies musicales de

Broadway, de Londres ou de Paris qui se produisent six jours sur sept, l'artiste lyrique ne chante que trois fois par semaine. Il se préserve.

Depuis plus de quatre siècles, il a imposé les règles de son apprentissage et de son rythme vocal. Il serait peut-être judicieux d'appliquer ces mêmes règles aux artistes des comédies musicales actuelles, à savoir pour l'essentiel un enseignement de la technique vocale rigoureux afin d'éviter les forçages et l'apparition des nodules de la corde vocale et l'observation d'un repos vocal régulier deux fois par semaine. En effet, lorsque l'on sait que ces comédies musicales sont jouées pendant six mois avec parfois deux représentations le même jour, on peut concevoir la performance qu'accomplissent ces artistes lyriques des temps modernes.

Si le plus souvent le chanteur de variétés ou de comédie musicale chante à l'aide d'un micro, il n'est pas rare de le voir, lors d'un concert, interpréter sa mélodie *a capella* avec une technique remarquable. Nous avons la chance, en France, d'avoir de nombreux professionnels qui maîtrisent parfaitement la technique de la voix chantée. Certains chanteurs débutants veulent à tout prix accéder au succès rapidement, en brûlant les étapes. Cela est dangereux. Ils doivent posséder une bonne technique. Car, pour un chanteur professionnel, il n'est pas pensable d'avoir une mauvaise technique de chant, voire pas de technique du tout ! Soit elle sera apprise après le premier succès, soit avant. C'est le garant d'une carrière et non pas d'un triomphe de quelques mois comme c'est trop souvent le cas aujourd'hui. Le chanteur devient un produit marketing, ce n'est plus de l'art mais pourquoi pas, c'est un choix ! L'arène est le plateau de télévision, les gladiateurs sont les chanteurs, le spectateur est le jury qui donne la sentence finale. La mise à mort est cruelle. Le vainqueur est mythifié. Je suis impressionné par ces gladiateurs des temps modernes !

Lors du tournage du film *L'Empreinte vocale*, une basse profonde de l'Opéra de Paris me précisait : « En tout début de carrière, chanter est une chose simple, naturelle, mais dont le mécanisme est étranger. Cet instrument vocal, le chanteur ne le perçoit pas. La voix est là avec lui, près de lui, à l'intérieur de lui. Il ne peut pas la toucher. Elle permet la mélodie, la chansonnette, elle permet l'émotion, bien sûr, mais que de technique pour arriver à la satisfaire, que de temps et d'acharnement pour la maîtriser et surtout la conserver ! »

Une autre catégorie est celle du chanteur à texte, poète de la chanson. Souvent seul sur scène, une guitare à la main. La mélodie est le support de sa poésie. Elle l'amplifie.

Tous les chanteurs doivent conserver un professeur de chant pendant leur carrière afin d'éviter la prise de mauvaises habitudes. Allez savoir pourquoi, c'est toujours celles-là que l'on garde. Lors d'une fatigue, le chanteur la compense par une mauvaise position du corps – le dos courbé en avant, la tête fléchie vers le bas, la respiration purement thoracique. Alors la tendance est de pousser sur le larynx. Or on ne corrige pas un défaut par un autre défaut. Je préconise souvent des séries de quatre à six cours d'orthophonie par an pour remettre en place les bases physiques de l'expression corporelle de la voix chantée ou parlée.

Le chanteur est à son public

Le chanteur populaire se produit sur une scène avec un orchestre dont l'environnement acoustique est bruyant. L'ingénieur du son mélange les instruments et la voix de l'artiste, il crée l'harmonie scénique de la musique. Un concert de variétés est l'équivalent d'un cent dix mètres haies. On « saute » d'une chanson à l'autre. Sur scène, le chanteur transpire, se déshydrate, et se livre à son public. C'est un effort vocal, un effort musculaire mais aussi une prodigieuse performance de l'esprit. La symbiose entre son auditoire et lui est impressionnante. C'est un combat pour le dépassement de soi-même. Il doit reprendre cette performance tous les soirs. Sa carrière impose une hygiène de vie particulière.

Le dénominateur commun à tous ces chanteurs est cette harmonie du moi avec les autres, de l'individuel qui devient l'émotion du collectif. Si la hauteur, l'intensité sont pratiquement reproductibles, le timbre ne l'est pas. L'un est cartésien, l'autre est le paramètre artistique.

Chanter, c'est habiller des mots par la musique et ses silences. Respecter les silences pour permettre d'intéresser le public, de l'accrocher, de le suspendre aux lèvres de l'artiste, est un ingrédient essentiel des professionnels de la voix.

Les mots et la mélodie

Le chanteur parle deux langues : la musique et les mots en harmonie. La note est une lettre, la syllabe une mesure, la phrase une mélodie. Il pourra émettre sept à douze tonalités différentes à la seconde. Ainsi, il construit un projet mental où le rythme est imposé. La mémorisation de la coordination musculaire permet la vocalisation, mais s'il n'y avait que cela, ce ne serait qu'un répétiteur.

Un tableau de maître est unique. Il est création. Prenez ce même tableau, reproduisez-le en milliers d'exemplaires, cela devient du papier peint, c'est de la décoration industrielle. Ainsi, un mauvais chanteur sera un décorateur industriel du chant. Un artiste chanteur sera un interprète et fera de chaque chanson une œuvre impalpable de la vibration humaine qui apporte le plaisir. Tout comme une œuvre de Salvador Dalí de Rembrandt ou de Fragonard, la voix du chanteur est unique, mais à une différence : elle disparaît dans l'espace-temps.

L'environnement musical

Dans la quête du charme de la voix chantée, dans notre passion de la voix qui séduit, il ne faut pas oublier les impératifs auxquels sont soumis ces chanteurs lyriques, ces chanteurs de variétés. Le premier est le larynx. Le second est leur interprétation, dont le public est seul juge. Celle-ci sera différente en fonction des lieux où ils vont se produire.

Tout chanteur a besoin d'un public ; ce public est dans une salle ; cette salle a certains impératifs sonores. Quelques chiffres pour donner l'importance des contraintes que connaît l'artiste. La puissance de la voix est différente selon l'envergure de la salle. Sans micro, dans un opéra de 30 000 m^3, une puissance de

120 dB est équivalente au bruit des moteurs d'un avion au décollage à 25 m de vous. Dans un opéra classique de 16 000 m^3 environ, 120 dB équivalent au même avion qui décolle à 4-5 m. À l'Opéra-Comique, 110 dB équivalent à un bruit entendu à 2 m seulement. Dans une petite salle de spectacle, 80 dB suffisent pour se faire entendre. Rappelons qu'une conversation courante est à 60 dB et que le tic-tac de votre montre, pour peu qu'elle soit encore mécanique, est de 30 dB. Cette précision nous fait mieux appréhender le coffre de nos chanteurs d'opéra qui se produisent sans micro et l'importance de savoir moduler leur voix en fonction de la salle.

Interpréter, c'est oublier la technique ; l'émotion n'a pas d'échelle, elle a des couleurs

La technique et l'apprentissage de la voix chantée sont les éléments fondamentaux indispensables pour la carrière de tout artiste. Nous savons que cette voix est caractérisée par la hauteur, l'intensité, le timbre. Nous savons que la boucle audiophonatoire permet de contrôler la voix. Nous savons également que les bases de la technique vocale associent la maîtrise du souffle par l'ajustement de la pression sous-glottique, l'alignement approprié pour permettre à ce souffle d'arriver sur les cordes vocales et au pharynx. Trachée, larynx, pharynx doivent être dans la verticalité la plus efficace possible. Enfin, l'articulé, le positionnement de la langue et des lèvres achèvent la formation des phonèmes chantés. Chaque registre vocal nécessitera une technique différente, que ce soit la voix de poitrine, la voix de tête ou la voix de fausset. Le registre de sa voix naturelle est un élément indispensable à prendre en considération. On ne peut pas tout changer.

L'artiste, qu'il soit enfant ou adulte, apprend la mécanique du chant. En effet, on sait par exemple que pour mémoriser le geste du revers ou du coup droit au tennis, il faut le pratiquer et le répéter au minimum huit fois. Par ailleurs, la mémoire met près de 4 secondes pour intégrer l'information. Par analogie, apprendre à l'élève une technique vocale nécessite une mémoire du mouvement musculaire permettant d'émettre la tonalité précise voulue, avec la puissance requise, les harmoniques désirés et la localisation dans son corps des vibrations les plus intenses. Cette mémoire du mouvement mécanique inscrite dans le cerveau gauche se nourrit du monde émotionnel du cerveau droit et du cerveau limbique lors de l'interprétation.

Les approches clinique, physique et médicale ne sauront en aucun cas prendre le pas sur l'approche artistique. Le relais est pris pas le professeur de chant et le professeur de scène, qui insistent non seulement sur la projection de la voix dans le masque, non seulement sur la technique de maintien et d'élocution de l'artiste, mais également sur l'interprétation de l'œuvre.

Cyprien Katsaris joue une valse de Chopin. Ce pianiste d'exception lui impose son empreinte et nous fait partager son émotion. Il nous fait oublier la technique ou le piano, il nous transporte ailleurs. Chaque interprète aura sa marque. Le corps de l'artiste, par la tension musculaire et l'agilité articulaire des doigts, caresse le clavier ou le frappe. Les mains, le coude, le bras, l'épaule, le buste jouent du piano. Cette façon de jouer est dirigée par un chef d'orchestre, qui est ici la perception auditive de l'être. Elle tient compte non seulement de ce qu'il ressent, de ce qu'il entend sur scène, mais également de ce que le public entend. Le public est son amplificateur émotionnel. Il lui permet instantanément une inspiration plus riche dans l'interprétation de l'œuvre. « Je phrase beaucoup mieux, je fais chanter le piano avec beaucoup plus d'efficacité ; de par mon interaction mécanique, je fais partager mon émotion et procure une satisfaction extrême sur le plan affectif et physique : c'est une jouissance auditive » me disait Cyprien Katsaris en parlant de la communion de l'artiste avec l'instrument et l'œuvre qu'il interprète.

Il n'y a plus d'échelle émotionnelle, il n'y a que des couleurs émotionnelles. Le chagrin, la tristesse, la colère, le rire, la joie, l'enthousiasme, la sérénité, l'extase. Il en va de même du chanteur, ou du comédien. Son instrument musical est à l'intérieur de lui-même. La façon de caresser le joyau acoustique dépend de son état d'âme. Il est vrai que diverses situations de la vie peuvent perturber l'interprétation. Si sa vie est en harmonie avec ses sentiments de tristesse ou de joie, l'œuvre qu'il interprète est une œuvre artistique unique et non pas une prouesse technique qui nous ferait dire « quelle technique superbe ! », ce qui n'a rien avoir avec « quelle interprétation superbe ! ». Dans le premier cas, on admire le trapéziste, dans le second cas on reçoit l'émotion.

Un couac régulier sur la même note : la technique n'est pas toujours en cause

Défaut mécanique

Janette, chanteuse belge d'une quarantaine d'années, ne peut plus tenir une certaine note dans le médium depuis près d'un an. C'est toujours la même. Son professeur de chant pense que c'est un problème de *passagio*, ce qui est souvent le cas. Malgré l'assiduité de Janette, le couac est toujours au rendez-vous. Cette note devient une obsession. Elle décide de consulter pour cette simple note. Sa voix chantée est par ailleurs satisfaisante.

La stroboscopie des cordes vocales permet de regarder la vibration sur le médium en question. On découvre le coupable. La vibration se bloque sur un minikyste de la corde vocale droite. On a l'impression de voir une planche sur la vague qui vient interrompre la fluidité vibratoire. Dès lors la voix dérape et ne peut pas faire un son lié des aigus aux graves. Dans la mesure où cette altération empêche psychologiquement toute possibilité de chanter, qu'elle a eu un an de rééducation vocale, l'intervention est décidée. L'opération par microchirurgie laser a permis son rétablissement vocal. Ici, la technique n'était pas en cause. Seul le kyste, gros comme un demi-grain de riz, était responsable.

Truquer dans le passagio *: c'est possible*

Mais le plus souvent, c'est la technique vocale qui est responsable. C'est le couac qui ne prévient pas. Il n'est pas régulier mais il se situe dans le *passagio*. Il y a un défaut de placement de la voix. On l'observe chez certains ténors qui en voix de poitrine se situent au-dessus du *mi*. On l'observe aussi chez certaines sopranos en voix de tête, une octave au-dessus de celle du ténor. Dans ce cas, c'est que la vocalisation soutenue est négligée. On se doit de maintenir les contractions pharyngée et laryngée en maîtrisant une expiration régulière afin d'éviter ce genre d'incident. Les professionnels connaissent bien cela. Certains m'ont précisé que, si nécessaire, ils étaient amenés à truquer en restant sur la note, avec une voyelle soutenue, sans prononcer la fin du mot. En effet dire le mot, c'est articuler une consonne et donc déstabiliser la vibration des cordes vocales. D'une tonalité à l'autre, l'impression d'un timbre égal, d'un son continu, est créé par la voyelle qui est le support de la voix chantée.

Chanteurs oui, mais pas par hasard

Les plus grands chanteurs de notre époque, Maria Callas ou Luciano Pavarotti, Mario Del Monaco ou Renée Fleming, Jessy Norman ou Céline Dion, ont un dénominateur commun : leur enfance a été baignée dans la musique. Une étude remarquable a été faite dans les années 80 par Jérôme Hines sur une centaine de chanteurs lyriques qui montre que, dans près de 90 % des cas, ils étaient dans le monde de la musique dès l'âge de trois ans.

Savoir se reposer avant l'effort

Placido Domingo, né en Espagne, commence ses débuts de chanteur d'opéra au Mexique en 1959. Ses parents dirigeaient un théâtre. La musique est son premier langage. Il fait de Caruso son maître spirituel. À tel point qu'il connaît par cœur les premiers enregistrements de ce ténor et construit sa technique autour de l'écoute de son registre vocal. Comme tout grand artiste, la veille d'un concert il parle peu, il accorde peu d'interviews. Il s'oblige à avoir un sommeil récupérateur. Le jour du concert, son déjeuner est léger. Il fait souvent une sieste puis se rend au théâtre. Il chauffe sa voix trente minutes avant d'entrer en scène. Ces règles d'hygiène vocale sont pratiquement celles de tous les professionnels de la voix.

Ne pas chanter au-delà de 70 % de ses limites

Roberto Alagna, ténor remarquable ayant eu le prix Pavarotti à Philadelphie, a été bercé dès son enfance par la musique populaire. Son père et son oncle, d'origine italienne, étaient eux-mêmes chanteurs. Il est intimidé par les qualités vocales de son père qui est ténor. Ce n'est que vers l'âge de quinze ans qu'il se met à chanter. Ce n'est pas du chant lyrique, mais des chants bien connus de la jeunesse de l'époque, des chants dits modernes. Sa passion, il la vit au quotidien. Régulièrement, il chante dans des cabarets et ce jusqu'à l'âge de vingt-quatre ans. Lors d'une soirée, sa voix est remarquée. On lui apprend qu'il a une voix de ténor. On vient de nommer sa voix, elle a donc une existence dans le paysage du chant lyrique, sa décision est prise. Il veut devenir chanteur d'opéra. Sa carrière internationale voit le jour. Levon Sayan aménage le rythme des concerts et protège ainsi son instrument laryngé. En effet, se fixer des limites est indispensable dans cette profession d'artiste où l'émotion n'a pas de frein. Le ténor dispose d'une voix superbe, ses cordes vocales démontrent un instrument laryngé impressionnant. Mais il ne dépasse jamais les frontières musicales qu'il s'est données.

Après que j'ai assisté à *La bohème* de Puccini, où deux voix parfaites s'harmonisaient, celle de Roberto Alagna interprétant Rodolpho et celle d'Angela Gheorghiu interprétant Mimi, ce ténor et cette soprano ne semblaient pas fatigués par leurs performances. On avait perçu dans le rôle de Rodolpho la lumière vocale d'un timbre clair, ensoleillé et naturel. Mimi, avec son charme et sa sensualité, rendait magique cet opéra. Le chef d'orchestre dirigait et manipulait la baguette pour la mettre au service de ces chanteurs d'exception. Le rythme, c'est eux qui l'imposaient et non la partition. Ce ténor me précisa qu'il ne chantait qu'à 70 % de ses possibilités, « de telle façon que si je suis stressé, si je suis contrarié, si j'ai l'impression d'avoir quelque acidité dans la gorge, j'ai une marge de sécurité qui me permet d'assurer mon concert malgré le trac. Ce trac me pénalise, mais seulement quelques secondes, ensuite, il me galvanise. Je fais très attention à ce que je mange avant ma représentation ».

Le professionnalisme de ces deux chanteurs repose sur une technique vocale remarquable et travaillée journellement pour pouvoir l'oublier pendant la représentation. Le timbre et l'interprétation de ce ténor popularisent l'opéra. L'hygiène de vie, le sérieux de ses concerts et le calendrier de ses spectacles montrent une rigueur indispensable à une telle carrière. Sur scène, il vous transporte dans le monde du bel canto.

Préserver sa voix à tout âge

Charles Aznavour a gardé sa voix intacte depuis ses duos avec Pierre Roche en 1942, et plus tard avec Édith Piaf. Son instrument de musique laryngé n'est pas altéré par le temps. Cet athlète de la voix chantée a gardé son timbre et sa chaleur vocale. Une heure et demie de spectacle ne lui fait pas peur. Cet artiste doué ne pouvait qu'être chanteur, vu le bain émotionnel de son enfance : un père baryton, une mère comédienne. Ce monde musical qui a bercé son oreille l'a conduit tout naturellement à se produire dès l'âge de neuf ans sur une scène. Il est l'exemple impressionnant qu'une voix entraînée reste pratiquement inchangée après plus de cinquante ans de carrière. Cette agilité impose une mémoire et une dextérité cérébrale également indispensables au maintien de l'artiste. La voix vieillissante, il ne connaît pas. Il est guidé par une rigueur artistique, une hygiène de vie et un professionnalisme étonnants. Il sait se préserver par des épisodes de repos vocal, de calme, de récupération. Mais ne croyez pas que l'artiste se repose ; il est en créativité perpétuelle, entre chaque période de concerts.

Voix de tête et voix de poitrine

Jérôme Hines nous rapporte l'histoire de Luciano Pavarotti, ténor par excellence, né en Italie, à Modène. Ce ténor est dans le bain de la musique depuis son plus jeune âge. À huit ans, il participe à une chorale dans les églises. Il commence à chanter au Metropolitan Opera de New York en 1968, dans le rôle de Rodolpho dans *La bohème*.

Lorsqu'il habite à New York, au sud de Central Park, et qu'il doit se rendre à la salle de concert, il s'emmitoufle comme une momie s'il fait froid. Protéger non seulement sa gorge, mais également son buste et sa tête est une des préventions les plus efficaces contre les laryngites. En effet, il ne supporte pas d'annuler un concert : c'est une défaite. Il commence à l'âge de dix-neuf ans ses études de professionnel comme chanteur d'opéra, à Modène, en Italie. Arrigo Pola, ténor de l'époque, lui met le pied à l'étrier et lui enseigne les bases du lyrique pendant près de deux ans et demi. L'approche de ce professeur est particulière. Les six premiers mois, ce ne sont que vocalises et position du corps. Il travaille sur la position de la langue qui s'abaisse dans la voix de poitrine, et qui fait un dôme dans la voix de tête avec dans le même temps la contraction de la membrane située entre le larynx et le cricoïde. Ce passage entre la voix de poitrine et la voix de tête est difficile. Le terme consacré est *passagio* . Il ne travaille que cela et rien d'autre. Ainsi, il veut faire comprendre à l'élève Luciano comment ouvrir la bouche, comment placer sa mâchoire, comment ressentir son visage, son larynx, le reste de son corps et enfin comment mémoriser chaque voyelle en fonction de chaque note par rapport à une puissance vocale imposée. Ces vocalises lui permettent d'assimiler l'une des difficultées majeures pour le chanteur : le *passagio*.

Les deux ans qui suivent sont consacrés à l'apprentissage des bases classiques et à l'amélioration de ce qu'il a compris les six premiers mois. En effet, comprendre ne suffit pas, il faut assimiler le *passagio*. Luciano Pavarotti reconnaît qu'il lui a fallu près de six ans pour le maîtriser. Dans les premiers mois, ce travail est décourageant. La voix ne porte pas comme il le désire. Parfois, son faciès se congestionne, il se cyanose ou presque. Il a beau forcer, il ne produit pas ce qu'il aimerait entendre. La difficulté est de faire passer l'air pour chanter comme si c'était quelque chose de naturel, comme l'eau qui coule dans une rivière. Il comprend et ressent après quelques mois que pour dominer la technique, outre la position de la langue, il y a un paradoxe : les muscles thoraciques, laryngés et pharyngés doivent être relâchés comme pour le bâillement et au moment du *passagio*, seulement, la contraction musculaire de la voix de poitrine à la voix de tête se met en place. Comment ? Une parfaite maîtrise de son corps est nécessaire : le larynx remonte dans la gorge, se contracte, suffisamment pour permettre des notes puissantes dans les aigus, mais toujours raisonnablement pour éviter cette impression de serrage laryngé. Au début, précise-t-il, certaines notes sont cassées. Un travail régulier, la persévérance dans l'effort technique sans jamais blesser le larynx, l'expérience lui permettent de conquérir, et c'est le terme, le *passagio* naturel.

Ténor, il devient professeur de chant et, à son tour, il a pour habitude de montrer à ses élèves cette technique, où il est passé maître. Elle lui permet de parfaitement la décrire. Il précise qu'au moment du *passagio* il laisse moins d'espace au flux d'air dans son conduit vocal. Mais dès qu'il a passé cette difficulté, il revient à un espace normal de ses caisses de résonance et de son larynx. Cette pseudo-compression, « *passagio* avec serrage », comme le précise l'artiste, lui est personnelle. Cependant, on la retrouve chez d'autres ténors associée à une projection de la voix dans le masque, habituelle chez ces artistes lyriques. Notamment chez Roberto Alagna, qui précise l'importance de bases solides avant de se lancer dans des œuvres difficiles, comme *La bohème* ou *La Tosca*. Le ténor s'appuie sur un contrôle des muscles abdominaux pendant toute la phrase chantée, pendant tout ce passage de la voix de poitrine à la voix de tête. C'est le centre de gravité de la voix, qui se situe en regard ou juste en dessous du nombril. Cette force musculaire abdomino-pelvienne, ce centre de l'énergie vocale, est essentiel dans l'équilibre, la stabilité et la justesse de la voix du chanteur, de la mise en place vocale du comédien.

Ce centre de gravité de la voix lui-même permet de prévenir un forçage vocal inadéquat et facilite un contrôle de la puissance, de la fréquence et du timbre de l'artiste.

Pavarotti a son rituel technique : faire des gammes, contrôler sa respiration abdominale, savoir s'ancrer dans le sol pour que sa puissance vocale provienne de la terre. S'il est amené à chanter le soir, il s'impose un sommeil récupérateur la veille, il repose sa voix sans trop parler, sans trop la solliciter pendant plus de trente-six heures. Il se réveille en fin de matinée pour être au mieux de sa forme au concert. Dès le réveil, il vocalise trois à quatre minutes, prend un petit déjeuner léger puis vocalise pendant près de deux heures. Dès lors, il ne parle plus, ne chante plus. Arrivé au théâtre, une demi-heure avant le concert, il sollicite de nouveau son instrument laryngé pas plus de cinq minutes, en pratiquant des gammes, bouche fermée puis bouche ouverte. Il termine cet échauffement en chantant à pleine voix pendant deux à trois minutes.

Si chaque chanteur a ses habitudes avant le concert, l'échauffement vocal, la concentration et l'isolement pendant quelques minutes avant la rencontre avec le public sont indispensables à l'artiste. En effet, la charge émotionnelle que ces milliers de personnes lui lancent dès son entrée sur scène impose une maîtrise du moi hors du commun.

L'outil du chanteur

Chanter juste

Il faut chanter juste non seulement dans la mélodie, mais également dans le respect du rythme et des silences. Le rôle de la mémoire est indispensable. Cette mémoire fera appel à notre projection cérébrale de l'audition, du langage, de la musique, mais également à notre affect.

Le chanteur peut avoir un trou de mémoire. Ici, l'expérience est capitale. Il remplacera automatiquement un mot par un autre, car le trou de mémoire sera sur le mot, jamais sur la musique. Lorsque nous avons mémorisé ce que nous devons reproduire par le chant, lorsque nous sommes récepteurs de cette lumière vocale, nous allons ensuite en devenir l'émetteur. Cette alchimie met en jeu un système mécanique, cérébral et émotionnel. Pendant l'émission vocale, lorsque vous chantez fréquemment, si vous n'êtes pas un vrai professionnel, vous improvisez quelques notes par-ci, par-là. Vous redessinez la peinture de la musique que vous venez de voir, d'entendre. Vous l'habillez à votre façon. Vous y apportez votre propre imaginaire. Le retour auditif de votre voix vous informe au plus profond de vous-même de la justesse dans le vrai sens du terme, de la hauteur, du rythme, mais également dans l'interprétation. Cependant, l'autre, celui qui vous écoute, vous informe que vous chantez faux. C'est que votre retour son est perturbé. Il n'est pas fidèle. En bouchant l'une de vos oreilles pendant que vous chantez, vous allez souvent rééquilibrez la voix fausse. Par ailleurs chanter correctement sera plus facile dans une tessiture qui vous est adaptée.

Les outils concrets

L'émission vocale, nous l'avons vu, parcourt la cathédrale de notre instrument. Le chemin du flux aérien contourne les différentes aspérités qu'il rencontre. Stalagmite comme l'épiglotte, stalactite comme la luette. Des turbulences aérodynamiques sont inévitables. Dans cet édifice, le déferlement du son rencontre la langue, actrice principale de la formation du mot. L'intensité dépend de l'amplitude, et donc de l'oscillation de la muqueuse des cordes vocales pendant le souffle expiratoire. Sa puissance peut aller chez le chanteur jusqu'à 80 dB. Sa hauteur qui dépend de la longueur de la corde peut aller jusqu'au *la* 3 sans problème.

Le chanteur a un impératif majeur : contrôler son expiration. Aucune contraction musculaire parasite ne doit participer à ce geste respiratoire. Gonfler le torse d'une façon imposante n'est pas la bonne technique. Cela entraîne une élévation des clavicules et donc des épaules, un déséquilibre des muscles du cou insérés sur cette même clavicule et qui jouent un rôle important dans la mise en place de la hauteur de la voix. C'est dire l'importance de la respiration abdominale ou, plus exactement, thoraco-abdominale. Pour une voix forte, lors de l'émission d'un phonème assez long, le support sera abdomino-pelvien. Pour émettre des variations d'intensité et des changements de ton rapides comme des staccatos avec pianissimo et fortissimo, le rôle des muscles intercostaux, abdominaux, et de ceux situés sous l'ombilic est essentiel. La verticalité de la colonne vertébrale permet de conserver une excellente stabilité vocale.

Le bon professeur n'est pas toujours celui qu'on croit

Le professeur de chant permet d'apprendre une technique vocale appropriée à l'élève. Certes, il faut trouver le bon, qui ne vous fatigue pas et que vous appréciez, car changer de professeur de chant tous les ans ne fait que retarder l'apprentissage. En effet, quand vous jouez au tennis, pour reprendre une analogie précédente, que vous apprenez le revers, certains vont vous dire de tenir la raquette à une main et un autre à deux mains. Qui croire ? Qui suivre ? Chacun vous citera l'exemple d'un champion du monde qui pratique sa technique, mais chacun aura oublié que l'individu est unique et doit adapter la technique à son corps et non pas l'inverse.

Changer de professeur mélange les techniques, perturbe sa propre sensation du chant. L'élève n'a plus confiance en lui. « Je suis nul. » Pas du tout ! Choisir son professeur de chant, c'est observer si une harmonie existe entre maître et élève, si l'affectif indispensable dans cette dure école de l'art est présent. La première rencontre ne sera pas toujours la bonne, qu'importe, il faut persévérer pour trouver celui qui mettra au jour l'artiste qui est en soi.

Être un bon chanteur ne signifie pas être un bon professeur de chant. Souvent, les grands, les très grands ont voulu imposer leur technique, ce qui est une erreur. Chaque individu a sa propre personnalité et sa propre alchimie entre l'outil vocal et l'art du chant. Après trente à quarante minutes de cours de chant, l'élève doit se sentir bien. Jamais, au grand jamais, il ne doit finir son cours fatigué, enroué, ou frustré. Il doit être enthousiaste. La voix doit être claire. « C'est dommage que ce soit déjà fini. » Voilà ce que devrait se dire l'élève à la fin de la leçon. Une certaine admiration qui associe technique et émotion est indispensable pour permettre à l'élève d'avoir le souhait de parvenir au niveau que le maître lui demande. La contrainte ne doit pas exister, si ce n'est pour se dépasser soi-même. Si votre main droite est crispée, si vous gesticulez vos petits doigts de pied, la voix ne peut être claire, car tout le corps ne peut pas vibrer.

Le chant est une libération du corps. Lorsque l'on chante, il n'est pas question de vouloir pousser ses limites à tout instant. Il faut regarder la voix comme une notion horizontale et non pas verticale. On ne doit pas se dire : « Je vais grimper jusqu'au contre-*ut* » mais penser à un clavier horizontal et se dire : « Je vais chanter jusqu'au contre-*ut*. » Le challenge n'est pas d'atteindre cette note, qui impressionne l'auditoire, mais d'émouvoir son public et de le transporter le jour venu. Ce jour des olympiades, ce jour de la première, le public est dans la salle, les critiques aussi, là on se doit de donner 70 %, voire plus, de sa puissance vocale, de sa technique, de son moi intérieur. Entre l'apprentissage et la performance, c'est l'expérience qui fait le lien. Le talent permet l'exploit d'aujourd'hui, la carrière artistique de demain.

Le chanteur doit dominer sa voix mais sa voix ne doit jamais le dominer ou le griser, il risquerait, comme Narcisse, de disparaître dans son propre miroir. Il ne doit pas devenir l'objet de son succès.

Ivry Gitlis avait eu une réplique étonnante. Un admirateur vient le voir : « Maître, votre violon est exceptionnel, quelle beauté, quelle musique ! » Il lui répond : « Collez l'oreille sur le violon. » Bien sûr, l'admirateur n'entend rien. Le violon n'était que l'instrument de son émotion, de sa technique. Il en va de même pour le larynx : il n'existe que par la force intérieure.

L'outil doit être protégé

Nous l'avons vu dans le chapitre « La santé de la voix ». J'insisterai ici sur l'importance de l'humidification particulière du conduit vocal. C'est le rôle indispensable des glandes salivaires. Elles humidifient les lèvres, la bouche, le pharynx. Le trac entraîne souvent une sécheresse bucco-pharyngée, mais très vite, en quelques dizaines de secondes, la salivation se remet en marche, le coup d'adrénaline est passé. C'est la raison pour laquelle il est souvent conseillé aux chanteurs de sucer des pastilles de miel ou des gommes citronnées. Le citron excite les papilles. Il est également conseillé de boire quelques gorgées d'eau à température ambiante ou, mieux, un thé chaud accompagné de miel, de citron et de beurre salé.

Chanter ou manger un chili con carne

L'influence de la sangle musculaire abdominale et pelvienne est bien connue. Il y a quelques années je suis appelé pour un artiste qui a une voix faible. Il attend angoissé pendant que l'orchestre continue à jouer pour faire patienter le public. Son aspect est livide, pâle ; il a des sueurs froides. Il n'a pas forcé sur sa voix au moment de la balance de l'orchestre (l'artiste équilibre l'acoustique avec sa voix chantée quelques heures avant le concert). Ses cordes vocales sont parfaites, son cou est détendu. Mais il ne se sent pas bien. Renseignement pris, il a avalé ou plus exactement englouti du chili con carne. La chose est entendue. C'est une indigestion importante. Les toxines digestives et le ballonnement abdominal qu'elles entraînent ne l'autorisent pas à contrôler sa voix. Une piqûre d'antispasmodique est faite. Après une heure, il se sent mieux. Le concert, avec plus d'une heure de retard, reprend à la grande joie du public. C'est dire l'importance d'une diététique rigoureuse surtout avant un spectacle. Il en va d'ailleurs de même avant toute performance vocale.

Allergie à la scène

L'allergie aux poussières de la scène peut provoquer une altération du nez, du larynx, de la trachée et des bronches. L'artiste risque de voir son conduit vocal pénalisé. C'est la raison pour laquelle, se sachant fragile, il doit se prémunir et prendre un traitement préventif. Certains théâtres sont réputés pour leur environnement.

La chirurgie esthétique du cou peut altérer la voix

Clara, soprano colorature, quarante ans, travaille sur le répertoire de Mozart pour un prochain concert au Châtelet.

« Ma voix est faible depuis une quinzaine de jours », me dit-elle. Vu son excellente voix parlée, ses cordes vocales superbes, avec des legatos bien réguliers, la fatigue seule me paraît être en cause. Mais ce n'est pas son habitude. Après quelques minutes, elle me précise : « Je peux chanter normalement dans le fortissimo et le pianissimo, le vibrato est difficile, mais possible, mais je ne peux plus jouer avec ma voix. J'ai perdu mes suraigus et les aigus ne sont pas très stables. Je ne peux pas compter dessus. » Cette professionnelle coutumière des différents opéras internationaux doit se produire dans trois semaines. Tout comme un détective, j'essaye de réunir les pièces à conviction de cette curieuse histoire.

En effet, la palpation du cou est normale, la respiration satisfaisante, la verticalité des vertèbres cervicales excellente, elle n'a pas eu de problème gynécologique particulier. Il n'existe pas chez elle de syndrome prémenstruel vocal. Les cordes vocales sont normales, blanches, nacrées. Elles bougent d'une façon habituelle. La perte même partielle de ses aigus et de son pianissmo est toujours inexplicable. L'exploration de son larynx en cinématographie à grande vitesse ne détecte rien. Que se passe-t-il ? Est-ce psychologique ? J'en doute fort vu la personnalité de cette soprano coloratura.

J'en reviens donc à essayer de retrouver le chemin qu'a pris la voix de cette patiente pour s'altérer. Je lui demande ce qui s'est passé avant cet épisode : « Rien de particulier. » Quelques secondes de silence. Je reste perplexe. Puis elle ajoute gênée : « Ah ! oui ! J'ai fait faire une injection de toxine botulique dans les plis du cou pour effacer mes rides il y a deux semaines. » Rien ne pouvait laisser supposer cette injection car ses rides étaient à peine visibles il y a six mois. Rien non plus n'avait été décrit dans la littérature en ce sens. Tout devient lumineux. La pièce maîtresse est dévoilée. La toxine botulique entraîne une paralysie passagère des muscles et ainsi efface les rides. La paralysie intéresse ici le peaucier, muscle situé juste sous la peau du cou, en regard de la membrane crico-thyroïdienne du larynx. Cette paralysie ne gêne pas la voix parlée, ni la voix chantée pour le commun des mortels, mais elle altère la voix dans ses extrêmes. En effet, les petits muscles prélaryngés situés au niveau de la membrane crico-thyroïdienne sont indispensables pour ajuster un contre-*ut*, pour contrôler un pianissimo, pour moduler le registre de chant.

Ainsi, Clara subit les conséquences passagères et inconnues d'une injection de toxine botulique. Certes les doses sont très faibles. L'effet n'est que passager, mais quelle situation angoissante pour cette chanteuse lyrique ! Pour accélérer son élimination, je lui demande de faire des massages matin et soir au niveau de la région du cou.

La stimulation de la circulation sanguine et lymphatique de cette région a permis d'accélérer l'élimination des effets néfastes secondaires de l'injection et elle a pu chanter trois semaines plus tard grâce à sa technique parfaitement bien maîtrisée.

La glande thyroïde et la carrière d'une voix

Le goitre thyroïdien

On ne peut quitter la pathologie de la voix du chanteur sans évoquer la glande thyroïde et l'importance qu'un goitre peut avoir sur sa carrière. Le goitre est une grosse glande thyroïde à l'intérieur de laquelle il y a de nombreux kystes et nodules. Cette hypertrophie thyroïdienne peut comprimer la trachée, dévier son trajet, comprimer le bas du larynx. Le goitre va gêner non seulement l'axe respiratoire, mais également l'organe de la voix. Il est donc souvent conseillé de le faire opérer.

Cette intervention n'est pas sans risque. En effet, si l'on touche le nerf récurrent ou le nerf laryngé supérieur, on déclenche des altérations de la voix. Respectivement, le nerf récurrent commande la mécanique laryngée pour ouvrir et fermer les cordes vocales, mais également pour les allonger et les raccourcir, le nerf laryngé supérieur est responsable de la mécanique laryngée pour les sons aigus et la sensibilité du larynx. Dans la majorité des cas, l'intervention chirurgicale sur un goitre se passe bien. On ne peut occulter la possibilité d'une altération définitive vocale. Cette complication chirurgicale est soit secondaire à une blessure des nerfs du larynx, soit, et cela est le plus fréquent, à une dévascularisation des nerfs du larynx qui n'ont pas été coupés (on ligature tous les vaisseaux qui sont près du nerf pour empêcher tout saignement). Cette dévascularisation ne permet plus au nerf d'être oxygéné convenablement. Cette altération est imprévisible. Elle est très souvent réversible. Dans ces incidents chirurgicaux, la voix est voilée, faible, et une ou les deux cordes vocales peuvent se retrouver paralysées.

Un autre accident peut survenir : en opérant la glande thyroïde, on se rapproche de la membrane crico-thyroïdienne dont la cicatrisation peut être rétractile et perturber la voix dans les aigus. C'est la raison pour laquelle l'intervention n'est justifiée que dans deux cas : si l'hypothèse d'un cancer est soulevée mettant en jeu le pronostic vital ou si le goitre est invalidant pour la carrière.

Une diva est opérée et chante avec une nouvelle technique

Brigitte, mezzo-soprano anglaise, quarante ans, ayant été opérée d'un goitre deux ans auparavant, se plaint de quelques raclements. C'était l'objet de sa consultation. En aucun cas elle ne mentionne des problèmes de voix : « Je n'arrête pas de me racler la gorge depuis des mois. » Je lui demande : « Après votre intervention de la thyroïde, vous étiez déjà gênée ? – Pas vraiment, me précise-t-elle, six semaines après mon intervention, j'ai pu chanter correctement et je n'ai donc pas jugé nécessaire de faire examiner mes cordes vocales. Certes, mes aigus étaient difficiles au début, certes, il a fallu que je change ma technique vocale car je ne sentais plus mon “ intérieur ” comme avant. J'ai l'impression que mon instrument a changé. C'est normal, non ? J'ai donc adapté ma technique pour me permettre de retrouver les mêmes harmoniques ou presque. »

Lors de l'examen, la cicatrice au niveau du cou est remarquable, le cartilage du larynx sous la peau est parfaitement mobile et glisse sur le muscle peaucier sans cicatrice rétractile lorsqu'elle avale. L'examen des cordes vocales est beaucoup plus surprenant. La corde vocale gauche est moins mobile. Elle bouge peu. C'est une paralysie partielle de la corde vocale gauche ; seuls quelques rameaux du nerf récurrent ont été altérés pendant l'intervention de la glande thyroïde. La corde vocale droite est parfaitement mobile. Fait étonnant, lors de la phonation elle garde une tonicité, c'est-à-dire qu'elle se contracte partiellement. L'articulation de la corde vocale n'est pas ankylosée. La confirmation d'une lésion partielle du nerf récurrent et de la bonne santé du nerf laryngé supérieur de la corde vocale gauche est apportée quelques jours plus tard par un test : l'électromyogramme. Ainsi, dans les fréquences aiguës, la corde vocale droite s'étire et entraîne partiellement mais suffisamment la gauche avec elle pour permettre une tonalité satisfaisante, ce qui est exceptionnel. Brigitte réussit, par une technique de chant qu'elle a découverte, créée et adaptée pour elle-même, à garder son statut international de diva.

Cependant, à l'écoute de ses enregistrements d'avant et d'après l'intervention, on note un léger voile dans sa voix, qui pour nombre de critiques était une grâce ajoutée à la séduction naturelle qu'on lui connaissait. Mais pour autant la cause des raclements d'apparition récente n'est toujours pas élucidée. Après un examen plus poussé, le diagnostic pour lequel elle était venue me voir n'est donc pas la paralysie partielle de la corde vocale, ce qui d'ailleurs ne l'a pas du tout déstabilisée bien au contraire, mais tout simplement une pharyngite due à un reflux gastrique secondaire à un stress particulièrement important du fait de ses nombreux voyages. Ainsi Brigitte a compensé de façon remarquable son handicap par une technique adaptée. Elle s'est découvert depuis près de deux ans une nouvelle empreinte vocale qui, pour certains, est plus originale. De son handicap, elle a fait un atout de charme.

Histoire d'une voix blessée : Maria Callas

Les grandes voix qui se sont relayées depuis le XVIIe siècle sur les scènes italiennes, anglo-saxonnes, germaniques ou françaises ont toutes laissé leurs traces. Outre la Malibran, la Callas a marqué le XXe siècle. Maria Anna Sophia Kalogeropoulos, dite la Callas, est née le 2 décembre 1923 à New York. Ses parents, grecs, sont arrivés en août la même année aux États-Unis. Son père, pharmacien à Manhattan, change de nom et se fait nommer Georges Callas. Maria Callas prend des cours de piano à l'âge de neuf ans et adore chanter. Elle a été frustrée dès l'enfance par sa sœur qui était la préférée. Elle avait appris le chant et la musique bien avant Maria, ne la laissant pas s'exprimer. En 1937, elle retourne avec sa sœur et sa mère en Grèce. Cette séparation d'avec son père fragilise Maria Callas. Elle entre au conservatoire d'Athènes. Son professeur de chant, Maria Trivella, la conduit à son premier prix de conservatoire. En 1940, elle débute une brillante carrière au théâtre national d'Athènes. Elle est ovationnée à la Scala de Milan le 7 décembre 1951 avec *I vespri siciliani*. Plus tard, Élisabeth Schwarzkopf dira d'elle : « Pourquoi jouerais-je Violetta (dans *La Traviata*), quand une artiste actuelle, la Callas, le fait à la perfection ! » Un tournant dans sa carrière lui fait perdre 30 kg. En effet, son embonpoint la fatigue, elle ne se supporte plus. Elle a du mal à garder une agilité sur scène. Maria Callas se considère comme une athlète. Elles précisera : « Je devais porter 30 kg de plus sur mon dos avant mon régime. Mon jeu était difficile, ma voix lourde et peu agile. » Cette autocritique a toujours existé chez la diva. Dès lors, elle suit un régime draconien. Mais sa voix reste sublime. Le Metropolitan Opera de New York lui ouvre sa scène le 28 octobre 1956 avec *Norma* de Bellini. C'est un triomphe avec seize rappels.

Apparition scénique qui se solde par un drame : le 2 janvier 1958

Elle chante Norma devant le président italien Giovanni Gronchi et sa femme à l'Opéra de Rome. La veille, c'est le réveillon qu'elle a fêté comme il se doit. Elle veille donc tard à une soirée au cercle Degli Sacchi de Rome. Elle n'est pas en forme, ses cordes vocales non plus. Même le chuchotement est difficile. Trente-six heures plus tard, elle est sur scène mais pas la voix. Son médecin et ses amis lui demandent d'annuler, elle ne veut rien entendre. Dès les premières notes la voix est laborieuse. À la fin du premier acte, elle ne peut plus continuer. La presse est impitoyable.

Fatiguée, Maria Callas chante Norma
à l'Opéra Garnier à Paris le 29 mai 1965

Elle se produit avec Fiorenza Cossotto comme Aldalgisa, qui pousse les notes au maximum et impose à la Callas un rythme très soutenu. On assiste à un véritable duel chanté dans le final. Maria Callas s'évanouit sur scène à la fin de la première scène de l'acte II. Elle est dans un état comateux. Sa tension artérielle est faible. Après le spectacle, elle est exténuée. Dès lors, elle décide de mettre fin à sa carrière de diva.

Pourtant, la scène n'arrête pas de l'appeler. À quarante-neuf ans, le 26 octobre 1973, en compagnie du ténor Giuseppe Di Stefano, elle présente un récital à Hambourg. Après avoir fait le tour du monde, elle achève définitivement sa carrière le 19 novembre 1974 et meurt le 16 septembre 1977. Deux ans plus tard, ses cendres seront éparpillées dans la mer Égée.

La virtuosité

La Callas disait souvent que derrière un trille se cache toujours une intention. Elle précise qu'une pause peut être plus significative qu'une note, qu'enfin, le bel canto, ce n'est pas prendre une note par en dessus ou en dessous mais c'est l'attaquer de face. Elle n'oublie pas qu'un quinzième de seconde est nécessaire à l'oreille pour écouter la voix et que, de ce fait, une deuxième note trop rapide par rapport à la première doit être ignorée plutôt que créer une faute de vocalise.

La Callas génère de l'électricité vibratoire autour d'elle. Lorsqu'elle ne chante pas, dans *Norma* entre autres (opéra qu'elle a le plus interprété dans sa carrière, soit quatre-vingt-neuf fois), elle fixe l'autre avec une telle intensité que son regard est une présence. Sa gestuelle sur scène est spontanée mais toujours étudiée. « Ne bouge pas ta main si tu ne la commandes pas avec ton émotion et ton cœur », disait-elle. La sincérité est son maître mot. Toute réplique doit être dite comme si c'était la première fois. Certes, chaque performance a ses règles, mais c'est comme une signature : elle est toujours reconnaissable, toujours écrite par la même main et pourtant elle n'est jamais la même. Le chanteur doit lire entre les notes et pas seulement la musique. L'artiste vocalise, met sa voix au service de la musique. L'amour de son métier, ou plus exactement de son art, est la force de sa créativité.

Mais la Callas va au-delà de ses propres limites, elle aime le challenge. Dans le bel canto, les longues notes l'ennuyant, elle se permet de demander au chef d'orchestre de les raccourcir. Contrairement à beaucoup, elle chauffe sa voix avec des chants d'opéra assez lourds comme par exemple *Il trovatore*. Elle retrouve ainsi ses sensations sur le « souffle », et sa souplesse, sa pureté et sa couleur vocale. Sa voix peut être sombre, mordante mais toujours d'une extrême virtuosité. L'artiste lyrique sert le compositeur et non pas l'inverse. Respecter le créateur de l'œuvre lyrique est essentiel. Le public est captivé par l'artiste sincère qui lui parle un langage parfois difficile à percevoir. L'école de l'opéra impose de sentir chaque note, de différencier un legato d'un portato, de prononcer le mot sans le déformer, et surtout de ne pas trahir le compositeur, ce que savait accomplir la Callas. Cette diva d'exception était entièrement émotion. Sa fragilité était celle des artistes qui se livrent au public sans retenue et qui ne vivent que pour la vibration de l'être.

L'imaginaire et la vibration

Le corps instrument

Le chanteur est un corps-instrument. Il entre dans la magie de la vibration et de l'harmonie, il transcende la matière en son. Il donne liberté aux notes de musique du compositeur. Les nuances de sa voix sont infinies. La perception semble irréelle lorsque l'interprétation est parfaite. Il sait apprivoiser la note pour la faire sienne. L'homme crée sa propre vibration à l'intérieur de lui-même. Il peut devenir esclave de sa voix. L'équilibre sur le fil de la vibration peut être fragile.

Cette même vibration porte la marque du chanteur, de l'acteur, du comédien. Elle berce son auditoire. Elle organise son environnement sonore. Le chanteur lance sa voix mais reste dans une corrélation profonde entre le yin et le yang du souffle de la vie. Il transfère la vibration affective que nous portons en nous. L'enveloppe biologique que nous sommes ne peut échapper au désir de plaire à l'autre par la séduction de sa voix.

Chaque être a sa résonance spécifique ; ici rien n'est linéaire, tout est galbé. Dans ce contexte, deux plus deux ne font pas forcément quatre. La voix, incroyablement fragile, est étonnante de fougue, de puissance et d'énergie. Elle pose l'âme, elle fend l'espace de l'écoute, elle métamorphose la vibration en émotion. Elle éclaire le silence. L'espace qui nous entoure participe à notre silence intérieur. L'authenticité de notre verbe est en harmonie avec la sincérité de notre être.

Pourtant, dans notre activité quotidienne, dans l'espace des villes, des transports, la civilisation nous agresse par ses bruits. Notre écoute n'est plus qu'un filtre dont la difficulté est de reconnaître la voix qui vous parle. Cette pollution sonore dénature souvent, asphyxie parfois la façon de percevoir le monde vibratoire de la musique et des autres. Cette violence acoustique, dans la génération actuelle, est dans l'extrême tant au niveau de la puissance que de l'intensité et du registre. Un seul élément reste incontournable. L'association entre la dissonance et la consonance.

Le pouvoir de cet imaginaire vibratoire se traduit ainsi : une tierce majeure vous remplit de joie, une tierce mineure fait appel à la nostalgie et à la mélancolie. L'une n'existe que par rapport à l'autre. C'est là que la tierce mineure devient dissonante par rapport à la tierce majeure. Cette sensibilité, on la retrouve quand Yehudi Menuhin joue du violon. En effet, les notes ne sont pas imposées comme au piano. Elles ne sont pas préformées. Il peut, à sa guise, désaccorder la corde naturelle du violon. Il devient un magicien du possible.

L'opéra s'est servi de la voix comme écrin pour ses mélodies. Le chanteur évolue avec son propre rythme, le corps est la souplesse qui permet de donner l'impression de légèreté à sa voix. Il ne fait que libérer des fréquences intérieures qui viennent habiter l'espace. Rien n'est plus impressionnant pour ressentir ce sentiment que d'être mêlé aux chants des Tziganes qui vous enveloppent dans leur univers.

La force du chanteur est de créer sa propre puissance vibratoire entre joie et tristesse, entre enthousiasme et accablement. Cet ensemble corps-esprit vibre à l'unisson. La technique est au service de la partition, la voix au service de l'émotion. L'équilibre entre son moi intérieur et son espace prend racine dans les forces de la vibration. Cela s'apprend, se cultive, s'entraîne, mais se doit d'être sincère. Cette métamorphose nous transporte dans la magie de la vibration.

La peinture de la voix est l'émotion

La peinture, la sculpture ont un support qui est l'espace, la toile, le bronze ou le marbre. Le chanteur, lui travaille dans l'espace-temps, dans le clair-obscur de la vibration de l'être. L'atmosphère des costumes, les décors, le jeu des lumières placent le spectateur en condition. Cette synergie, que l'artiste a créée, est son charisme. Son émotion individuelle est amplifiée par le collectif. Elle prend une autre dimension. L'artiste se nourrit de la charge affective du public pour la lui rendre au centuple. Ce n'est plus une voix que l'on écoute, mais une mélodie qui vous charme, qui vous séduit, qui vous transporte. C'est le propre de cet art impalpable et éphémère qui laisse son empreinte dans notre mémoire.

Les castrats

Les castrats ne sont-ils pas des hommes mis au service des muses ?...

Une voix aujourd'hui a disparu : celle des castrats. Ces artistes lyriques que l'on découvre dans l'opéra italien dès le XVIe siècle ont marqué de leur empreinte toute une époque. Adulés un temps des rois, du peuple et de l'Église, leur voix féminine, leur puissance, leur timbre et leurs harmoniques ont suscité l'enthousiasme pendant plus de trois siècles. L'opéra a donné ses lettres de noblesse aux castrats grâce – si on peut dire – à l'Église catholique.

En effet, les femmes étaient interdites de chant dans les églises. Les premiers castrats chanteurs apparaissent ainsi à la chapelle Sixtine en 1562. C'est en 1903 que l'on y écoute les derniers. Le pape Léon XIII interdit ensuite définitivement leur présence. Le dernier castrat connu est Alessandro Moreschi qui nous a laissé un enregistrement de sa voix sur un cylindre de cire.

Comment sont-ils arrivés dans l'Église ?

Au XVe siècle, quelques castrats venus d'Orient se rendent célèbres. Ils pénètrent le monde liturgique. Ils sont associés aux harmoniques aigus du chant sacré. À la fin du XVIe siècle et au début du XVIIe ils étaient devenus pratiquement indispensable à la chapelle Sixtine. Pourquoi ? Le registre du chant grégorien était très élevé et nécessitait une élocution à la limite de la perfection. Ces voix proches du divin, asexuées, ont d'abord été rares. On essaya les voix de fausset, mais les engager coûtait trop cher. Faire venir d'Espagne les castrats était également trop onéreux. Ainsi, entre 1592 et 1605, le pape Clément VIII encouragea la castration. Si, au départ, les castrats sont engagés pour le chant sacré, rapidement, la musique profane s'en empare.

Un incident accéléra la carrière des castrats au sein de l'Église. En 1686, le duc de Mantoue, invité par le pape, assiste à la grand-messe et le soir même à un concert de la cantatrice Georgina. Charmeuse, sa voix superbe est accompagnée par les castrats. Innocent XI demande à son invité, avant son départ, ce qu'il a le plus apprécié lors de son passage à Rome. « La grand-messe » est la réponse qu'il attendait. Mais le duc répondit sans hésiter : « La voix de la cantatrice Georgina. » Scandalisé, le pape décide, sans autre forme de procès, de conduire au couvent toutes les cantatrices qui refusent de quitter Rome, d'interdire le chant et la scène théâtrale aux femmes. Il fait rechercher Georgina qui réussit à s'enfuir par un couloir dérobé. Cette interdiction uniquement appliquée à Rome fut étendue à toute la chrétienté par Clément XI, qui décréta : « Aucune personne de sexe féminin ne doit apprendre la musique dans le dessein d'utiliser ses connaissances comme cantatrice. On sait, en effet, qu'une beauté qui chante sur la scène et entend cependant préserver sa vertu est semblable à celui qui voudrait sauter dans le Tibre sans se mouiller les pieds. » Cet ordre allait encore plus loin que celui de saint Paul dans sa première épître aux Corinthiens (XIV, 33-35) : « *Molieres taceat in ecclesia* », c'est-à-dire « Il est interdit aux femmes de chanter dans les églises. » *Ipso facto*, la porte était grande ouverte pour les castrats, le chant étant un support indispensable du religieux.

Farinelli : comment et pourquoi ?

Farinelli, de son vrai nom Carlo Broschi, a mené une carrière de chanteur pendant dix-sept ans. Né le 24 janvier 1705 à

Andria près de Bari, en Italie, il est sans doute le castrat le plus célèbre du XVIIIe siècle. Chanteur moderne, il surprend son auditoire. Sa voix pure, parfaite, voix d'ange pour certains, à la fois soprano et alto, pénétrante et lumineuse, se joue des registres avec une facilité déconcertante. Son père, Salvatore Broschi, est haut fonctionnaire du roi. Le jeune Carlo chante dès sa plus tendre enfance. Au dire de Ricardo, son frère aîné, qui le suivra pendant toute sa carrière, il a une très belle voix. Un accident de cheval met en danger la vie du futur Farinelli. Pour le sauver, il faut le castrer, c'est sa seule chance de survie. Il est étrange que seule la castration ait pu permettre la survie de cet enfant ! Était-ce un alibi ? Cette intervention chirurgicale est officiellement interdite à l'époque pour un motif autre que médical. Par ailleurs, on imagine mal un noble castrer en secret son fils pour s'assurer un avenir financier, ce qui était la raison la plus fréquente d'une telle pratique.

Comment Carlo Broschi devient Farinelli : la castration

Voix asexuée, mais pas tout à fait

Les castrats ont fasciné dès le XVIe siècle par leur voix dont l'étendue atteignait plus de trois octaves. Ces caractéristiques sont la conséquence de la castration hormonale pure et non pas de l'émasculation. Nous savons aujourd'hui que la voix est soumise à nos hormones sexuelles. La voix est sous l'influence, certes, de notre patrimoine génétique, mais surtout des androgènes pour l'homme, œstrogènes et progestérone pour la femme. Ces éléments hormonaux n'apparaissent qu'après la puberté et, donc, la voix de l'enfant restera « féminine, voix de l'ange, asexuée » si et seulement si la castration chez l'homme est effectuée avant la puberté. En effet, si la castration a lieu après la puberté, elle n'a aucune conséquence sur la voix qui reste inchangée et donc masculine. Car la testostérone met son empreinte définitive sur les muscles et cartilages de l'organisme. À tel point d'ailleurs qu'une femme qui serait amenée à prendre des hormones mâles verrait son timbre vocal se masculiniser définitivement.

La voix du castrat est-elle asexuée ?

Le castrat n'a jamais subi la mue. Il garde sa voix d'enfant avec une structure morphologique d'adulte. Il garde ses harmoniques aigus avec la composante et la chaleur des harmoniques graves de l'adulte.

Comment se fait-il que, n'ayant plus d'hormones mâles, le castrat développe pourtant une puissance vocale masculine, une intensité et un souffle disproportionnés par rapport à l'aigu qu'il peut produire ? En fait, s'il n'existe plus d'impact de la testostérone sur Farinelli, il persiste un environnement hormonal secondaire à son sexe chromosomique XY, environnement constitué de plusieurs hormones non sexuelles. Ce sont les hormones thyroïdiennes, les hormones corticostéroïdes et les hormones de croissance.

La finesse de la musculation des cordes vocales et du pharynx est secondaire à l'absence d'impact de la testostérone. L'hormone de croissance et l'hormone thyroïdienne, dont les sécrétions sont plus importantes chez XY que chez XX et qui ne sont pas liées aux testicules mais à des glandes spécifiques, ont gardé leur rôle dans l'énergie, la puissance et le gabarit morphologique du castrat. Ces différentes caractéristiques donnent un individu hybride. Il a une énergie et une apparence d'homme. Il a les muscles longs et fins de la femme. L'aspect est parfois gynoïde. On saisit mieux l'association du timbre féminin, qui est en fait le timbre de l'enfant par l'absence de testostérone, et de la puissance vocale masculine par la présence élevée des hormones, de croissance entre autres. Farinelli a une voix de fausset ou de haute-contre. La castration conserve sa voix de sopraniste avec un registre vocal étendu de trois à quatre octaves. Il peut enchaîner avec une aisance impressionnante trilles et cascades et passer des graves aux aigus en un quinzième de seconde. Cette souplesse des muscles de la voix est naturelle et facile d'exécution.

Farinelli pouvait tenir une note pendant près de deux minutes sans effort apparent alors qu'un chanteur professionnel présente un temps phonatoire d'une note tenue rarement supérieur à quarante-cinq secondes. Ainsi, on observe une puissance et une réserve de souffle impressionnantes pour faire vibrer les cordes vocales. Les caisses de résonance, elles aussi, subissent l'imprégnation hormonale, ce qui explique le pouvoir envoûtant de ces harmoniques qui séduisent surtout les femmes. Elles s'évanouissent comme les groupies à l'Olympia. La beauté du chant d'une chorale repose, entre autres, sur l'association des harmoniques aigus avec comme support et toile de fond des harmoniques graves.

Castration

La castration n'était pas une castration totale comme pour les eunuques. La technique était bien au point. Il fallait « anéantir » les testicules, empêcher la sécrétion d'hormones mâles. Selon Charles d'Ansillon, qui a publié le traité des eunuques en 1707, l'enfant était drogué, laissé dans un bain chaud pour l'anesthésier partiellement. Une incision juste au-dessus des testicules était pratiquée. On ligaturait les cordons spermatiques, dans lesquels il y avait non seulement le canal spermatique, mais les artères et les veines testiculaires. De ce fait, une nécrose rapide des testicules s'ensuivait en dix à quinze jours. Mais elle pouvait être incomplète, ce qui explique que certains castrats pouvaient avoir une érection et une libido dont d'ailleurs ils se vantaient. Les chirurgiens de l'époque étaient les barbiers. Cette intervention n'avait d'intérêt que si elle était pratiquée avant l'âge de douze ans, avant la mue. La décision de châtrer l'enfant était souvent conséquence du milieu social pauvre dont il était issu. En effet, les castrats pouvaient espérer une carrière et des cachets satisfaisants. Les parents ne décidaient de castrer leur enfant qu'avec l'accord de l'enfant et d'un professeur de chant, disait-on. Selon le pape Clément VIII, ces enfants vouaient leur voix au « règne de Dieu ». Il leur avait interdit le mariage. Carlo Broschi, issu d'une famille noble, est castré à l'âge de neuf ans et devient Farinelli.

Brillantissime, sachant jouer de sa voix et de son charme, il parcourt l'Europe de concert en représentation. Sa gloire se construit en Italie. Son maître, Nicolo Porpora, est né à Naples en 1685. Fils d'un libraire, issu d'une famille nombreuse, il présente son premier opéra, *Agrippina*, en 1708, à l'âge de vingt-deux ans dans sa ville natale. Le succès est éblouissant. Dans ses opéras, la confusion est totale. Les hommes jouent les rôles des femmes, les femmes ceux des hommes. Mais il existe également un troisième « sexe », les castrats, qui eux peuvent tenir tous les rôles. Porpora découvre son élève prodige dès l'âge de huit ans. Cet enfant, Farinelli, génie de l'art lyrique, allait subir son éducation qui, si remarquable qu'elle soit, n'en est pas moins un défi à la nature humaine.

Il emmène son jeune élève à Rome, pour la saison 1721-1722, interpréter ses opéras au théâtre Aliberti. Farinelli fait un triomphe. Dès sa première « représentation », sur la place du marché, il doit chanter avec un virtuose de la trompette. D'évidence, on allait assister à un duel entre l'instrument à vent, le trompettiste, et l'instrument à cordes et à vent, le larynx. Le public est en haleine. Les deux artistes vont se confronter. L'air commence par une note tenue en point d'orgue comme nous le raconte le journaliste Sachi. La trompette prend cette note avec douceur, la maintient de pianissimo à fortissimo si longtemps que l'enthousiasme du public est à son comble. Farinelli ne pourra pas tenir cette note cristalline de façon naturelle pense-t-on ! Mais il la tiendra si longtemps qu'il déclenche une explosion d'applaudissements et de cris d'admiration. Farinelli va plus loin. Il reprend cette phrase musicale et ajoute de brillants trilles que personne n'avait pu exécuter avant lui. Le virtuose vocal était né.

Son agilité surprenante et l'étendue de son registre reposent sur la technique respiratoire que lui apporta Porpora. Elle s'inspire du livre *Historia musica*, publié en 1695, de Giovanni Andrea Bontempi. Il s'agit d'une éducation de Spartiate, une rigueur implacable, faisant appel à la résistance physique, à l'esprit, à la culture et à l'harmonie. Le rythme est impressionnant : plus de six heures d'exercice par jour.

L'élève castrat chante pendant une heure des œuvres difficiles, puis il pratique une heure d'exercice de trilles, une heure de *passagio*, consacre ensuite une heure à l'étude des mots et des phonèmes pour enfin terminer sur une séance de répétition contrôlée par son professeur. Dans l'après-midi, il est temps d'apprendre la musique, la littérature et la technique vocale dans ses moindres détails. La dernière heure de chant de la journée se tient devant un miroir. Le narcissisme est poussé à son comble. On s'écoute, on s'admire, on se regarde. Certes, le miroir est un instrument correctif. L'observation de son reflet permet de contrôler son corps : tout doit être immobile. Pour chanter, les membres inférieurs, l'abdomen, le thorax, le visage, la bouche sont figés. Le chanteur doit prendre racine dans le sol. La technique est à son paroxysme.

Bien sûr, le fait d'être castrat, d'avoir une prédisposition anatomique laryngée, thoracique et auditive permet de posséder une boucle pneumo-phonique (souffle et cordes vocales) et audio-phonatoire (écoute et contrôle de la voix) inhabituelle. Farinelli est une voix. Sa séduction repose sur son chant, car contrairement à Nicolino, castrat de la même époque, il est malhabile sur scène. Il ne sait pas utiliser son corps comme instrument d'acteur. En 1730, à Venise, Farinelli interprète le rôle de Darios dans *Idase*, œuvre composée par son frère. Le public lui fait une ovation exceptionnelle comme en témoignent les articles de l'époque : « La première note, pianissimo... les autres explosaient en une série de passages d'une telle rapidité que les violonistes avaient peine à le suivre. » Il sait charmer les foules et porte l'art lyrique au sommet. Il est un instrument de musique vocal. Engagé en Espagne, il devient le chanteur personnel de Philippe V et également de son successeur, Ferdinand VI, en 1737. La légende veut qu'il ait chanté chaque soir pour le roi. L'influence de Farinelli sur le roi est pratiquement celle d'un Premier ministre. Il quitte l'Espagne sous l'influence de la reine mère, Élisabeth Farnèse, dont le fils, Charles III, devient roi. Rentré en Italie, il va créer sa propre école de chant. Il se retire dans sa villa de Bologne et meurt en 1782.

Aspect physique et libido du castrat

Le larynx est particulier

Le Dr Édouard Fournier, laryngologiste, nous rapporte en 1866 la description des cordes vocales des castrats de façon étonnante, vu les moyens de l'époque. Le laryngoscope vient d'être inventé, mais sa manipulation est difficile. Le larynx du castrat est plus petit que celui de l'homme. Le cartilage thyroïde est plus mou, se laissant facilement déprimer avec les doigts. La pomme d'Adam est à peine visible et non calcifiée. Le cou est long et fin. L'intérieur du larynx est très étroit. Les cordes vocales sont minces. La corde vocale comparée à un ruban est large en arrière et mince en avant, ce qui n'est pas habituel. Cette configuration glottique prédispose d'une façon remarquable à l'art de chanter dans les aigus de façon naturelle. Mais il est nécessaire d'accoler d'une façon très forte les deux cordes vocales pour qu'elles vibrent et pour éviter une fuite d'air entre elles et donc une voix voilée. De nos jours, l'explication de cette anatomie particulière est simple. La calcification du cartilage thyroïde chez l'homme « normal » facilite l'attache musculaire de la corde, donc sa puissance, l'avant est fort et large, son galbe et sa résistance sont plus importants.

Comment se modifie l'aspect physique des castrats avec l'âge ?

Comment leur morphologie s'adapte-t-elle à l'absence d'hormones mâles ? On en trouve la description détaillée dans les travaux de recherche, de 1976, du Dr Pelikan, médecin russe de Saint-Pétersbourg. On distinguait deux types : long et maigre, comme Farinelli, fort et gynoïde comme Nicolino, Senesino ou Bernacchi. Ils étaient imberbes avec une chevelure drue et importante. Leur stature était au-dessus des normes avec des membres supérieurs et inférieurs plus longs. La cage thoracique est imposante. Le maintien reste relâché, mou, peu tonique. Rappelons l'anecdote de Casanova qui, en 1745, en se promenant dans les rues de Milan, s'assoit dans un café avec son ami Gamma. Près de lui, un abbé l'impressionne. Son visage est séduisant. « À l'aspect de ses hanches, je l'ai pris pour une fille déguisée », dit-il. Gamma lui répond : « C'est l'abbé Bepino Della Mama, un castrat célèbre. Il peut te prouver si j'ai raison ou tort. »

Avec l'âge, on observe une descente vers le grave de la voix du castrat et un épaississement de ses traits morphologiques.

Dès la trentaine pour certains, la cinquantaine pour d'autres (Nicolino), ils ne chantent plus mais deviennent comédiens. Leur morphologie handicape leur chant. L'embonpoint les gagne et leur donne un aspect gynoïde. Les muscles striés, n'ayant pas subi l'impact des hormones mâles, s'affaiblissent et perdent rapidement de leur tonicité.

Pourtant, sur le plan sexuel, le castrat reste un homme et est attiré par le sexe opposé bien que sa libido soit nettement diminuée. On a connu des cas de castrats ayant une puissance sexuelle diminuée mais persistante. La castration mécanique a été incomplète et donc la testostérone a gardé une sécrétion faible mais suffisante pour maintenir un seuil minimal de libido, mais insuffisante pour permettre le développement satisfaisant des organes sexuels secondaires et de la musculation masculine.

Depuis quand, comment et pourquoi les castrats sont-ils apparus ?

Bien avant les Égyptiens, on retrouve la pratique de la castration comme sacrifice aux dieux et déesses. Les prêtres s'émasculent afin de se vouer corps et âme à leurs dieux et de leur sacrifier ce qui pour l'homme est le plus important.

Près de deux mille ans av. J.-C., chez les Égyptiens, Nabucco avait émasculé tous ses prisonniers pour n'avoir que des eunuques autour de lui. En Chine, douze siècles av. J.-C., on retrouve l'existence de castrats ainsi que quelque temps plus tard en Inde, puis dans l'ensemble de l'Orient.

Les prêtres de la Grèce antique, et notamment ceux de Diane d'Éphèse, subissaient le même sort. Hippocrate différenciait déjà les eunuques et les castrats : « Les eunuques n'engendrent pas parce que, chez eux, les conduits de la semence s'oblitèrent, car il y a des vaisseaux qui l'apportent aux testicules et d'autres petits, mais en grand nombre, qui vont des testicules au membre, qui servent à l'ériger ou à le laisser flasque. Ils sont tous emportés par la castration ; en sorte qu'on n'est plus apte à engendrer après l'opération. Chez les eunuques, par torsion ou compression, les conduits de la semence sont foulés et obstrués ; les testicules et les vaisseaux restent ; ils se durcissent, deviennent calleux et ne peuvent ni se tendre, ni se lâcher. »

Cette pratique de la castration se retrouve également chez les Romains. C'est en mars qu'ont lieu des cérémonies accompagnées d'autoémasculations. Elles sont souvent associées au sacrifice d'un taureau de six ans, car le culte de Cybèle et Atys, introduit à Rome en 204 av. J.-C., est commémoré en mars. Dans la mythologie la déesse phrygienne Cybèle aime Atys le berger. Il tombe amoureux de la nymphe Sagaritis. Cybèle ne le supporte pas et, pour le punir, plonge Atys dans la folie. Il s'émascule, ce qui entraîne sa mort.

Les eunuques étaient faits pour garder les femmes et les filles et peu importait leur voix. En effet, cette émasculation pouvait être pratiquée à n'importe quel âge, ce qui n'était pas le cas pour les castrats. À l'époque on distinguait trois catégories : les *castrati* qui subissaient une émasculation complète, tous les organes génitaux extérieurs étant enlevés ; les *spadones* qui n'étaient privés que de leurs testicules ; les *thlibioe*, qui n'avaient qu'une compression testiculaire avec altération du canal spermatique.

Les premières castrations du monde chrétien ont lieu à Rome dès le Ier siècle, malgré l'interdiction et les lois décrétées par les empereurs, notamment par l'empereur Néron et Antonin le Pieux pour qui la peine de mort était le châtiment de la castration.

Le chemin des castrats du XVIe siècle au début du XXe siècle

Le castrat est le chanteur de variétés de l'époque

• À l'église

Le 27 septembre 1589, le pape autorise officiellement les castrats à chanter dans ses appartements au palais du Vatican, à la Capella Pontificia qui sera nommée plus tard Capella Sixtina. La chapelle Sixtine pouvait contenir un chœur de vingt-quatre chanteurs. En 1562, sous le pape Pie IV, cet édifice accueille les deux premiers castrats, Francesco Torres et Francis Co Soto Langa, qui sont espagnols. Dès lors, les musiques s'adaptent à ces nouveaux chanteurs. Les castrats chantent comme des sopranos, certains comme des altos, qui vont également prendre place dans cet ensemble vocal de Rome. Loretto Vittori, italien, castré comme il se doit avant la puberté, fut engagé au Vatican à l'âge de vingt-deux ans en 1622. Il assure non seulement les messes de la Sixtine, mais il est également le « chanteur de variétés » dans les petits salons princiers de l'époque. Il se produit avec d'autres castrats comme Marc Antonio Pasqualini.

À la fin du XVIIe siècle puis au XVIIIe siècle, on dénombre près d'une centaine de castrats sopranos et altos à Rome, une trentaine à Venise, à la basilique Saint-Marc, une cinquantaine à Bologne à la basilique San Petronio. Ce fait est propre à l'Église catholique. Dès le XVIIIe siècle les castrats désertent les églises et les basiliques pour les salles de spectacles, les théâtres et les opéras. On construit plus de soixante salles d'opéra en quelques années à Venise.

Le chant sacré fait son apparition pour les castrats avant même la naissance de l'opéra au début du XVIe siècle. Ce chant se fait *a voce piena*, c'est-à-dire à pleine voix. Il joue avec la caisse de résonance qu'est la chapelle et s'harmonise avec l'espace vibratoire des chœurs. Cette alchimie aboutit à une création sonore où le mot est peu articulé, seule la mélodie habillée de voyelles permet la transcendance vocale.

• Au théâtre

La voix des castrats prend son apogée au début du XVIIIe siècle. En effet, petit à petit, cette voix hybride, envoûtante, domine dans les opéras baroques. Farinelli, en 1720, incarne la reine Bérénice, puis, en 1725, la reine Cléopâtre. Pour contrebalancer les rôles de femmes donnés aux hommes, ou plus exactement aux castrats, les rôles d'hommes sont donnés à des cantatrices travesties, ce qui démontre le peu d'importance qu'on accordait à la sexualité vocale. Antoine, dans *Antoine et Cléopâtre* de Hasse, est interprété en 1725 par

Vittoria Tessi, contre-alto, donnant la réplique à Cléopâtre, interprétée par Farinelli.

Le rapport entre la voix et le rôle est impressionnant. Les grands amoureux, les héros de bataille sont dominés comme interprètes par les voix de castrat et non par les hommes. Les voix mâles heurtent l'oreille du public. Elles sont peu appréciées, trop frustes, trop grossières, trop graves, bref trop masculines. Les rôles d'hommes sont pris par des femmes travesties. La musique est écrite pour des voix « précieuses », légères, cristallines. Les registres aigus hypnotisent les foules. La seule voix grave admise et appréciée est celle de la basse et de la basse profonde, qui incarne la sagesse de l'Ancien.

Quelle étrange voix que celle du castrat ! Le diapason de la voix des castrats ne porte pas aussi haut que celui des enfants. Son timbre ne ressemble ni à celui de l'homme, ni à celui de la femme, ni à celui de l'enfant : c'est un hybride vocal. « Quand on l'a entendu, il n'est guère possible de le confondre avec aucun autre », selon les écrits de l'époque. Le castrat devait posséder une technique exceptionnelle.

Cependant, les castrats s'effacent progressivement de la scène et sont détrônés pour la première fois par la cantatrice par excellence : la Malibran. Sa voix chantée dans les registres aigus l'associe au divin. Preuve en est que les grandes sopranos seront désormais appelées *divas*.

Si les castrats sont des artistes lyriques importants en Italie, ce n'est pas le cas en France. Rappelons que le ministère Mazarin accueille les castrats avec beaucoup d'ironie.

Mais les castrats peuvent eux aussi perdre leur voix. Francesco Antonio Pistocchi, né à Parme en 1659, perd sa voix après avoir, semble-t-il, travaillé une technique de chant qui ne lui est pas propice. Il doit s'adapter à une nouvelle façon de chanter, où de soprano il devient contre-alto. Il apporte la notion d'un chant naturel, respectant chaque individu. Il privilégie la mélodie en imposant une prononciation claire. Il inspire les techniques vocales de Farinelli, mais également de Vittoria Tessi, contre-alto, et d'autres castrats. Son mérite est d'avoir fait comprendre que le chant est la source inépuisable de la diversité harmonique, d'avoir enseigné par la même technique vocale des genres différents. Comme un piano qui peut parfaitement permettre de jouer une nocturne de Chopin ou une composition de Gershwin.

Le XVIIIe siècle est une pépinière de professeurs de renom comme par exemple le remarquable castrat Giuseppe Aprile, professeur et interprète, né en 1732 à Martina Franca, près de Tarente. Il fut castré à l'âge de onze ans. Sa première représentation a lieu à Naples en 1753. Il crée son école de chant à Naples.

Le castrat est également un acteur

Cela est particulièrement vrai pour Nicolino, de son vrai nom Nicola Grimaldi. En 1709, il se produit à Londres. On dira de lui qu'il exprime sa voix jusqu'au bout des doigts et qu'un homme sourd réussirait à le suivre, à comprendre son texte, à ressentir sa voix chantée. Tout comme Farinelli, on lui prête un souffle et une tessiture exceptionnels. Mais Nicolino avait un plus. Il était un grand acteur de théâtre. Il savait donner l'illusion qu'il chantait quand il parlait. Il récite en musique. Il enseigne aux castrats la technique du *passagio* et surtout la mise en place de la voix de tête. Il crée des variations rapides entre le pianissimo et le fortissimo, entre les sons aigus et les sons graves, en structurant cette technique sur le souffle. Plus tard, dans les générations à venir, la technique se base plus sur la voix de poitrine, particulièrement employée chez Farinelli. Cette technique permet d'aller chercher la puissance vocale au niveau du buste et de s'appuyer sur les muscles abdominaux et pelviens. Les virtuoses de cette technique ont été, outre Farinelli, Bernacchi et Carestini. Carestini garde une voix de soprano jusqu'à l'âge de vingt-cinq ans, puis, très vite, son registre descend pour arriver à l'alto. De trois octaves, il passe à deux octaves.

Les castrats disparaissent de la scène

Au début du XIXe siècle, Giovanni Battista Velluti était l'un des derniers castrats connus. Le rideau tombe... Moreschi est le seul à avoir été enregistré sur un cylindre de cire en 1904.

L'histoire de cet enregistrement est cocasse. Caruso, le plus grand ténor de son époque, devait être enregistré par la compagnie Gramophone, qui deviendrait plus tard la Voix de son maître. En 1902, les techniciens arrivent à Milan pour immortaliser la voix de ce ténor. Fort de cette expérience concluante, la compagnie décide d'enregistrer Moreschi et le chœur de la chapelle Sixtine à Rome. Quatre enregistrements sont ainsi réalisés le 11 avril 1904 avec aux voix : Moreschi, soprano castrat, Boezi, ténor, Giulio Bianchini, baryton, et Dado, basse. Les choristes sont dirigés par le baron Kanzler. Mais ce cylindre de cire est de qualité médiocre et ne nous permet plus aujourd'hui, malgré la technologie, de reconstituer le son de façon satisfaisante.

Charme et séduction : le vertige de la voix

Le castrat donnait le vertige. Il faisait perdre des repères habituellement admis entre l'homme et la femme. Il savait parfaitement manipuler le legato, cette façon de chanter très liée contrairement à la voix parlée hachée. Il savait également jouer avec la rondeur de sa voix en conservant une puissance hors du commun au service du vibrato pendant plusieurs dizaines de secondes. À noter que toutes ces caractéristiques, nous les retrouvons souvent de nos jours chez les chanteurs, qu'ils soient lyriques ou de variétés. Les voix de contre-ténor nous fascinent, elles se jouent des registres pour notre plus grand plaisir.

Cet engouement pour Farinelli, on le retrouve dans le film de G. Corbiau, en 1994, où la technique fait des prouesses. La voix du castrat est reconstituée par l'association fusionnée de Derek Lee Ragin, alto masculin, et d'Ewa Mallas Godlewska, soprano. Cet apport de la technique donne l'illusion de ce que devait être cette voix disparue. Ce n'est pas un hasard si ce film a eu un tel succès. Le monde actuel a besoin de l'extrême pour vibrer : le défi vocal qui joue avec les limites de notre monde vibratoire hypnotise, fascine et fait rêver.

Imitateurs :
les contorsionnistes du larynx

L'imitateur est le caricaturiste de la voix.

L'imitateur est-il un clone, un jumeau de l'original ?

L'aspect héréditaire de l'homme est inscrit dans ses gènes, près de 30 000. Avoir les yeux marron de sa mère ou les cheveux blonds de son père, c'est héréditaire, c'est notre apparence, appelé aspect phénotypique. Plus précisément, la couleur des yeux dépend de deux chromosomes ayant chacun un gène de la couleur. Les yeux marron sont l'aspect extérieur, mais il peut exister un gène marron dominant sur l'un des chromosomes et un gène vert récessif sur l'autre. Dans la mesure où le gène vert est récessif, seule la couleur marron sera imprimée sur l'iris. Donc le phénotype ne traduit que partiellement notre cartographie génétique.

Les jumeaux monozygotes, ou vrais jumeaux, sont de véritables clones, identiques sur le plan génétique et souvent identiques sur le plan physique extérieur. Les 30 000 unités génétiques qui composent chacun d'eux sont identiques. Ces 30 000 éléments de l'identité de l'être résonnent de la même façon. Électrons, protons, neutrons, quarks sont disposés identiquement. Il n'est alors pas étonnant d'observer tant de similitudes, sur le plan physique et comportemental, dans cette population.

Pourtant, l'anecdote que m'a racontée André Langaney,

professeur au musée de l'Homme, m'a impressionné. Lors d'une émission de télévision le problème de la comparaison entre jumeaux est soulevé. Souvent, ils sont identiques et l'affrontement psychologique est inexistant. Sur le plateau se trouvent des scientifiques, des psychologues, des linguistes et un certain nombre de jumeaux monozygotes d'une trentaine d'années. Tous se ressemblent par paires de façon impressionnante sauf deux sœurs. Ces deux jumelles ont voulu après l'adolescence devenir totalement distinctes l'une de l'autre. Elles sont habillées différemment. L'une est provocante, en jupe courte, chemisier ouvert, cheveux blonds coupés en brosse. L'autre est presque austère, en jupe longue, pull bleu marine ras-du-cou à manches longues, cheveux bruns raides et longs. Pour l'une, le maquillage est ostentatoire, pour l'autre, inexistant. Physiquement, elles ne veulent pas être confondues et elles y sont parvenues. André Langaney me précise qu'il est frappé par une autre partie de leur identité.

Il a l'idée d'interroger les invités de cette émission sur le timbre vocal des différents jumeaux monozygotes présents ce soir-là. Les invités se bandent les yeux. Sur le plateau les différents jumeaux prononcent la même phrase test. La conclusion des témoins scientifiques est implacable. L'empreinte vocale est identique. Personne ne peut distinguer ces jumelles. Si l'aspect physique extérieur est trompeur, la voix n'autorise pas le maquillage ou la supercherie. C'est dire que la voix, de par sa complexité, dépend de l'inné ; de l'ADN qui, une fois de plus, vient nous marquer de son sceau.

La voix humaine est propre à chacun sauf chez les jumeaux monozygotes. Elle ne peut être clonée. Comment procède l'imitateur ?

Imitateur, mais pas tout à fait comme l'oiseau chanteur

L'homme est-il le seul imitateur ? Les animaux ont-ils cette capacité ? On connaît des oiseaux imitateurs. En Amérique du Nord, des oiseaux dits moqueurs chantent les mélodies des carouges. La femelle reconnaît le faussaire en analysant le signal acoustique. La spectographie sonore a permis d'observer que la longueur de la phrase musicale, sa tonalité, sa ponctuation et surtout les silences ne sont pas identiques entre l'imposteur et l'original. Il semble que ce soit à la différence du temps de silence entre deux phrases musicales que le carouge reconnaisse l'imitateur. Le pinson femelle reconnaît également un pinson venant d'une autre région et ne se laisse pas séduire. C'est comme si un Marseillais ne pouvait pas séduire une Lilloise...

L'imitateur tente, et souvent réussit, à nous donner l'illusion que nous écoutons Franck Sinatra, Charles Aznavour ou Louis Jouvet. Il nous entraîne dans un imaginaire des harmoniques pour mieux nous leurrer. C'est un mystificateur de la voix humaine. En effet, pour pouvoir reconnaître une voix, il faut l'avoir préalablement entendue et mémorisée.

L'imitateur met en évidence les signes caricaturaux de la personne qu'il imite. Cette approche est particulièrement impressionnante lorsque vous prenez au hasard une émission radiophonique sans savoir qui parle. Seule l'écoute vous permet de préciser : « C'est Charles Aznavour. » Les paroles ne sont pas celles de ses chansons. Quelques minutes plus tard, vous vous apercevez que c'est un imitateur qui est derrière le micro. Dans ce cas précis, le visuel n'a pas eu d'emprise sur votre cerveau, mais seulement les harmoniques, la musicalité, le rythme, les mots, les silences qui vous ont trompé sur l'identité de l'artiste. C'est à la radio que l'on peut le mieux se rendre compte des prouesses de ces artistes.

Un contorsionniste du conduit vocal

La souplesse vocale

L'imitateur est un artiste à part entière. Contorsionniste du larynx, illusionniste de notre audition, il manipule parfaitement la mécanique de la voix et son intelligibilité. Son instrument de musique, le larynx, est-il différent des autres ? A-t-il, lui aussi, comme le ventriloque, certaines particularités ? Est-ce qu'il présente un don lui permettant une gestuelle particulière de son instrument de musique vocal ? Enfin, comment sait-il créer les mêmes rythmes de phrasé qu'un Jean Gabin ou un Michel Simon ? Il peut réinventer les mimiques et l'attitude de l'original. Caricaturiste d'exception, en deux coups de crayon il a recréé l'environnement vibratoire.

Son larynx, comme tous les larynx, a deux cordes vocales qui vibrent normalement. Ce n'est pas une harpe ! Il présente également le même système articulaire : les aryténoïdes en arrière, qui permettent la mobilité des cordes vocales, l'épiglotte qui surplombe cet espace anatomique vibratoire et les caisses de résonance.

Donc, ici, l'élément créateur de l'imitation est le pharynx, la langue, le voile du palais et les cordes vocales. Imiter Michel Simon nécessite une voix nasillarde, imiter Franck Sinatra ou Ray Charles, une vibration en demi-teinte. Pourtant, la majorité des imitateurs que j'ai pu observer ont une caractéristique spectaculaire.

Le larynx qui « louche »

Leur larynx est souvent asymétrique. Ils ajustent la corde vocale gauche par rapport à la corde vocale droite comme un acrobate. La corde vocale droite peut recouvrir partiellement, au niveau de l'aryténoïde, la gauche, ou inversement. C'est un larynx qui « louche ». Grâce à l'observation par vidéofibroscopie nasale qui n'altère en rien la technique de l'imitateur dans son art, on découvre le secret de son instrument. Les cordes vocales sont puissantes. L'épiglotte modifie le timbre vocal. Les ligaments entre l'épiglotte et l'articulation des cordes vocales construisent une ogive laryngée, une cathédrale vocale particulièrement puissante et adaptée à chaque type d'imitation. Le système articulaire des cordes vocales est le chef d'orchestre anatomique de l'imitateur. Ces muscles permettent de jongler avec la voix en accentuant, si nécessaire, l'asymétrie laryngée lorsqu'elle n'existe pas au départ. Leur rapidité d'exécution, leur mobilité précise sont à la base des plus belles performances vocales.

Original et imitateur

Cette prédisposition congénitale, ce don acoustique, ne signifie rien sans le travail et le talent. La mise en place de l'instrument vocal permet la création, la modification d'une voix aiguë, grave, de façon rapide et efficace. J'ai été surpris lors de l'observation de « l'instrument de musique » de ces artistes, comparé à l'original, que même le larynx tendait à prendre les mimiques de l'imité. En ayant la possibilité d'allonger sa corde vocale droite plus que la gauche par exemple, et donc de créer des harmoniques différents à volonté, il peut mieux se rapprocher de l'artiste qu'il imite.

Les imitateurs contorsionnent leur épiglotte qui vient se rapprocher en arrière du pharynx et des aryténoïdes dans certaines imitations particulières. Ailleurs, gardant cette asymétrie comme un avantage que la nature leur a donné, en quelques dixièmes de seconde ils contractent le voile du palais, recréant la voix nasillarde de Michel Simon. Puis, la séquence suivante, ils deviennent Aznavour, Gainsbourg ou Yves Montand.

L'imitateur développe et assouplit au maximum la musculation pharyngo-laryngée et ses caisses de résonance. Il s'attache également à entraîner ses muscles de la face et du cou pour mieux prendre l'attitude de l'imité. Chaque artiste a des mouvements de lèvres particuliers. Chaque artiste a une mobilité de mâchoire spécifique. L'imitateur accapare les mimiques de l'imité, accentue l'identification vocale dans le phrasé, l'accent ou le rythme. Certains vont, pour s'immiscer dans le personnage, mettre une perruque, un chapeau, une écharpe, une veste, adopter leur démarche sur scène. Cet ensemble nous permet de croire qu'ils sont l'autre ; comme un enfant, nous nous laissons guider dans ce monde de l'illusion.

C'est l'illusionniste de la commedia dell'arte, l'artiste des artistes

Alors qu'un comédien apprend un texte écrit par un auteur, entre dans la peau d'un personnage et l'interprète à sa façon, avec son approche, avec sa personnalité, l'imitateur, lui, se doit de respecter l'original, mais également de nous donner l'illusion caricaturale de cet original. Il est le comédien. Il écrit ses propres textes. Il imite l'artiste en soulignant des traits de sa personnalité publique sans pourtant pouvoir approcher sa personnalité profonde.

Il ne devient pas l'autre, il l'interprète. En aucun cas il ne se prend pour l'autre. C'est l'illusionniste de la Commedia dell'arte. Lorsqu'un imitateur nous interprète un artiste connu, il garde sa propre empreinte. Une oreille avertie reconnaît l'artiste mais elle reconnaît également l'imitateur caché derrière l'artiste ou le politique imité.

L'imitateur est un interprète hors du commun. C'est l'artiste des artistes ! Il va emprunter les mimiques de l'imité. Il recrée l'expression, la gestuelle, la position du corps de l'original. Il modèle ses résonateurs, son pharynx, sa cavité buccale ses lèvres. Pour nous en convaincre, observons Michel Leeb, Patrick Sébastien, Yves Lecoq, Laurent Gerra ou Didier Gustin imiter Michel Simon.

L'écoute : cerveau de l'imitation

Ces artistes aux cent voix ont un don d'imitation indissociable du don d'écoute, de leur propre écoute. Il semble que le retour du son bouche-oreille, ou boucle audio-phonatoire, soit perçu par l'imitateur sans déformation de sa propre voix. Ce qui n'est pas votre cas. En effet, lorsque vous enregistrez votre voix sur un répondeur téléphonique par exemple, puis que vous vous écoutez : « Mais, je ne me reconnais pas, ce n'est pas ma voix ! » Et pourtant, c'est ainsi que les autres vous entendent. Cette observation est capitale. L'imitateur, lui, s'entend comme il parle. De ce fait, il module sa voix à volonté et recrée le timbre qu'il veut reproduire. Il entend la voix de l'autre également comme si c'était lui qui parlait.

L'imitateur, s'il a sa propre empreinte vocale avec ses propres harmoniques, va-t-il créer une autre empreinte vocale, un jumeau vocal de l'artiste qu'il imite ? Certainement pas. Si l'empreinte vocale peut être comparée à l'empreinte digitale, elle est, comme elle, propre à chaque imitateur. Tout simplement parce qu'une voix dépend de paramètres complexes : la soufflerie, la vibration des cordes vocales, les résonateurs, l'héritage émotionnel de notre voix, notre culture lui donnent sa personnalité.

Ce fin limier de l'acoustique garde sa personnalité, sa propre empreinte vocale. Michel Leeb qui imite Michel Simon, vous savez que c'est Michel Leeb tout comme vous saurez que c'est Yves Lecoq qui imite Michel Simon. Dans ces deux cas de figure, Michel Simon existe, mais son interprète garde son harmonique vocal spécifique.

L'imitateur s'applique à bien regarder l'artiste qu'il imite. Il observe la manière dont il plisse les yeux, dont il bouge les lèvres. Enfin, il essaie au mieux de comprendre le comportement et le rythme émotionnel de celui qu'il va incarner. Il joue sur les silences de l'imité. Le magnétophone, la vidéo, l'observation maintes et maintes fois renouvelée des artistes aiguisent l'approche artistique de l'imitateur. Par exemple, Jacques Brel a souvent les bras tendus en avant qui se balancent, Aznavour la tête légèrement penchée et tournée vers la droite, Michel Simon la tête dans les épaules. Certains sujets sont difficiles à imiter.

L'imitateur, par sa technique, par l'échauffement vocal, par la gymnique de son corps tout entier, n'a qu'exceptionnellement des accidents de la voix. Il connaît son instrument laryngé à la perfection ; il sait préserver son audition aussi bien que son organe émetteur.

Artiste des artistes

L'exploration du larynx, si elle a permis de lever l'énigme de la mécanique de l'imitateur, n'a pourtant pas levé les secrets de cette prouesse vocale qui associe l'affectif et l'art vocal. L'imitateur n'est pas Faust. Il ne vient pas s'emparer de l'original. Il vient l'imiter. Il le respecte. Il le caricature tout simplement. Contorsionniste du larynx, caricaturiste de la voix de l'autre, l'imitateur est l'artiste des artistes. La voix des autres est son paysage, sa palette est son instrument vocal.

Le ventriloque : magicien de la voix

Le magicien, homme aux mille mains,
Ce que vous nous faites croire
Est plus réel que le réel qui est un rêve,
Car dans cette partie, vous tenez le rôle du sort
[et du mystère,
Vos mensonges, vous aimerez davantage que
[notre pauvre vérité.

Jean Cocteau

De la Bible à Christian et Freddy

Ventriloque : quel mot étrange ! En grec, il est nommé *egastrimitos* : de *gaster*, ventre et *mythos*, parole – la voix parlée du ventre. On n'a pourtant jamais vu un ventre articuler des paroles. L'immobilité des lèvres nous donne l'illusion d'une voix venue d'ailleurs.

Ce qu'écrit Jean Cocteau à propos du magicien pourrait décrire le ventriloque : l'homme aux mille mains serait devenu l'homme aux mille voix.

Sa propre voix modifiée semble parvenir d'un autre endroit, d'une marionnette, d'un plafond, d'un sous-sol, d'un téléphone, ou tout simplement de sa poche. La ventriloquie est une technique et un art. Elle n'est pas rattachée au chant lyrique, à la comédie, au théâtre mais à la magie. Le ventriloque est un illusionniste de la voix.

La gestuelle est tout aussi indispensable que le texte ou

l'improvisation face aux spectateurs devant qui le ventriloque va se produire. Il peut imiter des animaux, des bruits de machine, la voix d'un enfant, d'un adulte ou d'un vieillard. Il peut nous donner l'illusion qu'un personnage est enfermé dans une malle et qu'un autre va venir le délivrer, que dehors une tempête se prépare, que la porte se ferme avec un grincement inquiétant.

Mais ce qui reste le plus impressionnant ce sont ces voix qui se mélangent, se questionnent, s'argumentent, qu'elles soient proches ou distantes. Mêlées l'une à l'autre, elles nous transportent dans un monde mystérieux. Le ventriloque est pourtant seul sur scène.

Aujourd'hui ce magicien de la voix nous divertit, hier il était le représentant des forces cachées, il communiquait avec les morts, les faisait parler et prédisait l'avenir. Son corps possédé par les esprits dialoguait avec l'au-delà. Cette science occulte était appelée nécromancie.

Dialoguer avec les dieux

Dans le premier livre de Samuel, on découvre l'histoire au roi Saül et de la sorcière Endor. Saül, effrayé par l'armée des Philistins, prie Dieu sans réponse. Un vent de panique s'empare de lui. Auprès de son armée, avec ses milliers de soldats, il se voit déjà vaincu. Dans son désespoir, bien que la religion le lui interdise, il se tourne vers la plus fameuse nécromancienne de l'époque, Endor. Elle est nommée Celle qui possédait le *obh* ou « le don de lire dans l'esprit des morts ». Ce n'est pas sans mal que ses serviteurs finissent par la trouver. Le roi Saül et sa garde rapprochée se dirigent au sud du mont Thabor pendant la nuit pour ne pas éveiller les soupçons. La sorcière loge dans un petit hameau, au sommet de la montagne où elle exerce ses pratiques. Saül s'achemine vers sa maison délabrée. Il entre. Il aperçoit la sorcière. Il lui demande d'interroger le prophète Samuel. Le visage de la femme change à la vue du monarque caché sous sa cape. En effet, elle a peur pour sa vie lorsqu'elle le reconnaît. Il peut la tuer à tout moment et elle le sait. Il lui promet de lui laisser la vie sauve si elle répond à sa demande. Elle se lève, le regarde sans le voir. Ses yeux se figent puis elle se met en transe. Saül lui demande : « Que voyez-vous ? » Elle répond : « Un vieillard avec un manteau. » Saül cherche dans cette description sommaire celui qui l'avait sacré roi à l'âge de quarante ans, le prophète Samuel. Il insiste. Il veut connaître le message du prophète. Une voix venue d'ailleurs répond : « Ton armée va être battue par les Philistins. Ton sceptre te sera enlevé. » Le visage d'Endor est de cire, ses lèvre ne bougent pas. D'où venait cette voix ? Saül boit les paroles qu'il vient d'entendre. Désespérément, il écoute, à tel point qu'il a l'impression de voir le fantôme du prophète. Dans la pénombre, la sorcière répond aux questions du roi. De peur d'être tuée, elle explique qu'elle est le relais, par sa voix, entre Samuel et lui. Elle insiste. « Mon roi, je parle par mon ventre qui transmet les mots à ma gorge, mes lèvres restent immobiles. » Endor, ventriloque et nécromancienne, avait fait la première description de la ventriloquie au roi Saül.

Hippocrate esquisse l'explication d'*egastrimitos*. La ventriloquie, c'est la voix de l'âme émise par la force intérieure. Les individus se livrant à la pratique de cette magie de la voix le font par l'intermédiaire de leur thorax plus que de leur ventre. Il reprend ainsi tout simplement la description faite dans la Bible par Isaïe, 29-4. Mais c'est chez les oracles que l'on retrouve le summum de la puissance de ces magiciens de la voix : la pythie de Delphes, qui rend les oracles d'Apollon, était le pouvoir de l'ombre.

Nous sommes cinq siècles av. J.-C., à Delphes sur le mont Parnasse, à quelques centaines de kilomètres d'Athènes. Diodore de Sicile nous raconte qu'à certains endroits de Delphes la terre faisait jaillir de la vapeur. Cette vapeur trouble les esprits, perturbe les sens. Un berger se promenant avec son troupeau de chèvres a remarqué que lorsque ses animaux s'approchent de ces vapeurs, ils commencent à sauter, à s'exciter, à s'exprimer avec des sons différents, des cris peu ordinaires. Les gaz émis par ces puits ont une composition particulière. La curiosité de notre berger ne s'arrête pas là. Il penche la tête, respire cette fumée euphorisante. À son tour, il trépigne et semble pris d'un enthousiasme peu habituel. Il a des visions et s'exprime par des mots bizarres. « Quelque chose de divin doit exister autour de ces puits ! » En fait, la vapeur est euphorisante et change la densité de l'air. La voix est bizarre, plus aiguë.

Rapidement, cette nouvelle fait le tour de la Grèce. On veut y voir la magie des dieux. Quelques maladroits se précipitent et respirent ces vapeurs étranges. Ils tombent dans ces puits et en meurent. Il est décidé qu'une femme en deviendra la prêtresse, la pythie. Elle exerce seule la fonction de rendre les oracles : par son intermédiaire, on pose des questions à Apollon qui y répond.

Mais comment faire pour qu'elle respire ces éthers magiques sans tomber, elle aussi, au fond du puits. On réalise à son intention un siège à trois pieds, qui sera plus tard considéré comme celui des prêtresses et des prophètes. Ce trépied est placé au-dessus du puits afin de mieux capter les éthers magiques. La pythie est assise sur ce siège suprême, dont le centre est troué. Elle est baignée dans ces vapeurs dont les effets sont surprenants. Certains, pour expliquer les effets de ces essences, considèrent qu'elles doivent passer par son « fondement » intime, par ses « organes sexuels ». Dès lors, la femme se transforme en prophétesse. Sa voix change. Elle n'a plus le même timbre. Elle est en transe. Mais le plus impressionnant reste à venir. Sa voix vient d'ailleurs, ses lèvres ne bougent pas. Elle est ventriloque. Les dieux parlent à travers elle ! Ainsi naît l'oracle de Delphes.

Les temples se multiplient. Ils sont bâtis avec des branches de laurier, avec de la cire d'abeille. Une statue de bronze, un dragon nommé Python, garde l'entrée du temple où sévit Thémis, déesse de la Justice. *Egastrimitos*, le ventriloque, est pratiquement un dieu. Mais il peut sans crainte, par les voix, énoncer les revendications du peuple et parfois même s'opposer au pouvoir politique, puisque ce n'est pas vraiment lui qui parle. Le pouvoir des oracles reste cependant spirituel. La pythie de Delphes est la ventriloque qui a su le mieux garder son secret.

Son impact n'en est que plus impressionnant, plus puissant. Son mystère reste entier.

Rien de nouveau en deux mille ans d'histoire

Deux millénaires plus tard, à la fin du XVIIIe siècle, M. de La Chapelle, censeur royal à Paris, des académies de Lyon et de Rouen, membre de la société de Londres, va faire de la ventriloquie un art et une technique et non plus une mystérieuse sorcellerie. Ce citoyen de Saint-Germain-en-Laye n'a de cesse de comprendre comment se forment les voyelles sans que bougent les lèvres, comment se projettent les sons sans que s'ouvre la bouche. Il veut désespérément donner une explication scientifique à la ventriloquie.

Le 17 février 1770, M. de Saint-Gilles, connaissant l'intérêt de La Chapelle pour la ventriloquie, le fait entrer dans l'arrière-boutique d'un marchand qui se situe non loin du château de Saint-Germain. Il est près de la cheminée et ne quitte pas des yeux le ventriloque qui raconte des histoires comiques. Le ventriloque se tait, il regarde le plafond et l'on entend soudain : « Monsieur l'abbé de La Chapelle ! » Cette voix vient de loin, de très loin. L'abbé est figé, il regarde vers le plafond. Stupéfait il demande : « Est-ce vous ? » Bien que la réponse soit évidente, le doute persiste. Quelques secondes se passent, puis de nouveau l'on entend : « Non, ne regardez pas de ce côté mais de l'autre. » Il regarde le parquet. La stupéfaction est à son comble. Cette nouvelle voix vient du plancher. Pourtant, les lèvres de M. de Saint-Gilles n'avaient pas bougé. Son visage également était resté impénétrable. Cette rencontre entre ces deux personnages marque à jamais M. de La Chapelle. On comprend parfaitement que, quelques millénaires plus tôt, les oracles de Delphes aient eu un tel impact sur la population de l'époque. Il n'y a pas de magie réelle ; on n'a pas besoin d'évoquer les dieux ni les Saintes Écritures, mais cette illusion auditive est étonnante. Cependant, comment l'artiste fait-il ?

Des écrits du XVIIe siècle du médecin Fabrizio Aquapendene proposent une explication curieuse : « Les ventriloques sont des personnages qui ont une voix bien articulée dans le ventre et la poitrine, la bouche et les lèvres sont closes. Ceci n'est pas naturel, mais magique et diabolique. » L'inconnu fait peur. L'Église reste farouchement opposée à toute étude sur cette magie étrange. On semble toucher ici à la voix de l'âme.

En cette fin du XVIIIe, le 20 mars 1770, un autre ventriloque, le baron de Mengen, venant d'Autriche, rencontre M. de La Chapelle. Le baron a une petite figurine en chiffon dans sa poche. Il déclare : « Vous me dites des nouvelles peu satisfaisantes. » Et la poupée de lui répondre : « Monsieur, la calomnie est aisée. » « Mademoiselle, vous faites la raisonneuse. » « Monsieur, s'il n'est pas toujours permis d'attaquer, il est toujours permis de se défendre. » « Taisez-vous », et le baron remet la poupée dans sa poche. Elle s'agite et murmure d'une voix étouffée et grognarde : « Voilà comment les hommes sont faits, parce qu'ils sont les plus forts, ils s'imaginent qu'autorité signifie justice. »

La poupée de chiffon venait de prendre vie. Un officier irlandais qui passe par là saisit violemment la main du baron et se précipite sur la poche où elle est enfermée. De nouveaux gémissements donnent l'impression qu'elle est étouffée et compressée. L'officier lâche prise. Il s'imagine qu'il s'agit d'un animal blessé. Le baron montre à ce jeune homme qu'il s'agit d'une poupée en chiffon inerte en forme de manteau. L'illusion avait été parfaite. Les lèvres du baron n'avaient pas bougé, son visage exprimait la compassion pour cette poupée. La rapidité du langage qui s'était installée entre la poupée de chiffon et le baron renforçait la magie.

Le baron avait utilisé deux types de voix magiques : l'une proche de nous quand la poupée est dans la poche ouverte ou voix proche (*near voice*) et l'autre qui paraît loin quand la voix est étouffée et la figurine « enfermée » ou voix distante (*distant voice*). Ces deux aspects de la ventriloquie connus depuis des millénaires n'ont trouvé leur explication qu'avec la complicité de Christian et Freddy.

Un secret bien gardé

À l'époque, les hypothèses vont bon train ! On évoque le don, les lèvres, les dents, l'œsophage. Lorsque l'on demande au baron sa propre explication, il semble trouver ça naturel. Pour lui, c'est un art vocal qui trompe. Sa figurine lui permet de dire ce qu'il ne peut pas dire à titre personnel et l'autorise à être impertinent. La gestuelle de sa main doit être extrêmement rapide et évocatrice de sentiments. Sa main gauche tient la poupée et il forme sa voix entre ses joues, sa langue, ses dents sans avoir l'impression que son ventre et son estomac ont à produire un effort particulier et n'articulent aucun son. Il insiste sur la mobilité linguale et la respiration ainsi que sur le rythme qu'il s'impose pour enclencher le dialogue entre la poupée et « lui ».

Comment analyser cette mécanique vocale dans ce jeu de questions-réponses ? La magie est indissociable de la prouesse technique. Les recherches de l'époque restent difficiles puisqu'aucune instrumentation ne peut observer la voix pendant l'émission vocale du ventriloque.

La fascination est à son comble en 1876 lorsque Fred Nieman se produit avec sept marionnettes. Il a donc huit voix différentes. Le jeu de scène est époustouflant. Sa propre voix donne la réplique à sept personnages qu'il a créés.

Tout l'art de la ventriloquie va consister à créer à partir de sa propre voix une autre voix. Le ventriloque mystifie, amuse, distrait, il intrigue. Il nous fait entrer dans un autre univers.

Le petit Freddy arrive avec son maître Christian : mais qui fait quoi ?

Christian entre dans mon cabinet, s'assoit. Intrigué, je lui demande comment est née sa marionnette Freddy, ce petit singe espiègle. Christian, dès l'âge de onze ans, est passionné par la ventriloquie. Un cirque passe dans sa ville. Il assiste à toutes les représentations pendant une semaine. Un petit chimpanzé, un vrai, le fascine. Il n'était pas facile de s'en procurer un. Il décide alors « d'adopter » Freddy. Ses dons de ventriloquie sont déjà connus à l'école. Mais pendant ce récit, Freddy s'impatiente. Il a déjà pris place dans sa main droite. Tout aussi intimidé que moi de découvrir « la double voix », Christian montre quelques mimiques d'appréhension. « Tu vas lui faire mal ? » me demande Freddy. Je suis surpris, car je ne m'attendais pas du tout à cette voix. Les lèvres de Christian n'ont pas bougé. « Non, je ne lui ferai pas mal. Mais vous ne vous chauffez pas la voix, Christian ? » « Il n'en a pas besoin, me répond Freddy en hochant la tête, il est trop pressé d'entendre ma voix. » La complicité entre Freddy et Christian est déroutante. On est plongé dans le vif du sujet.

L'exploration dynamique vocale se prépare. Je passe l'endo-vidéoscope dans la fosse nasale puis il suit le trajet de l'arrière-gorge, de la luette au toit du larynx. Cet examen exceptionnel permet de découvrir le mécanisme phonatoire du ventriloque. On passe au-dessus de sa bouche, par le nez. On ne perturbe donc pas le mouvement des lèvres, de la langue, de la mâchoire ou des muscles pharyngés. Christian peut parler ou chanter bouche fermée, il peut rire ou tousser. L'imagerie intérieure de l'instrument vocal est piégée par la technique numérique. Les secrets de cette voix multiple sont à notre portée. Du moins je l'espère.

Nous sommes en place. L'enregistrement peut avoir lieu. Notre démarche est celle du détective à la recherche du moindre indice, de la moindre empreinte vibratoire laissés par Freddy ou Christian. Freddy parle, il crée sa propre voix. Christian est le maître de cérémonie. Que ce soit Christian ou Freddy, le ventriloque ou sa poupée, on est frappé par la contraction des muscles abdominaux. Si chez les vrais professionnels de la ventriloquie, elle est à peine visible, chez les débutants, le contrôle respiratoire oblige à des pauses entre la mise en place de la voix du ventriloque et celle de l'artiste.

Les cinq indices de l'artiste

Premier indice : le même souffle expiratoire pour Freddy ou Christian

Je suis frappé par la rapidité des échanges entre Freddy et Christian. On a presque l'impression qu'ils parlent en même temps. En effet, ils se servent de la même expiration, Christian devient Freddy et réciproquement. Il n'y a pas de temps d'arrêt. Plus encore, il se sert de l'inspiration pour émettre certains phonèmes, assourdis certes, mais parfaitement compréhensibles. L'illusion est impressionnante. On pourrait presque dire qu'il n'y a plus de silence entre chaque voix. L'avalanche de mots, la gestuelle, l'immobilité des lèvres, puis leur mobilité ensuite sont les premiers talents de l'artiste qui doit fournir un souffle et un effort pharyngo-laryngé hors du commun. Parfois, Freddy nous donne l'impression d'être en apnée et de bloquer sa pomme d'Adam. L'os hyoïde est pratiquement collé sous la mandibule. Le petit muscle entre les cartilages thyroïde et cricoïde se contracte violemment, ce qui accentue la montée du larynx. Tous les muscles du cou sont sous tension. Christian parle, tout est relâché, naturel. Mais la différence entre les deux est à peine perceptible si l'on n'est pas averti.

Second indice : l'instrument vocal, armature de l'acrobate laryngé

Freddy parle. Le paysage intérieur est surprenant. Tous les muscles de l'intérieur de la gorge fonctionnent à pleine puissance. Les muscles pharyngés, les muscles latéraux du voile du palais et la luette ont un rôle prépondérant. Ils se resserrent et donnent une forme de tuyau à cette fraction du pharynx. Le maître en ce domaine est la langue. Le dôme de la langue vient effleurer le voile du palais, sans jamais le toucher. La pointe de la langue ne touche pas non plus les dents supérieures. Elle reste 1 à 2 mm en arrière. Ainsi, la sortie du son se fait par voie nasale ou par voie buccale, créant une direction trompeuse de l'écoute qui potentialise les capacités d'illusion du ventriloque.

La mise en œuvre de tous ces éléments se fait en synchronisation parfaite dans le temps record de un dixième à un quinzième de seconde.

Christian parle. La musculation change. Le larynx devient normal, si l'on peut dire. Il reprend sa forme de cornet inversé. La langue reprend sa place bien centrée, sans « tracter » le larynx vers le haut. Les lèvres bougent normalement. Puis, dans le jeu questions-réponses avec Freddy, tout recommence.

Les techniques d'observation par vidéo-fibroscopie du larynx sont complétées par l'imagerie radiologique en trois dimensions. Ainsi, les études que nous avons faites à Paris avec les Drs Albert Castro et Rodolphe Gombergh nous ont permis de mieux comprendre chez Christian et d'autres ventriloques le fonctionnement musculaire, articulaire et osseux de l'ensemble de l'appareil vocal. L'observation scanner permet de rendre les tissus transparents à volonté. On piège les contractions musculaires de la langue et du pharynx, du voile du palais et des lèvres. On dévoile, en modifiant l'indice de transparence, l'agilité articulaire de la membrane entre cartilage thyroïde et cartilage cricoïde, entre le cricoïde et les aryténoïdes, entre cet étonnant tremplin osseux, l'os hyoïde d'où se cabrent les chefs de la musculation linguale. Je commence à comprendre l'armature de la ventriloquie. Elle prend forme.

Troisième indice : voix de tête pour Freddy et voix de poitrine pour Christian

Les cordes vocales vibrent de la même façon pour Freddy ou son maître. La seule différence est qu'elles sont plus courtes quand Freddy prend la parole. Ce qui est normal car la poupée parle d'une voix plus aiguë que le ventriloque. Fréquemment, Christian va passer de la voix de poitrine, ou voix dite normale pour l'homme, à la voix de tête lorsqu'il fera parler Freddy avec la bascule du larynx et cette voix « dans la gorge » À ce changement de registre vocal s'associe un changement complet de l'attitude de l'artiste. La silhouette corporelle vocale se modifie lorsque l'on passe de l'un à l'autre. La spectrographie permet d'analyser les différentes empreintes acoustiques et la rapidité de passage de la voix de tête pour Freddy à la voix de poitrine pour Christian. Deux identités spectrales s'individualisent en quelques quinzièmes de seconde et pourtant elles ne forment qu'un.

Sa capacité pulmonaire est celle des grands chanteurs ou des grands tragédiens. La paradoxe veut que Freddy et Christian aient deux voix différentes créées par le même instrument avec deux techniques différentes et deux langages différents. C'est la vibration des cordes vocales qui donne vie à la voix de Freddy tout comme à celle de Christian. (En aucun cas le ventriloque ne se sert de sa voix œsophagienne, bien connue chez les patients ayant été opérés d'un cancer du larynx et qui ne possèdent plus cet organe pour parler. Ces patients se font parfaitement comprendre. Ils avalent de l'air dans l'estomac et en quelque sorte l'expirent pour faire vibrer la bouche œsophagienne. La caisse de résonance fait le reste.)

Freddy parle : la phase expiratoire est lente, elle dure plus de 15 secondes. Le diaphragme est parfaitement contrôlé avec une impressionnante expiration au ralenti. Ceci lui permet de moduler la voix mais, surtout, lui donne le temps de mettre en place la musculation des caisses de résonance qui va former la seconde voix.

Christian parle : son expiration phonatoire dure entre 7 et 10 secondes. Sa résistance musculaire est celle d'un sportif.

Nous touchons mieux le mystère de cette mécanique ventriloque : cette énorme « compression » des muscles pharyngo-laryngés. Elle est à son paroxysme dans la voix distante ou *distant voice* qui impose une puissance sous-glottique puis sus-glottique très importante. La respiration est toujours abdominale, mais avec une part importante costo-diaphragmatique. Cette mécanique musculaire impose une commande neuronale bien entraînée. Le jeu permanent entre la voix du ventriloque et la voix de la marionnette démontre l'agilité extrême de ce contorsionniste.

Quatrième indice : pour manipuler voyelles et consonnes, il faut souvent tricher

La formation des voyelles et des consonnes est sous l'emprise de la forme de l'espace bucco-pharyngé et de la respiration. Ce contorsionniste du larynx doit son talent à la rapidité de contrôle neurologique de cette région et à sa capacité respiratoire. (Pour rappel : la commande mécanique de l'espace pharyngo-laryngé est régie par les nerfs crâniens n°s XII, V, IX, X et VII, et celle de la respiration par les nerfs de la moelle épinière qui commandent le buste, l'abdomen et le bassin.)

Toutes les voyelles et consonnes ne peuvent pas être formulées de la même façon par le ventriloque, mais alors comment tricher ?

Lorsque Christian ferme ses lèvres brutalement pour émettre des consonnes, Freddy n'a pas le droit d'avoir la même gestuelle. Les consonnes redoutables sont le *p*, le *b*, le *f*, et le *m*. Il est relativement simple pour ces professionnels de dire les *c*, *d*, *g*, *j*, *k*, *l*, *n*, *q*, *s*, *x*, plus délicat d'articuler les *r*, *t*, *v* et *z*.

Un véritable langage s'installe pour la poupée : *b*arrière devient *v*arrière. *F*ormidable devient *h*ormidable. Votre cerveau corrigera immédiatement la supercherie. Lorsque Freddy chante *Le chanteur de Mexico*, il prononce *-exico*, mais l'illusion auditive est parfaite, vous entendez *Mexico*.

L'entraînement, s'il vient à manquer pendant près d'un mois, va handicaper le ventriloque. La voix ventriloque est basée sur l'émission des voyelles. Elles doivent être entendues de façon intelligible, sur un visage non figé, mais avec des lèvres immobiles et une mâchoire qui ne bouge pas. Cela semble simple, cependant la réelle difficulté commence lorsque l'on va mettre en place la prononciation des consonnes, des phonèmes et, surtout, le véritable jeu de ping-pong entre les deux voix.

« Le Corbeau et le Renard » : un second langage

Un exercice de la ventriloquie connu depuis 1944 nous est rapporté par le Pr Rex : il consiste à réciter « Le Corbeau et le Renard » en ventriloquie.

Le titre devient « Le Cor*h*eau et le Renard ».
« aître Cor*h*eau sur un ar*h*re *h*erché,
Tenait en son *h*ec un *h*ro-age.
aître Renard, *h*ar l'odeur alléché,
Lui tint à *h*eu *h*rès ce langage :
Hé ! *h*onjour, *h*onsieur du Cor*h*eau ! »

Le ventriloque apprend un véritable second langage. Le réflexe, lorsque la poupée parle, est de remplacer certaines consonnes par d'autres, si proches des originales que vous ne vous en apercevez pas. En effet, nous comprenons parfaitement cette fable du corbeau et du renard lorsque Freddy nous la récite. Nous corrigeons de façon réflexe, subconsciente, les consonnes qui nous manquent. Notre cerveau gauche va comprendre et décrypter les mots qui ne sont pas nécessairement ce que dit le ventriloque. Ce décryptage des mots par notre hémisphère gauche est possible parce que nous les connaissons déjà. Nous anticipons la phrase de Freddy. Ainsi, pour permettre l'illusion, le ventriloque utilise des chansons ou des poèmes populaires bien connus.

Ce qui est important c'est ce que nous comprenons, pas nécessairement ce que nous entendons : l'illusion auditive s'associe à un réajustement qui va jusqu'à l'anticipation verbale. Mais cela n'est possible que parce que le phonème truqué est dans un contexte compréhensible. Il n'est qu'un des éléments de la chaîne, de la phrase que nous percevons, du sens que nous allons lui donner, il fait partie de nos phonèmes fantômes. (Se souvenir du test glaïeul et *d*laïeul...)

Ainsi, il existe vraiment deux personnages chez l'artiste avec sa mécanique pharyngo-laryngée particulière, ses phonèmes propres, sa musicalité de la voix parlée et chantée spécifique. La voix chantée reste une prouesse technique car elle impose la mobilité laryngée que nous avons vue chez le chanteur, une grande souplesse et une adaptabilité au registre dans lequel le ventriloque voudra se produire.

Je précisais à notre ventriloque, pendant cet exercice, l'importance de l'hydratation et de la lubrification de son instrument vocal qui est capital pour lui étant donné l'importance de la souplesse musculaire et labiale dans l'exercice de son art. La prouesse technique n'est possible que si le niveau d'humidification est suffisant pour permettre le glissement des muscles, la vibration de l'épithélium des cordes vocales sans aucun échauffement. Il lui faut également plonger ses lèvres dans un peu d'eau et les humecter régulièrement car, en quinze minutes, la muqueuse des lèvres et de la langue sèche, et l'exercice devient pratiquement impossible.

Cinquième indice : les dents de Freddy

Le rôle de l'articulé dentaire est essentiel pour le ventriloque : pas de dents, pas de ventriloquie. Les dents sont un pilier de notre langage articulé. Christian immobilise ses lèvres sur ses dents lorsque Freddy l'interrompt. Une altération de la dentition entraîne une modification de l'articulation de la mâchoire et ne permet plus une commande assez précise pour l'émission de voyelles et de consonnes. La langue entre autres ne peut plus se positionner en ventriloquie. L'hygiène bucco-dentaire est indispensable afin d'éviter une perte de l'occlusion dentaire qui se solderait plus tard par une décalcification de la mâchoire. Il semble que, si cela s'avérait nécessaire, la pose d'implants dentaires soit le traitement de choix afin de prévenir les aléas d'un vieillissement vocal prématuré de Freddy !

Voir et entendre le plus rapide : les cartes ou l'écho

Examiner, expliquer, observer le ventriloque ne sont pas chose facile. Il faut se méfier du côté mystérieux. Il faut respecter le sujet prodige. Il faut chercher à le surprendre dans les subtilités de son art. Il faut le démasquer lorsqu'il passe de sa propre voix à la voix de la poupée.

Le regard du ventriloque

Le ventriloque nous tend des pièges. Trop attentifs à ce qu'il dit, nous sommes enveloppés dans son verbe. Mais on doit admettre que l'on ne croit que ce que l'on voit. Ajoutons à cette maxime : on ne croit que ce que l'on entend, et le tour est joué !

Mais ici, voir et entendre sont imbriqués, à la fois dissociés et pourtant intimement liés. Notre regard, notre oreille scrutent la poupée ou le ventriloque, jamais les deux. L'illusion est parfaite. En quelques dixièmes de seconde, on passe de l'un à l'autre. Qui parle, de la poupée ou de l'artiste ? Qui répond, qui interpelle, où est le vrai s'il existe ? Ces deux personnages sont sincères. Y a-t-il supercherie ou tout simplement juxtaposition de deux protagonistes authentiques ?

L'artiste est au sommet de son art lorsqu'il y a une harmonie parfaite entre sa gestuelle et ses *voix*. Sa main droite manipule la poupée. Il reste de face par rapport au public. Il ne bouge absolument pas les lèvres. Son visage, lorsque la poupée parle, son regard semblent étonnés. Christian penche l'oreille comme pour mieux entendre Freddy. Et en une fraction de seconde, la réplique est donnée.

Cette prouesse technique donne l'illusion parfaite de ces deux personnages. Cet artiste devient « double voix ». Ce dédoublement au niveau de l'intégration cérébrale de la voix est impressionnant. Cette double voix n'existe que parce qu'elle est soutenue par une double projection cérébrale des personnages incarnés.

Nous sommes systématiquement dupés. Notre audition va moins vite que ses lèvres. Notre regard est dirigé, orienté, voire commandé par le regard de l'artiste. Dès lors, notre oreille se trompe de direction. Elle n'est pas assez précise, surtout si nous sommes à dix mètres du ventriloque. Identifier l'origine exacte de la voix émise sollicite l'intervention de notre vision, qui vient compléter l'imperfection auditive de l'homme.

Lorsque l'on parle normalement, les lèvres remuent. Je vous regarde, je vous écoute et j'associe le mouvement de vos lèvres au son que j'entends. Donc, c'est vous qui parlez. Cette illusion est bien connue dans le play-back télévisé. Sur une scène, vous reconnaissez la provenance du son par votre vision et votre audition. Le ventriloque va parler sur le timbre de voix qu'il désire. Il est toujours intelligible et compréhensible, que ce soit lui ou sa marionnette. Il trompe votre oreille. Son visage n'est pas figé, il regarde la marionnette avec un air interrogatif. La gestuelle de Freddy, la mobilité de ses lèvres, l'expression étonnée de l'artiste à l'écoute, l'oreille tendue vers le petit chimpanzé, tout cela fait que l'illusion est parfaite. Comme Christian, nous regardons Freddy. Comme lui, nous acquiesçons ou nous partageons ce qu'il est en train de dire. La magie est totale.

Lorsque le magicien fait un tour de cartes, sa main va plus vite que votre œil. Ici, la voix du ventriloque va plus vite que la direction que votre oreille peut percevoir. En effet, la trajectoire des ondes vibratoires s'associe à la trajectoire de votre regard. On pourrait presque dire qu'on écoute avec les yeux. L'artiste s'en sert. Mais cet acteur n'est pas seul sur scène, sa marionnette est également un acteur à part entière. Il lui donne la parole. Il lui insuffle le mot. Elle prend place dans ce duo qui devient rapidement un jeu à trois avec le public.

La magie s'installe

Christian demande à sa marionnette Freddy : « Comment vas-tu ? » Un silence : il la regarde. La marionnette commence à bouger. Elle n'ouvre pas les lèvres. Elle le regarde. Elle s'agite. Puis, au moment précis où les lèvres de Freddy vont s'ouvrir, l'instrument vocal de Christian va s'actionner et Freddy va donc parler. Christian garde une attitude interrogative, ses lèvres restent immobiles. Il se rapproche de Freddy, écarquille les yeux, prétextant qu'il ne comprend pas. Lorsque Freddy répond « Oui, je vais bien, pourquoi je n'irais pas bien, et toi, comment tu vas ? », le dialogue est établi. Le spectateur est piégé. Il est témoin de la scène ; il est même complice de la poupée pour qui il va avoir une certaine tendresse. D'autant que Freddy questionnera également les spectateurs. Le magicien de la voix a gagné la partie. Il a créé le trio : poupée-ventriloque-spectateur.

À aucun moment on ne peut piéger le ventriloque. En effet il a étendu son champ d'action visuel. Quand il met en scène le petit singe Freddy, sa concentration et sa mobilité sont telles qu'il voit presque à 360°. Cette remarque m'a été rapportée par d'autres professionnels tels que James Hodges, Ron Lucas ou Valentine Vox dont les ouvrages sont incontournables.

Le ventriloque se sert de sa voix pour habiller sa poupée. Il lui transfère une émotion, une personnalité, une impression de vie. Le changement de tonalité de la voix, le rire, les pleurs vont animer le jeu qui prend forme dans cette double personnalité du ventriloque. Il fera appel comme tout un chacun aux zones cérébrales du langage.

Le dénominateur commun de tous les ventriloques que j'ai pu observer c'est la parfaite maîtrise des deux, voire des trois ou quatre voix qu'ils utilisent. La rapidité de passage de l'une à l'autre dans un jeu de questions-réponses est époustouflante. Lorsque le dialogue s'installe entre la marionnette et le ventriloque, entre Freddy et Christian, nous sommes sous le charme. Mais, paradoxalement, Christian non plus n'est plus tout à fait lui-même quand le petit singe est là.

Las Vegas et les marionnettes prennent vie

Existe-t-il un « dualısme » du cerveau ? Nécessite-t-il un apprentissage dès l'enfance ? Existe-t-il des prédispositions physiques ou intellectuelles ? Est-ce un don ou la recherche d'un moi profond ? La réponse à ces questions m'a été apportée à Las Vegas en avril 2001.

Les ventriloques protégés par leurs marionnettes

En fin de soirée, j'arrive à l'hôtel où a lieu le congrès mondial des ventriloques, au centre de la ville spectacle. Le lendemain, vers 10 heures, je fais une conférence devant un parterre de ventriloques. Pour une fois les rôles sont inversés. Je suis sur scène et eux dans la salle. J'arrive dans le Ball Room, comme ils l'appellent. La salle est pleine. Plusieurs centaines de têtes me suivent entre ma chaise et le pupitre. Je salue. L'assistance est impressionnante, silencieuse, se demandant peut-être si je suis sur le point de dévoiler leur secret si bien gardé. Je commence à leur livrer le versant scientifique du « phénomène » ventriloque, images et films à l'appui. À ma grande joie, ils sont passionnés, curieux, étonnés. L'aspect médical et anatomique ne les effraie pas. J'ai l'impression d'expliquer à des violonistes le fonctionnement du violon et de l'archet. Les regards interrogatifs semblent trouver des explications à des questions sans réponse depuis des lustres.

Après mon exposé, Valentine Vox, président des ventriloques, demande s'il y a des questions. Et là, incroyable, pratiquement chaque ventriloque sort de sa poche, de son sac ou d'une boîte sa marionnette. On se retrouve en quelques secondes avec deux fois plus de personnages dans la salle. Chacun manipule de façon fébrile sa marionnette pour lui faire poser une question. Un ventriloque mexicain commence, mais c'est la poupée qui parle, comme si elle le protégeait de sa timidité. « Chico senior, dit la marionnette, mon ami de toujours, est ventriloque depuis tout-petit. Est-ce un don ? » Je réponds que l'apprentissage de la ventriloquie est indispensable dès l'enfance pour permettre non seulement l'activation cérébrale, mais l'entraînement laryngé. Même si le don n'apparaît que tardivement, les prédispositions existent.

Par ailleurs, une des hypothèses qui me semble le plus proche de la réalité est de considérer le ventriloque comme un interprète bilingue, quelqu'un qui maîtrise une double langue Chacune a ses propres consonnes et voyelles, même si elles sont semblables, Freddy et Christian ne peuvent pas toujours utiliser les mêmes consonnes pour les mêmes mots. Ce sont deux stratégies mécaniques de langage différentes. En effet, l'interprète, dans une conférence ou dans une retransmission télévisée en direct, écoute ce qu'expose le conférencier et, dans un délai de quelques dixièmes de seconde, traduit en simultané son discours. Il a maîtrisé son cerveau dans deux directions différentes : réception et émission avec un temps de latence extrêmement court. Cette faculté nécessite un entraînement régulier. Ces professionnels ont une concentration impressionnante, et d'autre part ils traduisent vers leur langue maternelle dont ils possèdent parfaitement la syntaxe et la subtilité linguistique. N'est-ce pas un peu semblable chez le ventriloque ? Puis je précise que, vu les caisses de résonance nécessaires dans cet art de la voix et de la magie, pour être bon ventriloque, il faut avoir atteint l'âge de la puberté.

Justement, son fils Chico junior est présent avec un petit éléphant en guise de marionnette. Il a quatre ans et demi. Quelle n'est pas ma surprise de voir cet enfant déjà ventriloque. Chico, ou plus exactement son éléphant Dumbo, me parle avec détermination et vigueur. « Bien sûr je suis Dumbo, et mon maître c'est le ventriloque Chico junior qui est comme son père, sa mère et son grand-père : ventriloque aussi. » Ses lèvres bougeaient à peine. Je lui demande de parler avec sa propre voix. Le ton est timide, gauche, incertain. Quelle dualité dès l'enfance ! Mais rappelez-vous, dans l'enfance nous faisions parler les jouets, ils nous permettaient de nous libérer. Chico, Indy son ami ainsi que Lorry sont des enfants ventriloques. Embarrassé, je ne savais que répondre sauf à dire l'analogie avec l'enfant bilingue : il avait acquis presque deux langues maternelles, la sienne et celle de Dumbo qu'il empruntait à son père ou à sa mère quand il les voyait et entendait répéter leurs numéros. En fait, une fois de plus, l'environnement avait offert dès la plus petite enfance, dans ces familles soudées de ventriloques, deux formes de langage.

Embrasser cette profession et cet art, faire de la scène, se produire ne nécessitent pas d'avoir développé une caisse de résonance d'adulte. La souplesse de ces enfants, et notamment de Chico, petit ventriloque, était étonnante. Les dialogues avec sa marionnette, l'agilité de ce duo donnaient le change à des ventriloques adultes. Les questions continuèrent de fuser, mais toujours provenant des marionnettes. Tous ces ventriloques, de Chine, de l'Inde, du Japon, des USA, d'Allemagne de Belgique ou de France que j'ai eu la chance de rencontrer ont commencé à travailler ce don entre l'âge de cinq et dix ans. La majorité d'entre eux venait du monde du cirque ou de la magie. En effet, être ventriloque c'est comme être chanteur ou comédien de théâtre. Ce n'est pas un métier, c'est une passion. Certains le faisaient en dilettante : l'un est médecin, l'autre instituteur, le troisième avocat. Imaginez-vous au tribunal, la possibilité de faire prendre la parole à qui l'on veut avec les mots qu'on a choisis !

Les coulisses du ventriloque : il crée des lèvres derrière les lèvres

Après la conférence, le soir même, les ventriloques m'ont amené dans les coulisses de leur monde du spectacle. Avant d'entrer sur scène ils se préparent. Christian échauffe sa voix pendant près de dix minutes avec des sons bouche fermée, puis il vocalise avec des voyelles bouche ouverte, enfin, il pratique des exercices de bâillements pour faciliter la mise en condition et l'échauffement des muscles du cou, des muscles abdominaux et de la caisse de résonance. L'étirement, la flexion-extension au niveau cervical, des exercices d'inspiration et d'expiration profonde, des mouvements du poignet et des doigts pour échauffer les muscles qui vont mettre en marche la marionnette sont les gammes musculaires incontournables du ventriloque avant son spectacle. Par ailleurs il pratique des mouvements d'assouplissement du dos pour trouver son centre de gravité vocal. Prendre une marionnette désaxe la verticalité vocale et peut entraîner une asymétrie du corps. Ces exercices de maintien sont indispensables pour éviter les mauvaises attitudes de l'organisme, difficiles ensuite à corriger. Chauffer et humidifier sa voix, puis celle des marionnettes, vont permettre d'éviter le « couac » ou l'accident par claquage de la corde vocale pouvant conduire à l'hématome musculaire.

C'est ainsi que j'ai assisté à la plus extraordinaire démonstration de ventriloquie dans une petite salle de théâtre de Las Vegas (pas plus de deux cents personnes). Les meilleurs professionnels se retrouvaient dans ce temple des ventriloques.

Deux techniques de ventriloquie s'affrontent. Sur scène, deux ventriloques et deux marionnettes s'opposent. La voix proche ou *near voice* pour l'un et la voix lointaine ou *distant voice* pour l'autre.

Mais comment ces techniques fonctionnent-elles ? Le mystère persistait.

Pour le premier, la voix proche

J'observais avec insistance l'artiste dans son exercice. Fort des questions du matin, j'étais à l'affût de l'énigme de ces deux types de techniques. Lorsqu'il émet la voix proche, la marionnette est près de lui. Le ventriloque a l'impression que sa voix transperce la peau, vient du cou, que c'est une voix de gorge, une voix de tête. Pourtant, cette voix est plus interne, nous l'avons vu. Elle se termine un peu en arrière des dents, en arrière des lèvres. Elle est un peu plus nasillarde que la voix naturelle puisqu'elle va émettre dans un registre plus aigu. Je voyais le Lego pharyngo-laryngé se mettre en place comme lors de l'observation par fibroscopie que j'avais faite chez Christian. Le larynx monte et descend très rapidement. La voix proximale ou la voix proche est produite par une position particulière de la langue. Quand Christian parle normalement, la langue est plate, les sons passent au-dessus d'elle, si l'on peut dire, en majorité par la bouche, les lèvres, partiellement par les voies nasales. Lorsqu'il parle en ventriloquie, l'artiste va inverser les forces en bombant la langue vers le haut et galber la base de la langue qui va venir affleurer la luette et la partie postérieure du voile du palais. La langue présente un dôme postérieur qui effleure le voile. La pointe antérieure de la langue est relativement basse, à deux ou trois millimètres des dents de la mâchoire. Ainsi, les vibrations vont passer surtout par les fosses nasales et seulement partiellement par la cavité buccale. Cette sortie du son nasal et buccal crée une misdirection, c'est-à-dire que l'auditeur ne sait plus très bien d'où vient le son, ce qui a pour mérite de renforcer l'illusion. Vous pouvez vous en rendre compte en prononçant la lettre GU, par exemple GANG. C'est la raison pour laquelle beaucoup de marionnettes ont une voix nasillarde.

Pratiquer cette alternative musculaire linguale rapidement est l'un des exercices majeurs du ventriloque. Le contrôle des lèvres est également une question d'entraînement. Il s'exerce surtout devant sa glace. Cependant, parfois, lorsque le ventriloque est fatigué, il va légèrement tourner la tête de côté pour tricher avec les consonnes : B, P, F, M, V. Pour l'émission des voyelles, seule la déformation de la langue et des muscles bucco-pharyngés permettra leur production.

En fait je venais de comprendre une partie de l'énigme de la formation des mots par le ventriloque : il crée des lèvres derrière les lèvres.

Pour le second : distant voice, ou voix lointaine

Il fonctionne de façon différente. Il enroule sa langue à l'intérieur de sa bouche, permettant au son de faire écho. Il crée un bourdon, c'est-à-dire un va-et-vient des harmoniques dans la cavité buccale. Son larynx est haut situé. C'est une voix étouffée. Les cordes vocales se raccourcissent, mais elles sont très galbées, le timbre est relativement aigu. Les muscles pharyngés, de chaque côté du larynx, se contractent violemment. L'os hyoïde monte, il est presque en arrière de la mandibule. La langue se colle presque au voile du palais. Le larynx bascule en avant. La voix a une fréquence variable, grave ou aiguë. Elle est soufflée. Les caisses de résonance ont créé grâce à la langue une double chambre de résonance dans la bouche, qui va permettre l'écho. Cette voix semble venir d'ailleurs, des profondeurs de l'abîme, du plafond de la pièce, de l'autre côté du mur du fait de la double résonance buccale. Le timbre est grave, sourd. Ici encore, le ventriloque crée des lèvres derrière les lèvres par la forme qu'il donne à sa langue et sa position par rapport au voile du palais et à la luette. La contraction des muscles abdominaux est importante pour permettre un excellent contrôle de l'expiration phonatoire.

Ces prouesses techniques sont indispensables pour nos deux techniques de ventriloquie. Mais sur scène, ils associent un jeu de comédien entre eux, les marionnettes et le public de professionnels qui, bien que connaissant les astuces, se prend au jeu, s'attendrit, rit aux larmes et s'enthousiasme à chaque engagement de personnage. Puis brutalement, il n'y a plus de marionnettes. Il n'y a que le regard : il regarde en haut, il tend l'oreille, son complice de scène, l'autre ventriloque, fait de même, et vous aussi. Il demande « qui est là ? », son visage se fige et l'on entend « c'est moi, je suis au premier ». Tout son corps s'oriente vers le plafond ; vous faites de même. Le magicien de la voix est au summum de son art ! Les mêmes subterfuges seront utilisés pour une voix qui vient du plancher ou de derrière la porte ou encore de sa poche, mais sans l'aide de la poupée de chiffon.

Comment apprendre la ventriloquie

Le travail musculaire, articulaire et phonatoire dès l'enfance est habituel à l'artiste ventriloque. Il entraîne sa souplesse vocale, son agilité cérébrale, phonatoire et auditive ; sa mémoire, sa rapidité d'adaptation entre les différentes voix qu'il veut créer et sa propre voix lui permettent une dextérité impressionnante. Mais presque tous s'imposent une bonne hygiène de vie.

L'apprentissage de la ventriloquie peut être comparé à celui des chants diphoniques. L'essence même de la voix de la marionnette est la vibration des cordes vocales. Le larynx est l'instrument de musique du ventriloque. L'exercice d'échauffement dit du bourdon, qui est en fait l'imitation du bruit des abeilles, permet de reconnaître les différentes places des muscles de la bouche et du larynx. Des pseudo-lèvres sont créées derrière les lèvres. On observe une chose étonnante : le ventriloque présente une hypertrophie musculaire de la langue, des ligaments entre l'épiglotte et les aryténoïdes puissants, des muscles pharyngés hyperdéveloppés, une mobilité du voile du palais, de l'épiglotte, de la langue bien sûr, mais également de la corde vocale hors du commun. Ces caractéristiques du ventriloque en font un M. Muscle du larynx. Ainsi, cette déformation constante, cette adaptation répétée propre à chaque phonème par ces pseudo-lèvres intérieures de la bouche sont l'une des clefs du mystère.

Cette agilité n'est pas seulement mécanique, elle est également cérébrale comme nous l'avons vu par analogie avec le monde des enfants bilingues et l'apprentissage de la simulation des phonèmes (*corheau* au lieu de *corbeau*). Le travail vocal, mais également l'entretien de la mémoire et de la gestuelle linguistique sont indispensables pour conserver un niveau élevé de ventriloquie. La magie des sons, le jeu de l'acteur, la puissance du regard, la manipulation de la poupée de chiffon sont les atouts indispensables de ces artistes du rêve.

Ce magicien de la vibration nous fait rêver et tout n'est pas encore élucidé dans cette impressionnante agilité. Cet art du théâtre et de la magie transporte notre imaginaire dans la dimension impalpable de l'illusion de l'harmonie.

Le perroquet imitateur ventriloque

Le propre de l'homme est de parler, celui du perroquet de répéter.

Je me suis intéressé au perroquet de façon singulière. On dit souvent qu'on parle avec les lèvres. J'avais décidé, pour mieux appréhender le mystère du ventriloque, d'observer le perroquet Car quoi de plus incroyable qu'un bec qui parle ?

L'oiseau, souvenir de dinosaure

L'apparition des oiseaux sur notre planète est relativement récente, moins de 100 millions d'années. Elle est la probable conséquence de l'évolution de ces fascinants reptiles, les dinosaures. L'envol d'un albatros est le souvenir d'une époque bien lointaine.

Mais quelle forme reptilienne a pu donner naissance aux oiseaux ? Quelle magie leur a permis de voler et pour certains de parler ?

Chez l'oiseau, la plume a remplacé l'écaille. Ces plumes permettent de réchauffer le corps. Si nous connaissons beaucoup plus d'espèces éteintes que d'espèces vivantes chez les mammifères et les reptiles, du fait de la remarquable conservation du squelette, chez l'oiseau nous n'avons observé que 500 fossiles sur plus de 20 000 espèces d'oiseaux. Les oiseaux se fossilisent difficilement.

Le tout premier, celui qui sans aucun doute nous montre son origine dinosaurienne, c'est l'Arcgaeornis, apparu il y a près de 10 millions d'années. Il est bipède. Il présente le même habit de plumes que l'oiseau. Son crâne est déjà un crâne d'oiseau. Ses os, pourtant, ne sont pas pneumatiques. La première fois qu'il a été examiné c'était au XIXe siècle à Blumenberg, en Allemagne. Il présente des hémisphères cérébraux bien individualisés. Lorsque H. von Meyer le découvrit en 1861, il comprit qu'il observait le chaînon manquant entre le dinosaure et l'oiseau.

De nombreuses discussions enrichissent les salons des paléontologistes. Les recherches de Gardiner en 1982 discutent la descendance de l'oiseau par rapport aux dinosaures et aux reptiles. En effet, à la fin du XIXe siècle, c'est l'avis de Huxley qui était admis, l'oiseau vient des dinosaures et du crocodile. Gardiner, dans les années 1980, observe tout simplement que, sur le plan biologique, l'oiseau est bien proche du mammifère : l'oiseau a une température du corps constante (homéotherme), son cervelet présente une structure similaire, son système nerveux central est entouré d'une gaine de protection (pie-mère) et d'une couche arachnoïdienne dans les méninges, la glande pinéale est une glande endocrine, autonome. Et enfin, pour conclure, la myoglobine, structure essentielle, existe également chez l'oiseau et présente de nombreuses similitudes avec celle des mammifères, ce qui n'est pas le cas avec les reptiles.

La puissance cérébrale du perroquet est à l'échelle du mammifère, mais ce n'est pas le cas de tous les oiseaux, loin de là. La question de savoir où se place l'origine de l'oiseau reste ouverte, bien que de nombreux spécialistes en la matière optent pour les monstres reptiliens disparus.

Le cerveau et l'oiseau

La structure du cerveau et du système nerveux en général est l'une des expressions les plus fidèles de l'évolution animale, nous l'avons bien vu tout au long de notre voyage. Le corps de l'oiseau, la richesse de son comportement, sa facilité d'adaptation, sa différenciation, particulièrement évoluée pour certains d'entre eux et notamment leur capacité d'apprendre à parler, nous montrent, s'il en était besoin, la surprenante variation du système nerveux central chez certaines espèces. L'oiseau présente une moelle épinière tout comme le mammifère, une colonne vertébrale avec une portion cervicale thoracique, lombo-sacrée et coccygienne. Son cerveau est bien supérieur à celui du reptile. Le rapport est de un à dix. L'hémisphère cérébral est développé, certes, mais son cortex est petit. Il n'existe pas de circonvolution. Chez l'oiseau, la fonction cérébrale essentielle est la reproduction. Nous connaissons la complexité des danses nuptiales dans certaines espèces. Les centres annexes près du tronc cérébral sont surtout voués à la prédominance de la vue. Le cervelet permet, tout comme chez le mammifère, de coordonner les mouvements, régule l'équilibre et la tension musculaire. Il est cependant, proportionnellement, beaucoup plus petit que chez le mammifère.

L'oiseau, comme l'homme, doit apprendre. Pourtant, une observation est propre aux oiseaux : la taille du cerveau et sa spécificité changent de façon incroyable. Cela n'existe pas chez les primates. Le perroquet a les hémisphères les plus développés de son espèce. Toute proportion gardée, son cerveau est huit fois plus important que celui d'une poule. Nous comprenons mieux que certaines espèces d'oiseaux soient de beaux parleurs ou de bons chanteurs, que ces activités spécifiques aient créé des connexions privilégiées, un développement orienté vers la fonction la plus utilisée, une forme d'intelligence indéniable. Dans ce développement, pour le perroquet, l'oreille va avoir un rôle fondamental. L'oiseau ne pourra reproduire que les sons qu'il entend. Il n'existe pas de babillage chez l'oiseau. Le chant primordial n'apparaîtra pas chez les oiseaux sourds. Il semble donc que l'ontogenèse du chant de l'oiseau soit nécessaire pour permettre son apparition.

L'homme descend-il du perroquet ?

Depuis près de cinquante ans, on assiste à un engouement particulier pour la comparaison entre les grands singes et l'homme. Certes, il existe une ressemblance physique, des attitudes et des comportements qui peuvent paraître comparables. Pourtant c'est le perroquet gris qui est sans doute l'un des animaux le plus proches du petit enfant.

Le propre de l'homme est de parler, mais il n'est pas le seul ! Le perroquet gris aussi et c'est le plus doué de son espèce. L'évolution de l'ADN depuis des dizaines de millions d'années ne présageait en rien que le perroquet, ce descendant des dinosaures, pourrait parler. Est-ce un conditionnement dérivé tout simplement du réflexe de Pavlov, le perroquet est-il un répétiteur borné ? Est-ce seulement une qualité d'apprentissage ? Les premiers tests ont d'abord été pratiqués sur sa capacité mathématique, puis sur sa capacité langagière. C'est un excellent élève. Il apprend de façon remarquable. Comme l'homme, il boude, il a son mauvais caractère. Il ne veut pas manger et il déprime. Mais il est également joyeux et joueur avec une forme d'intelligence impressionnante.

En 1959, Logler démontre que le perroquet gris est capable de maîtriser les mathématiques élémentaires et de résoudre des calculs imposant une concentration et une possibilité de mémoire immédiate. En 1976, ces tests ont également été expérimentés chez les primates par Premack avec un succès relatif.

Le perroquet gris, au pouvoir de concentration notable, peut rester immobile à regarder le monde mobile. Il imite et il joue dans le vrai sens du terme, comme les dauphins.

La majorité des performances du perroquet gris sont proches de celles de l'enfant de trois ans. Il trie des objets, il calcule de façon succincte. Il crée des phrases. Mais il ne peut créer une voix. Il reste un répétiteur adroit, certes, ludique, mais en aucun cas ce langage ne pourra fournir une idée de sa pensée traduite ultérieurement dans son langage parlé. Il ne pourra pas créer de nouveaux mots et pratiquement pas de nouvelles associations de mots.

Parler, oui, mais comment ?

Mais comment peut-il parler ? Quel organe lui permet-il une telle fonction ? La réponse nous ne l'avons que depuis la fin des années 90. Tous les oiseaux ont une syrinx qui est l'équivalent de notre larynx. Sa conformation est unique dans le monde animal. Le perroquet gris mâle possède deux larynx ou plus exactement un larynx associé à une syrinx. Les sons sont produits dans la syrinx et modulés dans le larynx. Ce pseudo-larynx est situé tout en haut de la trachée, juste en dessous de la langue. La syrinx est en bas de la trachée.

Syrinx, dans la mythologie grecque, était la compagne d'Artémis. Cette nymphe fut courtisée par Pan. Elle ne pouvait accepter de tomber sous son charme. Pour s'en échapper, elle se précipita dans l'eau. Zeus, dieu des dieux, la transforma en roseau. Pan créa sa flûte à partir de ces roseaux pour jouer des mélodies et combler sa tristesse. La mélancolie de Pan était lourde à porter. La flûte, dès lors, fut dénommée syrinx.

La syrinx se situe au niveau des deux bronches souches, au moment où elles rejoignent la trachée. La jonction entre chaque bronche souche et la trachée rencontre un système de muscles et de membranes qui, en se rapprochant, font vibrer. Une pseudo-corde vocale rattachée à cet embranchement crée le son. Ici, seulement 9 à 12 muscles sont nécessaires. Chaque repli vibre donc indépendamment, à droite et à gauche. Chaque élément droit et gauche est connecté à la bronche respective. L'oiseau parleur ou chanteur produit dès lors deux sons vibratoires, soit dans la même fréquence, soit avec deux fréquences différentes. Cette information sonore crée une sinusoïde qui vient heurter notre oreille et nous donner l'illusion vibratoire de la voix. Cependant, chez le perroquet, juste en arrière de la base de la langue, comme nous le décrit Warren, on croit reconnaître un larynx avec un espace glottique au sommet de la trachée. Ainsi, la colonne d'air de la trachée, piégée entre le larynx en haut et la syrinx en bas, est en soi une caisse de résonance, qui s'ajoute à celle déjà connue. Cette structure du perroquet gris le différencie d'une façon fondamentale de l'homme.

La guimbarde : le perroquet synthétique

Instrument curieux, mais essentiel pour percer le mécanisme de la voix du perroquet, la guimbarde est constituée d'un demi-anneau rigide à l'intérieur duquel le doigt seul va provoquer la vibration de la lame métallique. Elle est maintenue entre les dents. Sa languette a toujours la même largeur avec un même rythme vibratoire. La cavité de résonance n'est pas après la vibration (comme dans le larynx de l'homme), mais avant la vibration.

La guimbarde étant entre les dents, la cavité de résonance est la cavité buccale. En bougeant la langue, en modifiant la forme de ses joues, du palais et des lèvres, on va créer des notes différentes. Pourtant la lame métallique a toujours la même longueur et le doigt qui entraîne la vibration de cette lame a toujours la même force. Les variations de longueur et de forme que prennent les caisses de résonance créent les différentes fréquences. Le son de la vibration propre à la languette métallique, s'il n'est pas amplifié par une caisse qui réceptionne la vibration, n'existe pratiquement pas. La dispersion vibratoire produite par cette languette métallique meurt dans l'espace aérien si elle ne rencontre aucun amplificateur. Cette vibration, à elle seule, est trop faible pour être entendue. En revanche, la vibration est parfaitement audible lorsqu'elle est amplifiée. L'amplificateur qui est ici la cavité bucco-pharyngée est indispensable.

Le bec est rigide : il dit des voyelles

Comment le langage parlé peut-il exister sans les lèvres ? Le larynx et les caisses de résonance du perroquet ne sont pas du tout comparables à ceux des autres animaux. Ils sont également différents de ceux de l'homme. Le contrôle du larynx et de la caisse de résonance sous la domination du cerveau et des connectiques neuronales semblait jusqu'à présent être la propriété exclusive de l'homme.

De nombreux chercheurs ont passé des années à essayer de

faire parler le chimpanzé, l'animal le plus proche de l'homme. Leurs tentatives multiples se sont soldées par des échecs. Rien à faire, il ne parle pas ! Son aspect est pourtant encourageant. Le perroquet, lui, si différent dans son appareil vocal, parle ! C'est à Irene Maxine Pepperberg que l'on doit l'étude la plus complète du perroquet gris.

À l'aide du scanner et de la spectrographie, le mystère est presque levé

À la fin des années 90, le mystère de la parole du perroquet est levé. Alex peut parler, donc il contrôle par son propre cerveau le conduit vocal, sa mécanique, son expression. Il prononce des mots avec consonnes et voyelles. Il semble doué d'une certaine grammaire. L'aide des techniques du scanner, de la résonance magnétique, permet une meilleure compréhension de la mécanique vocale de ce perroquet. C'est un processus complexe.

Chez l'homme, nous l'avons vu, les cordes vocales s'affrontent, vibrent lors de l'expiration et favorisent ainsi la formation des phonèmes qui, parvenant jusqu'aux caisses de résonance puis aux lèvres, permettent la création du mot définitif. L'analyse du spectrogramme chez Alex montre des formants pour certains mots qui ressemblent étrangement à ceux de l'homme.

À noter que la race du perroquet gris dont fait partie Alex, *Psittacus erithacus*, a une particularité. La forme de la syrinx est encore plus adaptée pour créer le phonème. Les parois de cette syrinx sont un cartilage rectiligne et non pas ovale comme dans les autres espèces, positionné très en avant. Avec cette structure particulière, Alex peut parfaitement contrôler la fréquence émise lors de la vocalisation. Le son est conduit par la trachée jusqu'au niveau du larynx situé en haut de celle-ci. Ainsi, la colonne trachéale sert également de caisse de résonance par rapport à la syrinx. Alex peut modifier la longueur de la trachée, la rendre plus courte ou plus longue avec une latitude de

10 %. À l'IRM, lorsqu'il prononce la voyelle *o*, il allonge la trachée, sur le *i* il la raccourcit. Quant au larynx, il a sa propre musculature. Il existe un os hyoïde permettant l'insertion des muscles extrêmement puissants de la langue, de la mâchoire et, ainsi, une excellente déformation de la caisse de résonance supra-laryngée. Cependant, il semblerait que le larynx ne produise pratiquement pas de sons, mais sa modification de forme transforme les vibrations émises par la syrinx en phonèmes compréhensibles. Il tiendrait le rôle des lèvres avec la langue herculéenne d'Alex. La mobilité linguale est exceptionnelle grâce aux treize paires de muscles qui la composent. L'ouverture et la fermeture du larynx situées exactement en arrière de la langue permettent de moduler le son, d'agrandir ou de diminuer la longueur de la trachée et donc d'ajuster parfaitement la caisse de résonance afin d'imiter au mieux la voix humaine. N'oublions pas pour autant l'importance de la mandibule d'Alex, sa mobilité, son amplitude, son mécanisme, son adaptabilité. Quant à la caisse de résonance nasale, elle joue un petit rôle dans la vocalisation ; un peu comme chez l'homme, l'air passe de la cavité buccale aux fosses nasales par les choanes. C'est l'association de la langue, d'une puissance impressionnante, et du pseudo-larynx qui permet la formation de lèvres virtuelles chez l'oiseau parleur. Ainsi il existe dans les caisses de résonance du perroquet deux chambres « résonatrices », trachéale et sus-laryngée. L'espace sus-laryngé crée des volumes différents grâce à la langue et forme le langage articulé. Cependant, certaines consonnes ne pourront être dites comme chez le ventriloque. Une double caisse de résonance est nécessaire, comme chez l'homme, postérieure et antérieure. Ces caisses de résonance permettent la création des formants 1 et 2. Alex émet des voyelles, formule certaines consonnes par la mobilisation de la mandibule, la manipulation de langue, du larynx, la création de la vibration par la syrinx et le larynx. L'instrument vocal du perroquet peut être considéré comme un instrument à vent mais ouvert aux deux bouts. Du côté larynx, vers la langue ; du côté syrinx vers la trachée. Mais tout n'est pas encore élucidé. Par exemple comment fait-il au niveau cérébral pour produire un

langage même répétitif ? Alex a su se lier d'amitié avec son entourage. En effet, ce magicien de la voix des oiseaux savait interrompre des tests qu'on lui imposait et demander : « Je veux une banane » ou bien « Gratte-moi ». Nous sommes ici au-delà de la répétition pure et, sans aucun doute, un langage du concret est possible.

Le rêve et la voix

Cette approche de l'animal qui parle nous évoque ce que disait Nalunglaq, dans *Les Mots magiques* : « Dans les temps anciens, quand les hommes et les animaux vivaient sur la Terre, un homme pouvait devenir un animal s'il le voulait et un animal pouvait devenir un homme s'il le voulait. Il y avait des gens, il y avait des animaux, il n'y avait plus de différence et ils parlaient le même langage. C'était le temps où les mots étaient magiques. »

Mythes et voix insolites

Le vaudou : le corps médium de la voix

Lydwin

Mars 1997, au sud du Bénin. Lydwin, secrétaire, a dix-huit ans. Elle est victime d'une fièvre foudroyante. Inconsciente, avec des mouvements convulsifs, elle est transportée d'urgence à l'hôpital de Cotonou, capitale de ce pays où le vaudou règne en maître. Le Dr Konrad Rippmann, médecin de Hambourg, ethnologue, est sur place et la prend en charge. Sa fièvre est due à un « mauvais air », traduction littérale de « mal aria ». Le paludisme a frappé. Le traitement adéquat est prescrit, sa fièvre disparaît. Mais tout son corps lui fait mal. Elle a des maux de tête. La fatigue s'aggrave. Des troubles du sommeil s'installent. Elle maigrit. Le taux de ses globules rouges diminue. Sa mère s'inquiète. Toute sa famille, composée de catholiques fervents, prie nuit et jour. Lydwin ne peut plus travailler depuis quelques semaines. Anémiée, elle n'a rapidement plus la force de marcher seule. La médecine occidentale ne peut faire mieux.

Sa mère, désemparée, fait appel à Hounon Djalé, prêtre guérisseur, qui pratique le vaudou. Sa famille s'y oppose. Comment peut-elle se prêter à ces rituels pseudo-mystiques ? Comment peut-elle entraîner sa fille dans une telle aventure ? Mais, têtue, elle conduit Lydwin à Hounon Djalé. Elle est moribonde. Il l'examine Son verdict est implacable. Il s'agit d'une crise de « pré-possession » ou « *vodun d'asi* ». Lydwin quitte la ville. Après un voyage de quelques heures, elle arrive au monastère. Cette bâtisse, lieu de culte du guérisseur vaudou, sera la demeure de Lydwin pendant près de trois mois. Le chamane va l'initier, la préparer au rituel et la libérer des mauvais esprits. Deux adeptes l'accompagnent.

Trois mois passent. La mère est tenue à l'écart. Quand elle revoit Lydwin quelques semaines plus tard, elle a repris du poids. Elle n'est plus fatiguée. Elle a gagné la bataille avec les démons. C'est la victoire du bien sur le mal. Mais sur le chemin de la guérison, elle doit franchir une étape décisive. Une nouvelle Lydwin doit renaître sinon elle rechutera. Lydwin est devenue adepte du vaudou. Elle doit être « consacrée » à son dieu protecteur pendant la « cérémonie » qu'elle prépare. Hounon Djalé explique au Dr Konrad Rippmann en août 1997 que Lydwin a été possédée. Cela n'est pas crédible. Comment le *Plasmodium falciparum*, parasite provoquant le paludisme, entraînant cette fièvre importante, peut-il être en relation avec les esprits ? Sa réponse est simple. Les esprits ont favorisé l'infestation. Ils ont affaibli Lydwin. Mais après que la fièvre est tombée, les esprits ont continué à frapper. Une maladie d'amour qui l'avait contrariée était à la source de cette possession.

Il fallait désormais exorciser l'esprit du mal, franchir la frontière de la maladie et entrer dans le monde de la guérison. Lydwin passe ses derniers jours au monastère. Elle se prépare par un rituel bien connu, la « grande cérémonie » : bain de relaxation à l'aide de plantes aromatiques, avec un environnement de chants et de tambours. Elle passe par différentes phases : agitation, état dépressif, alternance entre la danse et l'immobilisme et la sidération. C'est la phase de pré-possession, qui fait place à des transes. Désormais, la crise de possession peut avoir lieu. Elle est prête. Elle marquera la fin de l'initiation permettant à l'ancienne Lydwin, possédée par les esprits du mal, de mourir. C'est « la mort vaudou ». Elle va ressusciter. Le grand jour arrive, Houmon Djalé la conduit dans le cercle des danseuses vaudou autour de l'autel du dieu protecteur qui l'accepte : Danoua-Woto, dieu de la Guerre et du culte de

Wani-Wata. Le prêtre guérisseur vaudou guide Lydwin. Il ne la quitte pas des yeux. Il est attentif à ses moindres faits et gestes. Il attend que sa voix, reflet de son état émotionnel, lui parle, lui indique le chemin de la guérison. La voix de Lydwin, ici, va permettre sa libération. Le rythme incessant des tambours et des danses change de tempo. Son visage se transforme. Sa jambe gauche se fige. La transe est là. Attention. Elle émet des sons dans un langage étrange, le timbre de voix est grave. C'est la voix du dieu protecteur, Danoua-Woto. Il demande à Djalé une poule vivante. Le silence impressionne, puis Lydwin sacrifie le poulet. Elle prononce des sons gutturaux. Sa gorge se crispe. Des émissions sonores pour le dieu Danoua-Woto sont émises. Les villageois présents lors de la scène, formant un cercle autour de Lydwin, écoutent ces proférations. Peu à peu, Djalé, par ses paroles, ramène Lydwin dans le monde des vivants. Elle sort de la transe. Le rituel s'achève. Près d'une heure a passé. Lydwin, guérie, retrouve sa mère, réintègre son environnement familial, social et spirituel. Il y a maintenant l'offrande du repas rituel. La voix humaine a permis, ici, de traduire le monde mystérieux des esprits. Dans une certaine mesure, c'est la revanche du prêtre guérisseur, Hounon Djalé, sur la science de l'Occident dans une famille catholique de la grande ville. En effet, au Bénin, la conception vaudou de la santé est une harmonie entre les dieux, les ancêtres et l'environnement de l'être vivant.

Mais que s'est-il exactement passé ? Comment peut-on expliquer cet état second ? Comment Lydwin a-t-elle pu physiquement être amenée à cette « possession » ? L'analyse du Dr Rippmann nous donne une explication simple et logique. La concentration intense de Lydwin sur certaines parties de son corps a entraîné des décharges d'endorphine, hormone excitatrice bien connue sécrétée au niveau de l'hypothalamus. La respiration rapide et haletante provoque une hyperventilation et participe à des états de suractivité et d'épuisement. Ces variations de concentration d'oxygène et de taux d'endorphine dans l'organisme créent des modifications biochimiques et bioélectriques au niveau cérébral, produisant des sueurs, une dilatation des pupilles voire des crampes, une torpeur. La voix humaine, le centre de l'audition, l'impact des battements de tambour rythmés, des voix des chanteurs particulièrement agressifs, créent au niveau cérébral une tourmente allant jusqu'au vertige et l'excitation des zones cérébrales du langage. Tous ces éléments rationnels nous rassurent. Pendant la transe, la voix de Lydwin traduisait son état émotionnel profond. Elle s'est libérée dans le sens freudien du terme. Cette histoire montre l'impact de la voix humaine sur le moi intérieur, sur le « physique » cérébral de l'individu, dont font preuve les chants sacrés des cultes qui peuvent également provoquer, certes d'une façon différente, l'état de la transe.

Le chant rythme la vie de l'homme, marquant la naissance, le baptême, le mariage, le décès. L'être peut être possédé par des voix. Il devient outil des esprits et, selon les croyances qui nous viennent d'Afrique, la voix des Anciens prend possession du corps. La plus spectaculaire et la plus impressionnante manifestation est liée aux peuplades du Bénin et des pays limitrophes. Cette région d'Afrique peut être considérée comme le berceau du vaudou qui a été ensuite exporté, notamment vers Haïti.

La voix et l'esprit

On compte près de quatre cents dieux vaudou. « Au commencement existait Olorum, dieu du Ciel, qui régnait sur le Soleil, qui, lui, s'étendait sur les eaux ; la Terre n'existait pas. Olorum envoya son fils Obatola, qui portait une grande sphère et la déposa dans la mer. Cette sphère était la Terre. Elle se brisa et c'est ainsi que furent formées les montagnes et les vallées entourées par les eaux. »

D'après ces croyances, si les dieux sont loin de nous, les esprits, eux, sont toujours très proches. L'âme de chaque être participe à ce monde spirituel. Elle ne meurt jamais. Elle survit, d'abord comme ancêtre, puis dans la réincarnation. L'âme se détache du corps. On retrouve cette notion en Afrique, mais également en Inde. Elle montre l'importance de la possession du corps et du médium par la voix lors de l'état de transe. Le corps, alors, sert d'outil entre les esprits, les dieux et les ancêtres. Ce médium va entrer en « extase », du grec *ekstasis* : sortir de soi. C'est le propre du chamane. La rencontre entre le chamane et l'ancêtre lors de cet état d'extase nécessite une préparation, un rituel qui associent le jeûne, les prières, les chants répétitifs. Le chamane, lorsqu'il est possédé par la voix de l'ancêtre, reproduit non seulement cette voix, mais également la mimique, la gestuelle. Il est imitateur. L'impact du médium agit sur le collectif, la dérive vers le religieux est aisée. Mais l'assistance découvre rapidement le médium imposteur. La simulation est facile à observer. Le faux chamane est dévoilé. Le corps du médium, pendant l'état de transe, transpire, devient brûlant, s'agite. Sa voix se transforme, prenant un timbre et des harmoniques étranges. Il peut se livrer à des comportements excessifs. Les adeptes expérimentés le protègent de lui-même. Il tue poulet ou bélier dont il boit le sang. Il est insensible au feu et à la blessure. Il est dans un état second où le délire gestuel et vocal a peu de limites. Dès le « réveil » de cet état de possession, son timbre de voix redevient normal, son cerveau a tout effacé. Il présente une amnésie complète des événements qu'il vient de subir. La voix est libération de son moi.

La voix : puissance intérieure

L'un des extrêmes de la voix, plus dans le sens propre que figuré, est bien connu des arts martiaux. C'est le kiai, le cri qui tue. C'est une émission vocale impressionnante, puissante et très brève. Elle est créée par la vibration des cordes vocales qui se sont violemment fermées. Le kiai est rapide, volontaire, décisionnel. Il provient, selon les maîtres japonais dont le plus proche de nous est Okisawa, de l'énergie cosmique. Mobiliser et concentrer cette énergie qui est en nous sont le résultat d'un long apprentissage physique et mental. Le kiai est possible après une inspiration maîtrisée et une concentration profonde. Il a un pouvoir libératoire exceptionnel. Toute la force, toute l'énergie musculaire et mentale sont mobilisées en quelques dixièmes de seconde. Selon Christian Tissier et Pierre Blot : « Sa force est à la fois défense et attaque. » Il inhibe l'adversaire. L'autre est en sidération pendant quelques secondes. Il subit directement l'impact sonore et mental du kiai. Il crée par la résonance qu'il induit, par le choc vibratoire qu'il produit au niveau de l'oreille, des ondes qui envahissent le monde cérébral. Le kiai est directionnel. Il intéresse la personne à qui il s'adresse. Il immobilise l'autre, qui est à distance de combat. Lors d'un entraînement de karaté, on peut observer la gestuelle qui s'installe sur le tatami. Des pas chassés font place à un immobilisme très bref de l'un des combattants. Il vient s'ancrer dans le sol. Il est stable, motivé. En un quinzième de seconde, il émet un kiai, qui paralyse un très bref instant son adversaire et permet l'attaque. Cette attaque est rapide et donne l'impression d'un arrêt sur image au moment de l'impact. La force est au bout du cri, au bout du souffle, le poing n'étant que la flèche que l'arc a permis de lancer. Le kiai anéantit toute riposte. Le kiai permet d'avoir l'ascendant sur l'adversaire et d'anéantir non seulement sa force, mais aussi son mental. Tout comme dans la voix chantée, la source du kiai est située sous l'ombilic, là où va naître la puissance respiratoire. Dépendant du mental, il faut près de six ans pour le comprendre et commencer à le maîtriser. Cette approche de l'émission presque sacrée de la voix humaine, cette vocalisation brutale, qui met en jeu une synchronisation parfaite entre le mental et la raison, entre la puissance musculaire et l'onde vibratoire, entre la force physique et la concentration, démontre que ce cri libératoire, rapide comme l'éclair, est un extrême énergétique de la voix humaine.

La magie des voix et les mythes

Dans la mythologie des Dogons du Mali, le maître absolu détient le pouvoir de la parole. Il façonne le placenta originaire. Il féconde le placenta et ensuite l'offre à Din, l'élu parmi les hommes. C'est lui et lui seul qui développera la voix humaine.

La voix charme, séduit. La puissance de cet impalpable sonore, la voix humaine, a des limites difficiles à déterminer. Dès la première seconde de vie, le nouveau-né inspire pour permettre, lors de l'expiration, la création du premier souffle de la vie. Cette aller-retour inspiration-expiration, le yin et le yang de notre existence, est l'harmonie de notre vie sur cette planète, dont la dernière expiration est également notre dernier soupir, notre dernier souffle de voix. La voix nous accompagne, même dans ses silences, pendant toute notre existence. Du babil au parlé, du chant au cri, du rire au pleur, l'expression est multiple entre cette mécanique complexe de notre instrument de musique, le larynx, et notre chef d'orchestre, le cerveau.

La voix peut être douce, chaleureuse, sensuelle, mais ailleurs cassante, hypnotisante, métallique, enjôleuse, parfois fade, sans couleur. Elle ne fait que traduire nos sentiments au moment présent. Pourtant, la voix est dans l'espace-temps ; elle a existé, elle existera, mais dès qu'elle est émise, elle est déjà dans le passé. Dans le sacré, elle associe la musique, l'art et le chant. Elle n'a cessé d'évoluer. De nos jours, les cathédrales, les temples et les églises entendent résonner ses harmoniques. La voix véhicule nos émotions tout comme les larmes trahissent la tristesse de notre âme.

Le langage parlé ou chanté a permis l'expression, il est également le véhicule de notre moi profond. Athéna invente la flûte, Hermès crée la lyre, Apollon joue de la lyre dans l'Olympe et charme les dieux. Hermès, alors, fabrique le fifre du berger, dont la mélodie est envoûtante. Pan a conçu la flûte de Pan, le pipeau de roseau. Mais l'instrument de musique à cordes et à vent est créé par les muses. C'est la Voix, Orphée, issu d'Apollon et de sa mère Calliope, elle-même muse à la belle voix, grandit dans le pays de Thrace, pays de chanteurs et de musiciens.

Ulysse demande à son équipage de l'attacher solidement au mât de son bateau afin de l'empêcher de suivre des sirènes dont la mélopée envoûtante l'appelle. Ses compagnons se bouchent les oreilles pour ne pas entendre, ne pas écouter, ne pas être hypnotisés. Les sirènes ensorceleuses, mi-femmes, mi-poissons, musiciennes et chanteuses. Elles attirent les marins en leur fief pour mieux les conquérir et les ensorceler.

Les argonautes, eux aussi, connaissent le charme des

sirènes. Mais Ophée prend sa lyre, joue une mélodie qui couvre la voix des sirènes et sauve ainsi la vie de l'équipage. De retour dans sa contrée natale, à Thrace, Orphée épouse Eurydice qui, quelques jours après, meurt d'une morsure de vipère. Orphée, pour sauver son amour, descend aux Enfers et joue de la lyre pour charmer le chien Cerbère. La roue d'Ixion ne tournait plus. Les visages des Furies, déesses du macabre et de l'épouvante, se couvrent de larmes et Orphée chante et joue de la lyre pour redonner vie à Eurydice. « Il fit couler des larmes de fer au long des joues de Pluton et l'Enfer accorda ce qu'implorait l'Amour, redonner vie à Eurydice. »

Le charme de la voix, l'importance des mots, la musique de la lyre traduisent dans la mythologie grecque le sacré dans ce qu'il a de plus profond : la vie et la vibration de la voix.

L'écho intrigue les Grecs. Ce son qui se réfléchit sur une paroi soit une seule fois, soit une vingtaine de fois, est étrange. Les montagnes parlent ! Écho, femme de Narcisse, n'a pas le charisme vocal et musical d'Orphée. Pourtant sa voix envoûtante hypnotise sa mère Héra qui ne peut donc pas se rendre compte que Zeus a une maîtresse. Héra est folle de colère. Écho, victime du charme de sa voix, subit la fureur de l'épouse de Zeus. Le sort en est jeté : « Jamais plus tu ne parleras la première, mais tu auras toujours le dernier mot, celui qu'aura prononcé ton interlocuteur, que tu lui répéteras à l'infini. » Désormais, Écho n'a plus sa propre pensée verbale. Elle est la copie des autres. Sa voix est la répétition de ce que dit l'autre. Devenue le miroir de la voix, elle n'existe plus car elle ne crée plus. Narcisse succombe dans le miroir des apparences, Écho dans le miroir des vibrations.

Zeus, le dieu qui a la voix la plus puissante, est maître de toutes les voix. C'est la voix de l'autorité. Sa parole est *muthos*, voix qui détient la parole publique, par comparaison à *epos*, voix socialement moins influente. Il demande à Héphaïstos de pétrir l'eau et la terre pour faire naître Pandore. Une voix humaine lui sera insufflée par les dieux. Avec Platon, la voix a une origine naturaliste, pour Épicure, le langage naturel est d'emblée articulé avec un sens des mots et des phrases. Il en va de même pour Diogène. Pour les Grecs, la voix est un élément physique, provenant du cœur et qui représente la pensée. Elle est le seul moyen de communication entre les dieux et les êtres humains mais elle n'a pas été créée par les dieux. Elle n'a aucun support corporel, aucun obstacle physique. Son origine impose deux courants différents : comme dans toute chose, il lui faut son contraire, l'enfer et le paradis, la nuit et le jour. La voix a une origine démoniaque car elle porte des coups dans l'air que nous respirons, et une origine divine car elle est impalpable et communicatrice.

La voix est tout particulièrement influente lors des oracles. L'oracle Sibylle présage de l'importance de la voix divine. Il semblerait que les prophéties qu'elle clamait étaient un flux ininterrompu de mots et de phrases dans un registre très aigu. Ce flot vocalique vient du larynx. Il est compréhensible. Il peut charmer. La Sibylle semblait avoir un chant polyphonique puisqu'on la décrit avec de nombreux langages dans la même voix, des sons multiples avec des échos dans la même bouche.

Les sorciers et les magiciens de l'époque s'imposent, lors d'incantations, une règle phonatoire impressionnante. Ils doivent reconstituer les bruits, les sons, imiter l'existence de certaines divinités. Ils apprennent à manipuler leurs caisses de résonance. Ils doivent donner l'impression que la voix s'approche ou s'éloigne des dieux. Ils sont ventriloques et diphoniques. Leur voix doit permettre d'envoûter l'âme de celui qui l'écoute. Ils répètent le *s* pour invoquer Éros, le *e* pour Psychée. Et il est dit : « Prends une pierre magnétique que tu graveras Aphrodite, Psychée et Éros, accompagnée des voix magiques. Et au revers, grave Psychée et Éros qui s'embrassent avec leurs sons. Quand la pierre a été gravée et consacrée, pose-la sous ta langue, tourne-la et prononce l'incantation. » Ainsi, ce magicien doit reproduire l'animal, le souffle, la voix humaine. Il permet le dialogue avec les dieux, il chante avec les hommes, il est le lien entre la divinité et l'homme par le biais de la voix. La voix, élément essentiel de l'homme, qu'elle soit intérieure ou extérieure, est le support des prières.

L'étrange et les chants diphoniques

Le chant tibétain

Les chants diphoniques des moines du Tibet donnent le sentiment de l'étrange. Un matin de février 1987, le scientifique et artiste Trân Quang Hai et son épouse Bach Yên's qui chante également me téléphonent pour essayer de comprendre la mécanique interne des chants diphoniques. Nous avions fait connaissance à la Royal Academy de Londres quelques mois auparavant. L'homme m'avait fortement impressionné par sa technique et son sens artistique. Il avait publié ses conclusions sur le chant tibétain et avait chanté en chant diphonique. Ce chercheur travaille depuis 1968 au département d'ethnomusicologie du musée de l'Homme à Paris. Ce samedi matin, nous sommes tous les deux pressés de regarder sa voix. Cette voix qui donne l'impression que plusieurs personnes chantent en même temps, que la voix ou devrais-je dire les voix viennent d'ailleurs. Elle est produite par l'association de deux sons : le bourdon ou son fondamental qui reste stable pendant toute l'expiration et le son harmonique qui varie, mais qui ne peut être qu'un harmonique du fondamental. La voix mélange le son de la guimbarde et celui de la flûte.

L'hymne à la joie

Je l'examine, je pourrais presque dire que Hai et moi l'examinons. En effet l'endovidéoscope nous permet de suivre la découverte du mystère du chant diphonique sur écran. Le fibroscope passe dans sa fosse nasale droite puis en arrière de la luette. Enfin le toit du larynx est là. Hai chante *L'Hymne à la joie* en voix normale. L'aspect de la cathédrale pharyngo-laryngée est habituel. Le voile du palais, la langue, le pharynx, les cordes vocales se mobilisent. Cependant la puissance du larynx évoque le ventriloque. Puis, il chante *L'Hymne à la joie* en voix diphonique sur le « é ». L'observation est stupéfiante. Les cordes vocales se contractent avec au-dessus d'elles les bandes ventriculaires ou fausses cordes vocales. Les articulations des cordes vocales (arythénoïdes) basculent légèrement en avant, masquant presque le ligament vocal. Mon fibroscope est 8 cm au-dessus des cordes vocales. Pour mieux piéger ce qu'il se passe, je suis obligé de plonger mon fibroscope dans l'édifice vocal jusqu'à 5 mm des cordes vocales et des arythénoïdes. La maîtrise du chant de Hai m'aide beaucoup. Nous observons la vibration cordale. Ce ne sont donc pas les bandes ventriculaires qui vibrent mais les cordes vocales elles-mêmes, contrairement à de nombreuses idées reçues. Je remonte doucement le fibroscope à la hauteur de la langue et de la luette.

Il rechante le même morceau toujours sur le « é ». On retrouve sans aucun doute les mêmes conformations et déformations de la langue, du voile du palais, que l'on avait observées chez le ventriloque, mais uniquement de bas en haut et d'avant en arrière, et pas du tout latéralement puisqu'il ne prononce pas de syllabes. La langue vient pratiquement effleurer le voile du palais sans le toucher. Elle fait le « gros dos » et se mobilise en fonction de la note émise en créant une double caisse de résonance. Trân Quang Hai objective au spectrographe l'équivalent de deux sons fondamentaux, alors que vous et moi n'en avons qu'un seul.

Ces chants se définissent comme diphoniques, biformantiques ou diplophoniques. Le bourdon est le premier son fondamental (de la première caisse de résonance). Il est en quelque sorte la structure de base du second. Le bourdon maintenu constant avec la même fréquence, la même puissance, sur la même expiration, permet à la mélodie de s'installer. Cette mélodie, avec le deuxième son fondamental, dépend du précédent. Cette voix, produite au niveau des cordes vocales, entraîne d'emblée l'existence de deux harmoniques. Cette technique est depuis longtemps au service de la philosophie bouddhique. Elle se veut instrument de l'immanence. Nous sommes bien loin de notre civilisation européenne, souvent orientée vers la transcendance. Les moines tibétains ne sont pas seuls à pratiquer cette singularité vocale, on la retrouve entre autres chez certains Mongols, les Touva. Touva, pays situé au fin fond de la Russie, avec sa capitale Kyzyl, est de nos jours considérée comme la capitale des chants diphoniques.

Le religieux

Dans différentes religions, la voix est porteuse du message divin, et quelles que soient les croyances : du bouddhisme à l'islam, du christianisme au judaïsme. Support de la prière, le timbre de voix du prêcheur va galvaniser ses fidèles. Il s'adresse au croyant c'est l'individuel qui s'adresse au collectif. Il crée une atmosphère unique par la communion des harmoniques vibratoires qu'il déclenche.

Si les voix peuvent être insolites ou sacrées, elles portent le message de la vibration de l'être de génération en génération. De nos jours, si le mécanisme est bien connu, sa source reste toujours un mystère.

Voix et séduction

Est-ce la voix qui est au service de la séduction ou la séduction au service de la voix ?

Le bruit d'une brise dans les feuillages peut vous séduire. La voix a un pouvoir de séduction insoupçonné. Que ce soit l'homme ou la femme, son timbre, ses harmoniques font partie intégrante de sa personnalité. Une voix grave peut être une voix de femme. La musicalité et le choix des mots signent la voix féminine. Tout comme, à l'inverse, une voix aiguë peut être une voix masculine.

Je suis avocate à la criminelle : être bien dans sa voix comme on est bien dans sa peau

Un après-midi, vers 15 heures, en avril 1997, une femme habillée à la garçonne me consulte : blouson de cuir et pantalon noir, chemisier blanc, cheveux courts, quarante-sept ans, une forte personnalité. Dès le «Bonjour docteur », je remarque que la voix est très masculine. C'est la voix d'une fumeuse. Elle semble en parfaite harmonie avec sa personnalité : « Docteur, je suis avocate à la criminelle. J'ai une voix grave. On me prend souvent pour un mec. Je défends de nombreux voyous et je gagne pratiquement tous mes procès depuis plusieurs années. Mais ma voix ne me plaît plus. » Y a t-il conflit entre sa voix et son physique ? En effet, sa voix ne me surprend pas. Elle est en accord avec son apparence. Elle a du charme et l'on s'imagine tout à fait cette femme défendre ses clients en cour d'assises. Elle attend mon commentaire. « Certes, votre voix est grave, mais elle convient parfaitement bien à la femme que vous êtes ; est-ce la peur d'un cancer ou votre voix grave qui vous motive à consulter ? – Non, me répond-elle, mon timbre me gêne, je ne le sens plus. »

L'examen montre un œdème des cordes vocales ou pseudo-myxone. Ce gonflement est visible de chaque côté. Grâce à l'examen en stroboscopie, on peut pratiquement éliminer un cancer. En effet la muqueuse vibre sans blocage. Elle est jaunâtre, remplie de glu visible à travers l'épithélium, sans aucune plaque suspecte. Je rassure donc Me C. A. L'aspect des cordes vocales n'est pas étonnant, elle fume cinquante cigarettes par jour ! Et prend un petit verre de whisky tous les soirs. Elle est ancrée depuis des années dans ce monde du droit criminel. Elle sait désormais que si l'on pratique une intervention sur ses cordes vocales, c'est pour le timbre de sa voix et non pour la crainte d'un cancer. Elle me demande tout de même de l'opérer. Certes, c'est la seule solution pour récupérer quatre à cinq notes dans les aigus et faire disparaître cette voix masculine. Je ne suis pas d'accord, son allure s'harmonisait parfaitement à sa voix. Après quelques minutes de discussion, elle me confie qu'elle a rencontré il y a quelques semaines un petit ami, qui s'est permis de lui reprocher le timbre de sa voix, trop masculin. Malgré cela, je ne suis toujours pas d'accord. Il me semble que toucher à ce timbre vocal, c'est toucher à sa personnalité, à la séduction qui, malgré ce timbre, est restée féminine. Je la revois un mois plus tard. Elle plaide toujours pour se faire opérer. Je ne cède pas. Je lui demande d'arrêter de fumer, de faire des séances de rééducation vocale. Ces recommandations restent vaines. Têtue, comme vous pouvez le penser, elle n'en démord pas et désire une intervention.

Six mois plus tard, une femme entre dans mon cabinet, cheveux mi-longs, robe de mousseline beige, une voix claire et aiguë : « Bonjour docteur, comment allez-vous ? » J'avoue que, pendant les premières secondes, je ne reconnais pas cette patiente. Cette personne m'est familière mais je n'arrive pas à la resituer. Puis je réalise que c'est notre avocate, Me C. A., qui se présente avec une nouvelle voix. « Comment allez-vous maître ? » L'examen confirme que les cordes vocales ont bien cicatrisé.

Mais comment a-t-elle réellement vécu cette métamorphose vocale ? Après quelques minutes d'entretien, la réponse est terrible : « Quand je rêve, je rêve avec ma voix d'avant. Quand je plaide, je n'ai plus la verve, l'audace et la conviction que je me connaissais. Je suis fragile. Je n'ai plus de séduction avec ma voix. C'est moi qui suis sur la défensive. Je ne me reconnais plus dans ma voix, je ne me reconnais plus dans ma peau. J'ai l'impression d'être devenue schizophrène de la voix ! » Il y a dualité entre sa voix et sa personnalité. Puis elle ajoute : « Mon petit ami m'a laissé tomber trois mois après l'intervention. Il ne supportait plus ma nouvelle voix. J'ai arrêté de fumer, mon verre de whisky ne me dit plus rien. Et pis, me dit-elle comme si cela ne me suffisait pas, je perds tous mes procès. » Elle avait été opérée des cordes vocales par un de mes collègues. Mais si l'intervention pratiquée correspondait bien aux souhaits de Me C. A., en aucun cas cette nouvelle voix ne collait avec sa personnalité. « Maître, lui dis-je, sous surveillance, refumez 3 à 5 cigarettes par jour, ce qui permettra de reconstituer l'œdème de vos cordes vocales, et de vous redonner une voix grave. Vous serez de nouveau bien dans votre voix, comme on est bien dans sa peau. » Ce qu'elle fit. Je la revois régulièrement. Un an plus tard, ce jules en jupe me reconsulte, habillée de nouveau à la garçonne avec une voix plus timbrée, plus grave. On retrouve l'harmonie de sa personnalité, de sa voix et de sa séduction. Cela nous rappelle le charme d'actrices comme Lauren Bacall ou Simone Signoret.

Voix de femme, voix d'homme : la séduction est dans la musique de la voix et ses silences

Le timbre et la séduction sont intimement liés. Voix de femme, voix d'homme, les ingrédients sont multiples. Au XXe siècle, la séduction vocale se compose de la hauteur, de la résonance avec des harmoniques graves qui habillent les aigus chez la femme, mais également du rythme des silences. Cette voix féminine qui vous séduit, que ce soit celle de Marlène Dietrich, Delphine Seyrig ou Jeanne Moreau, est due à ces notes basses que vous entendez à peine et au souffle sensuel de l'émission vibratoire. Elles sont parfois secondaires à un œdème des cordes vocales, à un petit nodule ou excroissance qu'il ne faut surtout pas opérer. Cette fréquence singulière apporte le relief de ces voix sensuelles féminines. La façon de parler, de conduire son discours, d'agencer son vocabulaire, de l'habiller avec sa gestuelle corporelle est différente chez l'homme et la femme. On n'a jamais pris pour des hommes les actrices que nous venons de citer. Pourtant, si l'on regardait un spectre acoustique, on serait surpris. On en conclurait que ces fréquences sont masculines, que l'ondulation vibratoire est peu visible dans les aigus, que cette voix enrouée, voilée, est à la limite du pathologique.

Comme cela est réducteur ! Quelle musicalité vocale ces femmes transportent ! Ainsi, la personnalité enveloppe ce quelque chose dans notre voix. L'accentuation, l'intonation, le rythme vocal. La femme, mélodieuse, presque chantante, a une musicalité de la voix parlée bien différente de celle de l'homme. Pour lui, la voix est scandée, presque hachée. Les liaisons sont rares. La femme joue avec les voyelles, l'homme avec les points d'exclamation.

Une femme me consulte car sa voix est enrouée depuis des années, son timbre grave, légèrement plus depuis quelques mois. « Je suis enseignante, en fin de journée j'ai des difficultés à terminer les cours. Je fume vingt cigarettes par jour, mais des légères. » L'examen des cordes vocales, chez cette institutrice de quarante-deux ans, montre un œdème des cordes vocales non suspect et fréquent chez une fumeuse de cet ordre. « C'est tout ce que je voulais savoir, me dit-elle, je voulais être sûre de ne pas avoir un cancer. Ma voix grave, elle ne me gêne pas. J'en joue. Je fais des ronds de jambe avec ma voix. Les gens l'aiment bien. Je ne tiens pas à la changer. » Cette femme avait parfaitement compris que la féminité et la séduction n'étaient pas seulement dans la fréquence vocale mais également dans l'intonation.

Les langages émotionnels de la femme et de l'homme sont différents. La femme dit « je désire », l'homme dit « je veux ». Lui est décisionnel, elle, elle suggère. Une étude de l'université de Yale a montré que, dans ce domaine, la voix de l'homme se projette uniquement dans le cerveau gauche, cerveau de la raison, alors que la voix de la femme se projette dans les cerveaux gauche et droit, hémisphère de la raison et de l'émotion ainsi que dans le cerveau limbique, région cérébrale de la séduction. Ce qui n'est pas pour nous surprendre, dans ce monde occidental où l'homme est élevé dans une éducation pyramidale. Lui n'a pas le droit de pleurer. Élevé comme un soldat, un guerrier, il doit prendre des positions. Elle est équilibrée entre l'ordre et l'émotion. Elle a le droit d'afficher son affect sans pour autant être marginalisée.

Science et art vocal : pas toujours sur la même longueur d'onde

La voix parfaite : par rapport à quoi ?

La voix est liée à notre sexualité. Elle est un pouvoir incontestable de séduction. Cette communication vibratoire avec l'autre, si elle devient rauque ou trop métallique, éraillée ou éteinte, peut vous affaiblir et vous faire perdre confiance en vous. La voix parfaite n'existe pas. Il y a toujours un petit quelque chose dans le vibrato ou le *passagio* ou encore dans le timbre : c'est cela qui fait une voix sublime, sinon c'est celle d'un robot. C'est de l'imperfection vocale que naissent souvent le charme, la beauté et l'attraction d'une voix.

Séduire par sa voix, c'est créer un rayonnement qui vient de l'intérieur et qui fait vibrer l'autre. Cette voix vous rassure, vous conforte, vous galvanise. Vouloir comprendre le mystère de la séduction vocale, c'est rompre le secret de l'affectif vocal. Certes, nous avons aligné des chiffres, des explications scientifiques, médicales, acoustiques, mais heureusement, quelque part, ıl existe une vibration inaccessible, celle du charme. Dire d'un violon : c'est un stradivarius, ne signifie pas grand-chose si celui qui l'emploie n'est pas un virtuose comme Yehudi Menuhin ou Isaac Stern. Si comprendre le mécanisme vocal a été indispensable, tenter de dévoiler la séduction fait partie d'une autre galaxie.

La voix : cicatrices de la vie

Les cicatrices de la vie peuvent donner un charme à la voix mais, parfois, l'altérer. La voix n'est-elle pas notre bouclier vibratoire, impalpable par rapport aux agressions extérieures. Les différentes thérapeutiques que l'on peut proposer, dès lors, sont multiples. Que ce soit l'allopathie, la prise de vitamines, d'oligoéléments, de minéraux, ou l'orthophonie, elles vont aider à recouvrer notre voix. Cependant, parfois, il est nécessaire de pratiquer une microchirurgie des cordes vocales, qui est l'ultime recours contre une voix altérée invalidante qui complexe l'individu. Le phonochirurgien, le chirurgien de la voix, va toucher à quelque chose qui non seulement est mécanique, mais qui est aussi le plus profond de l'être : sa vibration harmonieuse. Dès lors, grâce à ces approches thérapeutiques diverses, le charme vocal est souvent recouvré, la personnalité de l'être reconquise.

Certains speakers, journalistes ou comédiens semblent parler de leur voix comme d'un outil de travail qui doit être réajusté, recalibré. Les cicatrices de la vie viennent façonner la voix de ces professionnels, apportent de façon dynamique une personnalité forte qui évolue avec le temps, avec le monde affectif. Il n'existe pas une Vénus ou un Apollon vocal, cela ne veut rien dire ! Certes, on peut tomber amoureux d'une voix et j'en connais qui m'ont demandé la voix de Delphine Seyrig, une voix plus grave ou plus aiguë, donnant l'impression qu'ils ne se supportaient plus sur le plan vibratoire. Parfois, ce peut être justifié lorsque c'est une voix bitonale, une voix de crécelle. Alors, effectivement, le phonochirurgien peut harmoniser cette voix avec le corps qui l'enveloppe. Mais ce cas de figure est rare. Ailleurs c'est un conflit intérieur qui peut être initiateur de forçage vocal et des conséquences qu'il entraîne.

Voix érotique et donjuanisme

La voix séduction peut être la voix érotique, soufflée, avec des consonances graves et des dissonances aiguës. La voix peut également hypnotiser, enjôler, troubler l'autre. Sa sensualité repose souvent sur des irrégularités vibratoires. La Lorelei, dans la culture germanique, était la voix qui envoûte, celle qui peut devenir mortelle. Le tribun, quant à lui, ne gouverne-t-il pas le collectif en faisant passer sa vibration individuelle sur la foule ?

Dans *Cyrano de Bergerac*, la complainte de Cyrano sous le balcon de Roxane a charmé l'harmonie vocale du conteur. Pourtant, Cyrano de Bergerac, séducteur verbal, n'était pas un don Juan de la voix. Sa vibration tout entière était au service de l'amour. Le donjuanisme vocal est une association de mots improbable. Car la voix vous trahit. Elle est le miroir de l'âme. Elle révèle la personnalité. Elle possède la lumière vive du soleil, qui sous un prisme, celui de votre moi, donnera les couleurs de l'arc-en-ciel dont la dominance est propre à chacun.

Si certains sont prêts à employer tous les moyens, y compris la chirurgie esthétique, la chirurgie de la voix peut détruire une personnalité quand elle ne tient pas compte de l'être tout entier, car être bien dans sa voix, comme on est bien dans sa peau, est essentiel pour la communication avec soi-même et avec les autres.

Certaines voix, avec l'âge, deviennent rassurantes, plus séduisantes, protectrices. D'autres ont parfois besoin de la complicité du professeur de chant, de l'orthophoniste ou du laryngologiste pour récupérer leur beauté et leur charme. Il est frappant d'observer de nos jours l'importance de la chirurgie esthétique : se refaire un visage à soixante ans et en paraître quarante dans le miroir, pourquoi pas ? Mais si la voix ne suit pas, si c'est un timbre âgé qui provient de ce visage rajeuni, le choc est terrible. La voix doit être prise en charge et traitée si nécessaire avec l'orthophonie ou un lifting des cordes vocales qui consistera à redonner le galbe de la corde qui a perdu son relief et sa tonicité, si cela est possible. Ce qui n'est pas toujours le cas.

La séduction et la science

Sexe et voix intimement liés depuis des millions d'années

Mais d'où vient cette séduction vocale, d'où vient notre excitation particulière à l'écoute d'une voix ? Comment, depuis des millénaires, se produit cette action pouvant nous amener à l'extase ?

Il faut remonter bien loin dans l'évolution de l'homme, dans l'évolution de la vie. Si deux voix de sexes opposés se croisent, elles se répondent, s'intéressent, se courtisent, se séduisent, parfois s'érotisent. Cette séduction passe par le chemin indispensable de l'acoustique. Ce peut être un message téléphonique, une voix radiophonique et là vous n'en êtes que le récepteur. Nous savons que la voix est sous la dépendance de la testostérone dans son impact de séduction. En effet, il est indispensable d'avoir 150 μg de testostérone pour conserver un désir sexuel chez la femme et un taux un peu plus élevé chez l'homme. Cette impact hormonal permet de conserver une voix de charme.

L'ancêtre de cette hormone est la phéromone. Les premiers organismes, au tout début de la vie sur Terre, vivaient sans oxygène. Ils trouvaient leur énergie en créant une lyse de l'oxygène sulfuré dans la mesure où aucun photon efficace ne pouvait apporter une énergie lumineuse spécifique. Il y a près de 3 milliards d'années, une révolution est née sur notre planète, quand les rayons de l'étoile Soleil sont devenus visibles. Ces photons permettent à la chlorophylle d'exister. Cette molécule est la source de notre planète bleue oxygénée. En effet, la chlorophylle va permettre l'existence de l'oxygène libre, du gaz carbonique et, ainsi, la régulation dans le monde du vivant de l'oxydoréduction. Le phénomène est simple. La chlorophylle capte les photons solaires, notamment les unités photoniques bleues et rouges, et les transforme en molécules qui édifient notre monde vivant. Le vert, couleur de la chlorophylle, fait de notre planète la planète bleue. L'oxygène ainsi libéré est source d'une nouvelle forme de vie et également d'une nouvelle forme de mort par la possibilité de formation de molécules instables, les radicaux libres, lesquels détruisent la membrane cellulaire et entraînent l'apoptose, ou anéantissement cellulaire.

Il faut attendre prés de 2,5 milliards d'années pour voir l'oxygène circuler librement sur notre planète avec une stabilité convenable pour les animaux que nous connaissons. L'évolution suit son cours. Des cellules sans noyau évoluent vers des cellules nuclées. On voit apparaître une bactérie particulière, essentielle à la survie des animaux, essentielle à la vie de l'homme. Cette bactérie vient séduire les autres cellules pour se mettre en osmose avec elles. Elle leur apporte un système respiratoire hors pair. C'est une usine énergétique exceptionnelle. C'est la cyanobactérie, qui devient la mitochondrie. En symbiose avec son hôte cellulaire, une survie mutuelle s'installe. Cette première étape est suivie d'une autre, indispensable à l'évolution, qui est la cellule sexuée. La séduction fait son apparition.

Molécules et sexe

La phéromone, molécule à 15 atomes de carbone, molécule de l'attraction entre les êtres, experte en séduction, existe depuis plusieurs millions d'années. En effet, l'ancêtre de la phéromone est l'acide mévalonique : molécule à 6 atomes de carbone qui se stabilise en isoprène ou acide à 5 atomes de carbone. Selon Claude Gudin, à partir de cette molécule originelle se construisit l'hormone de l'attraction, la phéromone. Mais, également, les hormones sexuées, testostérone, œstrogène et progestérone ; ainsi que les molécules faisant appel au parfum ou à la nourriture que sont les caroténoïdes.

L'insecte (il en existe près de 400 000 espèces) est le numéro 1 de notre monde vivant. Il est presque aussi nombreux que les espèces végétales de notre planète. Il existe seulement 30 000 espèces de poissons. Dans cette multitude d'enveloppes physiques de l'ADN, dans ce monde où aujourd'hui on parle de clonage, n'oublions pas que le charme est dans la différence et la sexualité. Imaginez-vous cloner une voix, ce serait la fin de l'ère de la séduction et de la sensualité vocale. L'histoire de l'évolution de l'humanité le montre. La parthénogenèse conduit à des clones viables qui seraient mille fois plus importants qu'une population sexuée. Mais l'uniformité interdit toute évolution. 95 % du monde animal a choisi d'être sexué et ce n'est pas par hasard. C'est le seul et unique moyen, mis à part la mutation, de créer un individu légèrement différent des cellules mères. Cette différence est secondaire au mélange des gènes. Cet accouplement génique est déterminant. Il a permis la création de l'homme.

Sexe et évolution de la voix

Prenons l'exemple de la séduction chez les oiseaux. La vision des couleurs est importante. Ils possèdent cinq cônes de couleur, dont l'ultraviolet que nous n'avons pas, mis à part les rapaces qui, eux, voient en noir et blanc. L'homme a trois types de cônes : le rouge, le vert, le bleu. Cela nous permet de discerner les couleurs de l'arc-en-ciel, mais nous ne percevons pas les ultraviolets ni les infrarouges. L'homme est moins sensible que la femme à certaines couleurs. La raison est simple. Le chromosome X possède les gènes du rouge et du vert. La femme, étant XX, est plus perfectible dans la sensibilité de ces couleurs donc plus sensible à certaines harmonies. L'oiseau chanteur est obligatoirement, de par son chant, sexué. Il existe près de 8 500 espèces d'oiseaux, dont moins de la moitié sont des oiseaux chanteurs. Sa mélodie est sensuelle pour la femelle. C'est le mâle qui est chanteur, exceptionnellement la femelle. Un expérience a été faite chez le diamant mandarin où, après injection de testostérone, la femelle se mettait à chanter.

Très étonnante est l'approche de Robert Agathe. Ce scientifique de l'université de Californie a observé que certains diamants mandarins étaient gynandromorphes, c'est-à-dire mâles et femelles à la fois. Cet oiseau possède l'hémicorps droit mâle, l'hémicorps gauche femelle. D'un côté il a un testicule, de l'autre, un ovaire... Il chante de façon impressionnante. Sa puissance est supérieur, son registre plus large que le « mâle mâle ». Sa région cérébrale droite est plus développée que la gauche Elle correspond à l'hémicorps mâle. Le chant dépend donc des hormones mâles chez l'oiseau, hormones de la séduction vibratoire proches des phéromones.

Le chant de l'oiseau mâle fait succomber la femelle. C'est le véhicule de sa séduction, le véhicule de sa sexualité. Dans le cas d'une femelle malentendante, d'un mâle qui ne sait plus chanter, la reproduction n'est plus possible, sa lignée disparaît.

Dans un autre registre, la baleine à bosse ou baleine Caruso, qui chante des heures durant pour séduire la femelle. Ces chants sont superbes. Cette mélodie présente de nombreuses phrases musicales identifiables, élaborées, construites dans une suite logique fréquentielle. Changer cette suite d'harmoniques serait anéantir la communication sexuée de ces cétacés. Cet opéra des fonds marins dure des heures et se renouvelle régulièrement avant chaque accouplement, près des côtes du Canada, de Madagascar, ou de l'Argentine.

Séduire, c'est avoir quelqu'un à séduire : l'autre ou le public

Finalement, la groupie du pianiste c'est sans doute la séduction universelle de la voix humaine. Il existe une maturité pour la séduction vocale, comme il existe une maturité sexuelle. Mais si vous pouvez modifier votre corps, votre visage, votre attitude, vous ne pouvez pas modifier votre voix. Elle est partie intégrante de votre personnalité présente, de l'expression du vivant, de l'être qui va séduire. Cette approche de la voix est de plus en plus actuelle. C'est sans doute parce que nos civilisations s'essoufflent. Elles cherchent une couleur vraie, naturelle, loin des artifices. La recherche de sa propre vibration, de la vibration de l'autre, est tout simplement la recherche de l'harmonie vraie, qui semble de plus en plus difficile d'accès.

La séduction ne conduit pas nécessairement à l'accouplement ou à la reproduction mais toujours à une certaine forme de plaisir, à une préextase. Séduire c'est avoir quelqu'un à séduire, c'est désirer séduire, mais c'est aussi, souvent, avoir la permission de l'autre qui ouvre le chemin à cette séduction.

Dans ce signal émetteur/récepteur, le véhicule est la voix humaine. Cette voix est également elle-même séduction de par sa vibration. Ces vibrations déclenchent, sollicitent certains stimuli. Des phéromones, voire des sécrétions d'hormones sexuelles. Ne vous est-il pas arrivé d'être sinon envoûté du moins charmé par des voix radiophoniques ?

Émotion et séduction sont liées. L'émotion créée par la voix, par l'écoute d'un opéra, par la vue d'une sculpture ou d'un tableau provoque à son tour une réaction chez l'autre. Cette réaction végétative de notre cerveau reptilien puis émotionnelle dans notre cerveau limbique. Cette particule émotionnelle de l'individu qu'est la vibration vocale suffit souvent à déclencher une déferlante passionnelle de notre imaginaire.

Réduire la voix humaine, son charme, sa personnalité aux gènes de la parole, aux neurotransmetteurs, à l'articulé bucco-pharyngé, aux cordes vocales, à l'aire de Broca ou de Wernicke dans notre hémisphère gauche cérébral, c'est décrire une peinture et ses couleurs en donnant la longueur d'onde du rouge, du vert ou du bleu, sans avoir saisi l'harmonie de la création. C'est dire de Rodin qui sculpte ou de Michel-Ange qui déshabille le marbre pour y retrouver Moïse et qu'ils ne sont que de bons techniciens. La création est heureusement sincère et non reproductible. La créativité de l'artiste, si elle nécessite dans les prestations de Molière, dans les phrases musicales de Verdi, une technique vocale et une anatomie indiscutables, est entre la beauté et la séduction, l'érotisme et l'extase, la science et l'art.

La voix n'est-elle pas la présence du passé ?

Les forces de la voix

Après le long voyage que nous venons de parcourir sur le vaisseau de la voix humaine, si certaines questions restent sans réponse, de nombreuses énigmes ont accepté de révéler leur mystère.

La flèche du temps nous a conduits de la cellule à l'*Homo-sapiens,* puis à l'*Homo vocalis.* Son outil majeur est la voix, son agilité est exceptionnelle. Celle-ci est le véhicule de sa pensée et de ses rêves. Mais cette merveilleuse machine mécanique et émotionnelle est-elle arrivée au bout de son parcours ?

En effet, depuis quelques dizaines de milliers d'années, elle plafonne. Le cerveau, sous-utilisé, ne semble pourtant qu'aux prémices de son développement. Cette galaxie cérébrale est une impressionnante formation de nébuleuses, dont l'élément de communication reste sans aucun doute la voix à la fois innée et acquise, propre à chacun.

Cette voix va-t-elle encore évoluer ? Le langage sera-t-il de plus en plus symbolique, de plus en plus abstrait ? La télépathie restera-t-elle une légende ?

Aujourd'hui, six milliards d'*Homo vocalis* ont chacun leur propre vibration, leur propre voix, leur propre empreinte. Les voix témoignent des cicatrices de la vie et sont aussi différentes que les grains de sable dans l'océan. Elles révèlent notre pensée et dévoilent notre sexualité. Elles prennent des rides, et affirment la personnalité. De cette vibration, les professionnels de la voix ont fait leur instrument. L'artiste lyrique, le chanteur de variétés ou le comédien s'accomplissent en elle et avec elle. L'interprète de la voix se donne au collectif dans la création de l'œuvre.

Cette œuvre n'existe que dans le présent et se dispense dans l'espace-temps. En effet, tout en étant impalpable, cette vibration imprime son existence dans l'espace.

La voix est l'un des chemins de l'esprit et de l'imaginaire de chacun. Comme une plume de la pensée, elle est l'expression de notre moi à la fois dans son immanence et sa transcendance.

La voix par sa marque dans l'espace nourrit la mémoire de l'Univers.

Remerciements

La conception de ce voyage a commencé au début des années 2000. La rencontre des autres, la charge émotionnelle que la voix représente, les dernières découvertes scientifiques sur la mécanique vibratoire de l'homme ont permis l'écriture de cet ouvrage. Cette alchimie entre la cellule familiale, les amis, les artistes, les musiciens, les patients et la science en est la source créatrice.

Je voudrais remercier ceux qui ont vu naître et se développer cette passion :

Ma femme, Béatrice, qui a partagé avec amour et heure par heure ma passion.

Mon fils, Patrick, qui a su me conseiller filialement et professionnellement avec pertinence et beaucoup d'affection ; sa femme, Elsa, dont les conseils ont toujours été justes et sincères, et mon petit-fils, Sacha, dont les premiers mots ont enrichi mon inspiration.

Ma fille, Delphine, dont la tendresse, la patience, la compréhension et l'écoute attentive m'ont été précieuses.

Mes parents, Charles et Lise.

Mamie Hélène,

Ma sœur Betty, et ses enfants, Thierry et Candice,

Ma sœur Caroline, artiste photographe, qui regarde le présent.

Pendant près de deux ans, l'imaginaire de ce récit m'a accaparé, je dirais presque kidnappé hors de la cellule familiale. Pourtant, son soutien n'a jamais manqué à l'appel dans les moments difficiles de l'écriture avec une critique objective, percutante et fructueuse.

Yves Gauguet, compagnon de ce long voyage, philosophe de l'affectif, m'a fait comprendre les limites entre l'art et la science, percevoir et intégrer ces quelques mots d'Albert Einstein : « La science n'est rien sans l'imaginaire. »

Le monde de la connaissance, de la science, des artistes me fut indispensable pour pouvoir pénétrer l'impalpable de la voix, son origine, sa personnalité. Je remercie tout particulièrement mes amis et collègues scientifiques. Le Dr Charly Presgurvic, médecin de campagne que j'ai remplacé au début de ma carrière et qui m'a permis de comprendre l'Homme au-delà de sa maladie, fut un grand ami et un mentor.

Je suis également très reconnaissant à mon cousin, le Pr Daniel Dayan, écrivain et sociologue, le Pr Philippe de Wailly, président de l'Académie des vétérinaires, aux Drs Albert Castro, Claude Timsit, au Pr R. T. Sataloff et M. Benninger, du fait de leurs conseils très appropriés, à Mady Mesplé, soprano et enseignante étonnante, à Francis Bardot, professeur de chant, à Sabine de La Brosse, journaliste médicale, ainsi qu'au Dr Jean-Jacques Maimaran, collaborateur et ami de longue date, et Valérie Prévost, ma secrétaire, pour son dévouement remarquable.

L'approche des vibrations de la voix et l'harmonie des mots m'ont mieux fait comprendre la face cachée de l'artiste.

Robert Hossein m'a fait vibrer plus d'une fois en l'écoutant diriger ses artistes, mimer ses personnages. Sa fougue, sa passion, il vous les transmet. Quand à sa voix, vous la connaissez ! Son charme vous séduit.

James Conlon, chef d'orchestre impressionnant, ne lit pas la musique, il la vit. Il ne dirige pas l'orchestre, il s'en sert comme d'une palette de peintre où chaque instrument est une couleur. Sa femme, Jennifer Conlon, soprano, a contribué à mes recherches scientifiques.

Cyprien Katzaris, pianiste, nous fait vivre Chopin, identifie ses doigts à son corps tout entier. Pour lui, il ne joue pas, il interprète : il fait de l'instrument une vibration émotionnelle.

Grâce à ses musiciens, j'ai pu ainsi appréhender la complexité entre l'émission vocale et la réception auditive : la voix humaine n'est-elle pas une synthèse instrumentale ? N'est-elle pas tout simplement la rencontre entre le rationnel et le chaos créant l'harmonie ?

Charles Aznavour, chanteur et poète, nous emmène dans son monde des harmoniques, du texte, de la puissance des mots. Les années, il ne les connaît pas ; les rides de la voix, ce n'est pas pour lui. Roberto Alagna est un ténor d'exception, dont l'empreinte vocale envoûte les foules. Levon Sayan, véritable soutien de ces artistes, sait les galvaniser.

Georges Mary m'a laissé entrevoir les coulisses de ce monde, où le clown qui rit est parfois bien triste, où l'artiste reste fragile sous les lumières des projecteurs.

Les ventriloques Christian Gabriel, Valentine Vox m'ont permis d'accéder au mystère des magiciens de la voix.

Ce qui fut remarquable dans la conception de ce livre, c'est l'engouement non seulement de mon entourage professionnel, mais également de mes amis proches. Ils m'ont stimulé au moment opportun, ils ont calmé mes fougues excessives. Je voudrais exprimer ici ma fidèle amitié et ma reconnaissance à Alain et Josette B., Bernard et Édith L., Alain et Roselyne C., Jean-Claude et Irène D., Sydney et Nicole O., Francis P., Franck H., David et Caroline C., et Nicolas B.

Je tiens également à remercier Nicole Lattès des Éditions Robert Laffont ainsi que Malcy Ozannat, dont les conseils m'ont été très précieux dans l'adaptation de mon langage parfois trop scientifique pour une meilleure compréhension de l'*Odyssée de la voix.*

Mes nombreux voyages m'ont conduit à regarder la voix de l'homme en fonction de ces cultures, de ses traditions, de son milieu social, de son environnement climatique. Par ailleurs, les multiples ouvrages scientifiques, anthropologiques, artistiques et musicaux m'ont transporté dans l'espace-temps de la voix humaine, de ses origines à nos jours.

À tous ceux qui ont été à mes côtés, et à tous ceux qui m'ont inspiré, à ces nombreux artistes, sculpteurs, peintres, chanteurs, comédiens et écrivains qui m'ont fait partager leur monde émotionnel d'une richesse infinie, où la science est un instrument, et non une fin... ou un début :

un grand merci !

Bibliographie

ABITBOL, Jean, *Atlas of Laser Voice Surgery*, Éd. Chapman & Hall Medical, 1995.

ABITBOL, Jean, *Les coulisses de la voix* (extrait de l'opéra *Norma*), Éd. Labor, 1994.

ADASHI ELI, Y., ROCK John A., ROSENWAKS Zev, *Reproductive Endocrinology, Surgery, and Technology* (vol. 1 et 2), Éd. Lippincott, Raven, 1966.

ALBY, Jean-Marc, ALÈS, Catherine, SANSOY, Patrick, *L'esprit des voix : études sur la fonction vocale*, Éd. La Pensée sauvage, 1990.

ALVAREZ, Luis, ALVAREZ, Walter, *Nature*, n° 404, p. 122-123, 9 mars 2000.

ANDREA, Mario, DIAS, Oscar, *Atlas of Rigid and Contact Endoscopy in Microlaryngeal Surgery*, Éd. Lippincott, Raven, 1995.

ANDREWS, Moya L., *Manual of Voice Treatment: Pediatrics Through Geriatric*, Éd. Singular Publishing Group, Inc., 1995.

ANNOSCIA, Giuseppe, *Universalia 2003. La politique, les connaissances, la culture en 2002*, Éd. Encyclopædia universalis France SA, 2003.

APPELMAN, Ralph D. *The science of Vocal Pedagogy: Theory and Application*, Éd. Indiana University Press, 1967.

ARONSON, Arnold E., *Les troubles clinique de la voix*, Éd. Masson, 1983.

ARTAUD, Antonin, *Le théâtre et son double*, Éd. Gallimard, 1964.

AUDOUZE, Jean, CASSE, Michel, CARRIÈRE, Jean-Claude, *Conversation sur l'invisible*, Éd. Plon, 1988.

AURIOL, Bernard, *La clef des sons : éléments de psychosonique*, Éd. Érès, 1994.

BADIR, Semir, PARRET, Herman, *Puissances de la voix*, Éd. Presses universitaires de Limoges, 2001.

BAGNOLI, Giorgio, *The « La Scala » Encyclopædia of The Opera*, Éd. Simon & Schuster, 1993.

BAKEN R. J., *Clinical Measurement of Speech and Voice*, Éd. College-Hill Press, 1987.

BARRAQUÉ, Philippe, *À la source du chant sacré : s'initier aux chants de la terre*, Éd. Diamantel, 1999.

BARTHÉLEMY, Yva, *La voix libérée*, Éd. Robert Laffont, 1984.

BASHEVIS SINGER, Isaac, *Le Golem*, Éd. du Seuil, 1997.

BATTA, Andras, *Opéra : compositeurs, œuvres, interprètes*, Éd. Könemann Verlagsgesellschaft mbH, 2000.

BEHLAU, Mara, *O Melhor que vi e Ouvi : actualizaçao em Laringe e Voz*, Éd. Revinter, 1998.

BENICHOU, Grégory, *Le chiffre de la vie : réconcilier la génétique et l'humanisme*, Éd. du Seuil, 2002.

BENNINGER, Michaël S., JACOBSON, Barbara H., JOHNSON, Alex F., *Vocal Arts Medicine : The Care and Prevention of Professional Voice Disorders*, Éd. Thieme Medical Publishers, Inc., 1994.

BERESNIAK, Daniel, *L'histoire étrange du Golem*, Éd. de la Maisnie, 1993.

BERGER, Natalia, *Jews and Medicine: Religion Culture, Science*, Éd. The Jewish Publication Society, 1995.

BERTON, H., *De la musique mécanique et de la musique philosophique*, Éd. Alexis Eymery, 1826.

BICKERTON, Derek, *Language and Species.*

BILLORET, Anne, *Traitements homéopathiques des maladies de la voix*, Éd. Maloine, 1989.

BLAKEMORE, Colin, GREENFIELD, Susan, *Mindwaves: Thoughts on Intelligence, Identity and Consciousness*, Éd. Basil Blackwell Ltd, 1987.

BLANCHARD, Roger, DE CANDE, Roland, *Dieux & divas de l'opéra : des origines au romantisme*, Éd. Plon, 1986.

BLANCHARD, Roger, DE CANDE, Roland, *Dieux & divas de l'opéra . de 1820 à 1950 : grandeur et décadence du bel canto*, Éd. Plon, 1987.

BLESS, Diane M., ABBS, James H., *Vocal Fold Physiology: Contemporary Research & Clinical Issues*, Éd. College-Hill Press, 1983.

BLIVET, Jean-Pierre, *Les voies du chant – Traité de technique vocale*, Éd. Fayard, 1999.

BONFILS, Pierre, *Pathologie ORL et cervico-faciale : comprendre, agir, traiter*, Éd. Ellipses, 1996.

BOUVIER, René, *Farinelli : le chanteur des rois*, Éd. Albin Michel, 1943.

BRAHIC, André, *Enfants du soleil*, Éditions Odile Jacob, 2004.

BRAHIC, André et al., *La Plus Belle Histoire de la Terre*, Éditions du Seuil, 2004.

BRAHIC, André et al., *Planètes et satellites*, Éditions Vuilbert, 2001.

BRAHIC, André et al., *Les Comètes*, Éditions Puf, 1993.

BROCA, Paul, *Bulletin de la Société d'anatomie de Paris*, 1861, n° 36,

p. 330-355, 18 avril 1861, publication à la Société d'anthropologie française de l'observation Tan.

BRODNITZ, Friedrich S., *Keep Your Voice Healthy*, Éd. Little, Brown and Company (Inc.), 1988.

BROWN, W. S., VINSON, B. P., CRARY, M. A., *Organic Voice Disorders: Assessment and Treatment*, Éd. Singular Publishing Group, Inc., 1996.

BRUNEL, Pierre, WOLFF, Stéphane, *L'opéra*, Éd. Bordas, 1980.

BRYSON, Bill, *A Short History of Nearly Everything*, Éd. Doubleday, 2003.

BUNCH, Meribeth, *Dynamics of The Singing Voice (Disorders of Human Communication)*, Éd. Springer-Verlag/Wien, 1982.

BUSTANY, P., *Le langage dans « Art-langage-cerveau »*, Éd. Factuel, p. 95-108, 2000.

CAMERON, A. G. W., BENZ, W., *The Origin of The Moon and the Single Impact Hypothesis. IV., Icarus,* n° 92, p. 204-216, 1991.

CANN, R. L., STONEKING, N., WILSON, A. C., *Mitochondrial DNA and Human Evolution, Nature*, n° 325, p. 31-36, 1987.

CAPUTO ROSEN, Deborah, SATALOFF, Robert Thayer, *Psychologuy of Voice Disorders*, Éd. Singular Publishing Group, Inc., 1997.

CARTER, Rita, *Mapping The Mind*, Phoenix Paperback, 1998.

CASANOVA, Nicole, *Germaine Lubin*, Éd. Flammarion, 1974.

CASTARÈDE, Marie-France, *La voix et ses sortilèges*, Éd. Les Belles Lettres, 1991.

CHANGEUX, Jean-Pierre, *Gènes et cultures : enveloppe génétique et variabilité culturelle*, Éd. Odile Jacob, 2003.

CHANGEUX, Jean-Pierre, *L'homme neuronal*, Éd. Arthème Fayard, 1983.

CHAUVIN, Bernadette et Rémy, *Le monde des oiseaux*, Éd. du Rocher, 1996.

CHOUARD, Claude-Henri, *L'oreille musicienne : les chemins de la musique de l'oreille au cerveau*, Éd. Gallimard, 2001.

CLAIR, Jean, *L'âme au corps : arts et sciences – 1793-1993*, Éd. RMN/Gallimard-Electa, 1993.

CLÉRICY DU COLLET, M., *La voix recouvrée par la rééducation des muscles du larynx*, Éd. Librairie Ch. Delagrave, 1899.

COHEN, Claudine, *La femme des origines*, Éd. Belin Herscher, 2003.

Colloque de la Fédération nationale des activités musicales, *La voix dans tous ses éclats*, 1985.

Colloque de Mouans-Sartoux, *Art – langage – cerveau : la dynamique de l'échange*, Éd. Factuel, 2001.

COLTON, Raymond H., CASPER, Janina K., *Understanding Voice Problems: a Physiological Perspective for Diagnosis and Treatment*, Éd. Williams and Wilkins, 1990.

CONNOR, Steven, *Dumbstruck: a Cultural History of Ventriloquism*, Éd. Oxford University Press, 2000.

CONSOLAZIO, *et al., Relationship Between Calcium in Sweat, Calcium Balance and Calcium Requirements, J. Nutr.,* n° 78, p. 78-88, 1962.

COOPER, Morton, *Stopf Committing Voice Suicide*, Éd. Morton Cooper, Ph. D., 1996.

COPPENS, Yves,et PELOT, Pierre, *Le rêve de Lucy*, Éd. du Seuil, 1990.

COPPENS, Yves, PICQ, Pascal, *Aux origines de l'humanité : De l'apparition de la vie à l'homme moderne*, Éd. Librairie Arthème Fayard, 2001.

COPPENS, Yves, PICQ, Pascal, *Aux origines de l'humanité : Le propre de l'homme*, Éd. Librairie Arthème Fayard, 2001.

CORNUT, Guy, *La mécanique respiratoire dans la parole et le chant, Cahiers d'audio-phonologie*, Éd. Presses universitaires de France, 1959.

CORNUT, G., *La voix*, « Que sais-je ? », Éd. Presses universitaires de France, 1983.

CYRULNIK, Boris, *Si les lions pouvaient parler*, Éd. Gallimard, 1999.

CYRULNIK, Boris, *Aux origines de l'humanité*, Éd. Fayard.

DAMASIO, Antonio R., *Spinoza avait raison : joie et tristesse : le cerveau de l'émotion*, Éd. Odile Jacob, 2003.

DARWIN, Charles, *L'origine des espèces au moyen de la sélection naturelle*, 1859.

DAVIES, Garfield, JAHN, Anthony J., *Care of The Professional Voice: a Management Guide for Singers, Actors and Professional Voice Users*, Éd. Butterworth-Heinemann, 1998.

DAVIS, Pamela J., FLETCHER, Neville H., *Vocal Fold physiology*, Éd. Singular Publishing Group, Inc., 1996.

DAWKINS, Richard, *The Selfish Genre*, Éd. Oxford University Press, 1989.

DEGROOT, Leslie J., *Endocrinology* (vol. 1, 2 et 3), Éd. W. B. Saunders Company, 1995.

DEWHURST-MADDOCK, Olivea, *La thérapie par les sons : l'autoguérison par la musique et l'expression vocale*, Éd. Le Courrier du livre, 1995.

DIAMOND, Jared, *Guns, Germ and Stells: The Fates of Human Society*, Éd. W. W. Norton & Company Ltd, 1997.

DIAMOND, Jared, *The Third Chimpanzee*, Éd. Harper Perennial, 1992.

DINOUART, abbé, *L'art de se taire*, Éd. Jérôme Millon, 1996.

DINVILLE, Claire, *Les troubles de la voix et leur rééducation*, Éd. Masson, 1978.

DULONG, Gustave, *Pauline Viardot : tragédienne lyrique*, Éd. Association des amis d'Ivan Tourgeniev, Pauline Viardot, Maria Malibran, 1987.

DUPON-TERSEN, Yves-R., *Prédominance du circuit cochléo-récurrentiel dans le dispositif de contrôle de la phonation*, Éd. Maloine, 1953.

DUPOUX, Emmanuel, *Les langages du cerveau*, Éd. Odile Jacob, 2002.

DUTOIT-MARCO, Marie-Louise, *Tout savoir sur la voix*, Éd. Pierre-Marcel Favre SA, 1985.

EDWARDS, Katie, ROSEN, Brian, *From The Beginning*, Éd. Paperback, avril 2004.

EINSTEIN, Albert, *Relativity: The Special and The General Theory*, Éd. Crown Trade Paperback, mai 1995.

EMIL-BEHNKE, Kate, *The Technique of Singing*, Éd. Williams and Norgate Ltd, 1945.

ENARD, W. *et al., Molecular Evolution of FOXP2, a Gene Involved in Speech and Language, Nature* n° 14, août 2002.

Encyclopædia universalis, La science au présent 2003, Éd. *Encyclopædia universalis* SA, 2003.

ESCHERNY (comte d'), *Fragments sur la musique, extraits des mélanges de littérature – Philosophie, politique, histoire et morale*, Éd. L'Huillier et Delaunay.

ESTIENNE, Françoise, *Je suis bien dans ma voix*, Éd. Office international de librairie, SA (Belgique), 1980.

EZANNO-LECOUTY, Catherine, *Les imitateurs, Patrick Sébastien, Patrick Burgel, comment font-ils ?* (mémoire pour le certificat de capacité d'orthophoniste), 1984.

FAIN-MAUREL M. A., *Biologie cellulaire I*, Éd. Bréal, 1986.

FAIRBANKS, David N. F., FUJITA, Shiro, IKEMATSU, Takenosuke, SIMMONS Blair S., *Snoring and Obstructive Sleep Apnea*, Éd. Raven Press, 1987.

FERLITO, Alfio, *Diseases of The Larynx*, Éd. Arnold, 2000.

FINK, Raymond B., *The Human Larynx: a Functional Study*, Éd. Raven Press, 1975.

FITZGERALD, M. J. T., FOLAN-CURRAN, Jean, *Neuro-anatomie clinique et neurosciences connexes*, Éd. Maloine, 2003.

FONAGY, Ivan, *La vive voix : essais de psycho-phonétique*, Éd. Payot, 1983.

FORD, Charles N., BLESS, Diana M., *Phonosurgery: Assessment and Surgical Management of Voice Disorders*, Éd. Raven Press, 1991.

FORD, Gillian, *Listening to Your Hormones*, Éd. Prima, 1996.

FOSSEY, Mathieu B. (de), *Les hormones*, Librairie Arthème Fayard, 1959.

FOURNIER, Édouard, *Physiologie de la voix et de la parole*, Éd. Adrien Delahaye, 1866.

FRACHET, Bruno *et al., La communication : modalités, technologies et symboles*, Éd. Arnette, 1991.

FRESNEL-ELBAZ, Élisabeth, *La voix*, Éd. du Rocher, 1997.

GAGNARD, Madeleine, *La voix dans la musique contemporaine et extra-européenne*, Éd. Van de Velde, 1987.

GAGO, N. *et al., Progesterone and The Oligo Dendroglial Lieage: Stage-Dependant Biosynthesis and Metabolism*, décembre n° 36-3, p. 295-308, 2001.

GALLIEN, Claude-Louis, *Homo : histoire plurienne d'un genre très singulier*, Éd. Presses universitaires de France, 2002.

GANDOLFI, Linda, GANDOLFI, René, *La maladie, le mythe et le symbole*, Éd. du Rocher, 2001.

GARCIA, Manuel, *Traité complet de l'art du chant*, Éd. Minkoff, 1985.

GARDINER, B., cité *in* Janvier, P., *Le divorce de l'oiseau et du crocodile, La Recherche*, n° 149, p. 1430-1434, 1983.

GARDNER, R. A., GARDNER, B. T., *Teaching Sign Language to a Chimpanzee, Science* n° 165, p. 664-672, 1969.

GESCHWIND, N. LEVITSKY, W., *Human Brain Left-Right Asymmetries in Temporal Speech Region, Science* n° 161, p. 186-187, juillet 1968.

GIBRAN, Khalil, *Le prophète*, Éd. Gallimard, 1992.

GILLIE-GUILBERT, Claire, FRITSCH, Lucienne, *L'épreuve optionnelle de musique*, Éd. Bordas-Pédagogie, 2003.

GILLIE-GUILBERT, Claire, FRITSCH, Lucienne, *Se former à l'enseignement musical : Approches didactique et pédagogique*, Éd. Armand-Colin & Masson, 1995.

GLEICK, James, *Chaos Making a New Science*, Éd. Penguin Books, 1987.

GOLDMAN, Joseph L., *The Principles and Practice of Rhinology*, Éd. Hardcover, 1987.

GOULD, Stephen Jay, *Ontogeny and Phylogeny*, Éd. The Belknap Press of Harvard University Press, 2002.

GOULD, Wilbur James, SATALOFF, Robert Thayer, SPIGEL, Joseph Richard, *Voice Surgery*, Éd. Mosby, 1993.

GOURRET, Jean, LABAYLE, Jean, *L'art du chant et la médecine vocale*, Éd. Roudid SA, 1984.

GRADY, Monica, *Search of Life*, Éd. Celia Coyne, 2001.

GRAIN, René, *Les bases physiologiques du chant*, Éd. Docteur Grain, 1950.

GRIAULE, Calamane G., *Ethnologie et langage chez les Dogons*, Éd. Gallimard, 1965.

Groupe de recherche et d'information sur la ménopause (GRIM), *La ménopause et l'ovaire*, Éd. Laboratoire Ciba-Geigy, Édimedica, 1996.

GUDIN, Claude, *Une histoire naturelle de la séduction*, Éd. du Seuil, 2003.

GUILBERT, Yvette, *L'art de chanter une chanson*, Éd. Bernard Grasset, 1928.

GUIRAUD-CALADOU, Jean-Marie, *Musicothérapie : paroles des maux – Réflexions critiques*, Éd. Van de Velde, 1983.

HAECKEL, Ernst, *Histoire naturelle de la création*, 1868.

HAGÈGE, Jean-Claude, *Le pouvoir de séduire*, Éd. Odile Jacob, 2003.

HALLÉ *et al., Phonetic vs. Phonological Infuences on French Listeners' Perception of American English Approximants, Journal of Phonetics* n° 27, p. 280-306, 1999.

HAMONIC, P., SCHVARTZ, E., *Manuel du chanteur et du professeur de chant*, Éd. Librairie Fischbacher, 1888.

HASBROUCK, Jon M., KENEVAN, Robert, *Speech Physiology for The Head and Neck Surgeon*, Ed. American Academy of Otoryngology, Head and Neck Surgery Foundation, Inc., 1991.

HASLETT, C., CHILVERS, E. R., HUNTER, J. A. A., BOON, N. A., *Médecine interne : principes et pratique*, Éd. Maloine, 2000.

HAWKING, Stephen, *A Brief History of Time: From The Big Band to Black Holes*, Éd. Bantam Books, 1988.

HÉDON, Bernard, MADELENAT, Patrick, MILLIEZ, Jacques, PROUST, Alain, *La femme, le gynécologue, les religions*, GREF, 1995.

HELM, MacKinley, *Angel Mo and Her Son, Roland Hayes*, Éd. Little Brown and Company in association with the Atlantic Monthly Press, 1942.

HEUILLET-MARTIN, Geneviève, GARSON-BAVARD, Hélène, LEGRE, Anne, *Une voix pour tous : La voix normale et comment l'optimiser* (tome 1), Solal Éditeur (2e édition), 1997.

HINES, Jerome, *Great singers on great singing*, Éd. Limelight, 1984.

HIRANO, M., *Disorders of Human Communication 5: Clinical Examination of Voice*, Éd. Springer-Verlag, Wien-New York, 1981.

HIRANO, Minoru, BLESS, Diana M., *Videostroboscopic Examination of The Larynx*, Éd. Singular Publishing Group, Inc., 1993.

HOPPENOT, Dominique, *Le violon intérieur*, Éd. Van de Velde, 1981.

HOUDE, Olivier *et al.*, *Access to Deductive Logic Depends on a Right Ventromedial Prefrontal Area Devoted to Emotion and Feeling, Neuro-Image* n° 14, p. 1486-1492, 2001.

HOUDE, Oliver, MAZOYER, Bernard, TZOURIO-Mazoyer, Nathalie, *Cerveau et psychologie*, Éd. Presses universitaires de France, 2002.

HOWARD, Walter, AURAS, Irmgard, *Musique et sexualité*, Éd. Presses universitaires de France, 1957.

ISRAËL, Lucien, *Cerveau droit, cerveau gauche : cultures et civilisations*, Éd. Plon, 1995.

ISSHIKI, Nobuhiko, *Phono-surgery: theory and practice*, Éd. Springer-Verlag, Tokyo, 1989.

ITARD, Jean, *Mémoire et rapport sur Victor de l'Aveyron*, 1806.

JACQUARD, Albert, *La légende de la vie*, Éd. Flammation, 1992.

JOHANSON, Donald, *Lucy, The Beginning of Human Kind*, Oxford University Press, 1996.

JORDAN, Bertrand, *Voyage autour du génome : le tour du monde en 80 labos*, Éd. Inserm John Libbey Eurotext, 1993.

KAJAL, Y., *Histologie du système nerveux de l'homme et des vertébrés*, Paris, Éd. Maloine, 1909.

KANSAKU, Kenji *et al., Sex Differences in Lateralization Revealed in The Posterior Languages Areas, Cerebral Cortex*, p. 866-872, 2000.

KAPLAN, Francis, *Des singes et des hommes : la frontière du langage*, Éd. Fayard, 2001.

KAPLAN, Francis, *L'irréalité du temps et de l'espace*, Éd. du Cerf, 2004.

KAPLAN, Francis, *Le paradoxe de la vie*, Éd. de La Découverte, 1995.

KENT, Raymond D., *The Speech Sciences*, Éd. Singular Publishing Group Inc., 1997.

KERDILES, Chantal, *Je crie et vous ne m'entendez pas*, Éd. Alain Lefeuvre, 1981.

KEY, Pierre V., *Enrico Caruso*, Éd. Little, Brown and Company, 1922.

KIM *et al., Distinct Cortical Area Associated with Native and Second Languages, Nature* n° 388, p. 171-174, 1997.

KLEIN-DALLANT, Carine, *Les pathologies vocales chez l'enfant : rééducation orthopohnique*, Éd. Fédération nationale des orthophonistes, 1998.

KOESTENBAUM, Wayne, *The Queen's Throat – Opera Homosexuality and The Mistery of Desire*, Éd. Vintage Books, 1993.

KUTLER *et al., The Syllable's Role in The Segmentation of Stress Languages, Language and cognitive processes*, n° 12, p. 839-345, 1997.

LAI, Cecilia S. L., *A Forkhead-Domain Gene is Mutated in a Severe Speech and Language Disorder, Nature* n° 413, p. 519-523, 2001.

LAITMAN, Jeffrey T., *L'origine du langage articulé*, *La Recherche*, n° 181, vol. 17, p. 1164-1173, octobre 1986,.

LAITMAN, Jeffrey T. et al., *The basicranium of fossilhominids as an indicator of their upper respiratory systems*. Am. J., *Phys. Anthropol.* 51:15-34, 1979.

LA MADELEINE, Stephen (de), *Théories complètes du chant*, Éd. Arnauld de Vresse, 1864.

LAMPERT, H., *Zur Kenntnis des Platyrrhinenkehlkopfes*, Morphol. JB. 55 : 607-654, 1926.

LANGANEY, André, *La philosophie biologique*, Éd. Belin, 1999.

LATHAM, Michael C., *Human nutrition in the developing world*, FAO, Rome, 1997.

Le GRUSSE, Jean, WATIER, Bernadette, *Les vitamines*, Éd. Roche, 1993.

LE HUCHE, François, ALLALI, André, *La voix : anatomie et physiologie des organes de la voix et de la parole* (tome 1), Éd. Masson, 1984.

LEAKEY, M. D., *The Hominid Footprints : Introduction.* In M.D. Leakey and J.M. Harris (eds), Laetoli : *A Pliocene Site in Northern Tanzania*, Oxford, Clarendon Press, p. 490-496, 1987.

LEAN, Marc, GUYOT, *Les trois cerveaux*, Éd. Robert Laffont, 1990.

LECHEVALLIER, Bernard, *Le cerveau de Mozart*, Éd. Odile Jacob, 2003.

LEDERER, Jean, *Magnésium : Mythes et réalité*, Éd. Maloine, 1984.

LEE, John R. with Hopkins Virginia, *What Your Doctor May not Tell You*

About Menopause: The Breakthrough Book on Natural Progesterone, Éd. Warner Books, 1996.

LEGOUVE, Ernest, *Soixante ans de souvenirs*, Éd. J. Hetzel et Cie, 1888.

LEROI-GOURHAN, André, *Le geste et la parole : La mémoire et les rythmes*, Éd. Albin Michel, 1964.

LEROI-GOURHAN, André, *Le geste et la parole : Technique et langage*, Éd. Albin Michel, 1964.

LEVELT *et al., Models of World production, Trends in Cognitive Sciences*, n° 3, p. 223-232, 1999.

LEWIN, Roger, *L'évolution humaine*, Éd. du Seuil, 1991.

LOCQUIN, Marcel, *L'homme et son langage*, Éd. Arppam, 2000.

LOCQUIN, Marcel, *L'invention de l'humanité : petite histoire universelle de la planète, des techniques et des idées*, Éd. La Nuée bleue, 1995.

LOCQUIN, Marcel, *Quelle langue parlaient nos ancêtres préhistoriques ?* Éd. Albin Michel, 2002.

LORENZ, K., *Der Kumpan in der Umwelt des Vogels*, Der Artgenosse als auslosendes moment sozialer Verhaltensweisen. Journal fur Tierpsychologie 5 : 235-409, 1935.

LOUBIER, Jean-Marc, *Louis Jouvet : le patron*, Éd. Ramsay, 2001.

LOWE, Carl, *The Complete Vitamin Book: the up-to-date information you need for better nutrition and better headt*, Éd. Berkley, 1994.

MACKINLEY, Helm, *Angel MO' and Her Son, Roland Hayes*, Éd. Atlantic Monthly Press and Little, Brown and Company, Boston, 1942.

MALHERBE, Henry, *La passion de la Malibran*, Éd. Albin Michel, 1937.

MALSON, Lucien, *Les enfants sauvages*, suivi de *Mémoire et rapport sur Victor de l'Aveyron : mythe et réalité* / par Lucien Melson ; par Jean Itard. Union générale d'éditions, cop. 1964 (10/18 ; 157).

MAMY, Sylvie, *Les castrats*, « Que sais-je ? », Éd. Presses universitaires de France, 1998.

MARICHELLE, H., *La parole d'après le tracé du phonographe*; Éd. Librairie Ch. Delagrave, 1897.

MARTIN, R. P., *The Languages of Heroes Speech and Performance in The « Illiade »*, Ithaca et Londres, Cornell University Press, 1989.

MARTINOTY, Jean-Louis, *L'opéra imaginaire*, Éd. Messidor, 1991.

MCGUIRE *et al., Functional Anatomy of Verbal Self Monitoring, Brain*, n° 119, p. 101-111, 1996.

MEANO, Carlo, *The Human Voice in Speech and Song*, Charles C. Thomas, Publisher, 1967.

MENUHIN, Yehudi, *The Violin*, Éd. Flammarion, 2000.

MILLER, Richard, *The Odyssey of Orpheus: the Evolution of Solo Singing, Journal of Voice*, Lippincott Raven Publishers, 1996.

MOLIÈRE, *Le bourgeois gentilhomme*, Éd. Henri Gautier (Nouvelle Bibliothèque populaire).

MOLINIE, J. (Société française d'oto-rhino-laryngologie – Rapports du congrès de 1926), *Laryngologie et chant*, Éd. Presses universitaires de France, 1926.

MOORE, Grace, *You're Only Human Once*; Éd. Doubleday, Doran and Co., Inc., 1944.

MOREAUX, René (Société française d'oto-rhino-laryngologie – Rapports du Congrès de 1926), *Rapports de la laryngologie et du chant*, Éd. Presses universitaires de France, 1926.

MORTON, J., et FRITH, U., *What Lesson for Dyslexia from Down's Syndrome: Comments on cossu, Rossini et Marshall, Cognition*, n° 48, p. 289-296, 1993.

MOSHIZUKI, *The Identification of /R/ and /L/ in Natural and Sunthesized Speech, Journal of phonetics*, n° 9, p. 283-303, 1981.

MOUCHON, Jean-Pierre, *Enrico Caruso : l'homme et l'artiste*, thèse, 1977.

NACHTIGALL, Werner, *La nature réinventée*, Éd. Plon, 1987.

NAHON, Claude, *Le passant du temps ou le temps du passant*, Éd. La Bartavelle, 1998.

NAHON, Claude, *Quand la nuit se finit*, Éd. La Bartavelle, 1993.

NANQUETTE, Claude, *Les grands interprètes romantiques*, Éd. Arthème Fayard, 1982.

NEGUS, V. E., *The Comparative Anatomy and Physiology of The Larynx*, Éd. William Heinemann Medical Books Ltd, 1949.

NUNN, John F., *Ancient Egyptian Medicine*, Éd. John F. Nunn, 1996.

Nutrition Reviews, Knowledge in Nutrition, Éd. The Nutrition Foundation, 1984.

OHLA, A. E., KLISSOURAS, V., SULLIVAN, J. D. & SKORYNA, S. C., *Effect of exercise on concentration of elements in the serum*, J. Sports Med. 22, p. 414-425, 1982.

OJEMANN, G. *et al., Cortical Language Localization in Left Dominant Hemisphere: An Electrical Stimulation Mapping Investigation in 117 Patients, Journal of Neuro-Surgery*, n° 71, p. 316-326, 1989.

ORMEZZANO, Yves, *Le guide de la voix*, Éd. Odile Jacob, 2000.

OSTRANOER, Sheila, SCHROEDER, Lynn, *Les fantastiques facultés du cerveau*, Éd. Robert Laffont, 1979.

OSWAL, Vasant, REMACLE, Marc, *Lasers in Otorhinolarynology and Head and Neck Surgery*, Éd. Kugler Publications, 2002.

PARKER, Roger, *The Oxford Illustrated History of Opera*, Éd. Oxford University Press, 1994.

PENFIELD, W., RASMUSSEN, T., *The Cerebral Cortex of Man. A Clinical Study of Localization of Function*, New York, The Macmillian Company, 1950.

PERELLO, Jorge, *Morfología Fonoaudiológica, Cientifico-Médica*, Barcelona, España, 1978.

PERPERBERG, Irene Maxine, *The Alex Studies: Cognitive and Communicative Abilities of Grey Parrot*, Éd. Harvard University Press, 2002.
PERES, G., *Nutrition du sportif*, abrégé de médecine du sport, 8e éd., Masson, 2002.
PERKINS, William H., KENT, Raymond D., *Functional Anatomy of Speech, Language, and Hearing*, Éd. Little, Brown and Company (Inc.), 1987.
PICQ, Pascal, *Aux origines de l'homme : L'odyssée de l'espèce*, Éd. Tallandier, 1999.
PICQ, Pascal et al., *Berceaux de l'humanité : Des origines à l'âge de bronze*, Éditions Larousse, 2003.
PICQ, Pascal et al., *Au commencement était l'homme : De Toumaï à Cro-Magnon*, Éditions Odile Jacob, 2003.
PINKER, Steven, *Comment fonctionne l'esprit*, Éd. Odile Jacob, 2000.
PINKER, Steven, *L'instinct du langage*, Éd. Odile Jacob, 1999.
PINKER, Steven, *On the acquisition of grammatical morphemes, Journal of Child Language*, 8, p. 477-484, 1981.
POIZAT, Michel, *L'opéra ou le cri de l'ange*, Éd. Métailié, 2001.
PORTMANN, A., *Traité de zoologie* (tome 15), p. 185, Éd. Pierre Grasset, 1950.
PORTMANN, M., VERHULST, J., PARDES, P., DALLEAS, B., *La dysphonie*, Éd. Laboratoires du Dr E. Bouchara, 1979.
PREMACK, D., *Intelligence in Ape and Man*, Erlbaum Press, Hillsdale, 1976.
PRIGOGINE, Ilya, STENGERS, Isabelle, *La nouvelle alliance : métamorphose de la science*, Éd. Gallimard, 1979.
PRIGOGINE, Ilya, STENGERS, Isabelle, *Entre le temps et l'éternité*, Éd. Flammarion, 1988.
PROCTOR, Donald F., *Breathing, Speech, and Song*, Éd. Springer-Verlag/Wien, 1980.
RANDOM, Michel, *La tradition du vivant*, Éd. du Félin, 1985.
RASMUSSEN, Knud, *Nalunglaq, Netsilik Eskimo*, Rothenberg, 1972.
RASMUSSEN, T., MILNER, B., *The role of early left brain injury in determining lateralisation of cerebral speech functions, Annals of the New York Academy of Sciences*, n° 299, p. 355-369, 1977.
REBATET, Lucien, *Une histoire de la musique : des origines à nos jours*, Éd. Robert Laffont, 1969.
REEVES, Hubert, *L'heure de s'enivrer · l'univers a-t-il un sens ?*, Éd. du Seuil, 1986.
REEVES, Hubert, *Patience dans l'azur : l'évolution cosmique*, Éd. du Seuil, 1988.
RIDEL, Alice, *Le pouvoir de la voix*, Éd. B.A.M.I., 2000.
RIDEL, Alice, *Toi, qui auras vingt ans en l'an 2000*, Éd. B.A.M.I., 1992.

RIDLEY, Matt, *Genome: The Autobiography of a Species in 23 chapters*, Éd. Crown Trade Paperbacks, 2000.

RONDAL, Jean-Adolphe, *Le langage : de l'animal aux origines du langage humain*, Éd. Pierre Mardaga, 2000.

ROSSING, Thomas D., *The Science of Sound*, Éd. Addison-Wesley Publishing Company, Inc., 1990.

RUBIN, John S., SATALOFF, Robert T., KOROVIN, Gwen S., *Diagnosis and Treatment of Voice Disorders*, Éd. Delmar Learning, 2003.

SAPPHO, *Poèmes et fragments*, Éd. La Délirante, 1989.

SATALOFF, Robert T., *Professional Voice: The science and art of clinical care*, Éd. Raven Press, 1991.

SATALOFF, Robert Thayer, HAWKSHAW, Mary, *Chaos in Medicine: Source Readings*, Éd. Singular – Thomson Learning, 2001.

SAXON, Keith G., SCHNEIDER, Carole M., *Vocal Exercice Physiology*, Éd. Singular Publishing Group, Inc., 1995.

SCHNITZLER, John, *Klinische Atlas der Laryngologie*, Éd. Wilhelm Braumuler, 1895.

SEBILEAU, Pierre, TRUFFERT, Paul, *Le carrefour aéro-digestif : le larynx - le pharynx*, éd. Librairie Louis Arnette, 1924.

SEIKEL, Anthony J., KING, Douglas W., DRUMRIGHT, David G.,, *Anatomy and Physiology for Speech, Language, and Hearing*, Éd. Singular Publishing Group, Inc., 1997.

SAYWITZ, Bennett *et al., Sex Differences in The Functional Organization of The Brain for Language*, *Nature*, n° 373, p. 607-609, 1995.

SELDRAKE, Rupert, *The Presence of the Past; Morphic Resonance & the Habits of Nature*, Éd. Paperback.

SIBLEY, Charles G. et al., *Avian phylogeny reconstructed from comparisons of the genetic material, DNA*. In Patterson C. (ed.), *Molecules and morphology in evolution : conflict or compromise*, Cambridge University Press, London, pp. 95-121, 1987.

SIDPIS, J. *et al., Connective Interaction after Staged Callosal Section: Evidence for Transfer of Semantic Activation*, *Science*, n° 212, p. 344-346, 1981.

SINGH, Sadanand, SINGH, Kala S., *Phonetics: Principles and Practices*, Éd. University Park Press, 1982.

Société française de phoniatrie (*Bulletin d'audiophonologie*), Surdité de l'enfant - aphonie et dysphonies psychogènes, 1974.

SOULI, Sophia A., *Mythologie grecque*, Éd. Michalis Toubis SA, 1995.

SPEROFF, Léon, GLASS, Robert H., KASE, Nathan G., *Clinical Gynæcologic Endocrinology and Infertility* (5e éd.), Éd. Williams and Wilkins, 1994.

STANISKAVSKI, Constantin, *La formation de l'acteur*, Éd. Petite Bibliothèque Payot, 1998.

SULLIVAN, Jane, *The Natural Way PMS: A Comprehensive Guide To Effective Treatment*, Éd. Element, 1996.

SUNDBERG, Johan, *The Science of The Singing Voice*, Éd. Northern Illinois University Press, 1987.

TARNEAUD, Jean, *Laryngite chronique et laryngopathie*, Éd. Maloine, 1944.

TARNEAUD, Jean, *Le nodule de la corde vocale*, Éditions médicales Norbert Maloine, 1935.

TARNEAUD, Jean, *Rapports de la stomatologie et de la phoniatrie* (extrait de la *Revue odontologique*), 1942.

TARNEAUD, Jean, *Traité pratique de phonologie et de phoniatrie : la voix, la parole, le chant*, Éd. Maloine, 1941.

TARNEAUD, Jean, *Le chant, sa construction, sa destruction*, Éd. Maloine, 1946.

TARNEAUD, Jean, SEEMAN, Miloslav, *La voix et la parole : études cliniques et thérapeutiques*, Éd. Maloine, 1950.

TITZE, Ingo R., *Vocal Fold Physiology: Frontiers in Basic Science*, Éd. Singular Publishing Group, Inc., 1993.

TITZE, Ingo R., *Principles of Voice Production,* Éd. Prentice-Hall, Inc., 1994.

TITZE, Ingo R., SCHERER, Robert C., *Vocal Fold Physiology: Biomechanics, Acoustics and Phonatory Control*, Éd. The Denver Center for the Performing Arts, Inc., 1983.

TRAN QUANG, Hai, *Musiques du monde*, Éd. Fuzeau, 1993.

Transcript of The Eight Symposium Care of The Professional Voice, The Voice Foundation, Éd. Van L. Lawrence, M. D., juin 1979.

Transcript of The Twelfth Symposium Care of The Professional Voice, The Voice Foundation, Éd. Van L. Lawrence, M. D., juin 1983.

TRINH Xuan THUAN, *Le chaos et l'harmonie : la fabrication du réel*, Éd. Fayard, 1998.

TRINH XUAN THUAN, *La mélodie secrète : Et l'homme créa l'univers*, Éd. Gallimard, 1988.

TUCKER, Wallace and Karen, *The Dark Matter: Contemporary Sciences, Quest for The Mass, Hidden in our Universe*, Éd. William Morrow and Company, Inc., 1988.

TUCKER, Harvey, *The larynx*, Éd. Thieme Medical, 1993.

UZIEL, Alain, GUERRIER, Yves, *Physiologie des voies aéro-digestives supérieures*, Éd. Masson, 1983.

VALDARNINI, Umberto, *Bel canto*, Éd. Janus, 1956.

VANNIER, Henri, *L'homéopathie française*, Éd. G. Doin et Cie, 1980.

VAUCLAIR, J., *L'intelligence de l'animal*, « Point Sciences », Éd. du Seuil, 1999.

VERMEIL, Jean, *Le journal de l'opéra*, Éd. du Félin, 1995.

VINOD, Goel, *The seat of reason? An Imaging Study of Deductive and Inductive Reasoning*, *Rev. Neuroport*, n° 8, p. 1305-1310, 1997.

VOX, Valentine, *I Can See Your Lips Moving*, Plato Publishing in association with Players Press, Inc., 1993.

WAILLY, Philippe (de), *L'amateur des oiseaux de cage et de volière*, Éd. J.-B. Baillière et Fils, 1964.

WAILLY, Philippe (de), *Les preuves d'amour de nos animaux*, Éd. du Rocher, 2004.

WAILLY, Philippe (de), *Nos amis les animaux : perruches, perroquets et autres oiseaux parleurs*, Éd. Solar, 1994.

WARD, W.R. et al., *Origin of the Moon's orbital inclination from resonant disk interactions, Nature*, 403, 741-743, 2000.

WARREND, D. K., PATTERSON, D. K. et PEPPERBERG, I. M., *Mechanims of American English Vowel Production in a Gray Perrot*, *AUK*, n° 113, p. 41-58.

WERKER, J. TEES, R., *Cross-Language Speech Perception : Evidence for Perceptual Reorganization During the First Year of Life, Infant Behaviour and Development*, n° 7, p. 49-63, 1984.

WERNICKE, Carl, *Le complexe symptomatique de l'aphasie*, thèse de doctorat, 1874.

WICART, A., *Les puissances vocales : le chanteur* (tomes 1 et 2), Éd. Philippe Ortiz, 1931.

WILLIAMS, Peter L., *Gray's Anatomy*, Éd. Churchill Livingstone, 1995.

WYATT, Gertrud L., *La relation mère-enfant et l'acquisition du langage*, Éd. Dessart, 1969.

WYSS, Colette, *Ce que chanter veut dire : Initiation à l'art du chant*, Éditions musicales, 1961.

YITSHAK JESSURUM, Rav, *L'hébreu : la langue de la création : étude sur les 22 lettres hébraïques*, Éd. Centre d'études juives Ohel Torah (Marseille).

ZEMOIN, Willard R., *Speech and Hearing Science: Anatomy and Physiology*, Éd. Allyn & Bacon, 1998.

Table

Prologue : *L'Homo vocalis* 7

Aux sources de la voix 9
Évolution de la voix de l'homme 29
La voix fossile 42
La voix : un apprentissage 51
Cerveaupolis aux commandes de la voix 73
Le récepteur de la voix 110
Voix et langage 130
L'écriture de la voix : le langage et la pensée 160
Du descriptif à l'affectif 167
De l'affectif au virtuel 213
La voix sexuée 219
La voix vieillit-elle ? 247
Les blessures de la voix 254
Votre voix : un instrument vulnérable à protéger 276
La santé de la voix 302
La voix en scène 349
La voix chantée 372
Les castrats 419
Imitateurs : les contorsionnistes du larynx 433
Le ventriloque : magicien de la voix 440
Le perroquet imitateur ventriloque 463
Mythes et voix insolites 472
Voix et séduction 484
Les forces de la voix 496

Remerciements 499
Bibliographie 503

La photocomposition de cet ouvrage
a été réalisée par
GRAPHIC HAINAUT
59163 Condé-sur-l'Escaut

Achevé d'imprimer sur les presses de

BUSSIÈRE

GROUPE CPI

à Saint-Amand-Montrond (Cher)
en mars 2006

N° d'édition : 47060/07. — N° d'impression : 060877/4.
Dépôt légal : janvier 2005.

Imprimé en France